De erfenis van Grazia dei Rossi

Van Jacqueline Park verscheen
eveneens bij De Arbeiderspers:

Het geheime boek van Grazia dei Rossi

Jacqueline Park

De erfenis van Grazia dei Rossi

Roman

Vertaald door Janine van der Kooij

Uitgeverij De Arbeiderspers
Amsterdam

Deze vertaling is mede tot stand gekomen dankzij subsidie van het Canada
Council for the Arts

Omslagontwerp: Jan van Zomeren
Omslagillustratie: Image Select

ISBN 978 90 295 0371 6 / NUR 302

www.arbeiderspers.nl

Voor Heather Reisman

Inhoud

Het Huis van Osman

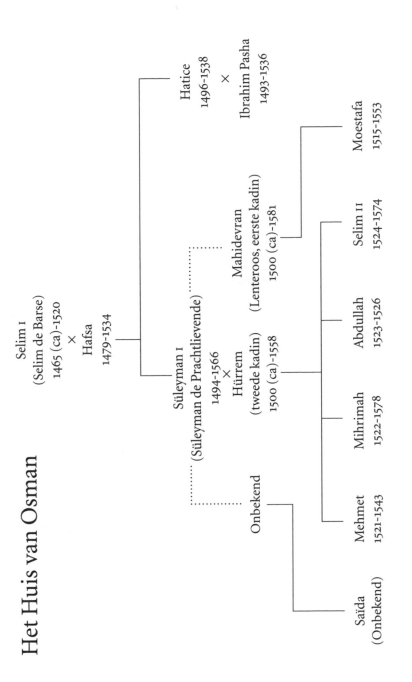

Selim I
(Selim de Barse)
1465 (ca)-1520
×
Hafsa
1479-1534

Hatice
1496-1538
×
Ibrahim Pasha
1493-1536

Süleyman I
(Süleyman de Prachtlievende)
1494-1566
×
Hürrem
(tweede kadin)
1500 (ca)-1558

Mahidevran
(Lenteroos, eerste kadin)
1500 (ca)-1581

Onbekend

Moestafa
1515-1553

Selim II
1524-1574

Abdullah
1523-1526

Mihrimah
1522-1578

Mehmet
1521-1543

Saïda
(Onbekend)

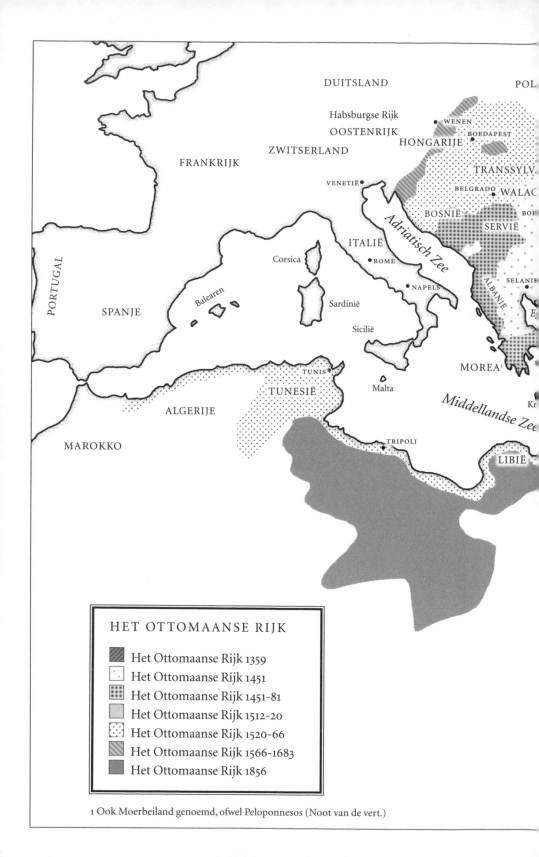

DUITSLAND

POL

Habsburgse Rijk
OOSTENRIJK
HONGARIJE

• WENEN
• BOEDAPEST

ZWITSERLAND

TRANSSYLV.

FRANKRIJK

• VENETIË

BELGRADO
• WALAC

BOSNIË

• BOE

ITALIË

Adriatisch Zee

SERVIË

PORTUGAL

Corsica

• ROME

ALBANIË

SELANI

E

• NAPELS

SPANJE

Balearen

Sardinië

MOREA¹

Sicilië

Middellandse Zee

Kr

• TUNIS

TUNESIË

Malta

ALGERIJE

• TRIPOLI

LIBIË

MAROKKO

HET OTTOMAANSE RIJK

- Het Ottomaanse Rijk 1359
- Het Ottomaanse Rijk 1451
- Het Ottomaanse Rijk 1451-81
- Het Ottomaanse Rijk 1512-20
- Het Ottomaanse Rijk 1520-66
- Het Ottomaanse Rijk 1566-1683
- Het Ottomaanse Rijk 1856

1 Ook Moerbeiland genoemd, ofwel Peloponnesos (Noot van de vert.)

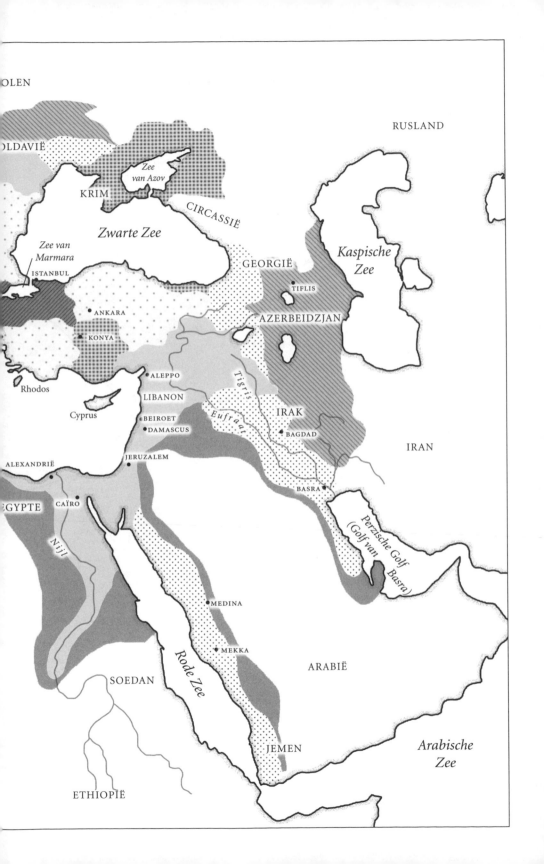

De weg naar Bagdad

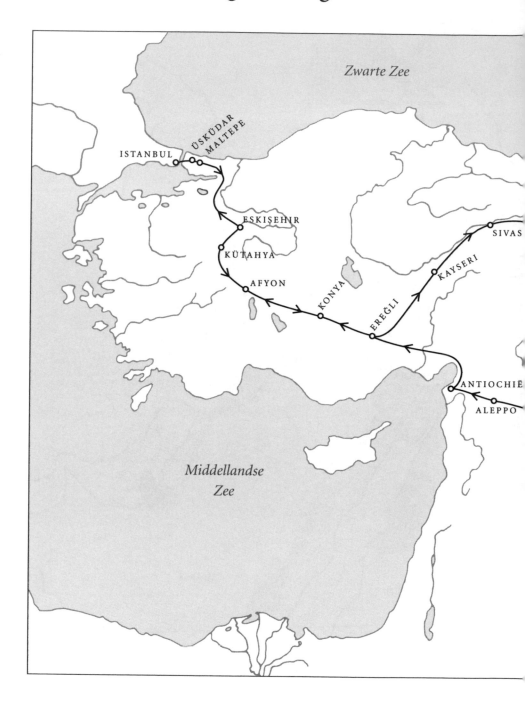

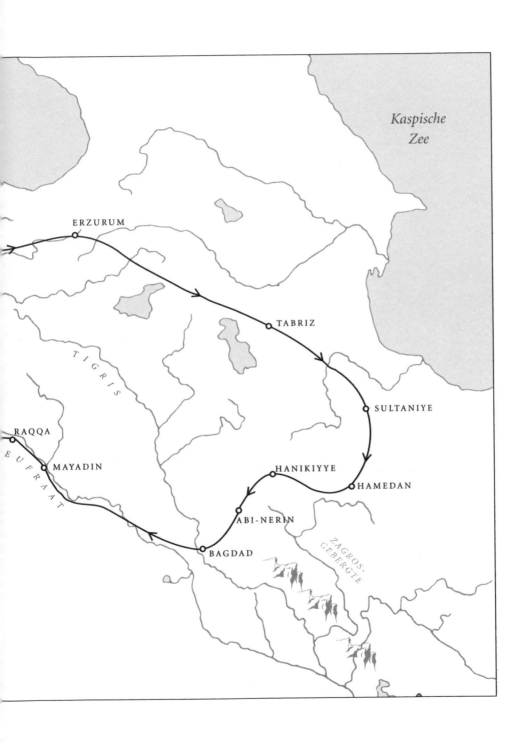

Kaspische
Zee

ERZURUM

TABRIZ

TIGRIS

SULTANIYE

RAQQA

MAYADIN

HANIKIYYE

HAMEDAN

EUFRAAT

ABI-NERIN

BAGDAD

ZAGROS-
GEBERGTE

ISTANBUL

1 Losgeld

Na een lange en succesvolle carrière in dienst van de groten en machtigen was Juda del Medigo niet verbaasd toen er in Rome uit het niets een koerier opdook die hem opdroeg zich onmiddellijk bij zijn nieuwe meester, Süleyman de Prachtlievende, te melden in het Topkapi-paleis te Istanbul.

De dokter wist dat onvoorziene, despotische opdrachten de prijs waren die hij moest betalen als hij de betrekking aannam van lijfarts van de sultan. Evengoed als hij wist dat dokters geen nee zeggen tegen sultans. Dus kuste de dokter met tegenzin zijn vrouw en zoon vaarwel en ging aan boord van het eerste schip dat naar het oostelijk deel van de Middellandse Zee zou varen. Zijn gezin liet hij in Rome achter zodat zij konden pakken en hem achternareizen.

Toen hem aan het Ottomaanse hof het nieuws bereikte dat kort nadat hij weggegaan was de stad Rome was geplunderd en platgebrand, maakte Del Medigo zich niet buitensporig veel zorgen. Hij wist zeker – en had daar goede redenen voor – dat zijn vrouw en zoon ongedeerd aan de plundering waren ontkomen. Hij had hen achtergelaten in het versterkte Palazzo Colonna onder de hoede van de beschermvrouwe van zijn echtgenote, Isabella d'Este, de *marchesana* van Mantua, en hij wist dat Isabella een vrouw was met onbeperkte middelen die altijd wist te overleven.

Pas toen de dokter een paar weken niets van zijn gezin had gehoord begon hij zich zorgen te maken. Desondanks had hij het met de Venetiaanse *bailo* slechts zijdelings over zijn zorgen toen ze elkaar aan het Ottomaanse hof tegenkwamen. Hij wist dat de Venetianen er altijd voor zorgden zo breed mogelijk geïnformeerd te zijn en jawel, nog diezelfde avond verscheen de bailo bij het Huis van de Dokter met een opgerold rapport van een van zijn informanten.

Zwijgend drukte de Venetiaan de dokter het verslag van de spion in handen en klopte hem zachtjes op de schouder. Toen draaide hij zich even potseling weer om en vertrok, nog steeds zonder iets te zeggen. Nadat de dokter het document uitgerold en gelezen had, begreep hij waarom.

'Madonna Isabella d'Este is veilig thuisgekomen,' las hij. 'Helaas zijn leden van haar huishouding gevangengenomen door piraten op de Middellandse Zee, vlak bij het Isola d'Elba. Hun schip, de Hesperion, bood moedig weerstand maar de bemanning en passagiers gingen ten slotte verloren op zee.' En, omdat het Venetianen waren, voegden ze eraan toe: 'Ook het merendeel van de waardevolle bezittingen van vrouwe Isabella ging verloren.'

De slag trof de dokter met de kracht van een mokerhamer. Hij had er nooit aan getwijfeld dat de onverzettelijke marchesana Isabella zijn familie zou beschermen. Isabelle was van huis uit een Este en men kon van alles zeggen over de Estes maar ze zorgden altijd goed voor hun eigen familie. En nu was de marchesana zelf kennelijk veilig thuis in haar paleis in Mantua terwijl haar privésecretaris, de vrouw van de dokter, Grazia dei Rossi en hun zoon Danilo waren omgekomen op zee.

Juda del Medigo was een belijdende, zij het geen gelovige, jood. De dag dat hij het nieuws ontving sloot hij zijn deuren, bedekte de spiegels en nam plaats op een lage taboeret in de kelder van het Huis van de Dokter in de Derde Hof van het Topkapi-paleis om te wenen en te rouwen. Omdat hij een realist was bad hij niet dat zijn geliefden bij hem teruggebracht zouden worden. Er was geen enkele reden om te geloven dat ze nog in leven zouden zijn. Het Venetiaanse rapport had geen twijfel laten bestaan over hun lot. Op de zesde dag van rouw echter, nog voor het aanbreken van de dag, haastte de lijfarts van de sultan zich ineens door de donkere stille straten van Istanbul, als reactie op een verzoek om losgeld dat de avond daarvoor onder zijn deur door was geschoven.

'De vrouw is dood,' stond er op het briefje te lezen. 'De jongen is veilig. U heeft tot het ochtendgloren om in de Piratenbaai uw opwachting te maken met 2000 gouden dukaten. Als het losgeld bij zonsopkomst niet betaald is, zal de jongen overgedragen worden aan de slavenmarkt van Istanbul en verkocht worden aan de hoogste bieder.'

Het verzoek om losgeld leek nog het meest op een frauduleuze poging om een bedroefde ouder geld afhandig te maken. En de dokter wist wel beter dan vertrouwen te hebben in afspraken met de Corsicaanse piraten die de wateren van de Middellandse Zee onveilig maakten. Maar wat als de Corsicanen voor deze ene keer hun beloftes nakwamen? Wat als zijn zoon toch nog in leven was? Hij kon zich niet permitteren die kans te negeren.

En dus sjouwde de lijfarts van de sultan de volgende ochtend, ver voor zonsopkomst, door de slapende stad Istanbul met een buidel vol gouden munten stevig in zijn hand geklemd. Toen de dokter de oever van de Piratenbaai af klauterde zag hij in de bossen rond de inham geen teken van leven. In de stilte bewoog slechts één klein element van het landschap: tegen de aanlegplaats die in de ronding van de baai verankerd lag, dobberde een verlaten vissersboot. Het gerafelde zeildoek dat aan de vlaggenmast van het verlaten bootje wapperde, onderstreepte de leegte van het tafereel.

Inmiddels was er een streep zonlicht boven de horizon verschenen. Het spookuur was aangebroken en weer voorbijgegaan maar er was niemand om het losgeld in ontvangst te nemen.

Terwijl de dokter daar de leegte in stond te staren, niet genegen zijn laatste restje hoop op te geven, hoorde hij achter zich in de stille bossen iets wat op het geluid van een brekend takje leek.

Toen hij zijn hoofd in de richting van het geluid draaide, werd hij van achteren door een stel onzichtbare armen beetgepakt en voelde hij een hete adem in zijn nek.

'Heb je het goud bij je?' De vraag werd grommend en met een zwaar Corsicaans accent gesteld.

De dokter knikte instemmend.

'Geef het aan mij.'

Hij haalde de buidel uit zijn zak tevoorschijn. Deze werd meteen uit zijn vingers gegrist door een harige hand die hem hard tegen de achterkant van zijn hoofd sloeg. Er schoot een felle pijn door zijn lichaam. En toen werd alles zwart.

Toen hij zijn ogen opendeed was zijn aanvaller ervandoor met het goud en waren de bossen achter hem even stil als toen hij op de afgesproken plek gearriveerd was. Hij was bedrogen. Hoe had hij zo dom kunnen zijn om een stel Corsicaanse piraten te vertrouwen?

Maar wacht eens. Uit een ooghoek merkte hij op het verlaten bootje iets van beweging op. Als aan de grond genageld keek hij toe hoe vanonder het dek een luik langzaam naar buiten werd geduwd. Twee paar gebruinde, gespierde armen verschenen in beeld die iets droegen wat leek op een met een zwarte kap bedekt en in teerdoek gewikkeld lichaam.

Gebiologeerd door wat hij aanzag voor een fata morgana als gevolg van de klap tegen zijn hoofd kwam de dokter overeind, in de veronderstelling dat de illusie die hij daar voor zich zag elk moment in de wind zou verdwijnen. In plaats daarvan bewogen de zeelui die het bedekte lichaam droegen zich naar de voorkant van het schip, alwaar ze het tegen de mast aan zetten en de riemen begonnen los te maken die het omsloten.

Ze hebben inderdaad gezegd dat hij in leven was, besefte de dokter zich. Maar kon hij hen op hun woord geloven?

Een van de zeelui trok een mes. O mijn God, ze gaan hem voor mijn ogen vermoorden.

Maar nee. De zeeman gebruikte zijn mes om de zwarte kap bij de hals door te snijden waardoor er een enkele goudblonde lok vrijkwam die op het voorhoofd viel. Toen een neus. En nu verscheen er een kin. Daarboven een mond. Toen een paar helderblauwe ogen. En ten slotte zag een complete, levende jongen het daglicht. Zijn armen strekten zich uit naar de oever.

De zeelieden leidden hun gevangene over een smalle loopplank, van het dek van het bootje naar de pier. Danilo del Medigo werd vrijgelaten en zachtjes in zijn vaders wachtende armen geduwd.

Vanaf dat moment geloofde Juda del Medigo in wonderen. En als van een door de strijd gehavende, ietwat reumatische oude veteraan gezegd kan worden dat hij door de straten zweefde, dan zweefde de lijfarts van de sultan die dag naar het Huis van de Dokter in het Topkapi-paleis, zijn zoon in zijn armen wiegend.

Daar installeerde hij zijn zoon op een veldbed naast zijn eigen legerstede, en wikkelde hem in een naar lavendel geurende gewatteerde deken. Maar niet voordat hij de jongen gewassen, geknipt en gemasseerd had, zodat hij weer schoon en wat meer op zijn gemak was.

Terzelfder tijd slaagde de arts in hem erin onopvallend de gezondheidstoestand van zijn zoon te onderzoeken. En die avond viel Juda del Medigo in slaap met de wonderjongen opgekruld naast zich, ervan overtuigd dat, gezien de schokken die de jongen te verwerken had gekregen, hij nog in verbazingwekkend goede conditie verkeerde. Geen gebroken botten of kneuzingen, geen tekenen dat hij uitgehongerd was of geslagen.

Pas de volgende dag merkte Juda dat zijn zoon, alhoewel hij gezond genoeg was, in een staat van apathie leek te verkeren. Hij bewoog nauwelijks en zei alleen iets als het woord tot hem gericht werd. Deze bleke geestesverschijning was uiterst gehoorzaam en meegaand, en niet één keer opstandig of uitdagend. Hij leek in niets op de energieke, levendige knaap die nog maar een paar maanden geleden door zijn vader in Rome achtergelaten was. Toen de dokter hem probeerde af te leiden met lekkere hapjes of wat gebabbel, aanvaardde de jongen met een knikje wat hem aangeboden werd maar gaf er geen blijk van meer van zijn vaders blijmoedige geklets te genieten dan van de eieren, het vlees en de pilav waar Juda hem mee volstopte in de hoop zo de energie te herstellen die altijd zo kenmerkend voor zijn persoonlijkheid was geweest.

De dokter was zonder meer buiten zichzelf van vreugde herenigd te zijn met zijn verloren zoon. Elke ochtend dankte hij God in zijn gebeden voor de wonderbaarlijke redding van de jongen. Maar de gedachte dat hij in de lente met de sultan naar het slagveld zou trekken liet hem eveneens niet los. Hij zou de jongen hetzij achter moeten laten, hetzij meenemen. Zou hij met een gerust geweten de tobbende jongen aan de zorg van vreemden kunnen toevertrouwen? Of hem blootstellen aan de ontberingen van een veldtocht? Of moest hij ontslag nemen om zich aan het herstel van zijn zoon te wijden?

Terwijl hij nog bezig was een besluit te nemen, arriveerde er een bericht van de sultan. Süleyman stelde voor dat de zoon van de dokter zich tijdens de komende campagne bij de koningskinderen zou voegen in de zogenaamde prinsenschool die aan de harem van de sultan verbonden was. Daar zou hij net zo goed verzorgd worden als een prins. Het was een verleidelijk aanbod. Echter na twee slapeloze nachten en vele gebeden diende Juda met pijn in het hart zijn ontslag in als lijfarts met als excuus dringende familieomstandigheden.

In de tussentijd zou hij zijn uiterste best doen een vervangend arts te vinden die Süleyman op het slagveld van dienst kon zijn. Zijn geest kwam tot rust nu hij wist dat hij de juiste beslissing genomen had.

Maar Süleyman de Prachtlievende liet zich niet tegenhouden door een simpele dokter. De Ottomaanse sultans gaven de voorkeur aan joodse artsen, net als de pausen te Rome en sommige christelijke prinsen, wier instinct voor lijfsbehoud hun godsdienstige scrupules te boven gingen. Niet gehinderd door de middeleeuwse christelijke tirades tegen 'heidense wetenschap', waren de joodse artsen gewoon doorgegaan met het in praktijk brengen van de leringen van Asclepius en Hippocrates. Gewapend met deze kennis waren ze uit de middeleeuwen tevoorschijn gekomen als een elitegezelschap van beoefenaars der geneeskunst, en Juda del Medigo was een van de meest vooraanstaande onder hen.

De sultan had een aantal jaren lang achter de befaamde joodse arts aan gezeten voor hij hem uiteindelijk aan een van de vele Europese hoven waar hij diende wist te strikken. En hij was niet van plan toe te staan dat het onverwachte opduiken van een jongen zonder moeder hem zijn legerarts zou kosten. Zeker niet nu de jicht, waarvan men zei dat alleen joodse artsen er een remedie tegen hadden, het lastig voor hem begon te maken op een paard te gaan zitten.

Teneinde een dialoog op gang te brengen die, zo meende hij vol vertrouwen, ongetwijfeld het gewenste resultaat zou hebben, nodigde hij de dokter uit voor een vriendelijk gesprekje. Hij herinnerde hem eraan dat het nog vele maanden zou duren eer ze zouden vertrekken en dat er dus geen enkele reden was om overhaaste beslissingen te nemen. Hij drong er bij de dokter op aan zijn ontslag te heroverwegen.

'Ik garandeer je dat je zoon in de haremschool zijn opleiding zal krijgen als lid van mijn eigen gezin en onder het waakzame oog van mijn eigen moeder, de valide sultan,' vleide hij. 'Dat is ongetwijfeld,' vervolgde hij, 'een veel veiliger regeling dan de jongen mee naar het slagveld te slepen of hem bij vreemden achter te laten.' Toen, om de pil nog verder te vergulden, bood hij aan elke dag dat Juda op veldtocht was de jongen door een gewapende bewaker van het Huis van de Dokter in het Topkapi naar de prinsenschool in de harem te laten escorteren.

Het was een verleidelijk vooruitzicht. Juda aarzelde. Zijn hoofd zei hem dat het aanbod van de sultan het antwoord op zijn problemen was. Maar zijn vaderhart wist dat de jongen nog niet zover was. Hij zou het nog niet kunnen verdragen opnieuw verlaten te worden door de enige ouder die hem restte om hem door het labyrint van duistere herinneringen dat hem kwelde te leiden.

Wat de sultan de dokter in feite aanbood was tijd om uit te zoeken wat er gebeurd was in de periode dat de jongen gevangen had gezeten op het piratenschip en de sleutel tot zijn zoons wanhoop te achterhalen. Het natuurlijke verdriet van een jongen om het verlies van een dierbare moeder kon huilen, flauwvallen of zelfs hoogtevrees verklaren – maar niet wat min of meer neerkwam op verlamming. Wat voor wreedheden hadden die vervloekte Corsicanen tegen Danilo begaan dat ze een dergelijke schade konden veroorzaken?

Op die vraag zou misschien nooit een antwoord zijn gekomen als niet een of andere gedoemde ziel in het donker het persoonlijke domein van de sultan in gestrompeld was, een drassige morene buiten de muur van de Derde Hof. Mocht een indringer er al in slagen om ook maar in de buurt van de *selamlik* van de sultan te komen, dan werd hij direct afgeschrikt door een waarschuwingsschot, afgevuurd uit een janitsarenmusket. Wat die nacht ook gebeurde. Maar toen het schot over de paleismuur heen de Derde Hof in galmde, verscheurde het ook de stilte in het Huis van de Dokter waar Juda del Medigo en zijn zoon lagen te slapen.

Bij het horen van het schot sprong de jongen op van zijn veldbed alsof hij geraakt was en hij greep in doodsangst naar zijn hart. 'Stop, niet schieten!' smeekte hij. 'Neeee...'

Toen volgde een bloedstollende angstkreet. 'Niet mama. Niet haar, ik smeek het u. Neem mij... Neem mij.'

Het musketschot had een ware vloedgolf aan onderdrukte herinneringen losgemaakt. En eindelijk volgde er, tussen het gesnik door, een bekentenis.

'Het was allemaal mijn schuld. De piraat droeg me op de hoge post te verlaten vanwaar ik over Isabella's bagage waakte. Mama smeekte me naar beneden te komen. Ik wilde niet luisteren. Als ik naar beneden was gekomen had de piraat zijn pistool niet op me gericht en dan had zij zich niet voor me gegooid om de kogel op te vangen. Dan zou ze hier nog zijn. In leven.' Hij zweeg lange tijd. 'Ik heb haar gedood.'

Een blik op het gezicht van zijn zoon maakte Juda duidelijk dat hij niet kon toestaan dat deze waanzin nog langer doorging. Vriendelijk maar resoluut nam hij het bleke gezicht van de jongen in zijn handen en sprak hem streng toe. 'Had je een wapen?' vroeg hij.

Toen er geen antwoord kwam eiste hij met vaderlijke autoriteit: 'Geef antwoord.'

'Nee.' Het antwoord was nauwelijks te horen.

'Dus wie had er een pistool?'

'De piraat die ze Rufino noemden.'

'Dan was het de piraat Rufino die je moeder met zijn pistool gedood heeft. Niet jij.'

'Nee. Nee.' De jongen wrong zichzelf los uit zijn vaders greep. 'U was er niet bij. U weet niet wat er gebeurd is.'

'Vertel het me dan,' drong de dokter zachtjes aan.

Op de een of andere manier had Juda de juiste toon aangeslagen. Zijn zoon haalde diep adem, rechtte zijn schouders en beleefde zijn herinnering opnieuw.

'Omdat ze zeeziek was verliet madonna Isabella de Hesperion om de reis naar Mantua verder over land af te leggen,' begon hij, eerst nog aarzelend maar met steeds groter zelfvertrouwen. 'Voordat ze ons schip verliet vroeg ze me om haar bagage met mijn leven te bewaken en haar spullen veilig naar Mantua te brengen. In die kisten waren schatten verpakt – een tapijt van Rafael dat meer voor haar betekende dan haar eigen leven, zei ze. Toen de piraten de Hesperion aanvielen, weerde de bemanning zich dapper maar het schip werd lekgeschoten in het ruim en begon water te maken. Dat was het moment waarop Rufino en zijn bemanning de waardevolle spullen van madonna Isabella van ons schip naar het hunne begonnen over te laden. Het enige waar ik nog aan kon denken was mijn belofte om over haar bezittingen te waken. Ik klom boven op haar kisten. Rufino beval me weg te gaan. Ik verroerde me niet. Hij zei dat hij tot drie zou tellen.

"Eén." De piraat bracht zijn musket tot aan zijn schouder. Ik zag mama naar ons toe komen.

"Twee." Hij legde zijn vinger op de trekker.

"Drie." Hij haalde over. Het schot weerklonk net op het moment dat mama zich in de vuurlijn wierp. Eerst leek er niets aan de hand... en toen viel ze aan mijn voeten neer.'

Er waren geen tranen in de ogen van de jongen te zien toen hij sprak. Alleen leegte. 'Die kogel was voor mij bedoeld. Ik heb haar gedood.'

'Die kogel was door de piraat afgeschoten, niet door jou,' hield Juda vol.

'Maar als ik naar beneden was gekomen...'

'Dan was het nog altijd de piraat die je moeder gedood had. Deze mannen kennen geen medelijden. Moorden is hun werk. Toen ik je voor het eerst zag in de Piratenbaai was je in teerdoek gewikkeld. Ze hadden je enkels, je polsen bijeengebonden en je hoofd met een kap bedekt. Je was hun gevangene. Ze zouden je gedood hebben...'

'Je begrijpt het niet, papa. Ze zouden me nooit gedood hebben. Ze bonden me vast om te voorkomen dat ik zou verdrinken. Ze hebben mijn leven gered.'

'Wou je zeggen dat deze bandieten je uit medelijden gered hebben?'

'Natuurlijk niet. Ik mag dan in de war zijn, maar ik ben niet gek. Ik weet dat ze me gered hebben om me op de slavenmarkt van Istanbul te verkopen. Maar ze hebben me wel uit zee opgevist en me gered.'

'Nadat ze je erin gegooid hadden?'

'Nee, nadat ik erin was gesprongen. Ze legden mama's lichaam in een houten kist en schoven die over de rand van het schip. Toen ik haar lichaam in de golven zag verdwijnen wilde ik haar achternagaan zodat ik net als zij dood zou zijn. En dus sprong ik erin. Toen bonden ze me vast zodat ik het niet nog eens zou doen.'

Juda had zichzelf ervan overtuigd dat als hij maar achter het geheim wist te komen van het lijden van zijn zoon, dat die kennis hem vervolgens naar de remedie zou leiden. Maar de jongen bleef ook nadat hij zijn kwelling opnieuw beleefd had bleek en stilletjes. Het opnieuw doormaken van zijn nachtmerrie had Danilo's schuldgevoel en pijn allesbehalve minder gemaakt. Het zou maanden, zelfs jaren duren, dacht Juda, om zijn zoon uit de diepe afgrond van wanhoop te redden waar hij in terechtgekomen was. Mocht Juda al enige twijfel gekoesterd hebben, dan was die nu verdwenen. De lijfarts van de sultan trok dit jaar niet mee ten strijde. Danilo's noden waren groter dan die van de sultan en Juda's eerste verantwoordelijkheid lag bij zijn zoon.

2 Het geschenk van de sultan

Degenen die tot de intieme kring van de sultan behoorden vonden de manier waarop hij met de ontrouw van de lijfarts omging raadselachtig. Volgens de strenge regels van het Ottomaanse hof stond het niet meteen gehoor geven aan een oproep om ten strijde te trekken zo ongeveer gelijk aan hoogverraad. En toch woonde deze joodse dokter, die zoals men zei geweigerd had te gehoorzamen aan het bevel van de sultan mee te gaan met de lentecampagne, nog steeds in het Huis van de Dokter en liep hij ongestraft over de paleisgronden. Er was maar één mogelijke verklaring voor een dergelijke schending van het protocol. De dokter had de sultan betoverd. Hij was een tovenaar.

Maar als Juda del Medigo over magische krachten beschikte, hoe was het dan mogelijk dat hij zijn eigen zoon niet beter kon maken? De jongen liep nog steeds bleek en lusteloos, zonder iets te zeggen rond. Niemand zag ooit een spoor van een glimlach op zijn gezicht, laat staan dat hij hardop lachte of andere tekenen van normaal gedrag voor een elfjarige vertoonde. De teleurstelling van de dokter wat het herstel van zijn zoon betrof, ontnam hem de hoop dat hij zijn betrekking als lijfarts van de sultan zou mogen blijven vervullen. Desondanks ondernam de sultan geen enkele poging om een vervanger te zoeken voor zijn lijfarts. Of dat leek althans zo.

Toen hield er op een ochtend onaangekondigd een kar halt voor het Huis van de Dokter, met daarachter een paardenwagen. De kar werd gemend door een stalknecht met de *tugra* van de sultan op zijn muts geborduurd. Toen de dienaar van de dokter de deur opendeed kondigde de stalknecht aan dat hij was gekomen met een geschenk voor de zoon van de dokter, Danilo del Medigo.

Haastig werd de jongen gewassen, aangekleed en slaperig naar buiten gebracht teneinde zijn bezoeker te begroeten. Daarop opende de stalknecht van de sultan de bak van de paardenwagen en leidde een

Brindle Pony – duidelijk een volbloed – naar buiten. Hij was opgetuigd met een zadel met gouden bies en een in goud geëtst hoofdstel.

Terwijl hij daar bij de deur stond met een beschermende arm om de schouders van zijn zoon, bevond de dokter zich in een volmaakte positie om getuige te zijn van iets waar hij al niet meer op had durven hopen. Zodra de jongen de pony in het oog kreeg, sperden zijn ogen zich wijd open. En toen de stalknecht hem de teugels van het dier aanbood sprong hij naar voren om die over te nemen, zoals elke elfjarige jongen zou hebben gedaan die een volbloed pony had gekregen.

'Is hij van mij? Mag ik hem houden?' vroeg hij zijn vader met een gretigheid die hij nooit had getoond bij de vele pogingen van zijn vader om hem af te leiden.

Zonder de dokter in de gelegenheid te stellen te reageren, antwoordde de stalknecht in zijn plaats. 'In het Ottomaanse Rijk is het een belediging om een geschenk van de sultan te weigeren,' verklaarde hij. 'Deze pony is het geschenk van de sultan.'

Daarmee was de zaak afgedaan. En de stalknecht leidde met de lauwe instemming van Juda de jongen en de pony door de Welkomstpoort naar de stal van de sultan in de Tweede Hof waar een stal voor het dier was gereserveerd.

Wat Danilo de rest van de dag bezighield, daar kon zijn vader alleen maar naar raden. Hoewel het hem wel opviel dat de jongen die die ochtend het dier aan de teugels weggevoerd had, in de middag op de rug van het paard teruggekeerd was. Maar pas toen Juda met eigen ogen het duidelijke plezier van zijn zoon zag toen deze zijn Brindle Pony de binnenhof op reed, begon hij zich af te vragen waarom hij er nooit aan had gedacht de jongen met een pony te verleiden. Maar het antwoord lag voor de hand. Juda del Medigo beleefde zelf geen enkel plezier aan paardrijden. Had hij de keus dan nam hij altijd een koets of een draagstoel. En was de enig mogelijke wijze van transport te paard, dan gaf dokter de voorkeur aan een gehoorzaam muildier boven een dartele volbloed. Niettegenstaande zijn gebrek aan affiniteit met paarden moest hij toegeven dat een dagelijkse galop zoveel van zijn zoons aandacht en energie vroeg dat hij de verzengende herinnering aan de dood van zijn moeder los kon laten. Wat de dokter niet begreep was dat het over de velden galopperen op een pony Danilo allesbehalve hielp zijn moeder te vergeten. Het bracht integendeel juist de vele gelukkige jaren in herinnering, jaren waarin hij dagelijks aan haar zijde gereden had; dat hij in het zadel juist bij haar was.

Ook was Juda geen getuige van het tafereel aan het eind van elke dag in de paardenschuur wanneer de prinsen van de haremschool hun pony's op stal zetten en bijeenkwamen om de dieren te roskammen na hun middagrit. Allemaal even jong, en even strijdlustig, was het onvermijdelijk dat de ruiters af en toe wedstrijdjes hielden. Telkens wanneer ze elkaar tegenkwamen op de ruiterpaden gingen ze zo snel mogelijk op het veldje achter de haremschool met elkaar wedijveren wie het beste kon springen.

Toen Danilo bij zijn eerste poging de hoogste horde nam met nog ruimte over, verwierf hij zich meteen een plekje in de broederschap van de prinselijke atleten. Inderdaad was de nieuwe jongen niet in staat om in een van de beschaafde talen te converseren (dat waren Turks, Arabisch en Perzisch), maar wat de prinselijke atleten betrof overtroefden de hoogste snelheid en de hoogste sprong gemakkelijk een gebrek aan taalvaardigheid. De Ottomanen waren in hun hart nog altijd paardenmensen. Ze waren bovendien beroemd om hun toewijding aan het principe dat verdienste meer waard is dan afkomst, ras en van die persoonlijke eigenaardigheden als geel haar. Toen zijn nieuwe metgezellen de buitenlandse jongen uitdaagden tot een steekspel met de *gerit* en hij bewees goed met die populaire Turkse lans overweg te kunnen, was hij van een plekje in hun midden verzekerd.

Met alles wat hem nu buitenshuis bezighield, begon Danilo steeds minder tijd met de dokter en steeds meer met zijn nieuwe makkers in de haremschool door te brengen. Naarmate de weken voorbijgingen, merkte de dokter dat zijn zoon eigenlijk alleen in de avond nog bij hem was en op de dag van de joodse sabbat, wanneer ze samen naar de gebedsdiensten gingen. Het plan van de sultan werd werkelijkheid. De zoon van de dokter werd ongemerkt een leerling van de haremschool. En daarmee gingen Juda's redenen voor zijn weigering de zoon in de steek te laten die hij nog maar zelden zag in rook op.

Heel informeel kwam er een rooster voor het leven van de jongen tot stand. Doordeweeks en op zondag zou hij onder begeleiding van een kamerheer van huis naar school en van school naar huis rijden en op zaterdag wijdde hij zich dan aan zijn joodse studiën in de Ahrida Synagoge, de oudste synagoge in Istanbul, die in de vorige eeuw gesticht was door joodse handelaren uit Salonika. Sinds hun verdrijving uit Spanje in 1492 hadden de Ottomaanse sultans de joodse vluchtelingen altijd verwelkomd. En toen Juda del Medigo dus rond 1520 aankwam om de sultan te dienen, bezat de joodse bevolking van de hoofdstad bijna tien synagogen en had een slimme liturgische klant de keuze uit Sefardische, Romeinse en Asjkenazische riten.

De kleine Ahrida Sefardische gemeente had Juda als gebedshuis het meeste aangesproken omdat de joodse lijfartsen van de sultan daar altijd de eredienst bijgewoond hadden. Het was dan ook die gemeente die het middelpunt van het joodse leven van zijn zoon ging vormen toen de dokter te velde trok. Zo begon de jongen, met zijn vaders halfhartige toestemming, zijn leven in Istanbul, heen en weer manoeuvrerend tussen de islamitische weekdagen op de school van de prinsen en de joodse weekenden in Balat. Tijdens zijn vaders afwezigheid raakte hij onder het toeziend oog van de machtigste dame van het land, de valide sultan, algauw uitermate bedreven in het overbruggen van de kloof tussen deze twee werelden.

Het joodse deel was gemakkelijk. De leden van de kleine Synagoge Ahrida waren maar al te bereid hem een warm welkom te bereiden. Maar in de school van de prinsen bleek de taalbarrière lastiger dan de hoge hordes.

De sultan had zijn woord gegeven dat de zoon van de dokter even goed opgeleid zou worden als een prins. Van meet af aan was zijn gebrekkige beheersing van de lingua franca een belemmering. Naarmate de weken voorbijgingen merkte Danilo dat hij steeds verder achteropraakte bij zijn klasgenoten.

Wat moesten ze doen? Zijn leraar wendde zich wanhopig tot de valide sultan, een vrouw die haar hele leven remedies had gezocht voor problemen waarvan haar zoon niet eens wist dat hij ze had.

De oplossing van de valide was elegant en praktisch, net als zij. Het was duidelijk dat de jonge Del Medigo een privéleraar nodig had, iemand die elke dag samen met hem zou lezen om zijn mond te laten wennen aan de Turkse taal. Dat had ieder van de oude prinsen prima voor zijn rekening kunnen nemen. Maar, dacht de valide, haar pupil Saïda, de moederloze dochter van de sultan, zou nog beter zijn. De prinses was, ook al was ze nog geen elf, verreweg de beste leerling van haar lichting; Saïda zou, zolang zijn vader met de strijdmacht van de sultan weg was, de ideale mentor zijn om de aandacht van de uitheemse jongen bij zijn lessen te houden. Privéleraar noch leerling werden geraadpleegd bij de totstandkoming van deze regeling.

Als hij had mogen kiezen zou Danilo nooit een meisje als lerares hebben uitgezocht. Maar hij begreep dat hij niets in te brengen had en besloot eenvoudig om snel te leren zodat hij zich zo gauw mogelijk van de last van het meisje kon ontdoen.

Was Saïda iets gevraagd, dan zou ook zij de gunst geweigerd hebben. Die Danilo zag er nogal merkwaardig bleek uit, vond ze, met dat haar van stro en die ogen van een helderblauw dat eerder geschikt was voor vloertegels dan mensenogen. Ze was te goed opgevoed om dit hardop te zeggen, maar ze maakte haar ongenoegen desondanks kenbaar door licht te pruilen.

'Wat is het probleem, prinses,' vroeg de leraar. 'De vreemdeling is slim en zal vlot leren.'

Het meisje mompelde met een strak tuitmondje: 'Hij loopt krom.'

'Wat zeg je?'

'Hij loopt krom,' herhaalde Saïda. 'Hij heeft geen goede manieren.' In haar grootmoeders etiquetteboek was een rechte rug de sleutel tot een plek in het paradijs.

'Maar hij heeft geen kromme rug als hij in het zadel zit,' merkte de leraar tactvol op. 'Kijk morgen in de manege maar eens naar hem. Kijk maar hoe hij op zijn rijdier zit.'

De volgende middag, toen ze in draf de manege rondging, bekeek Saïda Danilo del Medigo met extra aandacht en ze moest zonder meer toegeven dat, zodra hij zijn voet in de stijgbeugel plaatste, zijn ruggengraat zich strekte en dat hij, eenmaal in het zadel gezeten, even recht zat als haar broers. Met enige tegenzin stemde ze ermee in de uitdaging aan te gaan.

Omdat ze zelf de tekst uit mocht kiezen die ze zouden bestuderen, nam de prinses een Turkse vertaling van *De vertellingen van duizend-en-één-nacht*. Het was een exemplaar dat ze van haar vader, de sultan, gekregen had. Vanaf de eerste pagina was de legende van Scheherazade haar favoriet, een verhaal over een meisje dat gedwongen werd elke nacht weer nieuwe verhalen te verzinnen om te voorkomen dat ze onthoofd zou worden.

Had zij het Danilo gevraagd dan zou hij liever een van de oude Turkse heldendichten over *gazi*-krijgers gelezen hebben. Maar deze wees de prinses hooghartig af als alleen geschikt voor soldaten en boeren.

'Wij gaan *De vertellingen van duizend-en-één-nacht* bestuderen,' legde ze uit alsof ze het tegen een achtergebleven kind had, 'omdat het grote verschil tussen degenen van ons die in deze *saray* les krijgen en degenen die buiten het paleis opgeleid worden, zit in onze vertrouwdheid met een prachtige stijl. Bovendien bevat dit oude verhaal veel woorden in het Perzisch en Arabisch voor je om te leren.'

Er is geen jongen die graag door een meisje wordt rond gecommandeerd. Vooral niet door een meisje dat jonger is dan hij. Dat was vernederend. 'Ze is baziger dan een oude *lala*,' klaagde Danilo tegen zijn vader.

Maar hij had aan genoeg spelen meegedaan om te weten wanneer er sprake was van overmacht. Dus stemde hij uiterst vriendelijk in met de keuze van zijn privéleraar en binnen een paar maanden slaagde de prinses erin hem door de avonturen van 'Aladdin en de wonderlamp', 'Ali Baba en de veertig rovers' en 'Sinbad de Zeeman' heen te loodsen. Terwijl Danilo elk sprookje hardop voorlas corrigeerde de prinses zijn uitspraak. Tegen de tijd dat ze bij de langere, minder populaire verhalen waren aangekomen, was Danilo evenzeer in de ban van Scheherazade als de echtgenoot die de gewoonte had met maagden te trouwen en ze dan op de ochtend na de huwelijksvoltrekking om het leven te brengen. Uiteindelijk was de jongen, evenals duizenden lezers voor hem, niet in staat om weerstand te bieden aan de magie, de avonturen, de rampen en de grappen die Scheherazade door de eeuwen heen in leven hadden gehouden.

Een paar dagen nadat ze met het lezen van de 'De legende van de kruier en de drie dames uit Bagdad' waren begonnen, namen hun studiën een onverwachte wending. In dit verhaal wordt de kruier op de markt meegenomen door een respectabele dame die met goud geborduurde schoenen draagt en geld uitgeeft als water. Wanneer de kruier wordt gevraagd haar naar haar huis te begeleiden, aarzelt hij geen seconde en gaat met haar mee.

De dame voert hem door een poort van twee ebbenhouten panelen en ingelegd met platen van roodgoud een elegante salon binnen. Daar wordt hij voorgesteld aan een tweede dame – een toonbeeld van schoonheid, lieftalligheid, zuiverheid, symmetrie en volmaakte bevalligheid. In Saïda's tekst is het voorhoofd van de vrouw wit als een bloem, haar wangen hebben een rode blos als een anemoon en haar wenkbrauwen de vorm van de maansikkel waarmee de ramadan begint. Deze details, waar de prinses van genoot, lieten Danilo koud. Nou en? dacht hij bij zichzelf.

Maar de kruier in het verhaal is onder de indruk. Na een rijkelijk met drank overgoten diner, veel gelach en gedans begint de kruier, die nu dronken is, het aan te leggen met beide dames: hij begint ze te kussen, met ze te spelen, te bijten, bevoelen, betasten, bepotelen.

Onder het lezen raakte Danilo ondanks zichzelf geïntrigeerd. En hij was behoorlijk uit zijn humeur toen Saïda op dat pedante toontje van haar aankondigde dat het tijd was om ermee op te houden voor die dag. Hij hoorde zichzelf ineens smeken om nog een pagina. Ze stemde toe. Hij las verder.

Nu stopt een van de dames een lekker hapje in de mond van de kruier en de ander geeft hem een klap en een tik tegen zijn wangen. De kruier voelt zich in de zevende hemel, te midden van eeuwig jonge maagden.

Precies op dat moment klopte er een bezoeker aan bij de poort, wat wel eens vaker in Scheherazades verhalen gebeurde. Het was de kalief van Bagdad, Haroen ar-Rashid, die vanuit zijn paleis de nacht in getrokken was om te kijken en horen wat er zo allemaal voor nieuws gaande was in zijn koninkrijk.

Haroen ar-Rashid. De naam echode na in Danilo's geheugen. In zijn hoofd hoorde hij hem uitgesproken worden met het zachte muzikale timbre van zijn moeders stem. Hij had zijn moeder, Grazia de Scriba, de naam Haroen uit horen spreken.

'Waarom houd je op met lezen?' vroeg de prinses.

'Omdat ik over Haroen ar-Rashid gehoord heb. Meer dan eens.'

'Heb je het verhaal van mijn voorouder eerder gelezen?'

'Nee, maar de naam Haroen ar-Rashid komt voor in een gedicht dat mijn moeder aan madonna Isabella d'Este en haar dames in Rome gewoon was voor te lezen. Het verhaal gaat over keizer Karel de Grote en zijn paladijnen. Het heet *Orlando Furioso*.'

Ze was duidelijk niet onder de indruk. 'En wat heeft deze Franse keizer met mijn voorouder Haroen ar-Rashid te maken?' wilde ze weten.

'Haroen was een Saraceen,' legde Danilo beleefd uit. 'Hij was een vijand van de christelijke keizer.'

'Haroen was een belangrijke kalief.' Ze richtte zich trots op. 'Hij was de vijfde zoon van Abbas, de broer van kalief Musa al-Hadji, de zoon van al-Mansur en Bevelhebber der Gelovigen. In mijn familie is hij een grote held.'

'Hij was de vijand van mijn voorvaderen,' lichtte de jongen haar in.

Ze stonden nu allebei en staarden elkaar dreigend aan.

'Dan ben ik ook jóúw vijand,' verklaarde ze.

'En ik die van jou,' kaatste hij terug.

Toen ze dat hoorde draaide ze zich om en rende het klaslokaal uit. Ze liet Danilo achter, die geen idee had wat er nu precies aan de hand was, maar wel duidelijk voelde dat hij iets verkeerds gedaan had.

'Prinses!' riep hij haar na.

Hij haalde haar in voor ze bij het grote klaslokaal aangekomen was. 'Vergeef me alsjeblieft dat ik mijn stem tegen je verheven heb. Ik ben je een excuus verschuldigd.'

Ze keek niet naar hem op.

'Je bent zo aardig geweest om al die tijd en kennis met me te delen,' vervolgde hij. 'En ik heb je alleen met grofheid terugbetaald. Misschien als je me toestaat mezelf te verklaren...'

Ze sloeg haar ogen naar hem op.

'Weet je, ik heb een persoonlijke interesse in keizer Karel de Grote,' legde hij uit. 'Zijn paladijnen waren de eerste echte ridders. En mijn vader was – is – een ridder.'

'Is je vader, de dokter, een ridder?'

'Mijn wettelijke vader, de dokter, raakte gewond in de strijd bij Pavia toen hij onder koning Frans I van Frankrijk diende. De koning zond hem terug naar Venetië onder de hoede van een lid van zijn hofhouding, heer Pirro Gonzaga. De dankbaarheid die mijn moeder voor deze ridder voelde was overweldigend. Negen maanden later werd ik geboren. Ik ben het eerste kind dat in het Venetiaanse getto geboren werd.'

Het was dit soort verhalen dat de prinses als gevolg van haar opvoeding had leren waarderen. 'Wou je zeggen,' vroeg ze, 'dat je biologische vader niet de dokter maar een christelijke ridder is?'

Er was nog steeds gelegenheid om de waarheid die hij per ongeluk had onthuld te ontkennen. Maar waarachtige trots op zijn herkomst dwong hem verder te gaan.

'Ik ben de zoon van een dappere christelijke ridder en ik was wat ook wel een liefdeskind genoemd wordt,' zei hij tegen haar.

Het was niet verrassend dat de onthulling van zijn onwettigheid de gemoedsrust van de prinses nauwelijks verstoorde. Ze klapte verrukt in haar handen. Onregelmatigheden wat ouderschap betreft waren haar, opgegroeid als ze was in de harem, met de paplepel ingegoten.

Zijn bezielde bekentenis zag ze gewoon als het zoveelste verhaal over verboden liefde zoals die in *De vertellingen van duizend-en-één-nacht* verteld werden.

'Ik aanvaard je verontschuldiging.' Ze stak haar hand uit in een vergevensgezind gebaar. 'Ik verhief mijn stem ook tegen jou. Maar net als jij heb ook ik persoonlijke belangstelling voor Haroen ar-Rashid. Als Bevelhebber der Gelovigen was hij een voorvader en de held van mijn vader die nu zelf Bevelhebber der Gelovigen is. We houden er niet van als Haroen een Saraceen genoemd wordt. De laatste buitenlander die dat woord in mijn vaders aanwezigheid gebruikte werd onthoofd. Als ik je een raad mag geven gebruik het woord Saraceen niet aan dit hof, tenzij je het natuurlijk leuk vindt je hoofd bij de Poort der Gelukzaligheid op een staak gespietst te zien.'

Ze aarzelde alsof wat ze zojuist gezegd had haar enigszins dwarszat. Toen glimlachte ze opgewekt en voegde eraan toe: 'Dat zei ik niet goed. Je kunt je eigen hoofd niet echt zien als het op een staak gespietst is, of wel?' Ze schudde haar krullen naar achteren en ging er giechelend vandoor.

Vreemd meisje. Maar wat zijn onwettigheid betreft leek ze niet slechter over hem te denken. Natuurlijk was voor een meisje dat opgevoed was met de verhalen in *Duizend-en-één-nacht*, geheim ouderschap nauwelijks iets nieuws. Nu hij erover nadacht: als hij dan toch tegenover iemand een vermetele bekentenis moest afleggen, dan had hij geen betere toehoorder kunnen bedenken. Desalniettemin had hij een feit onthuld dat Juda del Medigo niet gemeend had met zijn patroon, de sultan, te moeten delen – het feit dat zijn zoon die zojuist gearriveerd was, de zoon was van een andere man. En vorsten houden er niet van als er tegen hen gelogen wordt. Niet dat de dokter echt gelogen had, maar de sultan zou dat misschien anders zien. En het was niet aan de zoon om zijn vaders geheim te onthullen.

De echo van zijn moeders stem had Danilo van streek gemaakt. Die stem in zijn hoofd de naam Haroen ar-Rashid horen zeggen, had een verlangen zo hevig in hem wakker geroepen dat hij op zijn lip moest bijten – hárd op zijn lip moest bijten – om de tranen tegen te houden. Toen werd zijn verdriet, even snel als het op was komen zetten overspoeld door angst. Wat als prinses Saïda toevallig de identiteit van zijn echte vader noemde tegen haar grootmoeder, de valide sultan? En wat als de valide die vervolgens tegenover haar zoon, de sultan, vermeldde?

Het zou een aardige roddel zijn om over te brieven. En in een wereld vol complotten, verraad en bedrog kon de sultan gemakkelijk de verkeerde indruk krijgen.

De volgende ochtend was het eerste wat Danilo deed de prinses ter zijde nemen.

'Ik had je niet over mijn biologische vader moeten vertellen, maar dat heb ik wel gedaan,' bekende hij. 'Nu moet ik je vragen het onder ons te houden.'

Tot zijn verbazing ging ze zonder aarzelen akkoord. Daarmee had de kous af moeten zijn. Maar die nacht droomde hij dat hij weer een kleine jongen was in de Romeinse salon van marchesana Isabella en gedwongen was geweest haar als page te bedienen terwijl zijn moeder de Franse romans voorlas waar haar meesteres zo dol op was. Zelfs in de droom kon hij zich nog de kriebelige stof herinneren van de gesteven witte *camicia* die hij bij dergelijke gelegenheden gedragen had en het gewicht van het zware zilveren dienblad. Hij had al zijn jongenskracht nodig om het zonder trillen omhoog te houden terwijl hij glazen met gekruide wijn aanbood aan de *demoiselles* van de marchesana, zijn moeder (die ervan hield onder het lezen kleine slokjes te nemen) én de grande dame zelf, corpulent en opgeblazen maar desalniettemin indrukwekkend met haar verstrengelde parelsnoeren en vingers vol ringen.

Vanaf het plein beneden kon hij de gedempte geluiden horen van een grote stad die geplunderd werd. Geschreeuw, gevloek en kruitexplosies kwamen zijn droom in geslopen. En dwars daardoorheen bleef zijn moeder maar voorlezen uit Ariosto's gedicht 'Orlando Furioso'. Aan de hof van madonna Isabella in Mantua werd elke dag poëzie voorgelezen en – plundering of geen plundering – ze stond erop dat dit ritueel in Rome volgehouden werd.

Maar toen ineens, zoals dat gaat in dromen, werd de salon overstroomd door wilde, zwartharige Saracenen die vanaf het plein beneden tegen de paleismuren op geklommen leken te zijn. Ze werden aangevoerd door de zwartste en wildste van allemaal: hun leider, Haroen ar-Rashid. Zijn moeder was opgehouden met lezen. De demoiselles waren aan het schreeuwen. Madonna Isabella viel in zwijm. Danilo werd badend in het zweet wakker.

De volgende dag, toen hij al lezende opnieuw op de naam Haroen ar-Rashid stuitte, hield Danilo abrupt op en nam hij nogmaals de prinses in vertrouwen.

'Het is die naam die me naar het verleden terugvoert,' legde hij uit. 'Toen ik de naam Haroen ar-Rashid las, kon ik hem uit mijn moeders mond horen komen. De Este-familie was dol op Franse romans. Ze hadden er een hele bibliotheek vol van.'

Ze keek verbaasd en het viel hem zwaar om een Turks equivalent te vinden voor het woord 'roman'. Maar nu de sluizen van zijn geheugen open waren gezet, wilde hij de stroom niet stoppen.

'Weet je,' hoorde hij zichzelf tegen haar zeggen, 'mijn moeder was de privésecretaris van marchesana Isabella d'Este, de vrouw van marchese Francesco Gonzaga van Mantua.'

'Marchesana?' Haar vraag was meer voor de vorm dan dat hij van oprechte belangstelling getuigde.

'De vrouw van een marchese noem je een marchesana.' Aangezien hij op haar gezicht geen enkel teken van begrip zag, besloot hij dat een opwaardering van een rang of twee aan de orde was. 'Een soort Italiaanse prinses,' legde hij uit.

Nu had hij haar aandacht. Prinsessen, dat was iets dat ze begreep.

'Ik wist niet dat je moeder de secretaris van een prinses was.' Er klonk nieuw respect in haar stem door. 'Ik dacht dat ze gewoon een van die slimme jodinnen was die boodschappen deed voor de dames uit de harem.'

'Mijn moeder was geen "pakjesvrouw",' haastte hij zich haar te verzekeren. 'Haar naam was Grazia dei Rossi. Ze vertaalde veel boeken uit het Latijn en Frans in het Italiaans en was een vermaard geleerde.'

'En die prinses in wier dienst ze was?'

'Isabella d'Este is de dochter van de hertog van Ferrara. In Europa noemen ze haar "la prima donna del mondo", de machtigste dame ter wereld.'

Saïda knikte goedkeurend. Titels waren ook iets wat ze begreep.

'Vrouwe Isabella en haar familie gaven vaak opdrachten voor dichtwerken.' Hij zweeg even en voegde er toen aan toe: 'Net als jouw vader.' Weer werd hij onthaald op een knikje en een goedkeurende glimlach.

'En mijn moeder was bij deze dame in dienst,' vervolgde hij, 'toen Ariosto zijn gedicht 'Orlando Furioso' opdroeg aan dame Isabella d'Este, ter ere van de geboorte van haar eerste zoon. Hij gaf zelfs een van zijn heldinnen haar naam, Isabella.'

Het werd steeds beter. De Turken waren zelfs nog enthousiaster dynasten dan d'Estes, als dat al mogelijk was.

In al die maanden sinds hij in het Topkapi-paleis aangekomen was had Danilo het met niemand over zijn leven in Italië gehad, over zijn vlucht uit Rome of de dood van zijn moeder. En nu hij eenmaal begonnen was, kon hij niet meer ophouden.

'Ik droomde gisteravond,' vertrouwde hij – vertróúwde hij – dit meisje toe. 'Ik zag tijdens de plundering van Rome Haroen ar-Rashid de salon van madonna Isabella binnenvallen.'

'Ik heb van dat betreurenswaardige voorval gehoord,' merkte ze op. 'Mijn vader heeft me erover verteld. Maar je vergist je. Haroen ar-Rashid is hier niet de boosdoener. De aanvaller was koning Karel van Spanje die zichzelf de Heilige Keizer noemt, ook al valt hij zijn eigen paus aan, paus Clemens vii.'

Ze sprak de verdraaide versie van deze Europese titels met zoveel zelfverzekerdheid uit dat hij al zijn geduld moest aanwenden om haar niet te verbeteren.

Maar dit keer hield hij zich in. 'Zeker, prinses,' was hij het met haar eens, 'zo is het.'

Waarop zij reageerde met de woorden: 'Vertel me alsjeblieft meer over je droom.'

Hij had zich nu kunnen excuseren voor wat verdere vertrouwelijkheden betreft, maar in plaats daarvan ging hij verder.

'In mijn droom verwarde ik Haroen ar-Rashid met de ware schurken van de plundering van Rome, de Duitse soldaten van de keizer, zijn *Landsknechte*.'

'De zogenaamde keizer,' corrigeerde ze hem liefjes.

'Ik heb van kleins af aan geleerd dat Karel v de heilige roomse keizer was,' liet hij haar weten.

'De Venetiaanse bailo zei tegen mijn vader dat mensen in Venetië beweren dat deze Karel noch heilig, noch rooms, noch een keizer is,' zei ze.

'Dat zeggen ze in Rome ook,' gaf hij toe, 'maar ze buigen wel voor hem. Het is maar net vanuit welke positie je het bekijkt, hè?'

Ze snoof.

Niet van plan zich te laten intimideren, ging hij verder: 'Wat mijn droom me heeft geleerd is dat jij en ik in dezelfde wereld leven, prinses. Ook al spreken we een andere taal, onze verhalen worden bevolkt door dezelfde helden en schurken. We zien ze dan misschien wel niet hetzelfde, maar we delen ze in onze dromen.'

Dat idee was kennelijk nieuw voor haar en ze dacht er verscheidene seconden over na voor ze iets zei. Toen ze begon te praten klonk haar stem rustig en bescheiden. 'Ik zou graag een paar van die romans leren kennen waar je het over gehad hebt. Vooral het favoriete verhaal van je moeders meesteres, prinses Isabella d'Este.'

'Ik zou je dat verhaal voor kunnen lezen,' waagde hij. 'Mijn vader bewaart mijn moeders manuscript van 'Orlando Furioso' in zijn kast.'

Opnieuw nam ze even de tijd om hierover na te denken en in de stilte die volgde begon zich een plan te vormen in zijn hoofd.

'Wat als ik het verhaal van Isabella uit het Italiaans in het Turks vertaal en het je voorlees?' vroeg hij. 'Dan kun je me corrigeren zoals je altijd doet wanneer ik verhalen uit *De vertellingen van duizend-en-één-nacht* lees. Op die manier,' – het idee begon hem steeds meer aan te staan – 'ben ik nog steeds bezig met Turkse les en ben jij in de gelegenheid een van mijn verhalen te horen.'

Inmiddels hadden alle uren die hij met prinses Saïda had doorgebracht hem een aardig idee gegeven van wat haar zou bevallen: een simpel verslag van een gebeurtenis, vol toevalligheden, weinig uitweidingen en overal gevaar op de loer. En Ariosto's vertelling over prinses Isabella leek aan alle vereisten te voldoen – een verhaal dat het lievelingsverhaal van madonna Isabella d'Este was geweest, een verhaal met een heldin die de dichter naar de voorname dame zelf had vernoemd. Diezelfde avond nog begon hij eraan te werken, vol bezieling voor het project en in gezegende onwetendheid waar het de valstrikken betreft die hem daar tussen Ariosto's dubbele kwatrijnen wachtten.

Wat Danilo niet beseft had was dat, al was Ariosto's epos een verzameling van vele afzonderlijke verhalen, de dichter ervoor gekozen had de verhalen niet achter elkaar te zetten zoals in *De vertellingen van duizend-en-één-nacht*, maar ze te vertellen op de manier waarop een breister groepjes steken apart houdt om ze later in het patroon weer op te pakken. Een enkel verhaal eruit lichten was een karwei dat geduld en kennis vereiste. En ondanks zijn moeders pogingen hem op te leiden, bezat Danilo del Medigo geen van beide in al te grote mate.

Die vervloekte Haroen ar-Rashid! Die vervloekte Isabella! Die vervloekte dichter! Waarom had hij zo'n onbesuisd aanbod gedaan? Hij was beter af geweest met Scheherazade, die helemaal niet zo saai bleek als hij verwacht had. Desalniettemin kon hij zich er niet toe zetten op te geven en te bekennen dat hij gefaald had, zeker niet tegenover een meisje. Bovendien was er nog iets waardoor hij trouw bleef aan het karwei dat hij op zich genomen had. Hij was dan misschien een bastaard, maar zijn moeder was geen *puttana*. Grazia dei Rossi was een gerespecteerde *scriba** geweest en een echte geleerde en in zekere zin had hij dit onmogelijke karwei op zich genomen om Grazia de Scriba te eren. Waarom?

Misschien omdat dit het soort werk was dat zijn moeder meteen aangepakt en op een briljante manier volbracht zou hebben. En dus hield hij vol.

In de tussentijd werd prinses Saïda ongeduldig. Hij begon in het geheim aan zijn vertaling te werken, onder de gewatteerde deken, terwijl zijn vader lag te slapen. Op een nacht vatte zijn deken vlam door een kaars. Op een dag viel hij in slaap op de rug van zijn paard. Maar toen hij eindelijk het tragische einde van de roman over de gedoemde Isabella en haar minnaar Zerbino bereikt had, wist hij even zeker als iemand die de slaaf is van koninklijke grillen dat dit verhaal precies het juiste aas was om Saïda zijn wereld in te lokken.

* Een scriba is Latijn voor schrijver, maar ze is meer dan dat, ze is een secretaris en geleerde bovendien. (Noot van de vert.)

3 De prinses en de paladijn

De prinses was volstrekt duidelijk geweest: wat haar aansprak in Ariosto's epos was uitsluitend het liefdesverhaal van Isabella en Zerbino. Elke verwijzing naar het grotere verhaal waar het deel van uitmaakte, of naar zijn wortels in de Franse ridderwereld, begroette ze met nauwelijks verholen gegaap. Hij wist dat hij als hij haar aandacht wilde vangen en vasthouden, Ariosto's openingszangen moest laten voor wat ze waren en midden in Canto 13 beginnen waar de dolende ridder Orlando die op het Franse platteland aan het galopperen was, een jonge maagd ontdekt die daar in een grot gevangen wordt gehouden. Ze is niet veel ouder dan vijftien en ook al zijn haar ogen gezwollen van de tranen, haar schoonheid is zo groot dat de smerige gevangenis wel een paradijs lijkt.

'Ik ben me er terdege van bewust dat ik ervoor zal boeten,' zegt ze tegen haar redder, 'maar ik zal u mijn verhaal vertellen, zelfs als ik dat met mijn leven moet bekopen.'

Danilo kon geen weerstand bieden aan de verleiding een vlugge blik op zijn prinses te werpen om te kijken of ze in het aas gehapt had en werd beloond met een uitdrukking van totale vervoering op haar gezicht. Tot zover ging het goed.

'Ik ben Isabella, dochter van de koning van Galicië,' vervolgde de gevangengenomen maagd. 'Ooit was ik gelukkig. Ik was jong, mooi, rijk en werd alom gerespecteerd. Nu ben ik arm, beklagenswaardig en vernederd.'

'Jong, mooi, rijk en gerespecteerd,' herhaalde Saïda. 'Hoe klinkt dat in jouw taal?'

Hij keek in zijn tekst. '*Felice, gentile, giovane, ricca, onesta e bella,*' las hij.

Ze herhaalde de vreemde woorden langzaam en liet ze in haar mond rondtollen alsof ze ze wilde proeven. 'En nu is ze?'

'*Povere, infelice e vile*,' las hij. 'Arm, beklagenswaardig en onteerd...'

'Arme prinses...' Ze depte haar ogen.

Dit ging nog beter dan hij verwacht had. 'Ze vertelt Orlando dat ze, al was ze ooit de dochter van een koning, dat nu niet meer is,' vervolgde hij.

'Hoe kan dat?' Saïda was dol op raadsels.

'Omdat ze nu de dochter is van verdriet, ellende en droefenis. En dat is allemaal de schuld van de liefde.' Hij aarzelde even voor hij verder ging. 'Dat klopt niet helemaal. De Italiaanse woorden zijn *colpa d'amore*. Daarin wordt gesuggereerd dat ze ook door liefdesverdriet overmand kan zijn.'

Saïda greep naar haar borst.

'Zal ik verder gaan?' vroeg hij. Moest hij dat nog vragen?

Hij vervolgde: 'De jonkvrouw gaat op weg om haar toevlucht te zoeken in een klooster en de rest van haar leven aan God te wijden. Niet dat ze ooit zal afzien van haar liefde voor Zerbino of het bezit van zijn stoffelijke resten. Waar ze ook is, waar ze ook verblijft, zijn lijk vergezelt haar dag en nacht.'

Dit laatste verfijnde detail deed opnieuw tranen van ontroering in Saïda's ogen springen.

Het was maanden geleden dat leraar en leerling teruggekeerd waren naar de verhalen van *De vertellingen van duizend-en-één-nacht*. En nu was Saïda degene die om meer smeekte terwijl Danilo zijn dagelijkse voordrachten met zuinige porties tegelijk uitdeelde.

'Natuurlijk is prinses Isabella voorbestemd nooit haar toevluchtsoord te bereiken. Niet ver van het klooster komt ze een woeste Saraceen tegen, een Afrikaanse koning die Rodomonte heet en haar niet meteen doodt of onteert. Maar Isabella weet dat het gevaar waarin ze verkeert toeneemt met elk uur dat ze doorbrengt in het gezelschap van deze man. Ze bedenkt een plan...' Danilo hield op met vertellen, niet in staat de woorden die hij op het punt stond voor te lezen hardop uit te spreken. 'Ik kan niet verdergaan. Isabella's einde is te wreed voor je jonge oren. Zelfs madonna Isabella d'Este kon er niet naar luisteren. En zij is een volwassen vrouw.'

Saïda zweeg. Ze kneep alleen haar lippen opeen, op die koppige manier van haar wanneer ze vastbesloten was.

Met tegenzin begon hij Isabella's neergang, de armen van de dood in, te volgen.

41

'Vroeg in de ochtend, voordat Rodomontes hoofd beneveld is door de wijn (een verslaving die indruiste tegen zijn godsdienst en die hij opgedaan had in Frankrijk), doet Isabella hem een uitdagend voorstel,' zei hij. '"Als je mijn eer intact laat," zei ze, "zal ik je iets geven van nog veel groter waarde. Je hoeft maar te zoeken en je vindt zo duizend aantrekkelijke vrouwen die je kunt bezitten, maar niemand ter wereld kan je geven wat ik je te bieden heb." Ze laat heel listig de precieze aard van dit kostbare geschenk in nevelen gehuld.

Rodomonte is geïntrigeerd. Hij aanvaardt haar aanbod in de wetenschap dat, als hij dit geschenk eenmaal in bezit heeft, hij eenvoudig zijn woord kan breken en de vrouw er alsnog bij kan pakken. Isabella neemt Rodomonte mee de bossen in om op zoek te gaan naar een zeker kruid dat een magisch sap oplevert als het met klimop gekookt boven een vuur van cipressenhout geroosterd en vervolgens tussen onschuldige handen geperst wordt. "Iedereen die zich drie keer in dit sap baadt," vertelt ze hem, "maakt zijn lichaam zo hard dat het bestand raakt tegen vuur en staal."

"Ik ga erin baden, van mijn kruin helemaal tot aan mijn borst," zegt ze tegen hem. "Daarna moet u uw zwaard tegen mij opheffen alsof u van plan bent mijn hoofd af te hakken, en het geweldige resultaat zal zich aan u openbaren."

Daarop neemt ze drie keer een bad in het sap en doet dan een stap naar voren om haar blote nek aan te bieden om doorkliefd te worden. Rodomonte trekt, volledig overtuigd door haar verzinsels, zijn zwaard uit de schede en hakt met één zwaai haar mooie hoofdje zo van haar schouders.'

'Nee!' De kreet ontsnapte aan prinses Saïda's lippen als een kreun.

'Ja, drie keer. De dichter noemt dat aantal heel specifiek,' hield Danilo vol. 'En uit dat hoofd is duidelijk een stem te horen die de naam Zerbino roept.'

Ze knikte, stom van verdriet.

'En hier is dan Ariosto's zegening: "Gaat heen in vrede, schone ziel, en neem uw plaats in de hemelen in,"' droeg Danilo met een grafstem voor. '"Hadden mijn verzen die macht, ik zou mijn dichterlijke talent tot het uiterste beproeven om ze zo'n kracht te verlenen dat de wereld duizend jaar lang de illustere naam Isabella zou kennen."'

'Ik zal voor haar bidden.' Saïda vouwde haar handen onder haar kin en boog haar hoofd. Dat hief ze na een passende plechtige stilte vervolgens weer om kordaat aan te kondigen: 'Nu moeten we weer opnieuw beginnen.'

'Opnieuw?'

'Ja. We gaan weer terug naar het begin van Isabella's verhaal. Laten we er nu vandaag mee beginnen, zonder één detail over te slaan. Maar deze keer' – hij merkte op dat haar mond weer, op de inmiddels vertrouwde, vastberaden manier, getuit was – 'deze keer zal ik Isabella's woorden uitspreken. Jij mag de rest lezen. Maar ik zal Isabella zijn. En je moet me haar woorden leren.'

En dus begonnen ze opnieuw Ariosto's gedicht te lezen, nu met zijn tweeën. Op een dag smeet Saïda, nogal overweldigd door de gevaren waaraan Isabella blootgesteld werd, haar aantekeningen weg en begon haar rol na te spelen en naar believen te verfraaien.

Van toen af aan werd 'De prinses en de paladijn' een stil spel van hen tweeën dat ze speelden zodra ze daar zin in hadden en de omstandigheden het toelieten. Geleidelijk aan drong dit de manege, boogschutterhof en het balveld binnen, in de vorm van korte intermezzo's waarin ze woordspelletjes speelden, elkaar plaagden en achternazaten. Ze speelden Isabella's redding door Orlando na, Zerbino's dood, Isabella's opoffering, soms helemaal, soms voor een deel, afhankelijk van de beschikbare tijd.

Hoewel over geheimhouding niet was gerept, betrokken ze nooit een van hun medeleerlingen in dit spel. En toen het mooi weer werd en men de klas trakteerde op wekelijkse picknicks op het eilandje Kinali, vonden de prinses en de paladijn daar het volmaakte decor, omgeven door een dicht woud dat griezelig veel leek op de bossen die zo'n prominente rol speelden in 'Orlando Furioso'. Saïda was er erg bedreven in zich heimelijk van de rest te verwijderen. Danilo op zijn beurt werd er een expert in haar signalen op te pikken en haar even heimelijk te volgen.

In de bossen vonden ze open plekken waar de bomen naar alle waarschijnlijk gekapt waren voor het steekspel, en ze troffen er grotten aan die ideaal waren voor het gevangennemen van prinsessen. Ze ontdekten zelfs een fontein. Hij was opgedroogd en helemaal verweerd maar het was toch een fontein van het soort dat elke paladijn die op het platteland aan het galopperen was, of elke prinses die aan de klauwen van een schurkachtige Saraceen ontsnapte, heel goed tegen zou kunnen komen. Het was alsof de natuur het ideale toneel had geschapen voor Isabella's tragedie.

Hoe konden dergelijke dingen plaatsvinden onder het toeziend oog van de verzorgers, leraren en lala's van de haremschool? Misschien omdat het zo onschuldig leek. Prinses Saïda en de uitheemse jongen waren zo jong. Men zag ze beiden nog als kinderen, veel te jong om een werkelijk gevaar voor de ander te vormen. En de jongen leerde in een opmerkelijk rap tempo Turks. Hij zou binnenkort naar een Europese school gaan die zijn vader voor hem uitgezocht had. En de prinses zou trouwen, natuurlijk.

Was het door de zekerheid dat in de zeer nabije toekomst deze kinderen hun jeugd achter zich gingen laten dat de volwassenen niet zagen wat er zich in het hier en nu afspeelde? Hoe het ook zij, hun felle achtervolgingen te paard, de woordjes die ze mompelend onderling wisselden wanneer ze hun pijlen tijdens hun boogschietlessen afschoten en de incidentele afzondering van hun medestudenten, het passeerde allemaal zonder dat er iets van werd gezegd. Ze konden gewoon doorgaan met het spel dat ze bedacht hadden.

Toen kwam er, even onverwacht als hij begonnen was, een einde aan hun kleine idylle. Met de dreiging van de naderende puberteit brak het moment aan waarop de kinderen van de haremschool hun kinderlijkheden achter zich moesten laten en de stap naar volwassenheid zetten: de jongens zouden vertrekken naar een van de, uitsluitend voor hun sekse bedoelde, pagescholen en de meisjes werden diep in de harem opgezogen om zich op hun huwelijk voor te bereiden.

Vreemd genoeg werd de gebeurtenis die deze plotselinge verandering inluidde, gemarkeerd door een ceremoniële gelegenheid. Op het oog had deze er niets mee te maken: de besnijdenis van Süleymans drie zoons. Danilo's eerste aanwijzing voor wat er in het verschiet lag arriveerde in de onwaarschijnlijke vorm van een uitnodiging van prins Mehmet, de eerste zoon van de sultan bij zijn tweede kadin, voor een wandelingetje in de tuin van zijn moeder.

Aangezien de prins jonger was – nog maar van de leeftijd waarop Danilo zelf naar de prinsenschool gegaan was – was het contact tussen de jongens beperkt gebleven tot wat knikjes en glimlachjes. En dus was Danilo nogal verbaasd dat hem plotseling een prinselijke arm geboden werd. Wat zou deze jongen van hem willen? Daar kwam hij al snel achter. Zo gauw ze buiten gehoorsafstand van de andere leerlingen waren, liet Mehmet zijn formele manier van doen varen en kwam direct ter zake.

'Ik weet dat jij besneden bent omdat alle joden besneden zijn,' begon hij. 'Toe zeg eens, deed het pijn?'

Waar was prins Mehmet op uit? Wat het ook was, Danilo had niets te verliezen en kon hem net zo goed de waarheid vertellen. 'Ik weet het niet meer,' antwoordde hij openhartig. Toen, omdat zijn nieuwsgierigheid geprikkeld was, vroeg hij: 'Waarom wil je dat weten?'

'Omdat ons verteld is dat twee van mijn broers en ik besneden zullen worden op de drieëntwintigste dag van de maand juni en ik moet weten hoeveel pijn het doet om mezelf voor te bereiden. Ze zeggen dat het afschuwelijk veel pijn doet. Is dat zo?' En toen Danilo niet meteen antwoord gaf, voegde de jonge prins eraan toe: 'Ze zeggen dat je de pijn nooit vergeet.'

'Ik weet het niet meer.' Danilo voelde zich steeds minder toegerust voor het voeren van zo'n bizar gesprek als dit. 'Ik was nog maar zeven dagen oud, weet je, toen ik besneden werd. Dan wordt het bij ons, joden, gedaan.'

'Verdomme!' De jongen gaf een mep met zijn hand op zijn dij. 'Dat heeft niemand me verteld. En nu vind jij me een sukkel.'

'Natuurlijk niet, Mehmet. Er kan niet van je verwacht worden dat je al ieders gebruiken kent.'

'Jij kent ze anders vast wel,' antwoordde de jongen. 'Iedereen weet hoe slim de joden zijn. Ik heb dat van mijn overgrootvader, Bayezid. Weet je wat hij zei toen hij hoorde dat de katholieke koning van Spanje alle joden uit zijn land verdreven had?'

Danilo schudde zijn hoofd.

'Mijn overgrootvader zei: "Mensen vertellen me dat Ferdinand van Spanje een wijze koning is. Maar ik vraag me ernstig af: hoe wijs is hij dan wel? Een koning die zijn land armer maakt door de joden te verdrijven en het Ottomaanse Rijk verrijkt door ze naar ons toe te sturen, moet wel dom zijn."'

'Heeft uw overgrootvader dat gezegd?'

'In 1492,' verzekerde de jongen hem zelfverzekerd. 'Ook toen al wisten wij Turken dat het joodse volk het slimste van alle is. Mijn vader vertelde me dat verhaal. Hij vertelde me ook dat de joden bedreven vaklieden zijn, slimme kooplui en briljante artsen. Dat is de reden waarom we ze altijd met open armen hebben ontvangen in het Ottomaanse Rijk. Was het niet jouw vader, de lijfarts, die mijn vader van zijn jicht heeft genezen toen niemand van de Arabische dokters daarin slaagde?' Waarop hij er zonder op een bevestiging te wachten aan toevoegde: 'En nu zie ik daar zelf een voorbeeld van. Wat slim van jullie om het al bij baby's te doen.'

'Slim? Baby's?' Danilo kon niet zo gauw de sprong maken.

'Omdat baby's niets voelen. Wij moslims wachten er zo lang mee opdat we altijd de pijn zullen voelen. Maar dat is niet de reden dat ik bang ben.' Hij zweeg abrupt.

'Waarom dan wel?'

De jongen keek omlaag naar zijn laarzen, zonder iets te zeggen, en gluurde toen weer door zijn glanzend zwarte pony omhoog. Hij beet op zijn lip en keek Danilo recht in de ogen. Kennelijk had hij besloten zijn geheim te verklappen.

'Ik ben bang dat ik mezelf te schande zal maken door te gaan schreeuwen,' fluisterde hij. 'De pijn gaat wel voorbij, maar de schaamte niet. Mensen zullen zich altijd herinneren dat je bij je besnijdenis geschreeuwd hebt.' Hij zweeg even en vroeg toen, bijna alsof hij in zichzelf mompelde: 'Maar wat als je jezelf niet in bedwang hebt?'

De vraag ging vergezeld van een blik zo treurig dat Danilo ineens zijn arm kameraadschappelijk om de schouders van de jongere jongen legde. 'Je hoeft je nergens zorgen om te maken, Mehmet. Je bent een dappere knaap, net als je naamgenoot, Mehmet de Veroveraar. Iedereen zegt dat je op hem lijkt.'

'Echt waar?' De jongen keek nog steeds ernstig, maar maakte nu een wat minder bezorgde indruk. 'We moeten leren dapper te zijn, mijn broers en ik, omdat voor ons niets dan een zekere dood in het verschiet ligt.'

Danilo kende het Ottomaans gebruik waarbij men elke keer als er een nieuwe sultan gekroond werd alle broederlijke troonrivalen elimineerde. Maar hij had dit in zijn geheugen opgeslagen als zijnde een oud gebruik, niet iets wat écht gebeurde met de échte prinsen die hij kende. Nu stond hij plotseling oog in oog met het menselijke aangezicht ervan.

'Maar er vonden geen executies plaats toen je vader, Süleyman, op de troon kwam,' opperde hij aarzelend.

'Dat was alleen omdat hij geen in leven zijnde broers had. Maar mijn moeder zegt tegen ons dat op de dag dat mijn halfbroer Moestafa op de troon komt, hij haar zal verbannen en ons ombrengen.'

'O, Moestafa zou nooit zoiets doen,' zei Danilo terwijl hij wist hoe belachelijk dat klonk.

'Mijn voorouder, Bayezid, heeft deze wet uitgevaardigd,' legde de jongen uit. 'Hij deed het om de troonsopvolging veilig te stellen. Wil je zijn exacte woorden horen?'

Bij Danilo's instemmende knikje begon de jongen het dictum van zijn voorvader voor te lezen. '"Het past wie van mijn zoons dan ook door God gezegend wordt met het sultanaat om meteen zijn broers om het leven te brengen en zodoende het uitbreken van een burgeroorlog te voorkomen."' De prins nam een pose aan en vervolgde: '"Wat is de dood van een prins vergeleken met het verlies van een provincie?"'

Na deze fraaie retorische stijlbloempjes ging de prins op dezelfde beheerste toon verder als hij aan het begin van het gesprek aangenomen had. 'Dat is de reden waarom mijn broers en ik moeten sterven. Maar aangezien het tegen de wet is het bloed van prinsen te vergieten worden we niet onthoofd. Ieder van ons zal gewurgd worden met een zijden boogpees.'

De bizarre logica achter dit laatste stukje protocol maakte Danilo's afkeer alleen maar groter. Toen, in het besef dat hij toch iets van verbale troost moest bieden, zei hij: 'Volgens mij is de pijn van de besnijdenis niet zo erg als ze zeggen en ik weet zeker dat je niet zult schreeuwen, Mehmet. Dat weet ik zeker.'

De verzekering klonk hol in zijn oren. Maar zowaar, op de dag van de besnijdenisceremonie had iedereen het in gunstige zin over de buitengewone lankmoedigheid van prins Mehmet, die geen kik gaf toen het mes zijn voorhuid wegsneed.

4 Dagen van rust en vrede

Het feest van de koninklijke besnijdenissen waar de jonge Mehmet zo bang voor was geweest bleek ook voor Danilo een noodlottige aangelegenheid. In de week na de besnijdenissen deed zich een van de zeldzame gelegenheden voor waarbij de *Kapi Agasi* zijn opwachting maakte in het schooltje aan de rand van de haremtuin om het nieuws aan te kondigen. Nu de huidige lichting jongens de drempel van de besnijdenis was overgegaan, was het tijd om plaats te maken voor de volgende klas van de prinsenschool. De kroonprins, Moestafa, zou als leerling-gouverneur meteen doorgestuurd worden naar een afgelegen provincie, vergezeld door zijn moeder en een groepje lala's. De lagere prinsen die van kinds af aan door hun moeders in de harem waren opgevoed, kregen nu een plek toegewezen op de eliteschool van de sultan voor pages waar ze door eunuchen in een echte mannengemeenschap klaargestoomd werden voor het leiderschap.

Voor de zusjes van de jongens en hun nichtjes veranderde er niet veel. De meisjes zouden hun verdere opleiding in de harem ontvangen en nooit meer zonder sluier gezien worden, zelfs niet door hun neven. Geen *calcio*, geen paardrijwedstrijden meer. Als een meisje eenmaal vrouw was geworden, werd ze opgesloten achter de muren van haar vaders harem tot ze huwde in de harem van haar schoonmoeder. Vanaf de dag dat Saïda's medeleerlingen de klas binnenkwamen begon de valide sultan, die haar kleindochters welzijn altijd nauwlettend in de gaten hield, subtiele veranderingen op te merken in het meisje. Het leek alsof door haar nieuwe dagelijkse routine het vuur dat de schittering in Saïda's ogen en de kleur op haar wangen getoverd had, met de dag verder doofde.

Haar dagelijkse rit te paard was natuurlijk nog steeds toegestaan maar nu reed ze in haar eentje, op eerbiedige afstand gevolgd door een kamerheer – geen broers meer of neven die haar uitdaagden bij het springen of

48

haar over de renbaan achternazaten. Maar toch was ze nog veel te jong, naar het oordeel van de valide, om uitgehuwelijkt te worden.

Jongens en meisjes tot hun puberteit samen naar school laten gaan, zoals de Grieken hadden gedaan, was als experiment geweldig succesvol gebleken bij het voortbrengen van toekomstige Ottomaanse leiders. Maar toe te moeten kijken hoe een vrij en ontwikkeld meisje plotseling een leven zonder toekomst in werd geduwd, tot ze gered zou worden door een huwelijk, doemde nu voor haar liefhebbende voogdes op als een serieuze uitdaging.

Vrouwe Hafsa, een vrome dame, bracht een bezoek aan de moskee om Allahs hulp in te roepen bij de oplossing van haar probleem. Twee dagen later – hetzij door goddelijke tussenkomst, hetzij door puur geluk – diende de hulp die ze nodig had zichzelf aan in de gedaante van de concubine van de sultan, Hürrem, die haar leven aan het hof begonnen was als geschenk van de grootvizier aan de sultan. Deze had haar verworven op de slavenmarkt van Istanbul maar ze was inmiddels opgeklommen tot de rang van tweede kadin, Moeder van Prinsen, door de sultan een zoon te schenken. De eerste kadin, Lenteroos, moeder van de eerstgeboren mannelijke afstammeling van de sultan, prins Moestafa, was er niet in geslaagd een tweede mannelijk erfgenaam te produceren die de opvolging zeker kon stellen. Hürrems zoon werd, gezien de hoge kindersterfte, alom gevierd als redder van de Ottomaanse dynastie en bezorgde haar de titel van tweede kadin.

Dus toen Hürrem in de dagen die op de besnijdenis van haar oudere zoon volgden, in tranen opdook voor de valides deur met behoefte aan troost, werd de concubine warm begroet door vrouwe Hafsa. Het was niet de eerste keer dat de tweede kadin de raad van de valide zocht. Kort na de geboorte van haar zoon Mehmet was ze begonnen de grootmoeder van de jongen te vleien. Niet één keer agressief en altijd met eerbied voor het protocol, altijd erop bedacht eerst om belet te vragen voor ze de lange gang overstak die de suite van de valide sultan scheidde van de rest van de harem. En altijd met een geschenk bij zich – een bijzondere crème voor het blanketten van de ouder wordende huid, een slaapdrankje om de slapeloze nachten van de valide te vervullen van heerlijke dromen. Hürrem, steevast vol nieuws over de grote wereld, zorgde er wel voor dat ze met roddels kwam die ze bij de joodse ventsters opgepikt had van wie ze haar kant, linten, crèmes en drankjes kocht.

Eerst had Saïda een hekel aan de indringster. Vanaf haar vroege kindertijd was de aandacht van haar grootmoeder uitsluitend op haar gericht geweest. Nu moest ze die delen. Maar naarmate de tijd verstreek begon ze uit te kijken naar Hürrems bezoekjes. Ze begon zelf Hürrem te vragen om kleine gunsten voor haar bij haar vader, de sultan, gedaan te krijgen. Niet dat ze bang was voor hem. Maar, zoals Hürrem vrouwe Hafsa en haar zo vaak op het hart drukte, moest hun geliefde sultan die het gewicht van de wereld op zijn schouders torste, niet lastiggevallen worden met onbetekenende besognes, en al helemaal niet door degenen die het meest van hem hielden.

'Laat mij eens kijken wat ik kan doen,' zei Hürrem dan, 'voor we de grote padisjah lastigvallen. De arme man, hij heeft het zo zwaar.' Het was tenslotte hun plicht zijn lasten te verlichten, van hem die de bron van licht in hun leven, en in de hele wereld wat dat betreft, was. Zelfs de valide sultan, de moeder die hij vereerde, boog en kuste zijn hand wanneer hij haar vertrekken binnenkwam. En ze sprak hem aan met 'mijn leeuw'.

Het was hun gemeenschappelijke adoratie voor deze man die de drie vrouwen bond. In de loop van de tijd was Saïda de jaloezie die ze voor haar vaders favoriete kadin gekoesterd had grotendeels kwijtgeraakt en de valide sultan gaf iets van haar trots op. Vrouwe Hürrem was erin geslaagd zich een weg hun hart in te glimlachen, een slimme voorbereiding op de dag dat ze misschien de hulp van een van hen of van allebei nodig had.

Vandaag was zo'n dag en inmiddels was Hürrem vertrouwd genoeg met de valide sultan om direct een beroep op haar te doen. Immer met inachtneming van het protocol verontschuldigde ze zich er eerst uitvoerig voor dat ze de dame stoorde en verzekerde ze de valide ervan dat het enige dat ze zocht de raad van een wijze vrouw was. Toen kwam ze ter zake: een gerucht dat ze tijdens het baden in de hammam had opgevangen. Niet meer dan wat achterklap maar toch heel verontrustend. Inmiddels had ze hun volle aandacht.

'Ik heb een verhaal gehoord.' Ze boog zich voorover en liet haar stem dalen tot weinig meer dan gefluister. 'Misschien is het niet waar. Maar als dat wel zo is...'

De valide, over het algemeen een vrouw die niet geneigd was iemand met een minder verheven positie dan zijzelf aan te raken, stak haar hand uit om de andere vrouw op de schouder te kloppen.

'Wat voor gerucht is dat, Hürrem?' vroeg ze vriendelijk.

Stilte. Een zucht.

'We kunnen je niet helpen als je het ons niet vertelt.'

'O mevrouw, ik schaam me zo. Ik vrees dat het allemaal mijn schuld is omdat ik zo traag van begrip ben. Al probeer ik wel...'

'Te leren?'

'Om te leren lezen en schrijven zodat ik eigenhandig naar mijn verheven heer kan schrijven en de brieven kan lezen die hij me stuurt. Nu moet ik de schrijver vertrouwen die mijn woorden neerschrijft en de brieven van de padisjah aan me voorleest. Ik geloof niet dat deze schrijver me zou verraden, en toch gaat er dit gerucht...' Ze depte haar ogen met een zakdoek met goudborduursel. 'Ik heb vernomen dat mijn brieven verspreid worden in de bazaar.'

'Verkocht? Voor geld?' Zelfs de onverstoorbare valide was verstoord.

'Kopieën ervan.'

'Maar wie zou nu zoiets doen?'

'Ja wie?' herhaalde Hürrem. 'Mijn schrijver is afkomstig uit de school van de grootvizier. Hij is zorgvuldig geselecteerd. Hij kan het niet zijn. Maar als dat niet zo is...' Haar stem stierf weg. Toen draaide ze zich plotseling om en richtte haar blik rechtstreeks op Saïda. 'Is er dan niemand die ik kan vertrouwen?'

Dat was het moment dat de valide de oplossing voor al Hürrems problemen duidelijk voor zich zag.

'Saïda zal je helpen,' kondigde ze aan, tevreden over zichzelf. Ze wendde zich tot het meisje: 'Heb ik je niet gezegd dat je opleiding op een dag van nut zou blijken te zijn, mijn lieve kind?' En vervolgens tegen Hürrem: 'Een aantal leden van de hofhouding was ertegen gekant dat een meisje in andere zaken onderwezen werd dan borduren en het maken van sorbets. Maar ik haalde mijn zoon, mijn leeuw, over toe te staan dat Saïda samen met haar broers zou studeren. Het strekt haar tot eer dat ze op dit moment de meest geletterde prinses ter wereld is en de Koran grotendeels uit haar hoofd kent, wat haar vader veel genoegen doet. Nu is ze in staat om hem een andere dienst te bewijzen en hem te behoeden voor zelfs maar het geringste vermoeden van een schandaal. Zoals je weet helpt ze me vaak bij het schrijven van mijn brieven en nu zal ze jou ook helpen.'

En zo werd het afgesproken. Voortaan zou Saïda dagelijks een bezoek brengen aan Hürrems vertrekken om haar de brieven voor te lezen die de sultan haar schreef wanneer hij op veldtocht was, en om Hürrems antwoorden te transcriberen. Ze zou eveneens de gedichten vertalen die de sultan aan zijn tweede kadin opdroeg en die hij onder het pseudoniem Moehabbi of 'Hij die bemint' in het Perzisch geschreven had – de taal waar hij de voorkeur aan gaf voor het schrijven van poëzie. Het was een prettige regeling voor alle betrokkenen. Een schandaal werd voorkomen. De geliefde padisjah was beschermd; en Hürrem gered. Ze waren gered door de wijze grootmoeder.

Toch begon Saïda een paar maanden later te vermoeden dat de valides oplossing iets te gemakkelijk was geweest. Met op haar twaalfde een reeds sterk ontwikkeld overlevingsinstinct had de prinses een neus voor intriges ontwikkeld. Haar ervaringen in de harem hadden haar geleerd dat het leven over het algemeen niet zo gladjes verliep als haar intrede in Hürrems huishouden gegaan was, tenzij er achter de schermen iemand aan de touwtjes trok. Toch hadden de maanden waarin ze dagelijks haar plicht had gedaan Saïda geen andere reden onthuld voor haar opname in Hürrems gevolg dan de dringende behoefte van de tweede kadin aan een betrouwbare secretaris. Dat was alles.

Wanneer de prinses bij Hürrems suite aankwam werd ze altijd hartelijk en met respect begroet. Haar prestaties werden luid bejubeld en ze werd vaak bedankt. Beloningen voor toekomstige dienstverlening werden haar in het vooruitzicht gesteld. Saïda, de tweede kadin, zei dat ze een zeer ernstige bedreiging had weten te voorkomen van het geluk dat ze met haar vereerde padisjah deelde, die haar meer waard was dan het leven zelf. Of zoals de vrouwe het formuleerde: 'Zijn brieven houden me in leven. Zonder die herinnering dat hij weer bij me terugkomt, zou ik sterven van verdriet.'

Uit haar brieven en ook haar manier van praten had Saïda Hürrem leren kennen als een geboren overdrijfster – die zich misschien zelfs af en toe schuldig maakte aan een gebrek aan goede smaak – maar dat bewees nauwelijks dat ze oneerlijk zou zijn, bedacht het meisje. Bovendien waren er zekere voordelen verbonden aan de nieuwe status van de prinses als vertrouwelinge van de favoriete: de gelegenheid getuige te zijn van gedenkwaardige gebeurtenissen, zoals de triomftocht van haar vader bij zijn terugkeer van de jaarlijkse veldtocht. Uitstapjes in de straten van de stad, die de afgezonderde vrouwen van de harem nooit werden aangeboden. En Hürrems aanhoudende verzekering dat het weesmeisje nu niet alleen een grootmoeder had om voor haar te zorgen, maar ook een tweede moeder – zijzelf, de tweede kadin. In elk geval, dacht Saïda, tot Hürrems eigen dochter, Mihrimah, oud genoeg is om te doen wat ik nu doe.

Maar Saïda had zichzelf aangeleerd de rijkdom van elke dag te accepteren zonder al te veel na te denken over wat de toekomst zou kunnen brengen. Haar geloof zei haar dat haar lot in Allahs handen was, ook al had ze daar van nature misschien moeite mee. En hoezeer ze ook snakte naar de dagen van weleer, van wilde ritten te paard en geheime ontmoetingen op het eiland Kinali, ze was vastbesloten het beste van haar nieuwe leven te maken.

Wat de jongens betrof, Danilo was niet de enige in het lokaal die een zekere kilte ervoer toen de Kapi de leerlingen vertelde dat dit hun laatste dag op de haremschool zou zijn. Net als hij hadden de meeste leerlingen tot dat moment niet echt over hun toekomst nagedacht. Op een dag zouden ze natuurlijk groot zijn en de harem verlaten. Op een dag. Maar morgen al? Danilo wendde zich, zoals zo vaak, voor geruststelling tot zijn schoolbankgenootje, prinses Saïda. Maar tevergeefs. Voor het eerst werd hij geconfronteerd met geloken ogen en een hoofd dat zich van hem afwendde.

Dat gebaar maakte hem meer dan duidelijk dat ze niet langer zijn koninklijke speelkameraadje was, dat hij haar evenzeer kwijt was als de prinses uit de legendes die ergens in een toren opgesloten zat.

Danilo was niet onbekend met verlies. Hij had geleerd om het verdriet op afstand te houden door zijn dagen te vullen met tal van bezigheden. Maar hij had geen verweer tegen het plotselinge opspelen van zijn geheugen dat hem steevast achterliet met een gevoel dat hij een deel van zichzelf kwijt was. De deuren van zijn kindertijd gingen achter hem dicht en de toekomst doemde dreigend voor hem op: donker, eenzaam en zonder enige hoop.

Terwijl hij voor de poort van de harem stond te wachten tot zijn kamerheer hem voor het laatst van school naar het Huis van de Dokter zou brengen, en bedacht dat hij zich nog nooit zo ellendig had gevoeld in zijn hele leven, kwam tot zijn verrassing prins Mehmet afscheid van hem nemen. De kleine prins kwam gedag zeggen omdat het niet waarschijnlijk was dat ze elkaar gauw weer zouden zien. Mehmet had zelf alle hoop opgegeven dat hij tegelijk met de huidige lichting zijn diploma van de haremschool zou halen.

'Mijn scherpschutterkunst, mijn beheersing van vele talen, mijn gedrag, zelfs het feit dat ik het niet uitgeschreeuwd heb tijdens mijn besnijdenis... al die dingen waarvan ik dacht dat het aanbevelingen zouden zijn voor de pageschool van de sultan, wegen niet op tegen mijn jonge leeftijd,' meldde hij bedroefd. 'Ik ben niet oud genoeg en moet op de volgende lichting wachten, in tegenstelling tot jou, Danilo, die vast en zeker zal worden verkozen tot page aan een van de scholen van de sultan, misschien wel aan zijn eigen school in het Topkapi-paleis.'

Dat was iets waar Danilo niet aan had durven denken, laat staan op hopen. Onder het toeziend oog van de sultan wachtte hun die het verdienden een onbegrensde toekomst in zijn pageschool. Strikt op grond van hun capaciteiten kwamen de leerlingen die een uitermate strenge selectieprocedure overleefden uiteindelijk in de hoogste klas terecht, de vierde oda. De leden daarvan dienden de sultan zelf: ze kleedden en schoren hem, ze bewaakten hem en sliepen in zijn privévertrekken. Ze maakten kans op zijn aandacht, zijn gunsten en, voor Danilo niet de minst belangrijke overweging, zijn paarden en stallen.

Maar Mehmet vergiste zich.

'Geloof het of niet, Mehmet,' verklaarde Danilo, 'de situatie is voor mij nog veel hopelozer dan voor jou. Jij moet dan misschien nog een jaar wachten, maar jouw kans komt uiteindelijk wel, terwijl ik nooit voor de paleisschool gekozen zal worden omdat ik een jood ben. Ondanks de gunsten die de sultan mijn volk bewezen heeft, is er nog nooit een jood op zijn school geaccepteerd.'

'Maar bedenk wel, Danilo: de persoonlijke tussenkomst van de sultan overstijgt alle barrières.'

Toen Danilo dit gevatte antwoord enigszins met achterdocht begroette, voegde Mehmet eraan toe: 'Denk erom dat de sultan altijd naar zijn lijfarts luistert. Praat met je vader. Maar wees snel. Ik heb gehoord dat de meeste plaatsen in de eerste oda al bezet zijn.'

Deze voorzichtig bemoedigende woorden van prins Mehmet deden opnieuw wat licht schijnen in het sombere landschap van Danilo's toekomstverwachtingen. Misschien had hij toch wel een kleine kans. Volgens de Ottomaanse wetgeving gaat de wil van de sultan altijd voor de traditie. De sultan luisterde inderdaad altijd naar Danilo's vader. En de sultan had de macht om hem van een plekje te verzekeren in de pageschool... als hij wilde.

Maar Juda del Medigo had andere plannen met zijn zoon. Hij had al een Sefardische familie in Balat benaderd bij wie Danilo in de periode dat zijn vader op veldtocht was, de voorbereidingen voor zijn bar

mitswa kon afronden. In de winter, wanneer er geen krijgsbewegin-
gen plaatsvonden, zou Danilo thuisblijven in het Huis van de Dokter,
waar hij van zijn vader les zou krijgen in wiskunde, astronomie, Latijn
en Grieks. Aldus zou hij de juiste voorbereiding ontvangen voor een
Europese universiteit, bij voorkeur de alma mater van zijn vader, de
befaamde universiteit in Padua.

Wat Danilo betrof kende het plan van zijn vader ernstige nadelen. Er
waren geen paarden in Balat, geen speelvelden, geen gerit-wedstrijden;
hooguit af en toe een partijtje tennis op de Prinseneilanden waar een
paar welgestelde joden villa's hadden in Europese stijl. Hij had reeds
alle hoop opgegeven zijn prinses ooit weer te zien. Moest hij dan echt
alles kwijtraken?

De ruzie die over deze kwestie uitbrak, barstte als een zomerse on-
weersbui los over vader en zoon – het ene moment was de lucht nog
blauw, het andere moment bliksemde en donderde het dat het een lieve
lust was. Ze waren niet aan onenigheid gewend dus hun geruzie was
onhandig: lange stiltes, onderbroken door korte en hevige twistge-
sprekken.

'Ik had nooit mogen toestaan dat je betrokken raakte bij het paleis-
leven,' zuchtte Juda. 'Je hebt er een verkeerd idee door gekregen van wie
je bent.'

'En wie mag dat dan wel zijn, heer?'

'Je bent een jongen van veertien die is opgevoed in het joodse geloof,
gewijd aan de joodse God.'

'Maar ziet u het dan niet, papa? Ik ben u niet. Ik heb doelen.'

'Doelen! Wat voor doelen? Om als de eerste de beste boef op een
paard rond te galopperen tot je valt en je nek breekt? Of om de sultan te
dienen als een *sipahi* en vervolgens gedood te worden tijdens een jihad?
Je bent niet een van hen. Wij joden zijn geen vechters.'

'Joshua wel. En David ook.'

'Bespaar me de Thora-les. Je weet heel goed wat ik bedoel.'

'Ja heer, dat weet ik. Wat u bedoelt is dat u een evenbeeld van uzelf
van me wilt maken, een man van het boek, omringd door boeken, weg
van de wereld.'

'En is dat zo erg?'

'Nee, heer. Voor u is dat het ideale leven. Maar ik ben u niet. Ik ben
niet...' De jongen aarzelde.

'Je bent niet joods?'

De jongen haalde diep adem. 'Door mijn aderen stroomt het bloed van een krijger.'

Daar had je het. Het lag op tafel. Het verboden onderwerp.

Stilte.

'Mijn excuses, papa. Het was niet mijn bedoeling dat te zeggen.'

'Waarom niet? Het is waar. Ik ben niet je echte vader. Dat weten we. Maar aangezien je uit mijn geliefde Grazia geboren bent, heb ik je altijd als mijn zoon beschouwd. Je moeders zoon, natuurlijk, maar ook mijn zoon.'

'En zo zie ik u ook, papa, als de vader die mijn hele leven voor me gezorgd heeft. En van wie ik houd. Maar betekent dat dan, heer, dat ik het bloed dat door mijn aderen stroomt moet verloochenen? Ik ben uw zoon maar ik ben ook de zoon van heer Pirro Gonzaga, al erkent hij me dan niet.' De jongen beet op zijn lip. Was dat misschien een traantje in zijn ooghoek?

Gewend als hij was aan menselijk lijden, kon de dokter de manifeste tekenen daarvan niet verdragen bij zijn eigen zoon. Hij stak zijn armen uit. 'Ach mijn lieve jongen, mijn zoon.' Hij trok de jongen naar zich toe voor een lange omhelzing. Daar stonden ze dan, in het midden van de kamer en ze klampten zich aan elkaar vast.

Ten slotte schraapte Juda zijn keel en sprak. 'Natuurlijk kan ik je niet dwingen om tegen je eigen aard in te gaan. Eigen of niet eigen, geen enkele ouder zou een kind die last op mogen leggen. Ik geef toe dat jouw hartstocht voor die wilde steekspelen, die ik suïcidaal vind, mijn verstand te boven gaat. Het is niet bepaald een karaktertrek die ik in mijn zoon hoopte te ontdekken.'

'Maar heer, ik ben ook de zoon van mijn moeder, mijn moeder die me verhalen vertelde over hoe ze in de heuvels van Mantua wedstrijdjes hield met haar broers, over de aanraking van de zachte neus van haar pony tegen haar wang, het plezier van het roskammen van zijn vacht tot die glansde als satijn.'

'Jouw moeder was een geleerde en een secretaris die...'

'Die veel waarvan ze hield opgaf voor u, heer,' viel de jongen hem in de rede. 'Ik heb haar nooit zien galopperen op een paard of een sprong zien wagen. Ik heb haar er alleen vol verlangen over horen praten en nu vraagt u van mij om hetzelfde offer te brengen.'

'Nee, dat is niet waar. Ik wil je voorbereiden op het leven van een ontwikkeld man.'

'En doet de islamitische wetenschap waar ik me op de paleisschool aan zal wijden dat niet, heer? U geeft zelf toe dat u de meeste van uw behandelmethoden geleerd heeft door het bestuderen van de Arabische geneeskunde.'

'Griekse geneeskunde, dat klopt,' corrigeerde Juda hem.

'Maar wie heeft die Griekse teksten bewaard, vader? Het islamitische kalifaat. Ik zal aan de paleisschool goed onderwijs ontvangen, heer, dat weet u ook. Beter dan van een of andere onervaren privéleraar die lesgeeft aan de zoons van een rijke koopman in Balat.'

Dat was een argument dat Juda niet kon weerleggen. Hij deed er verder het zwijgen toe en ontbood toen een bediende.

'Thee?' vroeg hij alsof hij een vreemde op bezoek had.

De jongen knikte. Er werd een komfoor binnengebracht en een eenvoudige zilveren theepot. Ze dronken zwijgend.

De jongen schraapte zijn keel en begon toen te praten, zonder zijn vader daarbij aan te kunnen kijken. 'Als ik geselecteerd word voor de paleisschool en u dwingt me om in plaats daarvan bij een of andere familie in Balat te gaan wonen, zal ik van de eerste de beste gelegenheid gebruikmaken om ervandoor te gaan.'

'Is dat een bedreiging?'

'Nee, heer. Een waarschuwing.'

'Hoe zit het met je joodse studiën?'

'Ik zal, zoals altijd, op vrijdag en zaterdag mijn studie bij de Ahrida-gemeente in Balat vervolgen. En wanneer u terugkeert van de veldtocht zal ik klaar zijn voor mijn bar mitswa.'

'En op de andere vijf dagen, hoe ga je dan bidden? Wat ga je eten? Varkensvlees?'

Dat was onzin. Beiden wisten heel goed dat varkensvlees taboe was voor zowel moslims als joden. Maar Danilo verwaardigde zich niet op zijn uitdaging in te gaan.

'Ik zal met trots als een jood leven, heer,' reageerde de jongen. 'Ik geef u mijn woord.'

Juda liet zijn oogleden zakken, onder de indruk van het glasheldere, eerlijke antwoord. Hij had het gras voor zijn eigen voeten weggemaaid door intimidatie en gezwollen retoriek.

'Natuurlijk zul je geen varkensvlees eten. Geen enkele zichzelf respecterende moslimschool zou varkensvlees op het menu zetten. Geen geruzie meer.' Hij stak zijn hand uit met het oog op een tijdelijke wapenstilstand. 'Aangezien je je zinnen gezet schijnt te hebben op de pageschool van de sultan zal ik met hem praten. Gezien je uitstekende resultaten in de haremschool twijfel ik er niet aan dat je wens verhoord zal worden.'

'Bedankt, papa.'

De kloof was overbrugd. De dokter had gecapituleerd. Maar hij had het gevecht niet opgegeven. Hij had het idee dat wat op het spel stond niet minder dan de ziel van zijn zoon was. En dit was slechts een eerste schermutseling in wat een lange oorlog beloofde te worden.

Danilo ontbrak het aan een dergelijk kosmische visie. Voor hem stond de paleisschool simpelweg voor het beste wat het leven hem op dat moment te bieden had. Hij twijfelde er niet aan dat hij ooit, in een verre toekomst naar de universiteit van Padua zou moeten vertrekken om in de voetsporen van de dokter te treden. Maar op dat moment was het zijn grootste ambitie om op zijn eigen paard, met zijn gerit in de aanslag, de renbaan van de hippodroom op te rijden en ten slotte gelauwerd te worden ten overstaan van een uitzinnige menigte.

5 Wees voorzichtig met wat je wenst

Met de belofte van de beste paarden, de beste leraren, een exquise garderobe, ruim zakgeld en de garantie dat hij alleen op zijn eigen kwaliteiten beoordeeld zou worden, draaide Danilo's leven van nu af aan alleen nog om de kans op een plek in de pageschool van de sultan. Zoals zijn vader voorspeld had bleef de eerste ronde hem bespaard, gezien zijn uitstekende resultaten in de twee jaar die hij op de haremschool had doorgebracht. Hij werd meteen opgenomen in een selecte groep waaruit een door het lot begunstigde groep van twintig uitgekozen zou worden voor toelating tot de eerste oda van de school van de sultan in het Topkapi-paleis. De minder fortuinlijke aanvragers zouden hun opleiding ontvangen aan een van de andere twee pagescholen – de ene gesitueerd in het zomerpaleis van de sultan in Edirne, de andere in het paleis van de grootvizier bij de hippodroom.

Zoals de gewoonte was bij de Osmanen was talent het enige criterium bij het maken van de opdrachten, wat natuurlijk niet gold voor de prinsen van de koninklijke familie wier plaatsen automatisch gereserveerd waren. Elk jaar werden gedurende de jaarlijkse vakantie de examens voor de twintig felbegeerde plekken afgenomen in de haremschool. De proeven bestreken een breed scala aan onderwerpen – ruiterkunst, persoonlijke hygiëne, Turkse geschiedenis, rekenkunde en het allerbelangrijkst: de drie talen die elke Ottomaanse hoveling diende te beheersen: Perzisch (de taal van de poëzie), Arabisch (de taal van de Koran), en Turks (de taal van het dagelijks leven).

Nog maar een paar weken eerder had Danilo in deze lokalen gezeten en dezelfde onderwerpen bestudeerd. En dat had hij goed gedaan. Maar voorafgaand aan het toelatingsexamen merkte hij in dezelfde ruimte dat hij steeds meer afgeleid werd door een groepje geesten dat zich daar bij hem voegde. De ongrijpbare aanwezigheid van zijn prinses, zijn speelmakkers en zijn leraren, het waren deze sombere spoken die steeds om hem heen zweefden, ongeacht de proef waar hij mee bezig was; kronkelende en wriggelende memento's van alles wat hij verloren was.

Elke dag stapten de andere pages in spe brullend en schreeuwend met hoog opgezette borst de examenlokalen uit terwijl Danilo's zelfvertrouwen steeds verder daalde. Aan het einde van de examenweek kwam hij zonder een greintje zelfvertrouwen uit de vuurproef tevoorschijn in de stellige overtuiging dat alle andere kandidaten het er beter vanaf hadden gebracht dan hij. Zelfs de verzekering van zijn vader dat de sultan zijn aanmelding goedkeurde vrolijkte hem niet op. Vanuit zijn raam aan de achterkant van het Huis van de Dokter had hij een direct uitzicht op de ingang van de paleisschool, een stel massief bewerkte houten deuren met aan weerszijden twee dikke zuilen van purpersteen. Zou hem gevraagd worden die drempel over te gaan?

Hij was bang het huis te verlaten voor het geval het bericht zou komen dat zijn lot bezegelde. Niet dat hij ergens heen kon. Vanaf zijn aankomst in Istanbul was de haremschool het middelpunt van zijn leven geweest – vooral een plek om te leren, natuurlijk, maar meer nog zelfs een plek van plezier en kameraadschap, waar men hem was gaan behandelen als een lid van de koninklijke familie. Voor de prinsen bleef de harem hun thuis tot ze over de verschillende pagescholen verspreid werden om hun opleiding te vervolgen. Maar nu zijn lichting ontbonden was, was Danilo letterlijk zonder vrienden en ontheemd achtergebleven.

Naarmate de dagen verstreken ging zijn gebruikelijke levenslust langzaam maar zeker in rook op. Hij begon zijn avonden door te brengen op de uitstekende richel bij het Paleispunt, vanwaar hij zijn uiterste best deed een glimp van de Middellandse Zee op te vangen. Hij droomde er van Italië zoals toen hij net bij zijn vader was komen wonen. En hier zat hij ook toen er een schitterend uitgedoste page op hem af kwam lopen wiens enige commentaar op zijn aanwezigheid daar was: 'Je mag blij zijn dat ik degene ben die je gevonden heeft en niet een van de bewakers. Weet je wel wiens domein je hier binnengedrongen bent?' Zonder op antwoord te wachten stak de vreemdeling zijn hand in zijn met juwelen bezette sjerp en haalde een kleine perkamentrol tevoorschijn, dichtgebonden met een satijnen lint en verzegeld met de tugra van de sultan. 'Lees dit,' beval hij.

Hoewel hij zachtjes sprak was zijn gedrag zo zelfverzekerd dat Danilo voor hij het wist gehoorzaam het zegel had verbroken en de boodschap, in prachtig gekalligrafeerd handschrift, las dat hij was toegelaten tot de eerste oda van de paleisschool voor pages. De boodschapper, een lange, ongelooflijk knappe jongeman van ongeveer twintig jaar, liet Danilo weten dat hij zelf op dit moment page was in de derde oda en lid van het gerit-team van de sultan.

Zijn naam was Murad en bij loting was hem het mentorschap voor de nieuwkomer ten deel gevallen.

'Vooruit, nu. Laten we maken dat we hier wegkomen, voor we allebei in de kerkers gegooid worden.' Terwijl hij hem een helpende hand toestak voegde hij eraan toe: 'Ik moet je nageven, Del Medigo, je hebt wel lef om hier op de kade van de grootvizier te gaan zitten.'

Naast het document had Mirad een aantal verbale instructies bij zich, kort en nauwkeurig. Page Danilo diende de volgende ochtend twee uur na het eerste gebed klaar te staan om naar zijn oda te gaan.

'Ik zal je aan de deur op komen halen. Zorg dus dat je klaar bent. En niets meenemen,' droeg hij hem op.

'Niets?'

'Niets. Van nu af aan zal er voor alles wat je nodig hebt gezorgd worden.'

'Alles?'

'Zelfs je tandenborstel,' was het antwoord. 'Trek nu deze aan,' zei hij en hij stak hem een paar gele laarzen toe van leer dat zo zacht was als boter. 'We hebben ze laten maken aan de hand van je rijlaarzen, maar vergissen is menselijk. Ik heb eerder een geheel nieuwe garderobe voor je achtergelaten bij de bediende van je vader. Zorg ervoor dat je, wanneer je je morgenochtend aankleedt, alles aantrekt wat je in de doos vindt. Die kleren zullen iedereen duidelijk maken dat je een leerlingpage bent – een *ich-oghlanlar* – geen leerjongen. Begrijp je?'

Danilo schudde het hoofd.

'We hebben twee soorten pages in de scholen van de sultan: leerlingpages zoals wij en de leerjongens die *ajemi-oghlanlar* genoemd worden. Zij worden tuiniers en portiers, hellebaardiers en beulen. Terwijl wij...' Hij zweeg even voor het effect '... wij de wereld gaan regeren.'

Met die woorden was Murad verdwenen. Hij liet Danilo achter, niet helemaal in staat te geloven wat er zojuist gebeurd was. En daar bleef hij zitten. Hij wist niet zeker wat hij nu moest gaan doen tot hij dankzij een of andere ondefinieerbare impuls op weg ging naar het Huis van de Dokter waar hij meteen op zijn vaders *studiolo* afstevende. Daar hing een gregoriaanse kalender aan de muur, een overblijfsel van het Italiaanse leven van zijn vader. Hij reikte naar een ganzenveer, doopte die in de inktkoker en omcirkelde de datum van de dag: 28 augustus in het jaar 1530. Dit, zei hij bij zichzelf, is de gelukkigste dag van mijn leven.

Pas bij het vallen van de avond, toen hij zijn bedgordijnen opzij trok, drong het besef volledig tot hem door dat dit zijn laatste avond onder de vertrouwde deken zou zijn. Hieronder had hij, vanaf de eerste nacht dat hij in zijn vaders huis had geslapen, steeds troost gevonden en hij voelde een sterke aandrang om de deken nog één keer stevig om zich heen te wikkelen. In plaats daarvan keerde hij zich van het bed af naar de doos met kleren die Murad voor hem had achtergelaten. Toen hij hem opendeed lag daar, netjes opgevouwen, zijn nieuwe leven. Een voor een begon hij zijn vertrouwde kleren uit te trekken en ze te ruilen voor hun vervangers.

Eerst kwam het nieuwe ondergoed dat niet zo heel anders was dan wat hij aanhad, maar dit was zo witgewassen... zijn vaders wasserij kreeg dat nooit voor elkaar. Daarna volgde de *shalvars*, misschien wat beter gemaakt dan zijn normale broek, maar van het soort linnen dat zijn vader ook voor hem kocht. De gordel was een heel ander verhaal. Hij was geweven van gouddraad en werd vastgemaakt met een gouden gesp. Het was zonder meer het mooiste wat hij ooit in zijn leven gedragen had. Daarna kwam een glanzend satijnen vest en een zakdoek van linnen. Alles bij elkaar een uiterst genereus geschenk. Maar Murad had het beste voor het laatst bewaard.

Op de bodem van de doos lag een kaftan van brokaat, verpakt in een linnen zak. Danilo haalde hem tevoorschijn en hield hem tegen zijn lichaam, duizelig door de kostbaarheid van de stof. Zelfs zijn vader bezat geen kaftan van een dergelijke kwaliteit. Hem aantrekken was alsof je een andere wereld in stapte. Terwijl hij de met edelstenen bezette knopen dichtmaakte, begon hij langzaam met glijpassen de kamer rond te gaan. Gehuld in brokaat en juwelen boog hij en murmelde begroetingen tegen onzichtbare gasten, zoals hij leden van de hofhouding van de sultan had zien doen.

Hij vroeg zich maar één keer af hoe zijn vader dit vertoon van oosterse decadentie zou zien. En zodra de gedachte bij hem opkwam verdrong hij hem ook weer meteen. Gelukkig was Juda afwezig. Hij maakte een reis naar Venetië om kruiden te kopen en was er niet om afkeurend met zijn tong te klakken.

De volgende ochtend, net op het moment dat de muezzin zijn tweede gebed van de dag aankondigde, verscheen Murad als beloofd en leidde zijn pupil, na een snelle inspectie van diens garderobe, over de Derde Hof door de massieve zuilen de paleisschool in. Daar, bij de grote poorten van de Grote Hal, bleef de oudere page staan om zijn laarzen uit te doen, een voorbeeld dat Danilo snel volgde. Toen hij opkeek benam dat wat daar voor hem lag hem bijna de adem: een enorme ruimte met zwart-witte marmeren tegels, omringd door zuilen van massief marmer en bekroond met een koepel die rijkelijk versierd was met azuurblauwe en gouden bloemen. Het geheel bood een verbijsterend contrast met de gemoedelijke haremschool. Het leek in Danilo's ogen zelfs nog grootser omdat de hal op dit uur bijna volledig verlaten was, op een paar pages na die als schaduwen heen en weer vlogen zonder geluid te maken. In deze omgeving was stilte verplicht, uit respect voor de sultan, mocht deze hen met een bezoek vereren.

Vanuit de Grote Hal gingen ze verder door een labyrint van marmeren gangen tot ze bij een breed portaal aankwamen waarin één enkel motto uitgesneden was, een waarschuwing aan iedereen in de gebouwen waar God heerste: *La Ilaha'Illa Allah Mohammed Rasoel Allah.* Er is slechts één God en Mohammed is zijn profeet.

'En nu komen we bij wat jouw verblijfplaats zal worden, de Hal van de Eerste Oda,' kondigde Murad aan, terwijl hij Danilo de poort van zijn toekomstige huis door leidde.

Misschien was het de grandeur van de toegangshal waardoor hij te veel was gaan verwachten. Hoe dan ook, Danilo kon nauwelijks zijn teleurstelling verbergen toen hij de pover ingerichte slaapzaal zag. Het was zonder meer een grote ruimte, maar hij was van begin tot einde volgepakt met kleine hokjes en ingesnoerd door een galerij halverwege de muur, vanwaar de hele zaal geobserveerd kon worden. In het Huis van de Dokter had zijn vader hem een ruime, zonnige eigen kamer gegeven, een zacht bed en een met houtsnijwerk versierd bureau. Hier werd hem een cel toegewezen, niet veel groter dan zijn oude bed, met daarin een dunne strozak, een bobbelig dekbed en een opbergkist die, zo legde Murad uit, bovendien dienstdeed als bureau.

Hoewel Danilo zijn best deed, kon hij zijn teleurstelling niet verbergen voor de scherpe blik van zijn mentor.

'Je bent hier weg voor je het weet,' stelde Murad hem gerust. 'Morgen begint de strijd om een plek in het gerit-team en als je daar een plaatsje weet te bemachtigen – wat, naar ik hoor, heel goed mogelijk is – kom je meteen bij ons in de derde oda terecht. Maar eerst moet je haar geknipt worden.' Met die woorden ging hij hem voor door de slaapzaal naar een aangrenzende reeks vertrekken: de hammam.

Omdat hij nog jong was en een lichte gelaatskleur had, stelde Danilo's baard weinig voor en dus was het ook geen groot verlies toen die zonder meer afgeschoren werd. Maar in de jaren die hij op de harem-school had doorgebracht, was hij zijn blonde haar naar de Italiaanse mode tot op de schouder blijven dragen. In zekere zin was die helm van goudblonde krullen zijn handelsmerk geworden. Nu lagen de krullen allemaal om hem heen op de vloer, op die ene haarlok voor elk oor na, die zorgvuldig bijgeknipt werd zodat hij op één lijn viel met zijn neus. Toen hij uit de kappersstoel kwam, voelde hij zich naakt. Het ver-lies van zijn persoonlijke levenssfeer, daar kon hij wel tegen. Maar zijn haar... Meer dan wat ook bood die eerste knipbeurt Danilo een glimp van wat het betekende om het eigendom van de sultan te zijn, om te moeten ondergaan wat zijn meester wilde.

Murad joeg hem voort naar de eerste maaltijd van de dag die op dat moment opgediend werd. Vandaag werd het de nieuwe page toe-gestaan zijn maaltijden in de Hal van de Voedselvoorziening te gebrui-ken, samen met Murad en de andere leden van het gerit-team die al-lemaal even knap, opgewekt, hongerig als hijzelf waren en bereid een medeatleet welkom te heten wiens reputatie wat de gerit betrof hem vooruit was gesneld. Het was precies zoals Murad dacht. Deze glimp van hoe zijn leven er in de paleisschool uit zou kunnen zien herstelde Danilo's wil om koste wat kost deel uit te maken van het team.

Let wel, geen enkel lid van de eerste oda was, voor zover iemand zich kon herinneren, ooit meteen in het gerit-team terechtgekomen, en er was ook nog nooit een jood op de paleisschool geaccepteerd. Uit de hints die hij aan de eettafel kreeg maakte Danilo op dat zijn waarde voor het team de doorslaggevende factor was geweest bij zijn toelating. Veelzeggende uitspraken als 'het team heeft jonger bloed nodig' en 'we kijken ernaar uit om samen met je rijden' en 'het wordt tijd dat elke oda vertegenwoordigd is in het team', suggereerden dat zijn meesters waarschijnlijk al snel gebruik wilden maken van het talent op grond waarvan ze hem gekozen hadden.

Die avond, na afloop van zijn eerste dag en de tweede maaltijd, bracht Murad zijn pupil terug naar zijn slaapzaal. HIj was niet zo buitensporig gelukkig als voordat zijn haar geknipt werd, maar toch redelijk optimistisch over zijn mogelijkheden. Nadat hij hem had laten zien hoe hij zijn dekbed uit moest rollen en de volgende ochtend weer ophangen, en hem het belangrijkste gebed van de pages geleerd had – een gebed voor de sultan, voor de zielenrust van de dode sultans en de leiding van de priesters van de *oelema* – was het tijd. Murad moest afscheid nemen.

Maar wacht. Nog één ding. Zo gauw Danilo zijn eerste zakgeld ontving, zou hij zijn eigen kleren mogen kopen. 'Maar zorg er wel voor,' waarschuwde Murad, 'dat je je mannelijk kleedt. Kies vooral geen vrouwelijke kleuren.'

'Zoals?'

'O, je weet wel. Fuchsia of lavendelblauw. Geen zwart. En denk erom: je bent de page van de sultan. Mensen letten op je. Je moet zorgen dat je kleren altijd geperst zijn en dat je kaftan dichtgeknoopt is; ondergoed moet schoon zijn en – belangrijk – elke dag een schone zakdoek.' Dit was de derde keer die dag dat hij over die zakdoek hoorde. Het was een lange dag geweest. Zijn haar was net als bij Samson afgeschoren, en men had hem van zonsopkomst tot zonsondergang gestompt, heftig toegesproken en rond gecommandeerd. Hij had er genoeg van.

Maar Murad dramde door, waarschijnlijk uit vrees zijn plicht als mentor te verzaken. 'Let op wat ik je zeg. Je moet zeker één keer per week een bad nemen en je moet ook elke week je handen en voeten laten verzorgen. Scheren doe je minstens twee keer per week. En één keer per maand moet je haar geknipt.'

Danilo wist vrij zeker dat hij deze instructies die ochtend ook al allemaal in de hammam te horen had gekregen, maar het leek onbeleefd om hem in de rede te vallen, dus knikte hij dat hij het begreep en liet de toespraak verder maar over zich heen komen. En verder ging hij!

'Het is absoluut uit den boze om in het openbaar je handen te verzorgen of in de hammam anderen onder te spatten. Vergeet in de eetzaal niet dat je nóóit mag beginnen met eten voor je meerderen te eten hebben gekregen en dat je nóóit je eten met je ogen mag verslinden, al heb je nog zo'n honger. Of het haastig naar binnen werken of praten met je mond vol. En ten slotte, moge Allah je bijstaan mocht je tijdens een maaltijd ooit boeren of hikken.' Was hij niet zo moe geweest, dan zou Danilo inmiddels behoorlijk ontstemd geraakt zijn. Nu knikte hij echter vriendelijk om zo snel mogelijk van zijn nieuwe lala af te komen.

'En ten slotte. Op straat wordt er niet gegeeuwd, je niet uitgerekt, niet gekrabd of naar vlooien gespeurd.'

Opnieuw knikte Danilo gehoorzaam en hij werd beloond met een onverwacht en bondig: 'Ik wens je een goede nacht.' Eindelijk.

Maar toen hij langzaam wegzakte bleef Murads stem als van verre in zijn hoofd doorzeuren: 'Ik moet je nog vertellen...'

De stem zat niet in zijn hoofd. De stem was naast zijn oor op het kussen. De stem behoorde toe aan een hand die hem wakker schudde. 'Dit is belangrijk. Word wakker en luister.'

Vermoeid sloeg Danilo zijn ogen op.

'Ik ben vergeten je de raad mee te geven die ik van mijn mentor ontvangen heb toen ik op school kwam.' Hield dit eindeloze onderricht dan nooit op?

'Morgen?' vroeg Danilo hoopvol.

'Vanavond. In je kist zit papier en inkt. Schrijf dit op zodat je het nooit vergeet.' En daar stond hij dan: onverzoenlijk, autoritairder dan alle leraren ook die Danilo ooit gehad had, onder wie zijn Albanese rijinstructeur.

'Schrijf nu op.'

Danilo doopte zijn pen in de inkt en schreef: 'Een page moet even stil zijn als een houtbewerker in een Russisch boerenhuis. Hij moet handelen alsof hij honing op zijn tong heeft en amandelolie op zijn rug. Er zijn momenten dat hij blinder moet zijn dan een mol, dover dan een korhaan, ongevoeliger dan een poliep. Maar op andere momenten moet hij de ogen van een lynx en de oren van een Pomeriaanse keeshond hebben. Hij moet leren zijn blik altijd op de grond te richten (alsof Danilo zo stom was dat hij dat niet allang gezien had bij alle andere pages) en zijn armen altijd voor zijn borst gekruist te houden. (Ook dat!) Naarmate hij de jaren van volwassenheid nadert moet hij meer op zijn hoede zijn, niemand vertrouwen, het ergste verwachten. De mens is verdorven. Eigenbelang is de belangrijkste drijfveer voor actie. En deugd is vooral hypocrisie. Vergeet dit niet,' besloot hij. 'Je weet niets van de wereld. Hoe oud ben je? Vijftien?'

'Veertien,' gaf Danilo toe.

'Zoals ik al zei: een jongen. Die haremschool is een kinderbewaarplaats. Deze school maakt een man van de wereld van je. Op een dag zul je me dankbaar zijn voor dit advies, ook al haat je me nu omdat ik je nachtrust verstoor. Welterusten, dus.' Dit keer was zijn mentor ook echt verdwenen. Eindelijk werd hij alleen gelaten, maar nu was hij de vermoeidheid voorbij. Danilo vroeg zich af of hij zich de hele catechismus van instructies nog kon herinneren, wat hem meteen deed betwijfelen of hij dat wel echt wilde. Papa had gelijk, dacht hij. Dit is geen plek voor mij. Regels, regels, regels. En een hard bed en slecht eten bovendien. Misschien moet ik maar opgeven.

Zelfs een bezoek aan de stallen de volgende ochtend om zich in te schrijven voor de gerit-wedstrijd deed weinig om zijn enthousiasme aan te wakkeren. Terwijl hij zijn zware uitrusting het oefenveld op rolde vroeg hij zich ineens af wat hij daar deed. Op een paar stappen afstand bevonden zich het comfort en de vrijheid van het huis van zijn vader. Waarom gaf hij er niet gewoon de brui aan? Iedereen wist toch dat geen enkele page uit de eerste oda kans maakte in het gerit-team van de sultan te spelen. En de gedachte aan een heel jaar in de eerste oda, een jaar waarin hij beoordeeld, gewogen en te licht bevonden zou worden, doemde dreigend, somber en troosteloos voor hem op.

Het was in deze stemming dat hij zich opgaf voor de steekspelen de volgende ochtend. De eerste ronde tegen de jongens van de lagere oda's won hij natuurlijk. Maar wat stelde dat voor? Het betekende alleen dat hij de beste van de slechtsten was. En toen de oudere mededingers naar voren kwamen was zijn score niet beter dan hun beste prestatie. Pas op de renbaan voelde hij dat zijn humeur begon te veranderen. Het was zo'n dag waarop alles hem scheen te lukken. Terwijl hij achterwaarts op het doelwit afstevende, vuurde hij een reeks pijlen af en raakte het doel elke keer precies in het midden. Over de baan galopperend boog hij naar beneden en pakte, zonder zijn tempo één moment te vertragen, een bal van de grond. Zo ging het de hele middag door. Toen hij vlak voor de laatste test naar de jurytribune keek, zag hij daar niemand minder dan zijn rijinstructeur van de haremschool zijn beide duimen naar hem opsteken. Een heel goed teken.

De laatste ronde bestond uit een sprong, de hoogste die hij ooit had geprobeerd. Hij ging ruim over de hindernis heen en galoppeerde het veld af, er nog steeds allesbehalve zeker van dat hij geslaagd was, maar tevreden dat hij zijn uiterste best had gedaan. Of dat goed genoeg was, zou de tijd moeten leren.

Hij hoefde niet lang te wachten. Die avond werd in de eetzaal de definitieve selectie bekendgemaakt en Danilo del Medigo, de joodse eerstejaars, voerde de lijst aan van degenen die uitverkoren waren om dit jaar deel uit te gaan maken van het gerit-team van de sultan.

Verlangde hij er even naar dat hij dit goede nieuws met iemand kon delen? Ja. Dacht hij met weemoed aan prinses Saïda, zijn vertrouwelinge en vriendin? Ja. Maar hij was haar kwijt nu, ze was buiten zijn bereik. En zijn nieuwe teamgenoten wenkten naar hem.

Omdat hij jonger was dan de rest werd hij algauw een soort mascotte voor hen. Hij was een regelmatig mikpunt voor hun grove grappen, maar tegelijkertijd ook object van hun oprechte genegenheid. En hij had zijn paard om hem gezelschap te houden, zijn eigen paard – een geschenk van de sultan aan elk teamlid – dat door Danilo Bucephalus werd gedoopt. Hij had zijn eigen box toegewezen gekregen in de stallen van de sultan. Daar bracht hij zijn avonden door met het roskammen van het dier tot zijn vacht glansde. Zijn moeder had als meisje hetzelfde gedaan, had ze hem verteld. Hij voelde zich gesteund door dit dubbele geluk en hij had nauwelijks tijd om de donkere kant op te merken van zijn recentelijk zo betoverende leventje. Zijn vader, die op veldtocht was, zond hij alleen goed nieuws.

Beste papa,

Vandaag heb ik op de renbaan in volle galop afgezadeld en weer gezadeld. Dit is een van de vier expertises die we dit eerste jaar onder de knie moeten krijgen. De laatste van die vier is dat we zij aan zij rijden en in volle galop van paard moeten wisselen. Dat heb ik een keer op de haremschool met prins Moestafa als partner geprobeerd. We kwamen toen allebei met geschaafde knieën in de greppel terecht. Maar nu weet ik zeker dat ik die manoeuvre onder de knie zal krijgen omdat mijn partners allemaal zulke fantastische ruiters zijn en we elke dag oefenen, weer of geen weer. Ik weet dat u de gerit als een gevaarlijke sport beschouwt, papa, maar een man kan ook op straat door een op hol geslagen kameel vertrapt worden. En hier leren we alles langzaam, stap voor stap, waarbij we zorgvuldig in de gaten gehouden en voortdurend gemaand worden geen onnodige risico's te nemen.

Ik hoop dat dit uw angst om mijn veiligheid wat wegneemt. Geloof het of niet maar op de rug van een paard ben ik het veiligst. En, papa, waar zou ik anders elke dag op mijn eigen paard met mijn vrienden kunnen rijden? 's Avonds houdt Bucephalus me gezelschap wanneer de anderen in de moskee zijn. Ja, dan neem ik mijn Thora met me mee naar de stallen en lees hem eruit voor. Ik denk niet dat het God veel uitmaakt met wie we samen studeren. Wat denkt u?

Uw uiterst eerbiedige zoon,
Danilo del Medigo

PS U had me er al voor gewaarschuwd en de tucht hier op deze school is inderdaad streng, hard zelfs. Maar er doen zich geen onbenullige ruzietjes tussen ons voor of allerlei geroddel, het is een en al vriendschap en loyaliteit aan elkaar, omdat we staan of vallen als team.

Ik ben u elke dag dankbaar dat u me toegestaan heeft hierheen te komen en ik dank God elke dag dat Hij me zo gezegend heeft.

6 Een uitgekomen wens

Streng? Hard? Toen hij zijn meesters in de Venetiaanse senaat over de pageschool berichtte, liet hun bailo weten dat de discipline werd opgelegd met een strengheid en meedogenloosheid die een kapucijnenklooster niet zou misstaan. Voor Danilo del Medigo vertegenwoordigde het een manier van leven die hij niet kende. Hij had de plundering van Rome meegemaakt en was dus wel bekend met gewelddadigheid en wreedheid. En zijn verblijf in het Topkapi, waar elke gebeurtenis zich strikt volgens protocol voltrok, had hem vertrouwd gemaakt met de formele oriëntaalse levenswijze. Maar de onpersoonlijke en berekende bestraffingen die de eunuchen-opzichters van de school uitdeelden, had hij nog niet eerder meegemaakt. Deze waren dag en nacht gestationeerd op een balkon dat uitkeek over zijn slaapzaal.

De jonge pages werden gecontroleerd door eunuchen wat hun gedrag, door leraren wat hun academische prestaties en een *mullah* wat het naleven van de religieuze voorschriften betrof, en ze werden daarbij voortdurend aan strenge strafmaatregelen onderworpen, zelfs voor de lichtste overtredingen – te laat zijn, vieze schoenen, een fout gespeld woord, gefluister tijdens het gebed.

Een uur voor het aanbreken van de dag werden de slapende pages gewekt door drie slagen op een gong die aan het plafond van hun slaapzaal hing. Een half uur later kwam de Hoofd Aga hun bedden inspecteren. Elke page die nog in bed aangetroffen werd, werd eruit getrokken en kreeg een flinke uitbrander. Danilo, die altijd al vroeg opgestaan was, vond dit niet zo lastig. Maar toen een van zijn makkers zich voor de derde keer verslapen had en gestraft werd met tien slagen met een *bastinado* waardoor hij een week niet kon lopen, sneden de kreten van de overtreder, toen de rotting in zijn voetzolen beet, ook door Danilo's eigen vlees.

De routine was altijd hetzelfde. De lessen begonnen bij zonsopkomst. Vier uur later werd de eerste maaltijd opgediend, bestaande uit gekookt schapenvlees zonder saus, wat brood en een kom kaas-, linzen- of roomsoep ingedikt met rijst, honing en saffraan of krenten. Geen salade, geen sorbet, geen meloenen en op de krenten na steeds weer hetzelfde.

Daarna was het tijd voor huiswerk en atletiektraining gevolgd door de tweede maaltijd – hetzelfde eentonige voedsel als eerst, elke dag weer. Vanwege alle dagelijkse fysieke inspanningen had Danilo toch al een gezonde eetlust en hij zou met liefde de waterigste herderspap naar binnen hebben geschrokt als het het enige gerecht op tafel was. Maar de meeste pages – sommige kieskeuriger, andere hongeriger – klaagden stevig over het eten.

Bij zonsondergang was er een gebedsbijeenkomst in de moskee – waar de joodse page niet bij hoefde te zijn – gevolgd door een uur stille Koranstudie en ceremoniële wassingen. Door met een rotting op de vloer te stampen kondigde een eunuch aan dat het tijd was om te gaan slapen. Lichten uit. Geen gepraat. 's Ochtends doorzochten de verzorgers hun kisten op levensmiddelen en liefdesbrieven.

Aan dit regime werd zes dagen per week strikt de hand gehouden. De enige onderbreking waren de verplichte vijf gebedstonden per dag. De enige afwijking bestond uit een portie pilav elke donderdag bij de tweede maaltijd.

Maar twee keer per jaar werden er twee officiële Bayram-festivals gehouden: de Bayram van het offer, die het offer van Isaak gedenkt en het Suikerfeest aan het eind van de ramadan, de Bayram van de zoetigheid. Bij deze twee gelegenheden trokken de pages hun fraaiste kleren aan en woonden een *baisemain* bij die door de sultan gehouden werd. Daar kusten ze de zoom van zijn gewaad en verwierven behalve zijn zegening tevens zijn toestemming zich de komende vier dagen over te geven aan ongebreideld plezier.

Gedurende deze onderbrekingen was het hun toegestaan om zonder zich zorgen te hoeven maken om regels of straf, de grenzen van hun slaapzaal te overschrijden en het water over te steken dat vol lag met kaïken en aken afgeladen met pretmakers. Eenmaal aan land stond het hun gedurende de Bayrams vrij om ongehinderd en vrij door de straten van de stad te dwalen.

De rest van de tijd was het hard werken en weinig plezier maken geblazen. In de ogen van iemand als de Venetiaanse bailo was de hoeveelheid aandacht, tijd, energie en geld nodig om dit opleidingsinstituut in bedrijf te houden buitensporig. Maar in die van de Ottomaanse sultans was deze school de basis voor wat door buitenlanders de Heersende Klasse werd genoemd en door ingewijden simpelweg de *cul* van de sultan, een regerende kaste van slaven die alleen aan hem trouw verschuldigd waren. Deze cul was de unieke uitvinding die een weinig opzienbarende, heterogene nomadische stam in staat had gesteld om in minder dan honderd jaar tijd een invloedssfeer, vele malen omvangrijker dan het Romeinse Rijk, te creëren, in stand te houden en uit te breiden.

De snelheid van die transformatie ging de Europese verbeeldingskracht ver te boven. Vanuit een westers standpunt gezien leek het alsof van de ene op de andere dag de Osmaanse stam veranderd was van een bandeloze bende gazi-grensstrijders in de gesel van christelijk Europa. Nadat ze zich in een vroeg stadium tot de islam bekeerd en hun naam van Osmaans in Ottomaans veranderd hadden, schreven ze hun opvallende opmars toe aan de welwillendheid van Allah. Ze beschouwden hun missie als een jihad tegen de ongelovigen. Maar die missie benaderden ze met een hardvochtig pragmatisme dat ze eerder aan Sun Tzu dan aan Mohammed te danken hadden. En net als hun oriëntaalse voorvaderen leken ze er een talent voor te hebben om problemen in een vroeg stadium te onderkennen en onverwijld aan te pakken, daarbij vaak gebruikmakend van aan anderen, en dan vooral hun vijanden, ontleende methoden.

Toen in het midden van de veertiende eeuw de eerste Ottomaan niet langer een grensstrijder à la Dzjengis Khan wilde zijn, de titel sultan aannam en een rijk begon te stichten, treurde hij niet over het ter ziele gaan van zijn traditionele stammenraad. Het was duidelijk dat dat instrument niet geschikt was voor de nieuwe ambities van de stam. In wat kenmerkend werd voor de Ottomaanse stijl, begonnen de nieuwe sultan en zijn adviseurs om zich heen te kijken – niet alleen in Azië, maar ook in Europa – op zoek naar modellen van de manier waarop andere grootmachten hun vooraanstaande positie beschermden, bewaarden en beheerden.

In het Westen waren de hebzuchtige baronnen en opstandige hertogen van Europa het levende bewijs dat de aristocratie van het bloed een ware broedplaats voor corruptie en opstanden was. Zoiets als een erfelijke kaste van edelen zou er dus in het Ottomaanse Rijk niet komen, op de erfgenamen van de sultan, de nieuwe titel die toebedacht was aan het voormalige stamhoofd, na.

Het hele idee van een republiek stond lijnrecht tegenover hun stammentraditie. Maar in Egypte was een nuttig voorbeeld te vinden. De Egyptenaren hadden een compleet leger aangeschaft op slavenmarkten in het Middellandse Zeegebied, ze een optimale training gegeven en dankzij hen steeds meer gevechten gewonnen. Waarom deze methode niet nog een treetje hoger getild? Waarom de rol van de slavenkaste niet uitbreiden van het zuiver militaire naar dienstverlening in de civiele afdeling van het bestuur?

Natuurlijk waren bepaalde kleine aanpassingen noodzakelijk. De slavenmarkten waren in staat om soldaten, tuiniers, kamerheren en beulen te leveren, en deden dat ook, maar ze hadden geen, meer superieure geesten in de aanbieding – de zeer intelligente en capabele jongens – die opgeleid zouden kunnen worden om een wereldrijk te regeren. Om dat soort kandidaten binnen te halen moest het Ottomaanse Rijk de netten verder uitwerpen dan de slavenmarkten. Als oplettende moslims was het hun verboden andere moslims tot slaaf te nemen. Maar de Koran zei niets over het knechten van ongelovigen.

Belastingen zijn van alle tijden. Over de hele wereld staan boeren een deel van hun oogst af als leengoed. De kerk vraagt tienden van zijn volgelingen. Het idee is oud. Maar de Ottomanen gaven er een nieuwe draai aan. Hun ingenieuze uitvinding, de *devshirme*, was een heffing die niets te maken had met belastingen of oogsten, maar met mankracht. In het bijzonder ging het over de vordering van één zoon op de dertig die geboren werden in de onderworpen christelijke families in het Ottomaanse Rijk. Van de experts die de grens over gestuurd werden om deze menselijke oogst binnen te halen, zei men dat zij er bedrevener in waren jongens te beoordelen dan ervaren paardenhandelaren veulens.

Van elke lichting devshirme werden de fysiek volmaakste, de intelligentste en de meest veelbelovende jongens apart gehouden voor persoonlijke dienstverlening aan de sultan. Zij werden lid van zijn cul. Eenmaal uitverkoren werden deze 'tributen' meteen tot de islam bekeerd. Deze slaven lieten echter zelden hun christelijke wortels helemaal los. Diep vanbinnen neigden ze vaak naar alcoholisme en hoerenlopen (de reden waarom, met kenmerkende Ottomaanse bureaucratische zakelijkheid, een voorziening was getroffen in de vorm van die halfjaarlijkse Bayram-uitjes, gedurende welke periode alle gedragsregels werden opgeschort).

Zodra ze eenmaal het predicaat 'trouwe moslim' hadden verworven, werden de pages van de cul toegewezen aan een van de scholen die onder de persoonlijke supervisie van de sultan stonden en die eveneens dienden als oefenterrein voor zijn eigen zoons en neven. De slimsten van hen werden bureaucraat, de sterksten officier en het was uit hun gelederen dat degenen die de hoogste posten in het land bekleedden afkomstig waren. Waren ze eenmaal uitverkoren dan werden ze hetzelfde behandeld – prins of slaaf maakte geen verschil.

Het was dan ook geen verrassing dat de Europeanen geschokt waren toen ze erachter kwamen dat dit geweldige, nieuwe Turkse rijk in feite niet door de Turken zelf maar door een slavenkaste van christelijke origine werd bestuurd. Dat druiste volledig in tegen het erfelijke beginsel waar ze zo aan gehecht waren. Even ongelooflijk waren de berichten dat in veel arme streken christelijke families naar een kans dongen om hun kinderen de moslimslavernij in te sturen. Iedere rechtschapen christen kon daar alleen schande in zien. Maar een aantal opmerkzame Europese waarnemers waren onder de indruk van de uitvinding van de devshirme. Een van hen, Ogier Ghiselin de Busbecq, de Vlaamse ambassadeur in Istanbul, beschreef het cul-systeem als een 'meedogenloze meritocratie'.

'Hun ideeën zijn niet die van ons,' schreef hij. 'Ze geven evenveel om mensen als wij om onze paarden,' legde hij zijn meerderen uit. 'Bij ons is geboorte de maatstaf voor alles. Voor talent is geen ruimte. Afkomst is de enige sleutel tot een carrière in de civiele dienst, terwijl er bij de Turken geen enkel onderscheid naar geboorte wordt gemaakt. In Turkije heeft elke man het in het leven zelf in de hand om iets te maken van zijn afkomst en positie. Die zogenaamde slaven die de hoogste betrekkingen krijgen van de sultan zijn meestal de zoons van herders en veehoeders en in plaats van zich te schamen voor hun afkomst zijn ze er juist trots op. Daarnaast geloven ze niet dat verheven kwaliteiten aangeboren dan wel erfelijk zijn maar eerder het gevolg van een goede opleiding, grote vlijt en onvermoeibare ijver. Dientengevolge zijn eerbewijzen, hoge posten en rechtersaanstellingen de beloning voor een aanzienlijk talent en uitstekende dienstverlening. Is iemand daarentegen oneerlijk, lui, of nonchalant dan blijft hij onder aan de ladder.'

In de pagescholen wordt er voortdurend aandacht en zorg aan besteed om die jongens die dat waard zijn klaar te stomen voor het leiderschap. Zoals de immer scherpzinnige Busbecq in niet weinig ironische bewoordingen zijn beschaafde Belgische meesters duidelijk maakte: 'In Europa besparen we ons geen enkele moeite om het beste uit een goede hond, havik of paard te halen wanneer die op ons pad komen. Maar als een jongeman over een bijzondere dispositie blijkt te beschikken doen we geen enkele moeite. En wij mogen dan wel veel plezier en nut hebben van een goed getrainde hond, paard en havik, de Turken hebben nog veel meer aan een goed opgeleide man.'

Nergens was die niet-aflatende zorg, die Busbecq zo opgevallen was, uitbundiger dan in de paleisschool van de sultan zelf. Daar werden de pages niet alleen zorgvuldig door het studie- en sportprogramma heen geloodst, ze werden ook gevolgd waar het de meer alledaagse aspecten van hun leven betrof – lichaamshouding, dieet, persoonlijke verzorging en hygiëne bijvoorbeeld.

Niets werd aan het toeval overgelaten. Bij het opstellen van een rooster voor de jongens had men zorgvuldig het exacte punt berekend waarop een groep voortdurend in de gaten gehouden, strak gecontroleerde, gezonde jongemannen vol levenslust een onderbreking in de discipline nodig hadden. Hoe vaak hadden ze een verfrissende breuk met de strikte routine nodig? Eenmaal per jaar? Tweemaal? Tweemaal per jaar, ja dat leek de juiste hoeveelheid. Dat was het moment waarop het bij een nu reeds lang overleden vizier moest zijn opgekomen dat, door een gelukkig toeval, de alom gevierde Bayram-festivals een nuttig, tweeledig doel konden dienen, aangezien ook zij twee keer per jaar gehouden werden. Sindsdien stelde de paleisschool elke Bayram in het teken van godsdienstige plechtigheden en plezier. En dus werden de pages twee keer per jaar in de gelegenheid gesteld om hun stijve spieren te ontspannen, hun gevoelige zenuwen te kalmeren en hun geest te ontdoen van bezorgde gedachten.

Misschien was het wel de ultieme graadmeter voor de controle waar de jongens aan blootgesteld werden dat zelfs vrijheid hun met regelmatige tussenpozen en in afgemeten porties toebedeeld werd. En voor het geval twee keer per jaar niet voldoende was om het herstel van een goed humeur en gewillige gehoorzaamheid te bewerkstelligen, kondigde de sultan per decreet zijn eigen festivals af, teneinde koninklijke huwelijken, besnijdenissen en militaire overwinningen te vieren – nog eens extra gelegenheden voor de pages om een paar dagen hun vrijheid te vieren.

Danilo del Medigo was er tegen de tijd dat zijn eerste Bayram aan zou breken echt aan toe. De monotone routine en de continue bewaking begonnen hem te irriteren. Maar in tegenstelling tot zijn medepages die vol verlangen praatten over dronken worden en Galata op zijn kop zetten, merkte hij tot zijn verrassing dat hij stilletjes fantaseerde dat hij op de rotsrichel bij het Paleispunt naar zee lag te kijken, naar de 'wijnkleurige zee', zoals zijn moeder die genoemd had. Vele nachten had hij ervan gedroomd om in een ranke, zwarte kaïk over de golven teruggevoerd te worden naar Italië, waarna hij vaak wakker werd met sporen van tranen op zijn gezicht.

Zelfs het nieuwe paard dat hij omgedoopt had tot Bucephalus, bracht hem weinig troost. Hij wist dat hij gelukkig moest zijn. Hij had alles wat zijn hart ooit begeerd had. Zijn wensen waren vervuld. En hij moest denken aan zijn vaders vaak aangehaalde waarschuwing: 'Wees voorzichtig met wat je wenst. Je wensen zouden zomaar uit kunnen komen.'

In zijn pageboek had de blanke Oppereunuch in zijn eerste kwartaal maar één slechte aantekening aan het adres van Danilo del Medigo genoteerd. De bewuste overtreding was Incidentele Onoplettendheid. Niet Algehele Onoplettendheid, gewoon Incidentele Onoplettendheid. De Aga had opgetekend dat de zoon van de dokter in de klas de neiging vertoonde om af te dwalen, naar een ander land leek het wel, en dat hij met een stok weer met zijn aandacht bij de les gebracht moest worden.

De Aga liet verder weten dat men gezien had dat de page in deze vreemde mentale staat wegzakte tijdens de voordracht van een van de sultans eigen gedichten. (Süleyman, een groot bewonderaar van veel van wat Perzisch was, schreef gedichten in die taal onder het pseudoniem Moehabbi of Hij die Liefheeft.)

Zijn leraar meende dat Del Medigo geen gevoel voor abstractie had. De jongen had vooral een praktische geest, bij uitstek geschikt voor bijvoorbeeld de berekeningen die een gerit-speler moet maken wat betreft snelheid versus balans, om het exacte moment van de worp te kunnen kiezen. Zijn lichaam, schreef de leraar, was slimmer dan zijn geest. Maar daarbij moet wel opgemerkt worden dat deze leraar zelf een Perzisch dichter was en dus geneigd was poëzie hoger aan te slaan dan ruiterkunst.

De rijinstructeur van de page, een Albanees die als gevolg daarvan paarden uiterst serieus nam, had Del Medigo het hoogste cijfer toegekend voor ruiterkunst. De page was voorbestemd om mee te doen aan een toernooi in de hippodroom, liet hij weten. De Albanees nam het voor zijn beste student op en maakte zijn mede-lala's duidelijk dat de jongen het jongste lid was van het team van de sultan. Toen hij naar de haremschool ging was hij eraan gewend geraakt om thuis te wonen. Het leven in een studentenhuis was een grote verandering voor hem. Bovendien was de vader van de jongen, de lijfarts van de sultan, nog niet teruggekeerd voor de winter omdat de jaarlijkse militaire campagne dat jaar laat van start gegaan was. Misschien miste de page zijn vader. Hij was per slot van rekening een jongen zonder moeder, ver van zijn vaderland vandaan. Wellicht dat zijn gedachten daarheen afdwaalden – naar het verre Italië of naar zijn moeder die op zee omgekomen was, terwijl ze hem naar Istanbul bracht. Daarna, omdat niemand, hoe begripvol ook, helemaal zonder vooroordeel is, voegde hij eraan toe: 'De jongen is tenslotte een jood. Een bijzonder geval.'

Hoewel hij het niet toegaf tegenover zijn collega's begon de Albanese rijinstructeur zelf ook wat bedenkingen te hebben wat zijn protegé betrof. De laatste tijd was Del Medigo nogal slordig geworden op de renbaan, hij raffelde zijn sprongen af, was ietwat uit balans. Het leek wel of hij met het gevaar flirtte, wat een ernstige tekortkoming was in een jonge ruiter. Op één punt echter waren alle leraren het wel met elkaar eens: als iets Del Medigo van zijn malaise kon genezen, dan waren het wel de aanstaande Bayram-verzetjes. Een paar avonden in de vleespotten van Galata, meer had hij niet nodig om weer zichzelf te worden.

En inderdaad was Danilo toen hij na zijn eerste Bayram terugkeerde een ander mens: hij was aandachtig in de klas, zijn rijstijl was weer uiterst zorgvuldig en hij ging joviaal met zijn makkers om. Bayram had hem zonder meer geholpen. Maar niet om de redenen die zijn leraren dachten.

Danilo was aan de vooravond van zijn eerste Bayram niet met zijn teamgenoten mee naar Galata gegaan. Nadat hij samen met hen de baisemain van de sultan had bijgewoond, verontschuldigde hij zich met een weinig overtuigend verhaal over een of andere joodse verplichting. Vastbesloten nog voor het donker de kroegen van Galata te bereiken, lieten zijn maten hem aan zijn lot over en hij vertrok bij het vallen van de avond naar de rotsrichel die uitkeek op de kade van de grootvizier.

Daar bracht hij twee uur bibberend van de kou en de zenuwen door terwijl hij om de haverklap zijn hand in zijn sjerp stak voor het briefje, flink beduimeld inmiddels, dat hij die ochtend in zijn deken gevouwen had gevonden.

Het was geschreven met rood krijt, om een kaneelstokje gewikkeld en bijeengebonden met een zijden lint. Erop stond te lezen: 'Als je nog steeds mijn paladijn bent, kom dan na afloop van het laatste gebed naar de richel boven het water. Het geluk is met de stoutmoedigen. Verbrand dit.' Onderaan twee stippen en twee vegen. Geen ondertekening. Niet nodig.

Natuurlijk verbrandde hij het briefje niet. Hij had het de hele dag onder zijn sjerp verstopt, tegen zijn huid, op die keren na dat hij het tevoorschijn had gehaald en vol verwachting tussen zijn vingers had gewreven. Terwijl hij daar wachtend op de richel de tijd verdreef had het zijn vingers verwarmd. Tegelijkertijd bezorgde de boodschap hem koude rillingen.

In de tijd dat ze op de haremschool hadden gezeten werden de prinses en hij beschouwd als kinderen en hun escapades in de bossen van Kinali als spel. Maar tegenwoordig was prinses Saïda officieel de huwbare dochter van de sultan. En Danilo del Medigo was een van de uitverkoren pages van de sultan voor wie ook maar het geringste vermoeden van verraad, zoals een flirtage met zijn dochter, zonder meer de dood betekende. Vandaar de koude rillingen die hem bevingen wanneer hij zijn hand in zijn sjerp stak om het briefje aan te raken dat die ochtend in zijn bed was achtergelaten.

Toen de schaduw van de kaïk van de sultan eindelijk de baai rondde, durfde hij nauwelijks die kant op te turen. Toen hoorde hij een gefluit dat van de kaïk af leek te komen – twee keer lang, twee keer kort. Zijn moed bijeenrapend drukte hij zijn vingers tegen zijn lippen en deed het geheime signaal na. Al dat gefluit zou ongetwijfeld de aandacht trekken, maar was dat niet de bedoeling?

Voetstappen. Te laat om ervandoor te gaan. Als deze ontmoeting uitgelekt was, als dit de mannen van de sultan waren die hem kwamen halen, dan was hij nu toch al zo goed als dood. Hij rechtte de schouders en liep het duister in, zijn lot tegemoet. Een lot dat zichzelf presenteerde in de vorm van een dikke, zwarte eunuch die in de duisternis opdoemde en hem stilletjes gebaarde het vaartuig dat aan de kade aangemeerd lag, op te komen. Het was een ranke skiff die met zijn omhoogwijzende boeg op een Venetiaanse gondel leek. Hij was wit-geverfd, versierd met vergulde tekeningen en bezat over de hele lengte een groene rand. In het midden bevond zich een overhuifde zitbank, overdekt met geborduurde fluwelen kussens. Erachter wapperde een vlag met het persoonlijke wapen van de sultan, de tugra.

De tocht naar het eiland Kinali verliep in stilte. Toen hij er voor het eerst sinds hij de prinsenschool verlaten had, weer voet aan wal zette, herkende Danilo het eilandje dat de geliefde kinderspeelplaats van zijn prinses en hem was geweest. Maanden waren voorbijgegaan sinds hij afscheid had genomen van alles waar het voor stond. Eenmaal aan wal vonden zijn voeten hun weg door het kreupelhout naar de bekende open plaats. Daar stond de verwoeste moskee, zonder dak maar met de muren nog steeds intact en ook de roestige toegangspoort was er nog, het hek dat nog maar half in de scharnieren hing.

'Is dat mijn paladijn die is weergekeerd van verre oorlogen om me uit deze grot te komen redden?' klonk een melodieuze stem in het don-ker.

Hij duwde het hek open en stapte de door de maan verlichte moskee in waar hij zijn prinses zag liggen op een bed van droge bladeren met overal kussens om zich heen; haar lange zwarte haar hing los, haar blik was vol vuur, ze leek wel een hemels visioen gehuld in iets transparants zodat het was alsof ze daar in een wolk zweefde. Dit was een kant van de prinses die hij niet kende.

'Ben je nog steeds mijn paladijn?' Haar stem rees diep en hees op uit de wolk.

'Dat ben ik, prinses.' Hij gleed moeiteloos weer terug in het oude spel.

'En zul je van me houden en me trouw zijn zolang we leven?'

'Jazeker, prinses.'

Toen, met een beweging die nieuw was in het spel, rees ze van haar bladerbed op als een van Rafaels engelen die ten hemel steeg. Ze stak haar armen uit en droeg hem op: 'Omhels me.'

Beiden werden met de onverwachtheid van een donderslag op een wolkeloze zomerdag getroffen door een coup de foudre en ze klampten zich met een intensiteit aan elkaar vast die hen beiden verraste. Op dat moment wist Danilo niet zeker of hij de page van de sultan was die prinses Saïda omhelsde of Zerbino die prinses Isabella omarmde.

Uren later, toen hij in het holst van de nacht in zijn eigen bed lag, probeerde hij de avond in zijn geheugen opnieuw te beleven. Maar die ontglipte hem steeds weer, als een droom die hij zich nog maar half kon herinneren. Nee, geen droom. Het was meer alsof Afrodite zelf, met haar tovergordel om, op aarde was neergedaald en hem gezegend had met een geschenk van de goden. In niets leek deze ervaring op die met de gulhartige hoer in Ostia die beloofd had hem mee naar de hemel te nemen. Met een prinses wier maagdelijkheid nog intact was de liefde bedrijven, was bepaald niet hetzelfde als met een hoer.

Zijn uitermate aangename nacht met de prostituee – die hij nooit zou vergeten – was vooral een avontuur van de zintuigen geweest: opwinding gevolgd door bevrediging. Wat de prinses betrof bestond er bij hem geen enkele twijfel aan dat zijn bevrediging ten koste van haar maagdelijkheid zou gaan. In de ogen van de sultan was het maagdenvlies van zijn dochter zijn persoonlijke juweel, dat híj zou schenken aan een echtgenoot van zíjn keuze. En elke man die van zins was zich eigenmachtig dat juweel toe te eigenen was ten dode opgeschreven. Maar los nog van zijn eigen genot, Danilo zou zichzelf nooit hebben toegestaan Saïda bloot te stellen aan het gevaar van de bestraffing waar ze zonder meer op kon rekenen als ze haar vader zou onteren, door vóór haar trouwdag haar maagdelijkheid te verliezen. Desalniettemin had hij het gevoel, toen hij haar borsten omvatte, dat hij de wereld in zijn handen had. Voor die beloning was zichzelf ervan weerhouden haar te bezitten een kleine prijs die hij moest betalen.

Tegen de tijd dat de volgende Bayram aanbrak was hij voorbereid op de zwarte eunuch in de kaïk van de sultan. En de uitleg van de prinses dat Narcissus (die naam had de eunuch gekregen toen hij besneden was) de intendant was van haar grootmoeder en met het gezag van de valide handelde, verklaarde grotendeels hoe het kon dat een zwarte slaaf in staat was, zich storende aan wet noch gebruik, een prinses en een page in een van de kaïks uit de eigen vloot van de sultan naar een rendez-vous op de Prinseneilanden te brengen. Als de duvelstoejager van de valide je uit haar naam een verzoek deed dan trok alleen een gek dat in twijfel en hij was de laatste om te weigeren er gehoor aan te geven. Wat betreft de manier waarop de prinses erin geslaagd was om in het donker de harem van de sultan in en uit te glippen – niet minder dan de op een na best bewaakte enclave in het hele rijk (de selamlik van de sultan was natuurlijk de best bewaakte) – daarvan had Danilo wel een idee: naar aanleiding van een verzoek dat de prinses hem tussen neus en lippen door deed toen hun eerste rendez-vous ten einde liep. Hoe moeilijk zou het voor hem zijn om aan een medicijn uit zijn vaders apotheek te komen zonder dat de dokter ervan wist?

'Helemaal niet moeilijk,' erkende hij. 'Zeg maar welk vergif.'

Ze huiverde. 'Nee, geen vergif. Wat ik nodig heb is een sterk slaapmiddel waar je thee van kunt zetten en dat degene die ervan drinkt de hele nacht diep door laat slapen. Maar niet,' voegde ze er snel aan toe, 'iets wat schade zou veroorzaken.'

Bij hun volgende ontmoeting had hij een flacon bij zich waar, verzekerde hij haar, voldoende kalmeringsmiddel in zat om een heel leger in slaap te krijgen, met slechts vijf druppels per kop. Ze bedankte hem liefjes met een reverence alsof hij haar een boeket had overhandigd, waarna ze het er nooit meer over hadden.

Na dat eerste rendez-vous ontmoetten ze elkaar in het geheim tijdens elke Bayram op het eilandje Kinali – en tijdens alle andere festivals die zich in de tussentijd voordeden – en bedreven er de liefde, een kuise liefde welteverstaan. De betovering die van haar uitging werd voor Danilo nooit minder. De zoetheid van haar adem, de smaak van haar huid verloren nooit hun aroma, gekruid als ze waren door het risico, het gevaar en zelfs door de zeldzaamheid van hun ontmoetingen. En naarmate de ene Bayram de andere opvolgde begonnen die ontmoetingen steeds meer op reizen naar een ander land te lijken, buiten de tijd.

Kunnen kinderen verliefd worden? Zeker, als het bloed maar heet en de prijs hoog genoeg is. Voor Danilo die altijd in zijn eigen lichaam vertoefd had, was de prinses zacht en rond als een meisje en ze kuste ook als een meisje, maar ze reed paard en sloeg als een jongen. Voor de dochter van de sultan kon de afstand niet groter zijn tussen hem en de oude, dikke vizier met zijn vettige zwarte haar en kraaloogjes met wie ze voorbestemd was te trouwen. Waar ze in terecht waren gekomen was zo gevaarlijk dat ze er wel door aangetrokken móésten worden: een jongen die aan de boeien van de schooldiscipline rukte en een meisje dat niet minder gevangenzat in de zijden koorden van de harem, die elke dag steviger aangetrokken werden. Misschien was de vraag niet: hoe had dit kunnen gebeuren, maar hoe had het voorkomen kunnen worden?

7 Paladijn terug van weggeweest

Sinds de prinses en de paladijn van de haremschool afgegaan waren, waren er bijna twee jaar voorbijgegaan. Inmiddels hadden ze de heimelijkheid, de logistiek en de regels van hun spel aardig onder de knie. Maar het belangrijkst was dat ze allebei het lef en de aanleg hadden voor een gevaarlijke escapade als deze. Het eilandje Kinali was de ideale ontmoetingsplek. En verrassend genoeg waren ze beiden in staat gebleken voldoende geduld op te brengen om hun kwetsbare schepping in leven te houden gedurende vier Bayrams, een festival om de geboorte te vieren van Hürrems derde zoon (een gebochelde, weliswaar, maar toch een jongen) en een ter gelegenheid van sultan Süleymans overwinning op Boedapest. Zes ontmoetingen slechts, geen ervan langer dan een paar korte uren, maar elk ervan lang genoeg om het vuur brandende te houden.

Danilo was er sinds zijn onfortuinlijke misstap onder het lezen van het gedicht van de sultan in geslaagd verdere zwarte kruisjes bij zijn naam in het Pageboek van de Hoofdeunuch te voorkomen. Verder had hij zijn vader trots gemaakt door het oude joodse ritueel te leren en te volbrengen waarmee een joodse jongen zich een plek te midden van de joodse mannen verwerft. En de dag nadat de sultan uit Oostenrijk terug was gekeerd zou hij debuteren als lid van het gerit-team van de sultan in de hippodroom, bij de spelen die gewijd waren aan diens huidige overwinning in Guns.

De afgelopen twee jaar waren er momenten geweest dat de strenge beperkingen van het pageleven Danilo een te hoge prijs leken voor de beloningen. Momenten waarop hij geneigd was er het bijltje bij neer te gooien, 'Genoeg!' te schreeuwen en zich terug te trekken in de veiligheid en het comfort van zijn vaders huis. Maar net op het moment dat de rigide, kloosterachtige routine meer leek dan hij kon verdragen, kwam Narcissus hem redden met een in zijde gewikkelde oproep. Op de een of andere manier slaagde het vooruitzicht van die nachtelijke ontsnappingen en het genot dat ze brachten, erin de mysterieuze lijm te verschaffen die geliefden bijeenhoudt. Sinds hun eerste rendez-vous op Kinali was de fragiele idylle slechts eenmaal ernstig bedreigd.

Het was op de avond van hun derde Bayram samen, op het moment dat ze op het punt stonden uiteen te gaan. Zonder het er met zoveel woorden over gehad te hebben, namen ze nooit afscheid van elkaar. Maar deze keer viel Danilo, in de ban van een plotseling opkomende twijfel, uit: 'Hoe weet ik of ik je ooit weer zal zien?'

De prinses verstijfde in zijn armen en keek hem boos aan: 'Dat weten we niet. Zo staan de zaken er nu eenmaal voor tussen ons.'

Wat had hij gedaan dat ze zo kil deed?

'Je snapt het niet. Laat het me je uitleggen. Heb je je nooit afgevraagd waarom ik al bijna vijftien ben en nog steeds een ongehuwde maagd? Anderhalf jaar van de haremschool af en nog geen echtgenoot in zicht?'

Dat had hij niet. 'Maar ik heb me wel vaak afgevraagd hoe het kan dat je je vaders kaïk hebt kunnen vorderen,' zei hij tegen haar. 'En hoe je Narcissus zover hebt gekregen dat hij zijn leven voor je opoffert.'

'Narcissus is een ander geval,' antwoordde ze. Ze wuifde de vraag weg. 'Er is maar één persoon die belangrijk is in mijn leven. Mijn grootmoeder. Zij is de sleutel tot mijn geluk. In haar naam kan men alles voor elkaar krijgen. Ze is de valide sultan. Niemand negeert haar bevelen of bevelen die in haar naam door haar intendant gedaan worden.'

'Wou je zeggen dat zij...' Hij gebaarde om zich heen, 'ons goedkeurt?'

'Natuurlijk niet. Maar ze wil dat ik bij haar blijf tot aan haar dood en dat betekent dat ik niet zal trouwen zolang zij in leven is. Wat betekent dat ik kan doen en laten wat ik wil... voor nu dan,' zei ze, dat nu zwaar benadrukkend. 'Maar mijn grootmoeder voelt zich niet goed. Ze wordt elke dag zwakker. Een dezer dagen zal ze sterven.'

'En dan?'

'Dan zal ik uitgehuwelijkt worden aan een of andere dikke, oude pasja of vizier zonder tanden. Heb je daar ooit bij stilgestaan?'

'Is er geen uitweg?' vroeg hij zachtjes.

'Nee.'

Na dat botte, laatste woord leek er verder niets meer te zeggen. Maar in de stilte die erop volgde kwam er een gedachte bij hem op. 'En ik dan?' vroeg hij.

'Jij? Met jou komt het wel goed, hoor. Je trouwt met een mooi meisje van hetzelfde geloof en je zult gelukkig met haar zijn. Ik ben degene die haar nachten in de hel zal doorbrengen.'

'Ik bedoelde niet: wat gebeurt er met mij? Ik bedoelde: hoe zit het met mij als echtgenoot? Ik zou toch met je kunnen trouwen?'

'Een man zonder geld of toekomst en een jood bovendien? Jij, trouwen met een Ottomaanse prinses? Ha!'

De lach waar deze botte constatering van vergezeld ging leek zo kil, zo berekenend, dat hij zich van haar afkeerde.

'Ga hier nou niet moeilijk over doen. Dan maak je me aan het huilen en bederf je alles.' Toen boog ze zich zonder waarschuwing naar hem toe, nam zijn gezicht in haar handen en keek hem diep in de ogen, met een tederheid die hij niet eerder in haar gezien had. 'Wat wij hebben is een wonder. Om de een of andere reden keken de goden de andere kant op en lieten het gebeuren. Maar dit is niet hoe het geacht wordt te zijn en het kan niet voortduren. Je zei een keer tegen me dat we in dezelfde wereld leven. En ja, hier in Kinali is dat zo. Maar daarbuiten...' ze gebaarde naar de contouren van de stad die hoog achter hen oprees, 'daarbuiten is dat niet het geval. Jij komt uit een deel van de wereld waar alles mogelijk is. Ik behoor tot een wereld waarin alles is voorbestemd. Mijn geloof zegt me dat mijn lot bepaald is en dat heeft me de kracht gegeven om mijn plicht te doen. Ik zal trouwen en jij zult terug naar Europa gaan waar je thuishoort. Er bestaat geen morgen voor ons. Dat is ons lot. Maar ik zal sterven in de wetenschap dat ik in elk geval even van ware liefde geproefd heb. Meer is er niet voor mij. En als mijn grootmoeder blijft leven, dan misschien nog wat langer. Laten we er dus van genieten.

Denk aan mij.' Ze kneep met kracht in zijn handen die in de hare lagen. 'Ik ben degene die met een of andere stinkende, oude onverlaat moet trouwen en zijn kinderen moet baren.'

'Daar wil ik niet aan denken,' gaf hij toe.

'Ik ook niet,' zei ze. 'Laten we dat dus ook niet doen. Laten we het nooit meer over de toekomst hebben. Laten we die zelfs niet tot onze dromen toelaten. Afgesproken?'

'Afgesproken.'

'Op je erewoord?'

'Op mijn erewoord.'

Sindsdien hadden zich nog twee Bayrams voorgedaan en ze hadden zich nauwgezet aan hun eed gehouden. Zodra de ranke zwarte kaïk van de sultan met diens tugra op het zilverachtige zand van Kinali getrokken werd, stopte de tijd. En pas wanneer het vaartuig opnieuw arriveerde om hem op te halen begon de klok weer te lopen.

Inmiddels waren Zerbino en Isabella van het toneel verdwenen. Danilo en Saïda spraken niet veel met elkaar, maar als ze dat deden, deden ze dat als zichzelf, met hun eigen stem, waarbij ze elkaar verhalen vertelden over dingen die hun overkomen waren toen ze jonger waren. Ze hadden het zelden over gebeurtenissen in het heden. Op de een of andere manier schuurde het heden te dicht tegen de toekomst aan.

Het merendeel van de tijd rolden ze door de bladeren, hartstochtelijke kussen uitwisselend. Soms deden ze kinderspelletjes. Misschien omdat ze jonger was, was Saïda dol op tikkertje en blindemannetje. Dan fladderde ze als een ondeugende nimf van boom naar boom terwijl Danilo geblinddoekt rondwankelde en haar te pakken probeerde te krijgen. Hij begreep maar nooit hoe iemand die zo gek kon doen, tegelijk zo'n enorme wilskracht tentoon kon spreiden. Maar ergens was hij ook dol op haar grillen, tegenstrijdigheden en haar verzinsels.

Wat zal het dit keer zijn? vroeg hij zich af terwijl hij op de rotsrichel op zijn vervoer naar Kinali wachtte. De laatste keer dat ze samen waren, aan de vooravond van het Suikerfeest, had ze hem verwelkomd met een kom sorbetijs die ze, zo bezwoer ze hem, zelf gemaakt had. De keer daarvoor had ze een geheimzinnig droompoeder meegenomen dat ze op konden snuiven en waardoor hij de hele dag erna slaperig was geweest. Het had zeker voor een ontspannen Bayram gezorgd, maar met zijn gerit-debuut al over een dag kon daar vanavond geen sprake van zijn. Kwam ze vanavond met een nieuw drankje aanzetten, dan moest hij het toch echt tot zijn spijt afwijzen.

Maar toen hij bij de kleine plek in het groen arriveerde, was ze er niet. In plaats daarvan stond er bij het roestige hek alleen een eenzaam paard dat aan de ijzeren reling was vastgebonden. Het zwaaide met zijn staart en knabbelde tevreden op de druivenranken die zich om het hek heen gevlochten hadden.

Als gretig lezer van Fuyuzi's *Paardenalmanak* kon hij de aandrang niet weerstaan om het dier snel te beoordelen – tanden, neus, schoften, lendenen – en werd toen onderbroken door een vertrouwde zangerige stem.

'Is dat mijn paladijn die me komt redden?'

Hij duwde het hek open en liep de maanverlichte moskee in. Daar was ze. Ze lag niet, maar zat rechtop en nu was de in transparante sjaals gehulde harem-odalisk, die eerder op Kinali met met zwarte kohl omrande ogen verschenen was, ver te zoeken. Dit meisje was gekleed als een paardenhandelaar met een leren vest met franjes aan en een paar puntige, beslagen rijlaarzen.

'Wat vind je van mijn paard?' informeerde ze en ze kneep haar ogen half toe alsof ze een sluwe onderhandelaar was. 'Hoeveel zou je me ervoor geven?'

'Hoeveel vraag je ervoor?' zei hij lijzig waarbij hij nog gewiekster dan zij probeerde te kijken. Hij wist dat ze het paard nooit kon verkopen, zelfs als ze dat zou willen. Alles wat ze had was tenslotte van haar vader.

'Ik zou met negentienhonderd misschien genoegen nemen,' plaagde ze hem.

'Dat is diefstal. Zijn tanden zijn zwart. Zijn oren staan te dicht bij elkaar. Zijn middel is te lang, zijn neus te groot en zijn rug is hol.' Danilo had wel degelijk iets opgestoken van Fuyuzi.

'Dat doet er niet toe.' Ze haalde haar schouders op. 'Ik ben van gedachten veranderd. Ik verkoop hem niet.'

'Waarom niet?'

'Omdat ik dol op hem ben. Ik heb hem naar je vader vernoemd.'

'Je hebt wat?'

'Het is het beste paard dat ik ooit heb gehad, dus heb ik hem naar je vader genoemd.'

'Heb je hem Juda genoemd?'

'Niet de dokter. Je echte vader, heer Birro, de ridder zonder vrees of blaam. Dat heb ik voor jou gedaan.' Hij was niet zo blij als ze had verwacht. 'Wij Ottomanen zijn niet te trots om onze paarden te vernoemen naar de mensen van wie we houden,' lichtte ze hem uit de hoogte in.

Hij glimlachte. Haar lichtgeraakte trots amuseerde hem. 'Laat die "wij Ottomanen"-zin maar achterwege tegenover mij, prinses. Je vergeet dat ik weet dat je van vaderskant eerder half-Mongools, half-Turkmeens bent en je moeder was een Seljuk.'

'Een Seljukische prinses,' corrigeerde ze hem.

'En mijn echte vader is inderdaad een christelijke ridder. Maar,' corrigeerde hij haar, 'hij heet niet Birro. Hij heet Pirro. Heer Pirro Gonzaga.'

'Tja, het is nu te laat om de naam van het paard nog te veranderen,' zei ze tegen hem en ze schoof met een simpel handgebaar het onderwerp als onbelangrijk terzijde. 'Hij is geregistreerd als fokhengst.'

En daarmee was de kous af. 'Maar je vader? Waar heb je hem verteld dat je de naam vandaan had?' vroeg hij.

'Ik zei tegen hem dat Birro een Egyptisch krijgsman was ten tijde van Ramses de Tweede.'

'En hij geloofde dat?'

'Mijn vader weet helemaal niets van het oude Egypte,' snoof ze.

Hij schudde zijn hoofd, onder de indruk van de combinatie van openhartigheid en bedrog die ze aan de dag legde. 'Bewijs me alsjeblieft een dienst, prinses, wil je? Mocht je ooit niet meer mijn vriendin zijn, laat me dat dan weten. Want ik maak geen enkele kans met jou als vijand.'

Dat ene woord vaagde de ondeugd van haar gezicht. Haar ogen sperden zich wijder open. De klank van haar stem verzachtte. 'Ik zou nooit je vijand kunnen zijn. Je bent de liefde van mijn leven.' Dit zei ze zachtjes, zonder hem aan te raken, maar wel met een doordringende blik die de woorden steviger in zijn hart plantte dan een omhelzing zou kunnen.

Deze momenten op Kinali hadden iets vreemds. Ondanks dat ze niet lang duurden – hooguit een paar uur – waren ze nooit gehaast. De druk om gretig elk ogenblik te omarmen, als was het hun laatste, bestond niet. Ze pakten gewoon de draad van enkele maanden geleden weer op alsof er slechts enkele dagen of uren voorbijgegaan waren; alsof hun vrijage geen onderbrekingen kende en maar duurde en duurde; alsof elke kus, elke aanraking alleen maar verder doordrong in hun hart om daar een nog diepere laag van hartstocht aan te boren. En wanneer de tijd hen inhaalde leek het steevast, ongeacht het aantal uren dat ze hadden weten te stelen, alsof er nauwelijks een tel voorbijgegaan was.

Een snerpend sein vanaf de oevers van Kinali kondigde de komst van de kaïk van de sultan aan. Hun tijd was voorbij.

Nog altijd liet ze hem niet los met haar blik maar ze legde haar handen op zijn schouders om hen dichter naar elkaar toe te trekken. 'Ik zou er alles voor geven om jou in de hippodroom te kunnen zien rijden,' liet ze hem weten. 'Maar aangezien dat niet tot de mogelijkheden behoort zal dit in mijn plaats over je waken en je beschermen.' Met een snelle beweging hing ze een ketting om zijn hals en liet iets kleins en kouds op zijn borst vallen. Toen was ze verdwenen en zat er voor hem niets anders op dan naar de wachtende kaïk gaan die hem terug naar de kade van de grootvizier zou brengen.

De hele weg huiswaarts was hij zich bewust van het schijfje dat tegen zijn naakte borst drukte, maar iets in hem verzette zich ertegen het op te pakken en ernaar te kijken. Pas toen hij eenmaal in zijn bed op de slaapzaal lag, stak hij zijn hand onder het dekbed en hield het in het licht. Het was een donkerblauwe iris ingebed in een witte oogbal – de traditionele talisman van elke Turkse familie. Maar in tegenstelling tot die gewone amuletten was er in het hart van deze een heldere, felblauwe saffier gemonteerd.

Terwijl hij in de kristallijnen diepten van het juweel staarde, drongen gedachten aan de toekomst zich aan hem op. Hoelang heb ik haar nog? Hoelang voor we gesnapt worden? Je hebt beloofd, herinnerde hij zichzelf eraan, om nooit aan de toekomst te denken. Zelfs niet in je dromen. Als je moet dromen, drukte hij zichzelf op het hart, droom dan van de gerit. De gerit... Bucephalus...

Nu pas, voor het eerst in die lange nacht, herinnerde hij zich dat in zijn haast om aan Narcissus' oproep gehoor te geven, hij verzuimd had zijn nachtelijke bezoek aan de stallen te brengen. Hij wierp het dekbed van zich af en sloeg een mantel om. Toen baande hij zich in het ochtendgloren een weg naar de stallen van de sultan in de Tweede Hof. Bucephalus was inderdaad nog wakker en stond geduldig op de avondliefkozing van zijn baas te wachten.

'Je hebt op me gewacht. Je bent een braaf dier.' Hij nam het voorname hoofd van het dier in zijn handen en keek in de zachte, slaperige ogen. 'De waarheid is dat ik mijn verstand verloor zodra ik haar briefje kreeg. Zo gaat dat met vrouwen. Ze zijn niet zoals wij. Ze betoveren je.'

Afwezig pakte hij een handvol voer en hield het hem voor. En Bucephalus, hetzij omdat hij een vergevensgezind karakter hetzij omdat hij gewoon trek had, nam het zoenoffer aan en ging toen op zijn bed van stro liggen. Algauw was hij in een diepe slaap verzonken.

Inmiddels was de zon op. Een vermoeide Danilo sjokte terug naar zijn eigen bed. Hij bezwoer zichzelf alle andere gedachten uit zijn hoofd te verdrijven en zich op de voorbereidingen voor de aanstaande wedstrijd te concentreren. De lege strozakken om hem heen bewezen dat de meeste pages in zijn oda nog altijd aan het slempen waren in Galata. Dat was leuk voor hen, maar hij was lid van het eerste team van de sultan. Over vierentwintig uur zou hij onder het gejuich van duizenden de arena van de hippodroom binnenrijden. Zijn trainers hadden hun vertrouwen in hem gesteld. Zijn teamgenoten waren van hem afhankelijk.

'Insjallah,' herhaalde hij hardop. Hij probeerde bij zichzelf een zeker gevoel op te roepen van zich in handen van een hogere macht te bevinden. Maar de woorden die zijn teamgenoten kracht leken te geven hadden op hem niet datzelfde effect. Zijn God bemoeide zich niet met paardenrennen. Als hij het er morgen bij de gerit goed van afbracht, dan kwam dat niet omdat Allah dat wilde maar omdat hij, Danilo del Medigo, had bewezen dat hij het waard was. De afgelopen nacht was een vergissing geweest. Hij had zijn lichaam en geest rust moeten gunnen. Maar het lag niet in zijn aard om spijt te hebben van dingen die niet meer ongedaan gemaakt konden worden. Wat hij nu nodig had was een dag om zijn vermoeide spieren te laten herstellen en zijn geest te zuiveren van alles wat zijn beoordelingsvermogen op het veld negatief zou kunnen beïnvloeden. Slapen.

Hij stond net op het punt zich met kleren en al op de zak te laten neervallen toen hij een vel velijnpapier in het oog kreeg dat op de deken vastgespeld was. Het was met de hand beschreven en droeg het stempel van de tugra van de sultan. Het was een *firman* die de ontvanger het recht gaf op een plekje op het Divanplein, alwaar een select gezelschap hovelingen die middag bijeen zou komen om de padisjah na zijn oorlogen in Oostenrijk welkom thuis te heten. Een uitnodiging van de sultan stond zo ongeveer gelijk aan een bevel. Maar de jongen dacht eigenlijk vooral aan zijn vader die gretig de menigte af zou speuren of hij hem zou zien. Wanneer zijn vader in Süleymans gevolg langskwam, moest hij dáár zijn, achter het fluwelen koord. Er zou hem geen lange dag van rust vergund zijn. Dan maar liever snel gaan slapen, dacht hij, en hij sloot zijn vermoeide ogen.

8 Aan de vooravond

Istanbul
23 Oktober 1532

Elk jaar, op een dag in de lente na de ramadan kwam de omvangrijke massa mannen, dieren, wapens en legertrossen waar de Ottomaanse oorlogsmachine uit bestond bijeen op een veld ten noorden van Istanbul. Ze groepten daar bijeen, zo rapporteerde de Britse consul aan zijn meesters, alsof ze voor een huwelijk waren uitgenodigd. De oorlog was voor hen een seizoen, merkte hij op, net als de winter.

Afgelopen lente was het Ottomaanse leger onder leiding van de sultan op veldtocht naar Oostenrijk vertrokken, op een dag die door de hofastroloog aangewezen was als zijnde het gunstigst. Hun doel: gebiedsdelen veroveren en toevoegen aan een immer uitdijend rijk dat hun al meer land had opgeleverd dan de Romeinen op het hoogtepunt van hun macht in handen hadden gehad. Vandaag, na een lange, zware campagne die hem door half Europa tot voor de poorten van Wenen gevoerd had, kwam Süleyman de Prachtlievende weer thuis.

Om de menigten die zich in de straten van Istanbul verzameld hadden voor te bereiden op de begroeting van hun vorst hadden herauten de hele avond het nieuws van zijn verovering van het Oostenrijkse stadje Guns op de terugreis rondgebazuind. Niemand durfde te vragen hoe het kon gebeuren dat de sultan er niet in geslaagd was Wenen in te nemen en door het aanbreken van de winter gedwongen was zijn belegering van de Oostenrijkse hoofdstad op te geven en terug te keren naar huis.

Over dat detail van zijn campagne werd niet gesproken. Niet in zijn paleis. Niet in de straten. Zelfs niet in dat broeinest van roddel en achterklap, de Grote Bazaar van Istanbul. Wat vandaag gevierd werd was dat het campagneseizoen, opnieuw, geëindigd was in een glorieuze overwinning voor hun padisjah, Verdediger van de Islam en de Schaduw van God op Aarde. De Oostenrijkse vestingplaats Guns was veroverd. Over Wenen werd niet gesproken.

Het leek erop dat het welkom voor de padisjah tumultueus zou worden. De Turken waren trots op hun zegevierende sultans. En de sultans op hun beurt zorgden altijd dat er een groot feest gehouden werd van minstens een week, met parades, spelen, muziek, dansen en gratis eten.

De herauten hadden het precieze uur van de aankomst van de sultan nog niet aangekondigd in de straten van de stad vanaf zijn verzamelplaats aan de overkant van de Bosporus. Maar ondanks onvermoeibare inspanningen tot geheimhouding was het nieuws van zijn ophanden zijnde intocht toch uitgelekt op de een of andere manier en de waterweg overgestoken tot in de Grote Bazaar. Vandaar verspreidde het zich als een lopend vuurtje door de straten van Istanbul.

'Heb je het gehoord? De padisjah komt vandaag aan.'

'Ze zeggen dat hij zijn kamp in Üsküdar al heeft opgebroken.'

'Ik heb het uit een betrouwbare bron in het paleis. Hij zal niet voor morgenochtend thuis zijn.'

Terwijl hij door de stad voortsjokte besteedde de zwarte eunuch, Narcissus genaamd, geen aandacht aan het gefluister. In zijn positie als hoofdintendant van de moeder van de sultan, de valide sultan, was hij op de hoogte van elk detail van de reisroute van de vorst, zowel thuis als in het buitenland. Süleyman onderhield dagelijks contact met zijn moeder. En wanneer hij op veldtocht was schreef hij haar elke dag. Resideerde hij in zijn ommuurde domein, in het Topkapi-paleis, dan bracht hij haar elke dag een bezoek in het Oude Paleis, waar ze de heerschappij voerde over zijn harem. Hij had haar tot zijn regentes benoemd in de lange periodes van zijn afwezigheid als hij op campagne was. En omdat Narcissus het volste vertrouwen genoot van deze voorname dame wist de zwarte slaaf alles wat zij wist, elk intiem detail van haar leven, waaronder het exacte tijdstip waarop haar zoon vanaf de verzamelplaats in Üsküdar de Bosporus over zou steken en zijn triomftocht zou houden door de straten van de stad.

Net als alle eunuchs had Narcissus aanleg voor zwaarlijvigheid. De klim van de harem naar het Topkapi-paleis was lang en zwaar voor hem. Maar Narcissus steeg boven het rumoer in de straten uit, gedragen als hij werd door de onmetelijke zee van geruchten en geroddel om hem heen. Terwijl hij de steile, slingerende weg naar Sarayburnu beklom, stroomde het zweet over zijn bolle gezicht. Deels kwam dat door de abnormale warmte van de herfstdag en deels door de zenuwen. Met tussenpozen reikte hij omlaag om het buideltje dat aan zijn gordel hing op zijn plek te duwen. Dat zijden foedraal bevatte iets wat, mocht het ontdekt worden, de afzender grote problemen kon bezorgen. En wat de gevolgen van een dergelijke ontdekking voor de boodschapper betrof... Narcissus rilde bij de gedachte aan de afranseling die hem ten deel zou vallen als de beurs in handen van een overgedienstige paleiswacht viel. Hij voelde de bastinado al in zijn voetzolen bijten als hij er alleen maar aan dacht.

Toen hij eenmaal de top had bereikt, pauzeerde de oververhitte slaaf even om zijn voorhoofd af te vegen, zijn volgende stap te bepalen en over het tafereel dat zich voor hem uitstrekte uit te kijken. Vele jaren geleden, toen deze top door de Ottomanen op de Byzantijnen was veroverd, was de piek afgevlakt om er een citadel te huisvesten – de laatste stelling in de verdediging van de stad voor als de nood aan de man kwam. Maar zeventig jaar Ottomaanse heerschappij hadden langzaam alle eerdere tekenen van het militaire verleden uitgewist en nu, gezien vanaf de hoog oprijzende Keizerlijke Poort, strekte het Topkapi Saray zich voor hem uit in een aaneengesloten reeks van drie omheinde binnenhoven, elk door een muur met een poort erin gescheiden van de ander. Achter de zware bolwerken die de gehele saray insloten bevond zich geen enkel bouwwerk om de monarch in te huisvesten. In plaats daarvan bevatte elke binnenhof her en der verspreid luchtige kiosken en paviljoens als stenen tenten die de hele plek eerder aan een nomadenkamp dan aan een paleis in Europese stijl deden denken.

Narcissus ondervond geen problemen op zijn weg door de Keizerlijke Poort en de eerste van de drie binnenhoven van het paleis op, een gigantische rechthoek van wel duizend voet lang die de Paradehof genoemd werd. Volgens de traditie had elke burger van het Ottomaanse Rijk – slaaf of vrij man – het recht om de sultan in zijn paleis een smeekbede aan te bieden. Als gevolg daarvan was de Paradehof altijd afgeladen met een ruime keur aan typische paleisclientèle: petitionarissen te voet, ambassadeurs met geschenken, wagens vol kwetterende Circassische maagden en honderden paleisdienaren die zich allen zigzaggend een weg baanden tussen paarden en groepen rondparaderende janitsaren met witte tulbanden op het hoofd en gele laarzen aan. Een opmerkzaam oog kon ook af en toe de spookachtige verschijning van een van de bewakers van de sultan ontwaren, die bekendstonden als de Mannen in het Zwart omdat ze tevens dienstdeden als beulen. Executies waren aan de orde van de dag in de Eerste Hof. Wat op deze dag ontbrak was de vrij normale aanblik van een afgehouwen hoofd op een ijzeren staak, die uit de kegelvormige spits van een van de torens van de middeleeuwse poort omhoogstak. Het hoofd werd daar achtergelaten om zwart te blakeren in de zon, als waarschuwing voor iedereen die het misnoegen van de sultan opwekte.

In deze mêlee trok een enkele dikke, zwarte eunuch nauwelijks aandacht. Maar bij de volgende poort, de zogenaamde Poort van de Groet aan de overkant van de Paradehof verkondigden twee hoge van kantelen voorziene torens stilletjes het einde van het voor publiek toegankelijke gebied en het begin van opperste waakzaamheid. Bij de Poort van de Groet (wie van de nuchtere Ottomanen zou deze ironische benaming hebben gekozen voor de plek waar met enige regelmaat een menselijk hoofd op een staak gespietst wordt?) moet iedereen afstappen, op de sultan zelf en zijn moeder, de valide sultan, na natuurlijk. Zelfs de grootvizier stapte bij de Poort van de Groet af en liep op kousenvoeten de Tweede Hof in.

Alhoewel de Poort van de Groet de directe toegang tot zijn bestemming vormde, was Narcissus niet van plan een treffen met de berucht ongastvrije bewakers te riskeren. In plaats daarvan zwenkte hij scherp naar links, naar de oude christelijke kerk van Irene die op dat moment een islamitische incarnatie beleefde als wapenarsenaal. Als een paling zo gladjes gleed hij tussen een aantal kleine kiosken door naar de buitenmuur van het paleis, bij de kerk.

De genotzuchtige Narcissus kwam als een echte liefhebber van schoonheid ernstig in de verleiding om even te blijven staan en te genieten van de tuinen. Deze waren bezaaid met bloemen, overschaduwd door groepjes sinaasappelbomen en doorkruist met kronkelpaadjes. Het rook er sterk naar jasmijn en het was er zacht aan de voeten. Deze toetsen gaven het paleis zijn bijnaam, het Huis van de Gelukzaligen.

Maar Narcissus had geen tijd voor gelukzaligheid. Hij ging recht op een kleine opening in de buitenmuur af die bekendstond als de Cisme-poort en die, zoals men hem verteld had, waarschijnlijk niet bewaakt werd vandaag. Iedereen in dienst van de sultan was opgeroepen om mee te helpen de hoofdstad voor te bereiden op de triomftocht. Aangezien een goed deel van de paleisstaf om die reden tijdelijk overgeplaatst was naar de processieroute, was het vrijwel zeker dat hij een onbelangrijke post als de Cisme-poort onbeheerd zou aantreffen. En toen Narcissus, om zich daarvan te vergewissen de wijnranken opzij-duwde die de kleine boog aan het oog onttrokken, zag hij inderdaad dat er geen wacht te bekennen was en hij kon ongehinderd de woeste morene aan de andere kant van de muren in wandelen.

Hier was het terrein, in groot contrast met de gecultiveerde paleis-gronden binnenin, tot zijn natuurlijke staat teruggekeerd: een met stenen bezaaide, stekelige ondergroei met alleen af en toe een vergeten boomgaard die herinnerde aan de dagen dat de eerste Ottomaanse sul-tans in hun eigen achtertuin het fruit voor hun tafels verbouwd hadden. Hier, in wat praktisch een wildernis was, kon Narcissus buiten langs de muren de hele lengte van het paleisdomein doorsteken zonder tegen-gehouden te worden door de bewakers van de Poort van de Groet of de laatste van de drie poorten, de Poort van het Geluk. Daar, boven op de top, hoefde hij alleen nog tegen de muur op te klimmen om zich onge-merkt weer toegang te verschaffen tot het eigen terrein van de sultan.

Narcissus was goed bekend met het dichte struikgewas om de citadel en vond al snel het buitenste pad dat bij intimi bekendstond als het Pad der Eunuchen. Dit werd zo genoemd omdat het gewoonlijk gebruikt werd door paleisslaven, erop uitgestuurd voor boodschappen van een wat twijfelachtig allooi. Wanneer ze het onder elkaar over dit paadje hadden vertelden de leerlingen in de slaapzalen van de pageschool die in de Derde Hof gelegen was, elkaar verhalen over hoe ze in het holst van de nacht over het Pad der Eunuchen slopen, waar ze vervolgens door kwaadaardige djinns die zich in de bomen verborgen, aan het struikelen gebracht, met distels geprikt en tot bloedens toe geslagen werden.

Dit soort verhalen schrokken Narcissus niet af. Terwijl hij tussen de lichtvlekken door zigzagde, waar de zon schuin door openingen in het bladerdak heen viel, was hij er gerust op dat djinns nooit overdag opereerden, alleen bij nacht. Waar hij wel bang van werd, waren de ja-nitsaren die de wacht hielden voor de Derde Hof en die een indringer zodra ze hem in het zicht kregen zouden doden.

En een nog dringender probleem: hoe moest hij de muur beklim-men zodat hij weer op de paleisgrond terechtkwam? Zou die stokoude, krakende fruitladder er nog zijn waar hij, en velen voor hem, zoveel plezier van hadden gehad?

Narcissus liet zich op zijn knieën zakken en zei een kort gebed: laat de ladder alstublieft op zijn plek staan. Hij was opgevoed als christen en had nooit volledig de godsdienst omarmd waar hij door het besnijdenismes toe was bekeerd. Hij las de Koran niet, bad niet vijf keer per dag, was nooit naar Mekka geweest en was dat ook niet van plan. Maar hij vroeg de Profeet wel om hulp wanneer hij die nodig had. En vandaag was de Profeet hem in al zijn goedertierenheid ter wille. Daar, tegen de stronk van een dode perenboom, stond de oude ladder. Het ding was zo oud dat niemand ooit de moeite had genomen hem weg te halen.

Narcissus droeg de ladder naar de muur zonder geluid te maken. Hij verzekerde zich ervan dat hij buiten het zicht bleef van de wachten in de kiosk die over de helling patrouilleerden. Toen klom hij voorzichtig, stap voor stap, de krakende ladder op, trok die achter zich omhoog en zette hem weer neer aan de binnenzijde van de muur. Wanneer de pages van de school van de sultan aan dit deel van de manoeuvre toegekomen waren, sprongen ze gewoon van de muur op de zachte ondergrond. Maar Narcissus was geen atleet en hij moest ook voorzichtig doen zodat hij zijn kaftan, die een geschenk van de valide sultan was geweest, niet zou besmeuren of beschadigen.

Niet dat Narcissus zich vandaag uit ijdelheid in zijn fraaiste kleren had uitgedost. Zijn kledij was strategisch gekozen. Als hij per ongeluk door een van de burgerwachten van de Derde Hof staande gehouden en gesommeerd werd zijn aanwezigheid in die besloten enclave te verklaren, dan zou de met gouddraad geborduurde kaftan zijn beste bescherming zijn tegen welke intimidatie ook. De relatie tussen de blanke eunuchen van het paleis en de zwarte van de harem was op zijn zachtst gezegd gevoelig.

De blanke slaven voelden zich superieur omdat de sultan hen uitverkoren had om *hem zelf* te bewaken. De zwarte beweerden dat ze een hogere status hadden omdat de sultan hen had uitgekozen om over zijn meest waardevolle *bezittingen* te waken – zijn vrouwen. Een dure kaftan die duidelijk maakte dat de drager iemand van aanzien in de harem was, zou hem tot voordeel strekken, welke confrontatie zich ook maar voor zou kunnen doen met de janitsaren die over de sultan waakten. Dus was de reden dat Narcissus vandaag zijn kostbare kaftan had aangetrokken niet zozeer ter verfraaiing van hemzelf als wel ter bescherming tegen anderen.

Toen hij veilig in het paleis op de grond was neergekomen, leek het erop dat de weg redelijk open voor hem lag. Hij kon rechtstreeks doorlopen naar zijn bestemming, de pageschool, een gebouw dat tegen de Poort van het Geluk aan was gebouwd. De sultan koesterde een diepe, persoonlijke interesse in zijn pages. Net als zijn rijkdom, zijn dokter en zijn heilige relieken had hij ze graag dicht bij zich in de buurt. Vandaar dat de pageschool, de Schatkist, het Huis van de Dokter, het Paviljoen van de Heilige Mantel allemaal gelegen waren op roepafstand van zijn selamlik in de Derde Hof.

Een snelle blik op een van de zonnewijzers die het domein versierden, liet Narcissus weten dat hij op tijd was. Uitstekend. Het gerit-team van de sultan had werptraining, zoals elke dag voor het laatste gebed op het sportveld achter hun slaapzaal. 'Daar tref je Danilo del Medigo zeker aan als je niet treuzelt onderweg,' had hij te horen gekregen voor hij de harem had verlaten. En inderdaad, toen Narcissus de hoek omkwam stond daar voor hem een rij van twaalf knappe jongens met een heel stel poppen tegenover zich. Elke page had een lange stok vast met een scherpe punt – de Turkse lans die gerit genoemd werd. Danilo del Medigo viel in hun midden al snel op dankzij zijn gele haar, een scherp contrast met de donkere lokken van zijn teamgenoten.

Bij de gerit-training werd het werpen los van het paardrijden geoefend. Wanneer het team meedeed aan een echte gerit-wedstrijd zaten de spelers op prachtige paarden en slingerden ze in volle galop hun gerits naar tegenstanders van vlees en bloed. Zelfs hier op het oefenveld was het een indrukwekkend stel, zoals ze daar afliepen op een eskadron van met stro gevulde tegenstanders, lang, gespierd en allemaal even knap. De kandidaten voor de pageschool van de sultan in het Topkapi-paleis waren zorgvuldig op zelfs de geringste imperfectie geselecteerd. Süleyman nam de lering uit de Koran serieus, waarin stond dat Allah uiterlijke schoonheid verleende aan innerlijke deugdzaamheid.

De spelers stormden op bevel in een rij naar voren met het wapen geheven. Wanneer de Meester van de Gerit van mening was dat ze de ideale afstand bereikt hadden, vuurde hij een pistoolsalvo af en dan smeten ze allemaal tegelijkertijd hun wapens uit alle macht naar de poppen tegenover hen. Een ware regen aan gerits kwam op de doelwitten neer. Elke punt was in een andere kleurstof gedoopt om zo precies de plek te kunnen markeren die de schutter geraakt had. De Meester kende de punten toe: vijf voor het hart, vier voor de schedel, enzovoort. Daarna begon de hele oefening weer opnieuw. Bijna nooit miste een werper zijn doel helemaal – dit waren tenslotte leden van het eigen gerit-team van de sultan.

Narcissus slaagde erin dicht bij het oefenveld te komen zonder aandacht te trekken. En toen de Meester van de Gerit een drinkpauze aankondigde liep de eunuch als vanzelfsprekend op de blonde page, Del Medigo, toe met wat bronwater dat hij voor dit doel bij een kraan had getapt. (Elke middag werd er een verse voorraad bronwater van de berg Ulu naar beneden, naar het oefenveld, gebracht. Niets was goed genoeg voor de leden van het gerit-team van de sultan.)

De opdracht van de eunuch was goed van start gegaan. Het contact was gelegd. Nu stond hij zichzelf toe even te genieten van de plezierige aanblik die het tafereel bood, niet in de laatste plaats vanwege de balletachtige gratie van de werpers. Maar toen de oefening voorbij was, was hij meteen weer een en al zakelijkheid. Langzaam voorwaarts schuivend, terwijl de ploeg mooie jongemannen het veld af liep om zich in de hammam te gaan wassen, zorgde Narcissus ervoor onopvallend maar duidelijk zichtbaar dicht langs de rand van het pad te staan, precies op de plek waar Danilo del Medigo halt hield om naar een steentje in zijn laars te zoeken. Terwijl de blonde page zijn laars uitdeed en ermee schudde, werd er een papyrusrol in zijn handen gedrukt en in een vloeiende beweging weer teruggetrokken en in zijn laars gestopt. Er werd geen woord gewisseld.

Enkele ogenblikken later stond Danilo del Medigo weer grappen te maken met zijn teamgenoten, terwijl ze ondertussen in de hammam door de masseur met de vuisten werden bewerkt. Vervolgens schrobde de barbier hen schoon en schoor hen met heet en koud water, die kunstenaar met de scherp geslepen mosselschelpen aan wie geen enkel haartje ontsnapte. Hij bleef zelfs nog even achter om zijn nagels te laten knippen, want hij had geen haast. Hij had zich al bij zijn teamgenoten verontschuldigd dat hij niet met hen meeging op hun half illegale uitstapje die avond buiten de muren. Was zijn bewezen bekwaamheid met de gerit er niet geweest, dan was de onwil van de jonge Del Medigo om op hun vrije dagen met zijn teamgenoten te gaan brassen hem op stevig getreiter komen te staan. Maar de jongen was tenslotte de jongste van het team en zijn medepages bejegenden die onwil van hem met toegeeflijkheid, elkaar verzekerend dat hij komend jaar vast als een man samen met hen zou gaan drinken en hoerenlopen. Voor nu was het enige waar hij aan blootgesteld werd wat vriendelijk gepest voor ze via het Pad der Eunuchen naar de vleespotten van Galata vertrokken, zodat hij in de gelegenheid was de inhoud van zijn laars te bekijken.

Daarin trof hij een enkel velletje papier aan dat eruitzag alsof het uit een boek was gescheurd. Toen hij het waszegel verbrak waarmee het bijeengehouden werd, viel er een verse rode rozenknop uit die vastgezet was in een kaneelstokje. Hij glimlachte breed en stak de kleine aandenkens in zijn gordel. Toen richtte hij zijn aandacht op het papier waar ze in gerold waren.

Eenmaal uitgevouwen was er een schets te zien van een landschap in rood krijt met een zwarte kaïk erop, van het soort dat op de wateren van de Bosporus voer. Het ranke scheepje was vastgemaakt aan een smalle kade. Het uitspansel erboven was leeg op een volmaakte halvemaan na die laag aan de westelijke hemel hing en manestralen regende op een kleine banier op de voorsteven van de kaïk. Hier was slechts één woord op geschilderd: *Vanavond*. De boodschap die Narcissus af had moeten geven was ontcijferd en volkomen duidelijk.

9 Het geluk is met de stoutmoedigen

In de verzamelplaats in Üsküdar was de voorhoede van Süleymans te-rugkerende leger de tentenstad aan het opzetten die overal als hij op veldtocht was opgericht werd waar hij de nacht doorbracht, of het nu voor een maand, een week of een dag was. Zijn privévertrekken te vel-de waren een replica van zijn selamlik in het Topkapi-paleis. Er was een tent om in te slapen, een om in te baden, een tent voor zijn gardero-be, een tent waar gekookt werd, de tent van zijn dokter en de enorme draagbare barak die zijn schatkist bevatte. Wanneer de sultan op reis ging, ging al het goud dat hij bezat met hem mee.

Toen ze op veldtocht waren had zijn staatsraad, de *divan*, vier keer per week vergaderd net zoals ze dat in het Topkapi deden. Ze waren bijeengekomen in een enorm grote tent die ruim genoeg was voor alle leden: viziers, rechters en geestelijken, de oelema. De slaaptenten voor zijn raadsleden en hun bedienden stonden rond hun draagbare raadszaal gegroepeerd, wat deze bijzondere groep afscheidde van de tenten met de honderden bedienden, klerken en pages die er samen voor zorgden dat de privévertrekken van de sultan zoals gebruikelijk functioneerden, dat wil zeggen tegelijkertijd als residentie en zetel van de keizerlijke macht.

De campagnekaravaan behelsde ook een bazaar die elke keer als de mars tot stilstand kwam opgezet werd – het ene na het andere stal-letje van kooplui, kleermakers, schoenmakers en smeden en hun ge-volg, die allemaal in tenten ondergebracht en gevoed moesten worden. Voeg daarbij dan nog de vele draagbare moskeeën, vereist om aan de spirituele behoeften van deze reusachtige bevolkingsgroep en hun be-dienden te voldoen. En dan hebben we het nog niet gehad over de eigenlijke gevechtstroepen – het eigenlijke Ottomaanse leger – met al zijn afdelingen en hulptroepen. Geen wonder dat Süleymans hele le-ger in opmars bij elkaar opgeteld tegen de driehonderdduizend zielen bedroeg. En een ontelbare hoeveelheid dieren.

Dit was dus de kleine stad die zich aan de vooravond van 23 oktober op de oevers van de Bosporus aan het vormen was, slechts voor één enkele nacht.

Waarom al die moeite om voor slechts één nacht dit ontzaglijke kampement uit en weer in te pakken? Waarom, eenmaal bij de Bosporus aangekomen, de verschillende eenheden niet de stad in gejaagd om zo tijd, moeite en kosten te besparen? Omdat Süleyman de Prachtlievende niet uitsluitend een generaal of staatshoofd was die terugkeerde uit de oorlog. Hij was bovendien koning der koningen, Hij die de Lotsbestemmingen van de Wereld bepaalt, Padisjah, Heerser over het Oosten en het Westen, Meester over Twee Contintenten en Drie Zeeen, Kalief van de Wereld, Verdediger der Islam, de Schaduw van God op Aarde en op een minder verheven plan: de alleenheerser over het grootste rijk dat de wereld ooit gekend had. Een dergelijk man moet zijn hoofdstad binnengaan als een God die neerdaalt uit de hemel.

Tegen het vallen van de avond, toen de sultan en zijn gevolg bij Üsküdar aankwamen, schuimden de wateren van de Bosporus reeds vanwege alle schuiten die de benodigdheden voor de triomftocht van de volgende dag eroverheen vervoerden – gigantische dozen met banieren en glanzende medaillons, kisten vol zadels en hoofdstellen, glimmend opgewreven muziekinstrumenten voor complete orkesten, die reeds gestemd waren, honderden paradepaarden die de stoffige cavalerie kwamen vervangen. Zelfs nu stond er een verse lading rijdieren te wachten om in hun goud gebiesde, met juwelen bezette paradedekens gehuld te worden. Er was al een hele schuit de Bosporus overgestoken, vol vaten met gearomatiseerde rozenblaadjes die van de daken gestrooid zouden worden. Net als in de Romeinse tijd. In één nacht tijd zou de haveloze, door strijd getekende strijdmacht die uit Oostenrijk was gearriveerd getransformeerd worden tot een fantasieprocessie die zo uit Caesars *Oorlog in Gallië* afkomstig had kunnen zijn.

Te midden van al deze onstuimige activiteit genoot de sultan rustig van een warm bad voordat hij zich achter de met goud geborduurde voorflap van zijn tent terugtrok voor de nacht. De ontberingen van de lange, trage tocht door de straten van zijn hoofdstad vereisten dat hij goed uitgerust was.

In de tussentijd weergalmde aan de overkant van het water, in de stad, het lawaai van hamers en het gegrom en gekreun van de werklui.

Hun arbeid werd bijgelicht door duizend fakkels. De janitsaren hadden maar één nacht en één ochtend om de noodzakelijke voorbereidingen te treffen en klommen nu dus al in palen door de hele stad om overwinningsbanieren op te hangen. Wasmannen en -vrouwen uit het paleis waren bij hun tobbes, paleiswachten bij hun poorten en wapensmeden bij hun vuren vandaan getrokken om bij elke belangrijke kruising kiosken op te richten op palen. Vanaf deze platforms zou er morgen een ware stortvloed aan munten en snoepgoed over de mensenmenigten neerdalen.

In de hippodroom waren zo'n honderd tuiniers die normaal hun timmervakmanschap inzetten voor het maken van fijn latwerk en luchtige pergola's, nu tijdelijke tribunes in elkaar aan het zetten, rij aan rij, voor de spelen en circussen die de feestelijkheden van die week zouden opfleuren. En al deze geïmproviseerde arbeidstroepen zouden de hele nacht doorwerken, mocht dat nodig zijn, om van de hoofdstad een Romeins carnaval te maken. De Ottomanen waren ervaren plunderaars. Ze hadden hun poëzie aan de Perzen ontleend en aan de Byzantijnen hun protocol. Teneinde de kunst van het vieren van grote gebeurtenissen onder de knie te krijgen zochten ze mentoren nog verder over de grens en bestudeerden degenen die het allerbeste wisten hoe ze grote mensenmassa's moesten behagen: de Romeinen die hun leerden dat brood en spelen een uitstekend hulpmiddel waren om lege magen te vullen én beurzen die door de oorlog leeggezogen waren.

In tegenstelling tot de straten van de stad bleef het leven achter de muren van het Topkapi-paleis al dit rumoer bespaard. In de Eerste en Tweede Binnenhof was het overwegend rustig. En in de Derde Hof heerste als altijd absolute stilte. Ook al was hij nog niet officieel terug, de padisjah legde zijn wil al op vanaf de verzamelplaats aan de overkant van het water.

Süleyman stelde prijs op stilte. Hij was de sultan die zijn bedienden gebarentaal liet leren zodat het aantal woorden dat ze hardop zouden moeten uitspreken tot een minimum beperkt bleef. Iedereen in zijn selamlik liep zonder schoenen. Het geklak van hakken op de keien irriteerde de padisjah. Zelfs het regiment dat dit meest afgezonderde deel van het paleis moest beschermen liep zijn wachtrondes op blote voeten. Ze kenden alle dienaren van de sultan van gezicht en verder iedereen die regelmatig iets in de Derde Hof te zoeken had. Moge God degene bijstaan die zich per ongeluk deze afdeling in begaf.

Natuurlijk liep Danilo del Medigo geen enkel risico, onderweg van zijn slaapzaal in de pageschool naar het Huis van de Dokter. Zijn vader, Juda del Medigo, maakte deel uit van een klein groepje dienaren die de sultan graag bij zich in de buurt had. De dokter had dit huis in de Derde Hof van het Topkapi-paleis gekregen op de eerste dag dat hij begonnen was als lijfarts van Süleyman. Het was bedoeld als woonhuis en als apotheek. (Misschien was 'geleend' een beter woord dan 'gegeven', aangezien elk geschenk van de sultan aan een dienaar of slaaf uiteindelijk eigendom van het sultanaat bleef en bij de dood van de ontvanger weer teruggegeven moest worden.) Maar zolang Juda lijfarts was, zou het Huis van de Dokter zijn zoons thuis zijn.

Hij keerde nog steeds elke vrijdag terug naar het huis van zijn vader – met speciale toestemming van de sultan – om de joodse sabbat te vieren. Een dergelijke vrijstelling kende geen precedent. Maar de sultan achtte zijn joodse arts hoog en omdat hij een gelovig moslim was begreep hij de waarde die een vader aan de godsdienstige opvoeding van zijn zoon hecht.

Wat de hele regeling zo handig maakte was dat, aangezien de school van de sultan van meet af aan bedoeld was als oefenschool voor die weinige uitverkorenen die hem naar alle verwachting zouden gaan dienen, deze aan de overzijde van de selamlik van de sultan in de hof gebouwd was. Deze nabijheid maakte het eenvoudig voor Danilo del Medigo om tegemoet te komen aan de verplichting die zijn vader – met de goedkeuring van de sultan – hem opgelegd had. Elke vrijdag diende hij bij het invallen van de schemering de pageschool te verlaten om zich voor te bereiden op de sabbatdiensten.

Zelfs toen de dokter met de sultan op veldtocht was, had zijn zoon nog steeds permissie om elke vrijdagavond en zaterdag de sabbatdiensten in een synagoge buiten de muren bij te wonen.

Na drie jaar was het nieuwtje van deze bijzondere regeling er allang af en de aanblik van de knappe joodse page die heen en weer sjokte tussen zijn slaapzaal in de pageschool en het huis van zijn vader deed geen vragen oprijzen in de kiosk, het wachthuisje op wielen dat voortdurend tussen de Poort van het Geluk en de achtermuur van het paleis bewoog. Maar mocht de jongen van zijn gewone route afwijken, dan zou hij op evenveel achterdocht kunnen rekenen als elke andere page die aan het dolen was geraakt.

En dus laveerde Danilo bij het vallen van de avond even nonchalant als een ervaren Argonaut tussen de grazende gazellen, zonnewijzers en de fraaie fonteinen door. Maar toen hij later die avond opnieuw door de achterdeur van zijn vaders huis het duister in stapte met een stevig touw om zijn schouder, sloop hij onder de dakrand verder, op zijn hoede als de eerste de beste misdadiger.

De godin van de maan, Phoebe, bescheen hem met het licht van een halvemaan dat gefilterd werd door een donzige wolkenmantel, precies zoals op de tekening die nog steeds opgevouwen in zijn laars zat. De achtermuur van het paleis was niet ver van de achterkant van het Huis van de Dokter. Voor een kampioenwerper als Danilo was er niet meer dan één worp met het tot een lus geknoopte touw nodig om deze vast te haken aan een pin die van de bovenkant van de muur uitstak. Lenig als een aap klom hij over de stenen muur en sprong er aan de andere kant weer af, het touw achter zich aan slepend. Vervolgens rolde hij het touw netjes op en borg het veilig op in de stronk van een stokoude perenboom achter de gammele ladder die achteloos tegen de stam leunde. Hiervandaan was het nog maar een paar voet naar het Pad der Eunuchen en de vrijheid.

Maar vanavond stak Danilo del Medigo in plaats daarvan het Pad der Eunuchen over en liep heuvelafwaarts, dwars door het struikgewas naar een kleine kade beneden, waarbij hij zorgvuldig zijn weg zocht via de open plekken in de ondergroei die onzichtbaar waren in het duister, maar die hij kende van vele eerdere uitstapjes.

De afdaling duurde niet lang maar hij was steil en ietwat gevaarlijk. Toen dit paleis door Mehmet de Veroveraar was gebouwd had hij niet alleen de top afgevlakt maar ook de hele omgeving voorzien van kuilen en prikkeldraad om indringers op afstand te houden. Vanaf dat moment had niemand meer de moed gehad om door de Dardanellen te varen en het oude Constantinopel te belegeren. Tegenwoordig was de kustlijn van het Paleispunt een kalme baai die vooral opviel door de kleine pier aan de voet van de helling. Deze stond algemeen bekend als de kade van de grootvizier (hoewel hij eigenlijk bedoeld was om als ideale ankerplaats te fungeren voor Süleymans persoonlijke kaïkenvloot). Deze steiger fungeerde tegelijk als het ideale beginpunt van Süleymans zeldzame, anonieme uitstapjes naar de bazaars en herbergen van het Galata-district en zijn discrete maanverlichte vaartochtjes op de Bosporus.

Gezien het uiterst geheime gebruik dat er van deze kleine kade gemaakt werd, behoeft er nauwelijks melding van gemaakt te worden dat iedereen die dom of achteloos genoeg was om 's nachts in deze omgeving gepakt te worden erop kon rekenen tegen de ochtend al lang en breed op de bodem van de Bosporus te liggen. Maar de aantrekkingskracht van het verbodene – het risico – was nou net wat de jonge Danilo ertoe verleid had om, wanneer zijn vader in slaap was gevallen, over de muur naar buiten te glippen en zich een weg te zoeken naar een smalle rotsrichel met uitzicht over de steiger. Daar bracht hij vele maanverlichte uren door met kijken naar de kaïken, skiffs en lichters die de rimpelende wateren van de Zee van Marmara doorsneden op weg naar Middellandse Zee en Italië. In de wereld van de jongen was het de vredigste plek op aarde en de meest gevaarlijke. Daar tussen de rotsen en het wrakhout voelde hij zich merkwaardig thuis. En in de eerste jaren van zijn leven in het Topkapi-paleis was het de plek waar hij zichzelf, languit op de richel naar het westen starend, toestond te dromen van de dag dat hij zijn vaderland weer zou zien.

Danilo was er echter al lang geleden mee opgehouden naar het verleden te snakken en zoals het een gezonde jongen op de valreep van de volwassenheid betaamt, ging hij helemaal op in de genoegens waar Fortuna hem in het hier en nu op trakteerde. Tegelijkertijd was zijn escapade van vannacht een soort verlenging van die jongensuitstapjes, al was het spel veel gecompliceerder geworden en de straf bij ontdekking zelfs nog groter dan een jongen zou hebben gekregen die gewoon onopzettelijk het privédomein van de sultan binnen was gedwaald.

Vannacht kroop hij de helling af met de zekerheid van iemand die het terrein als zijn broekzak had leren kennen, er zorgvuldig voor wakend geen geluid te maken. Hij vorderde langzaam maar hij kwam ongedeerd en ongezien bij de vertrouwde rotsrichel aan. Vanaf dit punt, dat uitzag over de samenvloeiing van de Bosporus en de Zee van Marmara, kon hij veilig de kade van de grootvizier in de gaten houden zonder gezien te worden door een of andere kaïk die in opdracht van de sultan binnen kwam varen of wegging.

Het tafereeltje beneden leek onmiskenbaar op de krijttekening die in zijn laars zat, tot het ranke vaartuig aan toe dat algauw in beeld kwam deinen. Voor een kaïk was hij nogal klein, met slechts vier roeiers, maar hij maakte duidelijk deel uit van de vloot van de sultan door diens tugra – het kalligrafisch symbool dat al zijn bezittingen sierde – die op de voorsteven afgedrukt was.

Toen de kaïk de baai eenmaal binnengevaren was legde Danilo in een reeks sprongen de afstand naar de steiger af en klauterde aan boord zonder te wachten tot hij omhooggetrokken zou worden. De kaïk schoot, niet één rimpeling achterlatend, het open water van de haven op. Vlak vóór hen lag de toegang tot de Gouden Hoorn. De roeiers zorgden ervoor daarbij uit de buurt te blijven door de neus van het vaartuig de ruwere wateren van de Zee van Marmara op te sturen. Met zijn rug naar de roeiers – hoe minder ze zagen, hoe minder ze zich zouden herinneren – keek Danilo toe hoe de minaretten en regenboogkoepels van Istanbul zachter werden en in de blauwzwarte nacht verdwenen.

Precies op dat moment scheidde de maangodin, als om haar goedkeuring aan de onderneming duidelijk te maken, de wolken om het zilverkleurige zand te onthullen dat de kust van de Zee van Marmara omzoomde. De jongen nam even de tijd om de godin te bedanken voor de gunst. Toen leunde hij achterover, zoog diep de zilte lucht naar binnen en stond zichzelf voor het eerst die dag toe te anticiperen op wat het eilandje Kinali voor hem in petto had.

Hij had niet veel tijd om te dromen. De roeiers van de sultan waren de sterkste en snelste van de Ottomaanse zeemacht. Ze lieten het smalle vaartuig in een straf tempo de golven doorklieven en in een mum van tijd tilden ze hun roeispanen uit het water om naar de kust toe te manoeuvreren. Waar geen steiger was.

Het eiland Kinali was inmiddels reeds lang verlaten en te onbelangrijk om zelfs een kleine kade te rechtvaardigen. Algemeen werd aangenomen dat niemand meer de moeite had genomen hierheen te komen sinds de tijd dat de Byzantijnen de Prinseneilanden gebruikt hadden als verbanningsoord voor hun lastigste familieleden.

Zonder iets te zeggen stak Narcissus een hand uit om zijn passagier aan wal te helpen. De kaïk voer weg en eventjes was er nog een blond hoofd te zien dat op het strand op en neer deinde. Toen verdween het in de bossen.

Danilo hoefde niet ver te lopen. Kinali was niet groot, het was een van de kleinere Prinseneilanden Maar het pad door de bossen was overwoekerd geraakt en hij kwam maar langzaam vooruit. In de Byzantijnse tijd had elk van die kleinere eilanden een eigen klooster en een eigen bestemming gehad. Wanneer er een nieuwe keizer op de troon kwam, verbande hij gewoonlijk alle patriarchen en prinsen die mogelijk zijn greep op de keizerlijke macht zouden kunnen bedreigen. Aldaar werden ze dan aan de zorg van verschillende kloosters overgedragen – natuurlijk nadat hun hun wil om te ontsnappen ontnomen was doordat ze blind gemaakt of op een andere manier verminkt waren.

Danilo kende deze verhalen, maar vannacht, terwijl hij zich een weg door die dichte begroeiing heen baande, waren zijn gedachten alles-behalve bij de uitspattingen van de Grieks-orthodoxe christenen. Verdomde distels, vloekte hij fluisterend. De laatste keer was zo lang geleden dat hij vergeten was handschoenen aan te trekken. Elke keer dat hij dit pad op ging was de begroeiing dichter en waren de stekels scherper geworden. Binnenkort zou hij een bijl mee moeten nemen.

Hij tilde zijn hand op om het bloed van zijn vingers te likken. Vervolgens verbrak hij de stilte door ze tegen zijn tanden te plaatsen en doordringend te fluiten.

Zijn fluitje riep een menselijk antwoord op. 'Is dat mijn prins daar, die mij komt redden?'

De sirenen die Odysseus geroepen hadden moesten zo geklonken hebben. Maar Danilo del Medigo was geen veteraan die oorlogsmoe naar zijn verre echtgenote hunkerde. Zijn Troje moest nog komen. Voor hem verhoogde het risico de aantrekkingskracht van de onderne-ming alleen maar.

Een dikke tak vol bladeren versperde hem de weg. Hij stapte naar achteren om grip te krijgen op de glibberige bosgrond, deed toen snel twee passen en gaf een welgemikte trap tegen de boosdoener die hem de weg versperde. Hij brak af bij de vertakking en creëerde een gat in het groen dat een met gras begroeide ronde plek onthulde waar lucht en maanlicht vrij spel hadden. Midden op deze open plek in het bos stond de ruïne van een moskee die eruitzag alsof hij geschilderd was, zonder dak, maar met de muren nog intact, een verlaten overblijfsel, alleen beschermd door een roestige poort die nauwelijks in zijn scharnieren hing.

'Vertel me eens, heer ridder,' hij kon haar nog altijd niet zien, maar, zoals de dichter zegt, de klank van elk van haar woorden kabbelde zoet als honing, 'hoe kun je ooit bij me komen, opgesloten als ik hier zit achter een ijzeren hek?'

Hij liep op het hek af. 'Ik heb het wachtwoord, mijn dame. *Audentes fortuna iuvat*.' De laatste woorden van Plinius voor hij in het verwoes-tende vuur van de Vesuvius stapte. Het geluk is met de stoutmoedigen.

'Het geluk is met de stoutmoedigen,' herhaalde Danilo met een ze-kere retorische flair toen hij naar voren stapte.

10 Twee vrouwen

In 1453 voer de Ottomaanse sultan Mehmet de Veroveraar door de Dardanellen en veroverde de legendarische stad die door de Grieken Byzantium genoemd werd, door de Romeinen Constantinopel en door de Turken Istanbul. De stad was gedrenkt in geschiedenis, ging schuil in nevelen van Romeinse wetgeving, Griekse literatuur en christelijke theologie – een briljante keuze voor een beginnend heerser wiens voorouders minder dan een eeuw daarvoor vanuit Centraal-Azië waren komen aanstormen, onbekend en onaangekondigd, en die nu een gunstig gelegen hoofdstad zocht voor zijn in opmars zijnde rijk.

Met de Bosporus, die grote waterweg tussen de Middellandse en de Zwarte Zee, volledig onder controle bood de oude vesting Constantinopel geweldige kansen voor de Europees-Aziatische handel die al de levensader van het nieuwe Ottomaanse Rijk was geworden. Het hoogste punt, het Paleispunt, bezat van nature de topografie van een citadel, omgeven als deze was door de wateren van de Bosporus, de Zee van Marmara en de Dardanellen die bij elkaar een gigantische natuurlijke vestinggracht vormden.

Hoorde Mehmet, evenzeer dichter als krijgsman, de echo van de Perzische militaire melodieën die de Ottomanen hadden overgenomen, terwijl hij zich slingerend een weg omhoog baande naar de oude Romeinse acropolis op de top? Was dit het moment waarop hij besloot op het hoogste punt een nieuw koninklijk paleis voor zichzelf te bouwen? Voorzag hij misschien een toekomstige processie, met wapperende banieren en een bevolking die in aanbidding langs de hele rotsachtige route op hun knieën lag om een nieuwe koning van de wereld te eren – zo niet hemzelf, dan toch wel een van zijn opvolgers? Was het dit visioen van een wereldrijk dat hij kreeg toen hij daar stond, geflankeerd door zijn eigen tugra die rechts van hem in het briesje wapperde en de banier van de Profeet aan zijn linkerkant?

Mehmet was een ziener. Hij moet de potentiële kracht gevoeld hebben die van deze twee bij elkaar horende vaandels uitging: een militaire macht gelijk aan die van Rome en gevoed door een diep geloof in de heilige jihad.

Mehmet de Veroveraar zag tijdens zijn leven nooit een dergelijke processie. En zijn zoon, en de zoon van zijn zoon evenmin. Maar minder dan honderd jaar nadat hij Constantinopel veroverd had, had zijn achterkleinzoon Süleyman al meer dan eens deelgenomen aan zo'n tocht waarbij niet alleen de straten van Constantinopel, maar ook de daken en ramen bezet waren met onderdanen die vol bewondering 'Al-hamdoelil, moge de zegen Gods op u neerdalen, O gazi!' schreeuwden.

Vorig jaar was Süleyman als overwinnaar teruggekeerd uit Hongarije. Dit jaar keerde hij als overwinnaar terug uit Oostenrijk. Neerkijkend vanaf zijn hoge plek in het paradijs, waar alle grote gazi-krijgslieden heen gaan als ze sterven, moet Mehmet erg trots zijn geweest op de vrucht van zijn lendenen wiens prestaties die van hem reeds evenaarden.

Hoewel de triomftocht van de sultan pas voor het begin van de middag op het programma stond, dromden de mensen al in groten getale samen in de vroege ochtendzon. Ze gedroegen zich opvallend netjes – de Ottomanen waren absolute meesters in de beteugeling van mensenmassa's – een zoemende zwerm die als de Rode Zee uiteenging voor de gouden koets van de sultan toen deze zich een weg baande van de harem in het Oude Paleis naar het Topkapi-paleis.

De koets was langzaam maar gestaag door de kolkende mensenmassa heen getrokken die zich in aanbiddende bewondering in de straten verdrong. Toen hij echter aan de weg naar het Paleispunt begon, werden de twee vrouwen in de koets van hot naar her geslingerd. Deze weg stond niet voor niets bekend als het Pad waar de Kameel van Ging Schreeuwen. De vrouwen bleven opgewekt. De jongste van de twee, prinses Saïda, verwelkomde, hoewel ietwat vermoeid, elke gelegenheid om aan het geparfumeerde klooster van haar grootmoeder te ontkomen. Naast haar snoof vrouwe Hürrem, de tweede kadin van de sultan, de opwinding van de menigte op als een bedwelmend parfum.

'Spannend, vind je niet?' informeerde ze.

De jonge vrouw was het met haar eens. De held van de dag was haar vader. Nooit eerder had ze zich zo dicht bij hem gevoeld. Of zo ver bij hem vandaan.

'Het doet me plezier dat ik je meegenomen heb, Saïda,' zei de tweede kadin. 'Het is niet goed voor een meisje om in de harem opgesloten te zitten, en voor een koninklijke prinses al helemaal niet. Hoelang is het geleden dat je buiten de poorten van het Oude Paleis bent geweest?'

Het meisje dacht even na voor ze antwoord gaf. In de slangenkuil die de harem was leerde een meisje zonder moeder al vroeg haar tong in bedwang te houden.

'Volgens mij was het twee jaar geleden dat mijn grootmoeder me meenam naar een festiviteit in de hippodroom,' antwoordde Saïda na even gezwegen te hebben. 'Toen mijn broers besneden werden.'

'En daarvoor?'

'Ik herinner me nog wat picknicks op een eiland in de Zee van Marmara – Kinali heet het geloof ik – toen ik een klein meisje was.'

'Nou,' zei Hürrem, 'je bent nu geen klein meisje meer. Je bent een vrouw, Saïda, een prinses van koninklijken bloede. Je moet de wereld leren kennen waar je in gaat wonen als je trouwt.'

Het meisje verstijfde. 'Trouwen?'

'Natuurlijk, trouwen,' vervolgde Hürrem, de bezorgdheid van het meisje niet opmerkend. 'Zeg niet dat je daar nooit over nagedacht hebt. Elk meisje denkt aan trouwen. Waarom tril je? Maakt de gedachte aan trouwen je van streek?'

Dat doet het zeker, vrouwe. Het meisje beet op haar tong om te voorkomen dat de woorden naar buiten glipten.

'Wat maakt je van streek? Weggaan uit de harem?'

Ja!

'Weggaan bij je grootmoeder?'

Ja!

'Ik zou willen dat je me antwoord gaf. Je bent een slim meisje. Je moet je er toch bewust van zijn dat, ook al houdt ze nog zoveel van je, je grootmoeder je niet eeuwig bij zich kan houden?'

Jawel, dat kan ze wel.

'Zult u altijd van me houden, grootmoeder?'

'Altijd.' De stem van grootmoeder weerklonk in haar herinnering.

'Zeg dat u me nooit bij u vandaan zult sturen.'

'Zolang er nog lucht in mijn longen is. Ik zal je nooit wegsturen.'

Iedereen in de harem wist dat de valide sultan en haar zoon, de sultan, de moederloze prinses verafgoodden. En dus had iedereen Saïda aan de tedere zorgen van haar grootmoeder overgelaten. In elk geval tot de Russische kadin Hürrem de oude dame voor zich begon te winnen en zich als een tweede moeder voor prinses Saïda opwierp teneinde, in haar eigen woorden, 'wat vreugde in haar leven te brengen'.

'Als je door de spleet in de gordijnen kijkt kun je de tweelingtorens zien van de Poort van de Groet,' doceerde ze. 'Rechts, vóór de Hagia Sophia.'

Saïda gluurde gehoorzaam door de gordijnen naar buiten.

'Zie je ze? Zijn ze niet majestueus? O, wat ben ik dol op dit paleis. De uitzichten. De tuinen. Zoveel toegankelijker dan dat rottige krot van ons. En zoveel dichter bij je vader. Heb je er ooit aan gedacht hoe het zou zijn om bij hem in het Topkapi-paleis te wonen?'

Een maand geleden zou de vraag, die het meisje nogal overviel, haar volledig van de wijs gebracht hebben. En ook al was dit de eerste keer dat ze samen ergens heen gingen, ze had al weken kunnen wennen aan de grillige en plotselinge wendingen van haar stiefmoeders geest. Saïda had er eerlijk gezegd nooit aan gedacht ergens anders dan in het Oude Paleis te wonen waar ze grootgebracht was. Waarom zou ze van mij willen dat ik nadenk over wonen in het Topkapi, vroeg ze zich af.

Niet in staat een vlotte verklaring te bedenken, kaatste ze de vraag netjes terug. 'Heeft u er ooit aan gedacht?' informeerde ze liefjes.

'O ja,' luidde het antwoord. 'Ik droom ervan. Elke keer dat je vader me uitnodigt me bij hem te voegen moet ik eraan denken hoe heerlijk het zou zijn als ik aan het einde van het bezoek niet terug hoefde gaan naar het Oude Paleis en gewoon daar kon blijven, dicht bij hem. Dat is mijn diepste wens. Maar het is mijn lot mijn dagen te slijten, omgeven door vrouwen en roddels, met een stad tussen ons in.'

De dame zuchtte en haalde toen haar schouders op. 'Voor een prinses is het natuurlijk heel anders. Jij verlaat de harem wanneer je trouwt. Je zult een eigen paleis hebben en slaven die doen wat je wilt en een gehoorzame echtgenoot – wat hij in elk geval maar beter wel kan zijn anders laat je vader zijn hoofd op een staak spietsen. Niet zoals ik, ik zal altijd een slaaf zijn.'

'Maar u bent een kadin, een moeder van prinsen.'

'Tweede kadin,' corrigeerde Hürrem haar.

'Maar mijn vader houdt meer van u dan van zijn andere vrouwen. Dat weet ik uit zijn brieven aan u, de gedichten die hij u schrijft en de sieraden die hij aan u stuurt.'

'Ik zou het allemaal opgeven om een eenvoudige echtgenote te zijn, om als een vrije vrouw samen te wonen met de man van wie ik houd, en met onze kinderen.' Hürrems trekken verzachtten zich. Ze keek dromerig voor zich uit. 'Een koninklijke familie zoals de Ottomaanse familie vroeger was. Dan zou je een echte dochter van me zijn.' Ze hield zich plotseling in. 'Natuurlijk ben je nu ook als een echte dochter voor me, een prachtige dochter, maar ik zie dat je mijn droom niet deelt. Misschien heb ik je liefde voor je vader overschat.'

'O nee, vrouwe Hürrem. Hij is de zon en de maan voor me.' Dit keer sprak Saïda zonder enige aarzeling.

'Gesproken als een echte prinses.' De tweede kadin knikte goedkeurend. 'Je grootmoeder heeft je goed opgevoed. Maar ik vrees dat ze je te lang in de harem verborgen heeft gehouden. Misschien is het tijd voor je om te verhuizen.'

'Nee, nee, ik zou nooit mijn grootmoeder kunnen verlaten. Ze heeft vanaf de dag dat mijn moeder stierf voor me gezorgd. En nu ze oud en zwak is, is het mijn plicht haar bij te staan.'

'En ze voelt eenzelfde liefde voor jou. We hebben het vaak over je gehad.'

'Echt waar?'

'We zijn gelijkgestemde zielen, de valide sultan en ik. Ze houdt van mij omdat ik haar zoon twee eigen zoons geschonken heb die de familielijn voort kunnen zetten, mocht prins Moestafa iets overkomen, wat Allah verhoede. Je grootmoeder is een wijze vrouw. Ze begrijpt de Ottomaanse gebruiken. De eerste kadin schonk de sultan slechts één levende zoon. De rest is in haar baarmoeder gestorven. Volgens mij is er iets mis met haar ingewanden. Bij mij heeft hij nu nog drie zonen zodat de opvolging veiliggesteld is.'

'Maar mijn broer Moestafa...' Saïda was in het doolhof van dit gesprek haar zelfvertrouwen kwijtgeraakt.

'Je halfbroer Moestafa is de kroonprins. De erfgenaam, en zo Allah het wil, volgt hij zijn vader op wanneer onze geliefde sultan... ik kan mezelf er niet toe brengen de woorden uit te spreken.'

'Moge God hem nog vele jaren in goede gezondheid en kracht geven,' maakte Saïda de zin voor haar af. Maar de prinses werd overspoeld door vragen die ze niet durfde te stellen. De andere kadins waren niet ter sprake gekomen. Of de valide sultan. 'Wat gebeurt er met de harem?' flapte ze eruit.

Nu was het Hürrems beurt om in de war te zijn. 'De harem? Met de harem gebeurt niets,' antwoordde ze. 'Die blijft in het Oude Paleis. Ik denk alleen na over een speciale plek voor onze familie hier in het Topkapi-paleis. En, mocht je je nog zorgen maken over de traditie, dan moet je weten dat er tot een jaar of dertig, veertig geleden altijd vrouwen in het Topkapi-paleis hebben gewoond. Wist je dat niet?'

Dat wist Saïda inderdaad niet. En Hürrem bracht haar maar al te graag op de hoogte. De Russische was dan misschien niet geletterd, maar ze had ervoor gezorgd dat ze op de hoogte was van de gebruiken van haar sultans volk.

'Je schijnt te denken dat mijn plan een gevaarlijke vernieuwing inhoudt. Maar in feite is het alleen nieuw leven inblazen van een traditie die al bijna honderd jaar oud is. Weet wel,' ging ze verder en ze stak vermanend een vinger op, 'dat vanaf de dag dat je illustere voorvader Mehmet zijn paleis voltooide, er van meet af aan kamers apart werden gehouden voor bepaalde vrouwen die de Veroveraar graag dicht bij zich in de buurt wilde hebben.

Geloof me, prinses, ik ken de geschiedenis. Ik geef je mijn erewoord. Er zijn altijd vrouwen in het Topkapi-paleis geweest.'

11 In de koets

Het onderzoek van de tweede kadin klopte. Er waren altijd vrouwen in het Topkapi geweest: niet erkend en niet officieel, maar ze waren er wel, altijd. Op de dag dat Mehmet, de Veroveraar van Constantinopel, zijn oude paleis in het hart van de stad verliet en naar het Paleispunt verhuisde, werden er zonder er dat er woorden aan vuilgemaakt werden in het nieuwe paleis kamers apart gehouden voor bezoeken van zijn meisjes. Hij nam zijn keuken, stallen, schatkist, school voor zijn pages en de divan, zijn koks en dienaren, zijn koninklijke garde, garderobe en zijn kleders, zijn proevers en kappers, zijn hondenkennels en zijn ziekenhuis en, natuurlijk, zijn dokters met zich mee naar het Topkapi. Maar zijn harem, de verblijfplaats van zijn vrouwen en kinderen, liet hij met opzet achter in het Oude Paleis onder het toeziend oog van zijn moeder, de valide sultan.

De Profeet zelf had gezegd: *De hemel bevindt zich onder de voeten van uw moeder.* Een man kon vele vrouwen en slaven hebben. Hij kon naar believen degenen die hij niet wilde afdanken en anderen nemen. Maar hij had maar één moeder. Ze nam een unieke plek in, waar alleen de dood verandering in bracht. Aan wie kon hij dan beter zijn waardevolste bezittingen – zijn vrouwen – toevertrouwen? Onder de waakzame blik van een aaneenschakeling van valides waren meisjes uit alle hoeken van Azië, Europa en het Ottomaanse Rijk – meegenomen als buit, door hun ouders als slavin verkocht of aan de sultan geschonken – geselecteerd, keurig gefatsoeneerd, opgeleid en ten slotte door zijn moeder aan de sultan gepresenteerd voor zijn goedkeuring. Nadat de keuze voor hem gemaakt was bracht hij vervolgens een bezoek aan zijn harem voor wat gevrij in de middag.

Maar geen man, en al helemaal niet de Schaduw van God op Aarde en de Meester van Twee Zeeën en Drie Continenten, vond het een prettig idee om voor een paar uurtjes plezier eerst op een paard te moeten klimmen en de halve stad door te rijden. Of om zijn bezoek vierentwintig uur van tevoren aan te kondigen zoals het protocol voorschreef. Of het hele ritueel af te werken dat deze bezoeken met zich meebrachten: die meisjes, allemaal even keurig in een rij opgesteld om hem te begroeten, om voor hem te zingen en te dansen, met hem te grappen of hem sorbets te brengen die ze zelf hadden gemaakt – al hield hij dan misschien nog zoveel van sorbets.

Daarna moest hij dan nog aan één meisje de voorkeur geven boven de rest en dan volgde het eindeloze gewacht tot de uitverkorene gebaad en met olie ingewreven was, haar lichaam met een scherpe mosselschelp van elk haartje ontdaan, de nagels gekleurd, de onderarmen met henna bewerkt om het zweet tegen te houden dat door de aanstaande daad zou ontstaan, wat Allah verhoede. De sultan mocht dan nog zo'n verheven status genieten als de Enige Beschikker over het Lot van de Wereld, de harem had zo haar gebruiken en er was niets wat de sultan kon doen om dat proces te versnellen, behalve geduldig met zijn moeder van zijn sorbet nippen.

Voordat de Veroveraar aan de macht kwam ging het er anders aan toe. De eerste Turkmeense stammen die uit Mongolië over de steppen van Centraal-Azië kwamen waren eenvoudige nomaden die weideland zochten voor hun kuddes. Ze ontdekten, op zoek naar vers veevoer, dat er via de Anatolische handelsroutes grote rijkdommen voorbijtrokken – zijde, specerijen en huiden. Vrijwel direct kwam het welzijn van hun kuddes ná de grote beloningen die het plunderen opleverde. Voor deze zogenaamde grensstrijders werd plunderen al snel hun voornaamste bezigheid, en buit de beloning. Het zadel was nu vaker hun thuis dan hun tent. In deze onzekere wereld ontwikkelde de harem zich tot een haven waarin de grensstrijders hun vrouwen veilig konden afzonderen gedurende de lange periodes van hun afwezigheid.

In die begintijd waren de Osmanen een van de vele stammen die waren verenigd in een los Turks bondgenootschap dat vooral gericht was op banditisme waar en wanneer dat zo uitkwam. Maar door hun offensief westwaarts kon men hen algauw aan de grenzen van het Seljuk Rijk zien knabbelen, een enorm gebied dat zich uitstrekte van de bergen van Centraal-Azië tot aan de oude havens van de Egeïsche zee. Er verzamelde zich een geïmproviseerd leger om hen heen van plunderaars, boeren zonder land, gewapende herders, soefi's en andere buitenbeentjes en zo begon de Osmaanse stam aan zijn trek naar het westen, die alles verwoestte wat op zijn pad kwam. En ergens op die lange tocht van de Kaukasus tot de Egeïsche zee zwoeren de Osmaanse *beys* hun sjamanistische geloof af en werden ze gazi's, krijgslieden ter meerdere eer en glorie van de islam.

Ze schrokten het Romeinse Rijk naar binnen als betrof het een feestmaal. Vervolgens kwam hun Mongoolse broeder, de gevreesde Timoer Lenk, vanaf zijn Aziatische vesting aangalopperen. Meteen decimeerde hij het Osmaanse leger, executeerde hun sultan en maakte diens sultana tot slaaf. Iedereen zou gedacht hebben dat deze schandelijke nederlaag de hoop van de Osmanen wel de grond in geboord zou hebben. Maar blijk gevend van een uitzonderlijke veerkracht verrees er een nieuwe Osmaanse leider, Mehmet, uit de as om de Mongoolse horden te verdrijven. Vervolgens voerde Mehmet zijn leger aan vanaf het uiterste westelijke puntje van Azië naar een directe confrontatie met het christelijke Europa in haar uiterste, oostelijke deel: Byzantium.

De uitkomst was onvermijdelijk. Constantinopel was nooit hersteld van de gewelddadige rooftochten door de plunderende legers van de Vierde Kruistocht. Door hun christelijke broeders tot verlammens toe verzwakt, bleken de Byzantijnen totaal niet opgewassen tegen de hongerige Turkmenen. De in de strijd geharde Aziaten trokken vanaf het oosten, zuiden, westen en noorden op naar de hoofdstad, ondertussen de laatste levensvatbare militaire resten van het ooit zo machtige Oost-Romeinse Rijk wegvagend. Een beklagenswaardig restant daarvan trok zich terug in de veiligheid van hun hoofdstad, Constantinopel, wachtend op de genadeslag. Op dinsdag 29 mei in het jaar 1453 veroverde Mehmet de Tweede de eeuwenoude stad Constantinopel, herdoopte die in Istanbul en wiste daarmee de laatste sporen van christelijke aanwezigheid in Azië uit.

Nu waren de Osmanen inderdaad gazi's, niet alleen in naam, ze waren het echt. De halfbloed nomadenhoofdman had zich ontpopt tot een waarachtig doder van ongelovigen, een heilige strijder, een gazi-sultan. Mehmet de Veroveraar herdoopte de Osmanen in Ottomanen en kende zichzelf, in verleiding gebracht door zijn dromen van een wereldrijk, bovendien nog de titel 'padisjah' toe – het Perzische woord voor 'keizer'.

Geleidelijk aan maakten de nomadententen van de Osmanen plaats voor paleizen; kruit begon even belangrijk voor hen te worden als paarden; hun derwisjen werden netjes opgenomen in de traditionele islam, die nu de officiële godsdienst van het rijk was geworden. En aangezien wereldrijken nu eenmaal dynastieën nodig hebben werd de harem – die veilige haven voor de vrouwen van de krijgslieden – omgevormd tot een broedplaats waar mannelijke erfgenamen voor de Ottomaanse dynastie gekweekt werden.

In deze nieuwe keizerlijke harem werd elke keer dat de sultan met een meisje sliep dit opgetekend in een in fluweel gebonden, zogenaamd beddenboek, een dagboek dat de Schatmeester bijhield om met zekerheid de geboorte en de wettigheid van de kinderen van de sultan vast te stellen. De naam van de concubine en de precieze dag en het uur van de ontmoeting werden nauwgezet vastgelegd door de paleissecretaris en ondertekend door de sultan. Er mocht geen ruimte zijn voor twijfel wanneer elke keer dat de sultan met een van zijn haremconcubines sliep, het resultaat de geboorte van de volgende erfgenaam van het grootste en rijkste wereldrijk sinds de Romeinen zou kunnen zijn.

Een dergelijke belangrijke uitkomst kon dan ook niet worden overgelaten aan de grillen van de passie. Of voorkeur. Of zelfs maar genot. Tegen de tijd dat de achter-achterkleinzoon van de Veroveraar, Süleyman, sultan werd, was de officiële copulatie in de harem inmiddels allesbehalve een bron van genot dankzij de langzaam malende machinerie van het protocol. Maar onofficieel gingen er altijd vrouwen het Topkapi-paleis in en uit.

Deze regeling beviel de Ottomanen prima. Ze waren de oriëntaalse formaliteit evenzeer toegedaan als de Byzantijnen, maar hun kracht was dat ze oog hadden voor de menselijke zwakheid en er plaats voor inruimden. Süleyman was behalve de Schaduw van God op Aarde ook een man van vlees en bloed. In navolging van zijn voorzaten gaf hij er de voorkeur aan om elke directe trotsering van de traditie te vermijden. In plaats daarvan nam hij, net als zijn voorvaderen, gewoon wat hij wilde wanneer hij het wilde en liet het aan zijn hovelingen over om de rommel die er mogelijk het gevolg van was op te ruimen. En zolang hij zich niet te lang achter elkaar of al te openlijk overgaf aan zijn uitspattingen keek iedereen de andere kant op, ook zijn moeder, de valide sultan.

Deze regeling sprak ook de onderdanen van de sultan aan, een volk dat zowel warmbloedig was als kil en formeel, en dat er geen moeite mee had om de geografische grenzen van twee continenten te verleggen. Ze zouden echter met liefde hun leven geven om te voorkomen dat de wijze waarop een tulband gewikkeld werd veranderd zou worden. Voor de Turken en voor de sultan zelf – die tenslotte een van hen was – bestond er geen ongerijmdheid tussen het formele te bedde gaan in de harem, en de paringen tussendoor, in zijn privévertrekken in het Topkapi-paleis. Er kon discreet een kar op uitgestuurd worden om wat bezoekers (of, als de sultan het zo wilde, een enkele bezoeker) op te halen en de gasten naar zijn selamlik te brengen. Wat daar gebeurde hoefde, ver van het harem protocol, niet in een of ander boek vastgelegd te worden. Mocht er onverhoopt een zwangerschap het gevolg van zijn, dan werd die netjes beëindigd door de aborteur van de hof.

Van begin af aan, toen de Ottomanen nog steeds Osmanen waren, hadden ze dynastieke huwelijken met andere heersende stammen gesloten. Maar onder de heerschappij van Mehmet hadden de Ottomanen niet langer militaire bondgenoten nodig, en dus hielden ze ermee op met prinsessen te trouwen en wendden zich tot concubines voor de productie van hun erfgenamen. Deze meisjes, slaven als ze waren, hadden geen machtige en beschermende vaders en broers.

En honderd jaar lang leefden de Ottomaanse sultans twee gescheiden levens – het officiële van de harem en het niet-erkende van de selamlik van de sultan – zonder gestoord te worden door een bemoeizuchtige schoonfamilie. Iedereen wist wie er in de koetsen met de dikke gordijnen zaten die door de straten van de stad van het Oude Paleis naar het Topkapi reden en in het donker terugkeerden. Maar de algemene afspraak was dat er niet gespeculeerd werd over de identiteit van degenen in de anonieme voertuigen, zelfs niet over het eigenaarschap van die voertuigen zelf. Er werd zelfs niet over nagedacht. Het was gewoon nu eenmaal zo.

Maar nu, na meer dan een eeuw van discretie, had een binnendringer de gevestigde orde verstoord. Een roodharige feeks, die niet eens mooi was, zoals diegenen zeiden die gezien hadden dat ze op de slavenmarkt aan de grootvizier als geschenk voor zijn meester verkocht werd, zeiden. Een beetje mager, eerder een jongen dan een meisje. En met een uitstraling die onbetamelijk, bijna opstandig was. Ze was een Russin, in tegenstelling tot de Circassische maagden aan wie de Ottomaanse sultans de voorkeur gaven vanaf het moment dat ze kinderen bij slavinnen in plaats van echtgenotes begonnen te verwekken. Ze had groene ogen. Ze heette Hürrem, de Lachende. Bescheiden meisjes lachten niet.

In de straten en bazaars schudde men het hoofd als Hürrem ter spra-ke kwam. De ene dag niet meer dan een met geld gekocht stuk vlees, de andere een kadin, een Moeder van Prinsen. Sommigen zeiden dat ze filters kocht en drankjes van joodse venters die ze in de mond van de sultan liet vloeien als ze hem kuste. En in de bordelen bij de haven waar roddel en achterklap sneller opgediend en geconsumeerd werden dan wijn, werd verteld dat ze een heks was.

Natuurlijk geloofde een goede moslim niet in zwarte magie. Maar hoe had deze Hürrem anders dan door middel van bezweringsformu-les en toverspreuken zo'n macht over de sultan weten te krijgen? Hoe had ze anders dan door middel van hekserij zijn toestemming weten te verwerven zich bij de viering van de besnijdenis van zijn zoons te laten zien (wat zo lang men zich kon herinneren nog geen enkele kadin ooit gedaan had), alwaar ze troonde op het balkon van het paleis van de grootvizier terwijl de menigte beneden haar aan stond te gapen? Ze mocht dan wel gesluierd zijn maar toch...

Als de eerste kadin, Lenteroos, of een andere moeder van prinsen zich een dergelijke vrijheid veroorloofd had, zou ze in een zak met stenen in de Bosporus zijn gegooid. Maar voor deze Russin was het niet voldoende om een kadin te zijn, de moeder van Prinsen. Al was ze er kort na elkaar in geslaagd twee zonen voort te brengen en was er een volgende, bij de gratie van Allah, op komst, ze kwam nog altijd ná de moeder van de eerste zoon van de sultan en zijn erfgenaam, prins Moestafa. Of ze het nou leuk vond of niet, ze was de tweede kadin. Maar ze gedroeg zich alsof ze de eerste was. En vandaag permitteerde ze zich een vrijheid waaraan zelfs de valide sultan zich niet zou wagen. Ze had de vergulde koets van de sultan gevorderd!

Dit voertuig droeg zelfs geen tugra om aan te geven dat hij van de sultan was, maar hij had eigenlijk ook geen identificatie nodig. Er was in de stad geen ander voertuig dan dit. Nergens in het Ottomaanse Rijk trouwens. Er was er verder nog maar één op de hele wereld. Deze was eigendom van de Italiaanse marchesana, Isabella d'Este genaamd, die op haar rijtoertjes heel Rome in de ban had gehouden tot de stad helaas geplunderd werd door de christelijke koning van Spanje. Ze was gedwongen geweest, als haar leven haar lief was, zo snel mogelijk, zonder koets, te vluchten. God weet wat de vorstelijke huurlingen er-mee deden tijdens de plundering van Rome. Waarschijnlijk hadden ze hem omgesmolten vanwege het goud in het beslag. Maar jaren voor de plundering van Rome had sultan Süleyman het samen met zijn goede vriend, de Venetiaanse bailo (ze hadden daarna ruzie gekregen), in het geheim zo geregeld dat Isabella d'Estes koets in de ateliers van Murano werd nagemaakt: een volmaakte miniatuurkamer op wielen met glazen ramen die in de vergulde deuren waren gezet. Venetianen kregen altijd het onmogelijke voor elkaar als er goed voor betaald werd.

Op de een of andere manier was de bailo erin geslaagd een stel ingenieurs het Colonna-paleis, waar de marchesana woonde, in te smokkelen en haar koets op te meten. (Kennelijk woonde marchesana Isabella niet in haar eigen paleis maar huurde ze er een van de adellijke Romeinse Colonna's. Stel je voor! Een dergelijk paleis verhuren als waren het eenvoudige herbergiers. De sultan kon geen hoogte krijgen van deze Europeanen.) En nu had Süleyman zijn eigen gouden koets die alleen door hem gebruikt werd op die dagen dat hij last had van zijn jicht of wanneer hij gewoon geen zin had om paard te rijden.

Het was dit vervoermiddel dat de tweede kadin had uitgekozen om te vorderen voor haar tocht deze ochtend teneinde de sultan na zijn Oostenrijkse overwinning welkom te heten. En er waren niet veel mensen in de menigten die haar voorbij zagen komen en die de omhooggevallen hoer niet vervloekten omdat ze hen met hun neus op het feit drukte dat zij degene was die bij zijn afwezigheid regeerde.

In het rijtuig moest vrouwe Hürrem het gesis van de passanten wel horen terwijl ze door de straten reed. Kon het haar wat schelen dat ze werd gehaat? Kende ze geen angst? Geen schaamte?

Het antwoord was: erg weinig. Ze was tenslotte een Russin en Russische vrouwen waren vrijpostig. En uitgekookt. Men zei dat ze de sultan elke dag schreef toen hij op veldtocht in Oostenrijk was. Niet zelf natuurlijk. Ze kon helemaal niet in het Turks schrijven. Maar een aantal van haar brieven was gekopieerd en in de bazaar verkocht. Vraag niet door wie. De kop van die schrijver zou op een piek in de Eerste Hof terechtkomen mocht zijn naam ooit zelfs maar worden gefluisterd.

Hürrem was ongelukkig en ze verlangde hevig naar haar aanbeden padisjah, schreef ze. Ze smachtte naar hem. Zijn kinderen huilden om hem. Ze konden niet wachten tot ze zijn beminde gezicht weer zouden zien. Wat was het toch droevig, schreef ze, dat de route van zijn triomftocht niet langs het Oude Paleis voerde, zodat zijn kinderen met hun eigen ogen hun vader konden zien, de grootste koning ter wereld die zijn triomfantelijke entree deed in zijn hoofdstad. Een oude vrouw in de hofhouding van de valide sultan had haar verteld dat in de dagen van de eerste Ottomaanse gazi's hun vrouwen de straat op gingen om hen na hun overwinningen welkom te heten. Natuurlijk was Hürrem geen echtgenote. Ze was slechts een arme slaaf. Maar zelfs een slaaf had zo haar dromen.

Ze schreef verder over haar verlangen naar een plekje tussen al die lagere onderdanen van de sultan die wél getuige van zijn triomfantelijke terugkeer mochten zijn. Hoelang moest zij niet wachten achter de verre muren van de harem in het Oude Paleis, voor ze een glimp van hem op kon vangen? Wat ze er niet voor zou geven om hem door de Keizerlijke Poort te zien komen, opnieuw zegevierend over die Europese parvenu, die zogenaamde keizer! Alsof er nog een andere dan haar eigen aanbeden keizer kon zijn.

Zo sprak ze hem toe in haar brieven. Ze stapelde de ene vleierij op de andere, zo hoog dat zelfs een sultan er niet overheen kon kijken. En het resultaat? Vandaag zat ze in zijn gouden koets, ze was onderweg naar het Paleispunt en naderde op dit moment de Keizerlijke Poort van het Topkapi-paleis.

'Stop de koets!' De kapitein van de Paleiswacht ging vlak voor het voertuig staan. 'Wie bent u? Wie zit daarbinnen?'

Een janitsarenkapitein was iemand om rekening mee te houden. Maar de tweede kadin was niet zo snel onder de indruk.

'Laat hem het document zien,' droeg ze haar gezellin, prinses Saïda, op. 'Wacht, je moet je mouwen over je handen trekken.' Allah verhoede dat de janitsaar zelfs maar een centimeter blote huid van de prinses te zien zou krijgen. Het meisje moest nog veel leren. 'Schuif nu het vel tussen een spleet in de gordijnen door en zorg ervoor dat hij je niet aanraakt.'

De kapitein van de garde die uitstekend opgeleid was wat dit soort aangelegenheden betreft, nam de opgerolde rol aan die hem overhandigd werd, ervoor zorgend zijn blik afgewend te houden. Toen deed hij een stap naar achteren en maakte het satijnen lint los. Ten behoeve van zijn sergeant las hij:

Aan het Hoofd der Paleiswachten,

Jullie bevelhebber en sultan groet jullie! De hooggeëerde vrouwe Hürrem, tweede kadin van de harem [in het rijtuig kromp Hürrem even ineen bij dat 'tweede'] zal op de dag van mijn terugkeer uit Oostenrijk bij de Keizerlijke Poort arriveren. Ze dient welkom geheten en naar de Toren der Gerechtigheid geleid te worden, waar men haar met elk comfort dient te installeren in mijn vertrekken, boven in de toren, samen met alle dames die in haar gevolg reizen.

Verzegeld met de tugra van de sultan.

De janitsarenkapitein wuifde de koets de Keizerlijke Poort door de Eerste Hof in.

'Dat was Bosporus-kadin,' bracht hij zijn sergeant op de hoogte zodra de koets buiten gehoorsafstand was. 'Ruik hier maar eens aan.' Hij wapperde het document onder de neus van de ander op en neer. 'Dat is haar parfum. Ik wed dat een druppel van dat spul onze sultan meer kost dan wat hij ons per maand betaalt.'

Hürrem was niet populair bij de janitsaren. Zij waren degenen die haar de bijnaam Bosporus-kadin gegeven hadden – Riool-kadin.

12 De Toren der Gerechtigheid

De portier van de Toren der Gerechtigheid was een oude man waar geen kwaad in school. Maar hij was een Turk. Verandering, daar had hij niet veel mee op. Dus toen een ongebruikelijk geklepper op de trappen hem duidelijk maakte dat de bezoekers van vandaag vrouwen waren, begon hij geërgerd met zijn voet op en neer te wippen. In zijn instructies werd alleen van bezoekers gesproken. Hij nam aan, net als iedereen die op de hoogte was van de gebruiken van het Topkapi, dat de Toren der Gerechtigheid verboden terrein was voor iedereen op een paar uitverkorenen na – allemaal mannen.

Wanneer hij thuis resideerde had de padisjah de neiging onaangekondigd bij de Toren op te duiken. Dan verscheen hij zomaar ineens vanuit de duisternis, soms vergezeld van slechts één page. Hij ging aan de rand door de ruitvormige spleten in de balustrade staan turen op zoek naar... Naar wat? Vijanden die door de Dardanellen aan kwamen varen? Zijn eigen vloot die netjes in de Gouden Hoorn voor anker lag? De kaïken en aken die heen en weer over de Bosporus voeren?

Soms, wanneer de portier alleen was, liep hij naar de balustrade en ging op precies dezelfde plek als de sultan staan en staarde zuidwaarts naar de Zee van Marmara, en probeerde zich de Dardanellen, de Middellandse Zee voor te stellen, Egypte en de meest westelijke grenzen van het Ottomaanse Rijk, Algerije en Tunis. Daarna draaide hij zich naar het oosten, net als de sultan gedaan had, naar Syrië, Azerbeidzjan en Armenië. Daarna een halve slag in de richting van Üsküdar en verder door naar Bosnië, Walachije en Hongarije, de meest recente verovering van Süleyman de Prachtlievende.

Waar denkt de sultan dan aan, vroeg de oude man zich af, terwijl hij zo 360 graden in de rondte draait, waar alles van hem is, in welke richting hij ook kijkt? Dankt hij Allah in stilte voor dit grootse rijk dat hem geschonken is? Maakt hij plannen voor toekomstige veroveringen? Of denkt hij aan vrouwen? Zijn jicht? De bewaker durfde hier nauwelijks over te speculeren. Hij kende zijn plicht: op zijn post blijven en deze met zijn leven verdedigen, zorgen dat de loggia altijd keurig op orde was. En zich zo snel mogelijk uit de voeten maken mocht zijn meester onverwachts naar hem toe komen, daarbij de padisjah nooit de rug toekerend. Zelfs buitenlandse ambassadeurs letten erop dat ze altijd achteruitlopend bij de sultan vandaag gingen.

Heel zelden wilde de grootvizier op een warme nacht ook wel eens de wenteltrap van de Toren der Gerechtigheid beklimmen op zoek naar een briesje. En bij één onvergetelijke gelegenheid werd de Venetiaanse ambassadeur boven uitgenodigd. Dat was voordat de Ottomanen slaags raakten met de Venetianen. Maar vrouwen? Zolang hij zich kon herinneren had er nog nooit een vrouw deze trappen beklommen. En toch waren ze daar, een van de kadins en haar gezellin, beiden van top tot teen – en vingers – in hun *feraces* gehuld. Zolang er een man in de buurt was moesten de vrouwen zorgen dat ze bedekt waren. De middagzon was verzengend. Ze stikten in hun beschermende mantels, maar de portier was niet afgelost. De straf die op desertie stond was onthoofding. Wat moest hij doen?

Gelukkig werd de oude man al snel uit zijn dilemma verlost door de aankomst van een van de zwarte eunuchen van de harem, een arrogante kerel die hem minachtend gebaarde te vertrekken. Kaal, dik en impotent, wat denken deze schepsels wel dat ze een soldaat met dertig dienstjaren zo weinig respectvol kunnen behandelen, dacht de wacht.

De wacht had veel zin om het recht van de eunuch om hem orders te geven ter discussie te stellen, maar een snelle blik op het met edelstenen bezette kromzwaard aan de gordel van de eunuch maakte hem duidelijk dat deze zwarte schoonheid zeer hoog opgeklommen was op de ladder van de sultan. Deze in zijde gehulde verwaande kwast was misschien wel de belangrijkste zwarte eunuch van de harem, de Kizlar Agasi zelf, wist hij veel. Voorzichtigheid was geboden. De oude soldaat blies gehoorzaam de aftocht, er zorg voor dragend dat hij de zwarte man niet de rug toekeerde, voor het geval dat.

Zodra hij vertrokken was begon de tweede kadin zich te installeren. Haar sluier ging af, de *yashmak* à la Constantinopel; eerst de haarbedekking die ze met een zucht van verlichting van zich af gooide, dan het neusstuk, waar ze hulp bij nodig had aangezien hij achter op haar hoofd met een diamanten klem was vastgemaakt. De prinses verleende haar die dienst.

Kameraadschappelijk begon vrouwe Hürrem nu op haar beurt hetzelfde voor prinses Saïda te doen. 'Nu jij.' Toen ze klaar was mikte ze alle haarbedekkingen in een hoek waar waarschijnlijk iemand ze wel weer op zou pakken.

Daarna de mantels. Die van Saïda was van delicate, roze zijde, geschikt voor een jong meisje. Wat de matrone betreft, die droeg een transparante lavendelkleur bezaaid met gouden bloemen. Deze kostbare geborduurde kledingstukken werden eveneens in een hoek gesmeten. Saïda had ze liever netjes opgevouwen als het aan haar gelegen had. Zelf was ze uiterst correct opgevoed door haar grootmoeder, en de nonchalante gewoontes van de tweede kadin stoorden haar. Maar ondanks zichzelf was ze toch ook gefascineerd door het lichtzinnige, extravagante karakter van haar vaders favoriete.

De twee vrouwen gingen, ontdaan nu van hun bovenkleding, gezellig samen op een sofa zitten, allebei nog steeds in voldoende weelderige stoffen gehuld om keurig bedekt te zijn.

Over hun directoire van zachte mousseline droegen ze beiden een *shalvar* van Boersa-brokaat, geborduurd met zilver- en gouddraad, zodat als de zonnestralen door de spleten in de balustrade heen sijpelden ze de geborduurde pantalon lieten glinsteren. Aan hun voeten droegen ze puntige gele Marokkaanse schoenen. Op elk hoofd rustte een kapje, dat van Hürrem van goudkleurig fluweel met een gouden kwastje dat van Saïda was blauw. Beide *takkes* waren afgezet met parels, maar die van de kadin was bovendien nog bezet met diamanten. En om het kostuum compleet te maken droegen beide vrouwen een vestje, dat in Hürrems geval met diamanten was dichtgeknoopt en in dat van Saïda met parels. Hun kleren werden bij hun middel bijeengehouden door een met edelstenen bezette gordel – die van Hürrem met dubbele banden om plaats te kunnen bieden aan twee keer zoveel stenen. Hooggeplaatste Turkse vrouwen omgordden hun middel doorgaans met riemen gemaakt van geborduurde stof. Maar de kostbare gordel van de haremvrouwen betekende een bijzonder eerbewijs voor hen.

'Kom hier naast me zitten.' Hürrem klopte gastvrij op de met brokaat beklede sofa. En tegen de eunuch, op veel scherper toon: 'We hebben meer kussens nodig.' Toen weer tegen het meisje: 'Een vrouwelijke toets is hier wel dringend op zijn plaats. En sorbets.' Dit laatste schreeuwde ze de eunuch achterna die op zoek was gegaan naar de kussens. 'En zoetigheid. En meloenen!' Hürrem wendde zich tot Saïda. 'We zullen waarschijnlijk wel lang moeten wachten. Met al die mensen op straat zal de optocht niet snel vooruitkomen. In de tussentijd kunnen we ons babbeltje voortzetten.' En zonder onderbreking: 'Zijn we het erover eens dat we eigenlijk hier in het Topkapi-paleis zouden moeten wonen?'

Hoewel Saïda zeker wist dat ze geen blijk van enig bijval had gegeven, zorgde Hürrems bewering ervoor dat het meisje niet wist hoe ze haar instemming nu nog kon ontkennen zonder een onbeleefde indruk te maken. En Hürrem, die absoluut geen tegenstand gewend was, vatte haar zwijgen op als instemming.

'Je bent een goede dochter. Je begrijpt wel dat het nodig is dat wij ons aan de zijde van de grote heer bevinden en niet ergens halverwege de stad begraven moeten worden.' Ze kneep liefkozend in de hand van het meisje. 'Het is allang tijd dat je gaat trouwen en je plaats in de dynastie inneemt. Je vader heeft het nodig dat jij hem steunt door middel van een machtig echtgenoot die door het huwelijk aan hem gebonden is. Een admiraal misschien. Wanneer we in het paleis zijn is je vader vlak in de buurt om ons bij de keuze van je *damat* te leiden. Bedenk eens hoeveel makkelijker het voor hem zal zijn om de beste damat te vinden en je huwelijk te regelen als we eenmaal allemaal samen in het Topkapi wonen.'

Saïda had er wel een idee van gehad dat Hürrem plannen had om haar zodra haar grootmoeder was overleden uit te huwelijken, maar ineens doemde datgene wat nog maar een vaag toekomstbeeld was geweest dreigend voor haar op.

'Maar er is geen ruimte in het Topkapi voor de harem,' protesteerde ze.

Voor Hürrem waren obstakels er om neergehaald te worden. 'Er kunnen kamers bijgebouwd worden, mijn kind,' verzekerde ze het meisje.

'Hoe zit het met mijn grootmoeder?'

'De valide blijft in de harem om net als nu toezicht op de concubines te houden.' Hürrem had overal aan gedacht. 'Kijk niet zo droevig,' probeerde ze het meisje over te halen toen ze voor het eerst haar zorgelijke stemming opmerkte. 'Je afzondering in de harem heeft ervoor gezorgd dat je niet weet hoe het eraan toegaat in de wereld. Als je tweede moeder acht ik het mijn plicht om je te helpen opgroeien.' Ze hield haar hoofd scheef. 'Doe alsjeblieft één klein ding voor me,' vleide ze. 'Vraag jezelf dan, wanneer je vader vandaag op de Keizerlijke Poort toe komt rijden, het volgende af: zou het mogelijk zijn dat deze man, de Schaduw Gods op aarde en Vader van alle Heersers ter Wereld, niet in staat is een plekje voor zijn eigen familie bij hem in de buurt te laten inrichten als hij dat zou willen?'

Voordat Saïda een antwoord kon bedenken, kondigde trompetgeschetter in de verte aan dat de triomftocht van de sultan het paleis naderde. De twee kwamen gelijktijdig van de sofa af en gingen naar de balustrade om hun ogen tegen de ruitvormige gaten in het metselwerk te drukken. Op het balkon bevonden ze zich net hoog genoeg om onder zich in de hof de aankomst van de militaire kapel van de sultan bij de Keizerlijke Poort te kunnen zien en om de schetterende krijgsmuziek te kunnen horen die de harten van vijandelijke soldaten van Belgrado tot Aleppo vervulde van pure verschrikking.

'De sipahi's komen het eerst,' adviseerde Hürrem de prinses. 'De cavalerie gaat altijd op kop. Let op de paarden.'

En inderdaad verschenen, terwijl ze nog aan het woord was, de sipahi's in beeld, elke ruiter met de huid van een wild dier over de schouder geslagen, net als de Griekse helden van lang geleden. De vrouwen keken gefascineerd toe hoe de paarden steigerden en vervolgens met beide voorbenen tegelijk de lucht in sprongen. Daarop hieven ze, de voorbenen nog steeds in de lucht, eerst met een huppeltje hun achterbenen, eer de voorbenen de grond weer raakten.

'Dat,' liet Hürrem Saïda weten, 'is een courbette. Geen ruiter ter wereld kan die zo goed uitvoeren als die van ons.'

Nadat de sipahi's de menigte buiten de paleispoorten verstomd hadden doen staan, reden ze achter elkaar de Eerste Hof op en namen hun positie in langs de noordzijde, tegenover de gasten van de sultan achter het fluwelen koord. Er was net genoeg tijd voor een laatste manoeuvre voor ze uiteengingen tot het volgende seizoen.

Daarna kwam het commando. Ze galoppeerden vanuit stilstand in rijen van zes naar een koperen bal die in het midden van de Eerste Hof opgehangen was terwijl ze ronddraaiden in hun zadels om achter elkaar pijlen af te kunnen vuren op het heen en weer zwaaiende doelwit. Geen enkele pijl miste doel.

Boven in de loggia klapte de prinses in haar handen en riep: 'Bravo!'

Naast haar glimlachte Hürrem breed. 'Dit is de wereld waar ik je bekend mee wilde maken. Wat is het zonde dat we vanavond weer terug naar het Oude Paleis moeten. Morgen vindt de gerit-wedstrijd plaats tussen de pages van de school van de sultan en die van de grootvizier.'

Bij de vermelding van het gerit-team van de sultan, was Saïda een en al aandacht. Haar ogen sperden zich verwachtingsvol ver open, een transformatie die aan Hürrem voorbijging, zo volledig ging ze op in haar eigen monoloog.

'Je weet natuurlijk dat je vader veel belangstelling voor zijn pages heeft. Of misschien weet je dat niet. Ik vraag me soms af hoeveel je van zijn leven weet.'

'Hij heeft het er wel met me over gehad dat hij zo trots op zijn pages is,' antwoordde de prinses. 'En ik ken zijn voorliefde voor de gerit.'

'Maar een echte wedstrijd heb je nooit gezien?'

'Alleen als kind in de manege. Ze lieten de jongens op hun pony's met afgezaagde lansen gerit spelen.'

'Hoe zou je het vinden om ze te zien spelen met scherpgepunte lansen en op volwassen paarden?'

'Vrouwe, dat zou ik het allerliefste willen.' Al probeerde ze haar zelfbeheersing te bewaren, Saïda kon haar groeiende opwinding niet verbergen.

Dit was het soort enthousiasme dat Hürrem had hopen aan te zwengelen. 'Dat kan misschien geregeld worden.' Ze glimlachte de langzame, slaperige glimlach van de kat die de muis in een hoek gedreven heeft. 'Ik ben voor vanavond uitgenodigd om met mijn aanbeden padisjah te dineren in de selamlik. Wat zou je ervan denken als ik hem zou smeken of hij ergens in dit enorme paleis een suite zou weten te vinden waar wij tweeën zouden kunnen overnachten?' Ze zweeg even om het voorstel te laten bezinken. 'Vanavond wordt er fantastisch vuurwerk afgestoken en de hele stad zal aan het dansen zijn. Zou je het niet fijn vinden om morgen naast je beminde vader op een balkon van het paleis van de grootvizier te zitten en naar de gerit-wedstrijd te kijken?'

'Iets fijners kan ik me niet voorstellen,' gaf het meisje toe. 'Maar grootmoeder verwacht mij thuis om haar vanavond naar bed te brengen.'

'Ik zal er een van de paleiseunuchen heen sturen met een boodschap dat je vader het zo wil.'

'Maar is dat wel zo? Zal hij dat willen?' Was het echt zo eenvoudig?

'Na een triomfdag als vandaag,' meldde Hürrem alsof ze het weerbericht oplas, 'zal hij ongetwijfeld tevreden zijn met de wereld en geneigd zijn grote gunsten te verlenen. Het is een goed moment om hem een klein verzoek van zijn liefhebbende en favoriete dochter voor te leggen.'

'Zou ik dat durven?' zei Saïda, bijna tegen zichzelf.

'Je hoeft niets te doen. Ik zal deze keer de boodschap voor jou overbrengen. Maar je moet jezelf en je eigen wensen op waarde leren schatten. Je bescheidenheid staat je goed, dochter, maar je kunt ook te bescheiden zijn. Geen man wil een vrouw die als een hond zijn laarzen likt. Zelfs een sultan niet.'

Onder hen in de hof klonken de eerste opwindende akkoorden van 'De mars van de sultan'. Toen haalde Hürrem diep adem en rekte zich in haar volle lengte uit.

'Jij bent een prinses van koninklijken bloede,' verkondigde ze. 'Het is ongepast dat je als een zigeuner heen en weer de stad door zou moeten sjokken.'

13 De dokter arriveert

Voor de lijfarts van de sultan was elke seconde van de triomftocht in Istanbul een marteling, ook al werd hij dan door vier zorgvuldig uitgekozen dienaren op een draagstoel met kussens vervoerd. De avond ervoor, toen Süleymans leger in Üsküdar was aangekomen, had de dokter gesmeekt niet mee te hoeven doen aan de overwinningsmars door Istanbul en dat de sultan hem toestond om in een onopvallende kaïk stilletjes de Bosporus over te steken naar huis. Hij verlangde er als een gewond dier naar om onder te duiken en zijn wonden te likken.

De Oostenrijkse veldtocht was geen prettige ervaring geweest voor Juda del Medigo. Gedurende de hele mars huiswaarts had hij zich steeds zwakker voelen worden, dankzij de etterende wond aan zijn arm die hij had opgelopen in Guns, waar een verdwaalde Oostenrijkse kogel hem had geschampt. De wond was gaan ontsteken. In de modderpoel waarin de regen het Turkse kamp bij Wenen had veranderd en waar meer mannen door bedorven water waren gestorven dan door kogels, had hij zichzelf eigenlijk uit actieve dienst moeten ontslaan. In plaats daarvan bleef hij de sultan behandelen en werd zelf beloond met een steeds terugkerende koorts die geen medicijn in zijn kabinet kon verlichten. Zoals ze zeggen: elke dokter is zijn eigen slechtste patiënt.

Bovenal miste de dokter zijn eigen bed. Na jaren in dienst te zijn geweest van koningen, pausen en sultans, voelde hij zich nog altijd niet op zijn gemak in een militair kamp. En ook niet op de rug van een paard. Juda del Medigo was een geleerde en een genezer. Het slagveld was hem altijd vreemd gebleven. En toch, op die ene, heerlijk sedentaire generaal in Venetië na, had elk van zijn gevierde meesters erop gestaan dat hij hem op campagne vergezelde. Begrijpelijk. Het slagveld was tenslotte een uitermate gevaarlijke plek voor de leider, de plek waar hij zijn lijfarts het meeste nodig had.

Nu was deze levenslange beproeving voorbij voor Juda del Medigo. De sultan had hem zijn erewoord gegeven. Toen de Ottomanen na een verschrikkelijke belegering van dertig dagen eindelijk bij Guns een afgedwaald onderdeel van het Oostenrijkse leger wisten te verslaan, vroeg de sultan zijn dokter te zeggen wat hij als beloning wilde voor al zijn diensten die zijn functie strikt genomen te boven gingen. Stuur me naar huis, wilde Juda vragen. Maar dat stond zijn trots hem niet toe. In plaats daarvan vroeg hij om in de toekomst niet meer mee te hoeven op campagne. Dit was voor de tweede keer dat hij aan de zijde van de sultan betrokken was bij een langdurige, onsuccesvolle belegering van Wenen en hij was er oprecht van overtuigd dat nog zo'n van regen doordrenkte zomerveldtocht, met als doel het belegeren van de hoofdstad van de keizer, hem het leven zou kosten.

Iedereen met ogen in zijn hoofd zag meteen dat de conditie van de dokter in de afgelopen drie maanden verslechterd was. Hij was altijd vitaal geweest – opvallend sterk voor een man van in de zestig – maar was nu niet meer dan een bleke schaduw van zijn vroegere zelf, met een troebele blik in de ogen, een uitgezakt lichaam en trillende ledematen. De sultan dacht: hij is een oude man. En hij is ziek. Dat was een zeldzaam moment van erkenning voor dat afstandelijke wezen dat de neiging had iedereen in zijn omgeving zuiver en alleen als verlengstuk van zichzelf te beschouwen.

Het verzoek van de dokter werd toegewezen. Juda del Medigo's verzwakte toestand gaf, los van kwesties als medeleven en dankbaarheid, duidelijk aan dat de tijd voor de lijfarts van de sultan was aangebroken om plaats te maken voor een jongere man. En dus was de lange tocht langs de Donau huiswaarts Juda's laatste mars. Van nu af aan zou het huis dat de sultan hem had gegeven in de Derde Hof zijn enige verblijfplaats zijn. Maar voor vandaag had de sultan erop gestaan dat zijn lijfarts meereed in de triomftocht van Üsküdar naar en door de hoofdstad. Men had Süleyman op waar heldendom voorbereid. Hij wist dat een echte held zijn roem vergrootte door hem te delen.

'Je zoon zal zo trots op je zijn,' verzekerde hij de dokter, 'wanneer hij je als een prins in mijn gevolg in een draagstoel de stad binnengedragen ziet worden. Dat is een beeld dat hij zijn hele leven zal koesteren.'

En hoe zit het met het beeld van zijn oude en zieke vader die dood neervalt voor zijn eigen voordeur? vroeg Juda zich in stilte af. Maar hij kende zijn meester voldoende om te weten wanneer de man een besluit genomen had. En daar ging hij dus, uit eerbetoon aan zijn vorst, en werd hotsend en botsend over de keien gedragen terwijl zijn rug om verlichting schreeuwde. Inmiddels stond het aan beide zijden van de route van de stoet volgepakt met onderdanen van de sultan, soms vier of zelfs vijf rijen dik. De dragers van de draagstoel waarin de dokter zat waren in deze mensendrommen genoodzaakt nu eens de ene dan weer de andere kant op te zwenken om te voorkomen dat de mensen gewond zouden raken die aan weerszijden tegen de stoel aan drukten.

In Juda's koortsige optiek was de menigte net een meute huilende wolven. Dat was een hallucinatie. Dit was geen ontembare meute. Zelfs geen rumoerige. Maar met al die duizenden paren voeten die in de smalle straatjes rondscharrelden waren botsingen zo nu en dan onvermijdelijk. En ook was er veel meer lawaai dan normaal in deze strikt gereguleerde stad toegestaan was. Want vandaag was elke inwoner van de hoofdstad die niet verlamd was of op sterven lag, eropuit gegaan om de overwinning van de sultan bij Guns te vieren op de koning van Spanje, die men in Europa kende als Karel v, de Heilige Rooms-katholieke Keizer.

Natuurlijk verwezen de Turken nooit naar Karel v als keizer. Voor hen was er slechts één keizer, een padisjah, hun padisjah, die de wereld kende als Süleyman de Prachtlievende. En vandaag zou hij voor hen verschijnen in zijn meest traditionele en verheven rol, als Strijder Gods tegen de Ongelovigen, de Gazi, Zoon van Gazi's en Sultan van Gazi's.

Ter verdediging van het geloof trok de Gazi-Sultan elke lente ten strijde, net zoals zijn voorvaderen dat gedaan hadden. Dat hij met een overvloed aan rooftocht en gevangenen terugkeerde en steeds weer nieuwe gebiedsdelen veroverde op de vijand, was het bewijs dat Allah zijn inspanningen met een glimlach bezag. En dus werd de roes van de inwoners beteugeld door hun ontzag voor Allahs weldadigheid. En werd de pijn van de dokter getemperd door de wetenschap dat hij bij elke kruising weer dichter bij huis was, bij zijn bed en zijn zoon Danilo.

De sultan had de boodschap doen uitgaan dat de zoon van de dokter een plekje achter het fluwelen koord moest krijgen in de Eerste Hof van het Topkapi-paleis vanwaar de page uitstekend zicht zou hebben op zijn vader die in het gevolg van de sultan het paleis in gedragen werd. Maar toen de lange stoet aan de lange klim naar het Paleispunt begon was Danilo del Medigo niet onderweg om zijn plaats achter het fluwelen koord in te nemen. Hij had geen bad genomen. Hij had zich niet geschoren. Hij was zelfs niet in de buurt van de Eerste Hof. In plaats daarvan lag hij lang uitgestrekt naast zijn paard te slapen in een box van de persoonlijke stallen van de sultan.

14 In de stal

Danilo hoorde, nog altijd ronddolend in dat schemergebied tussen slapen en waken, in de verte flarden van 'De mars van de sultan', gespeeld door een militaire kapel. Versuft en meer in slaap dan wakker, dacht hij dat dit deel uitmaakte van zijn droom, een verschrikkelijke, onwelriekende droom waarbij hij steeds een snuivend, bokkend paard moest zien te ontwijken dat maar naar hem bleef trappen. Hij voelde zijn neus kriebelen en hief instinctief zijn hand om de oorzaak van het kietelende gevoel te verwijderen – een strootje. Daarna een bekend aroma – paardenmest – maar vermengd met nog iets anders, iets minder vertrouwds. Iets wat kwalijk, uitgesproken smerig rook.

Nog steeds in de ban van de laatste resten slaap rolde hij opzij, dichter naar de vieze geur toe en snoof. Meteen was hij klaarwakker. Zelfs nog voor hij zijn ogen opendeed wist hij waar hij was. Hij was in de box van zijn paard, Bucephalus.

Het geluid van de moeizame ademhaling van zijn dier bracht de herinnering terug aan de avond ervoor. Aan het moment dat hij in zijn slaapzaal wakker gemaakt werd door Abdul, de staljongen.

'Wakker worden, heer, u moet meekomen naar de stal. Uw paard is ziek. Erg ziek.'

'Bucephalus? Ziek?' Het paard was in perfecte conditie geweest toen hij hem een paar uur eerder achtergelaten had.

'Hij hinnikt. Hij kreunt. En nu zwelt zijn buik op.'

'Heb je de paardendokter erbij geroepen?' vroeg Danilo terwijl hij lukraak wat kleren aantrok.

'De meester van de paarden is in Üsküdar bij de paradepaarden, heer.' Natuurlijk was de paardendokter van de sultan in Üsküdar om diens paarden voor te bereiden voor de triomftocht.

Een laatste ruk aan zijn gordel en weg was Danilo, op de voet gevolgd door de staljongen. Beiden waren blootsvoets en schoten door een smalle gang de lange hal van de pageschool in, renden om de grote schuur die nu leeg was, heen en bereikten ten slotte de box van zijn zieke paard Bucephalus, zijn trots en vreugde, de liefde van zijn leven, het geschenk dat de sultan hem had gegeven. O God, laat het alstublieft geen koliek zijn, dacht hij.

Zelfs nog voor Abdul het hek van de paddock openzwaaide konden ze het droevige gehinnik van het zieke paard horen. Het dier lag verkrampt in zijn box, op de manier waarop het in de buik van zijn moeder had gezeten, en zijn hoofd rolde van links naar rechts. Zonder acht te slaan op de viezigheid liet Danilo zich op het stro naast het paard vallen. Hij aaide het bezwete voorhoofd, de stinkende adem die uit de open mond kwam negerend.

'Danilo is bij je, Bucephalus. Danilo zal je beter maken,' fluisterde hij. Om eerlijk te zijn had Danilo geen idee hoe hij een ziek paard moest genezen.

'Abdul, je moet naar de verzamelplaats gaan.' Hij tastte naar de buidel die aan zijn gordel hing. 'Neem dit geld.' Hij hield een handvol munten op. 'Ren naar de haven. Laat een van die pummels daar je over de Bosporus zetten. Betaal hem wat hij wil. Zoek de paardendokter. Zeg hem dat hij moet komen. Bucephalus is erg ziek.'

Weg was de dienaar en hij liet Danilo en zijn paard achter om wat er nog van de nacht restte samen door te brengen.

In het uur voor zonsopkomst was de stem van de muezzin te horen die de gelovigen opriep voor het eerste gebed van de dag. Bij wijze van antwoord kwam Bucephalus onvast overeind terwijl het zweet in zijn bloeddoorlopen ogen stroomde. Even bleef hij staan en toen stootte hij een enorme dot gas uit. Daarop begon hij wild om zich heen te schoppen en tegen de van panelen voorziene muur van de box aan te trappen. Zijn doodsbange baasje werd door zijn instinct naar een leidsel toe gedreven dat aan de muur hing. Hij maakte, al op en neer springend en zigzaggend zodat hij niet door het dier dat gek was van de pijn, geramd zou worden, een lasso van het touw en deed een wanhopige poging dit over het hoofd van het paard te werpen.

Met veel geduld trok hij het dier de stal uit. Hij vleide hem, trok aan hem, smakte met de lippen, alles om te voorkomen dat hij zichzelf kreupel schopte terwijl hij tegen de muur van de paddock aan trapte. Natuurlijk kon een man niet tegen een paard op dat acht keer zwaarder was dan hij. Maar ergens onder de koorts reageerde het zo geliefde dier op de wil van zijn meester en liet zich langzaam de box uit leiden.

Niet wetende wat hij verder moest doen begon Danilo met het zwetende paard de stal op en neer te lopen, zoals hij zo vaak had gedaan wanneer hij hem na een gelopen koers liet afkoelen. Op en neer, steeds weer, terwijl hij er altijd voor zorgde één hand stevig op het touw te houden, waar het arme dier nog steeds zo nu en dan aan bleef rukken alsof hij kramp had.

Eindelijk nam bij de eerste zonnestralen van die dag het luide hinniken af tot een zacht gekreun en nadat Bucephalus een angstaanjagende reeks harde, stinkende scheten had gelaten liep hij uit eigen beweging terug naar de stal en ging in het stro liggen. Is mijn paard – Danilo durfde het zelfs niet te denken – aan het sterven?

Hij greep naar een spons en ging verder met heel zachtjes het zweet van het paardenhoofd vegen. Toen, terwijl hij zich op het stro installeerde, fluisterde hij in het fluwelen oor: 'Blijf leven, Bucephalus. Blijf leven. Ga alsjeblieft niet dood.'

En daar lagen ze dan, met de gezichten naar elkaar toe, baas en paard. De baas huilde schaamteloos en zijn tranen vermengden zich met het zweet van het dier. Nu drong voor het eerst tot hem door dat een ruiter zonder paard niet aan de gerit mee kan doen. De gedachte was te pijnlijk om onder ogen te zien. Hij deed zijn ogen dicht om de wereld buiten te sluiten en stond zichzelf even een dutje toe. Een paar minuten maar, verzekerde hij zichzelf. Tot Abdul uit Üsküdar terugkomt met de meester van de paarden.

Maar toen hij wakker werd scheen de zon fel door de spleten in de box. Geen paardendokter. En geen dienaar.

'Abdul!' schreeuwde hij. 'Abdul!'

Na drie keer schreeuwen kwam de dienaar vanaf het erf aanstrompelen met een emmer in zijn hand, daarbij vooral steunend op zijn rechterbeen, zoals hij altijd deed als hij zich misbruikt voelde of slecht behandeld.

'Waar ben je geweest? Waar is de paardendokter?'

'Hij wilde niet komen, meester.'

'Heb je gezegd dat Bucephalus erg ziek is?'

'Hij was bezig met het paard van de sultan. Het witte paard, de hengst die de dokter uitgekozen heeft om de triomftocht aan te voeren.'

De triomftocht. O, mijn God. Heb ik die gemist?

'Hoe laat is het?' Terwijl hij het vroeg, besefte hij dat de dienaar onmogelijk de tijd kon weten en dus formuleerde hij de vraag anders. 'Heeft de muezzin al opgeroepen tot het derde gebed?'

De dienaar herinnerde het zich niet. Zijn geloof verlangde niet van hem dat hij het dagelijkse gebedsrooster in de gaten hield. De muezzin deed dat met zijn oproep tot het gebed. Het enige wat de jongen hoefde te doen was zich vijf keer per dag, met zijn gezicht naar Mekka, op zijn knieën laten vallen, met zijn voorhoofd de grond aanraken en 'Allahoe Akbar' opdreunen.

'Hoe zit het met de muziek? Heb je de muziek voor het derde gebed gehoord?' drong Danilo aan.

'Volgens mij hoorde ik de muezzin op weg naar Üsküdar.' Abdul trok rimpels in zijn voorhoofd in een poging zich de gebeurtenissen van een paar uur geleden te herinneren. 'Ja, volgens mij wel. Hoe kunnen mijn knieën anders nat zijn?' Hij glimlachte, tevreden over zijn eigen slimheid. 'Ja, ik knielde op weg naar Üsküdar neer op het dek.' Een pauze. 'Of heb ik nou op de terugweg gebeden?'

Hopeloos. Maar Danilo probeerde het nog één keer. 'Vertel me wat er in Üsküdar is gebeurd. Heb je de paradepaarden het kamp zien verlaten op een aak?'

'O ja, ik ben samen met hen overgestoken. Anders zou ik nog steeds daar in Üsküdar zijn. U heeft me niet genoeg geld gegeven. Ik moest het allemaal aan de veerman afgeven op de heenweg. En toen moest ik desondanks nog van de kade naar het kamp lopen. U had me meer geld moeten geven, meester. Mijn voeten doen vreselijk zeer.'

'Het spijt me.' Danilo wist wanneer hij verslagen was. 'Ik zal het goed maken. Maar vertel me nu: was de tocht al begonnen toen je weer in de stad aankwam? Heb je de sipahi's gezien? De janitsaren?'

'Sipahi's, ja. Janitsaren, nee. Gelukkig maar. U weet hoe die zijn op feestdagen.'

'Bedankt, Abdul.' Loop naar de hel, Abdul. Terwijl hij deze vloek in zich op voelde rijzen, hoorde hij opnieuw de klanken van 'De mars van de sultan', luider deze keer, en onmiskenbaar echt. Dus de muziek was geen droom, alleen maar ver weg, wat betekende dat de processie zich nog aan het begin van de lange klim naar het Paleispunt bevond. Als hij de hele weg rende, slaagde hij er misschien nog in op tijd zijn plaats achter het koord in te nemen. Het zou onvergeeflijk zijn als hij niet op kwam dagen na persoonlijk door de sultan te zijn uitgenodigd. Te midden van al die honderden zou hij de enige zijn die gekomen was om de dokter te eren, een weduwnaar die alleen maar een zoon op deze wereld had. Afwezig plukte Danilo aan de plukjes stro op zijn kaftan. Wat is dit? Er zat een klodder paardenmest aan zijn gordel gekleefd. Zo kon hij zich niet achter het fluwelen koord laten zien. Hij zou de sultan te schande maken als hij zich daar zo vies en onverzorgd liet zien.

Wat een ellende. Hij zou nooit uit deze netelige situatie komen. Zijn vader zou het hem nooit vergeven. Zijn paard zou nooit meer gezond worden. Hij zou nooit in de hippodroom aan de gerit meedoen. Alle nare dingen die hij ooit had meegemaakt vielen in het niet bij de gebeurtenissen van deze vervloekte dag.

Maar hoeveel aantekeningen Danilo inmiddels ook in het beoordelingsboek van de Aga had verzameld, niemand had hem ooit laf genoemd. Koppig, ja. Halsstarrig, ja. Maar allen waren het erover eens dat Danilo del Medigo iemand was, zoals zijn Albanese rij-instructeur het formuleerde, die altijd óp het paard terugkeerde. Hij had nog een vage hoop: vergeet het fluwelen koord en zorg ervoor dat je bij de deur van je vaders huis bent wanneer hij thuiskomt.

Terwijl de flauwe geluiden van de triomfmuziek in de verte nu steeds harder klonken, begon de jongen zich te vermannen. Tegen de tijd dat hij overeind was gekomen, was hij bezig een scenario te bedenken waarmee hij kon verantwoorden waarom hij de parade had gemist. Plotselinge oorpijn... kiespijn... hoofdpijn. Maar tegen de tijd dat hij zichzelf afgeklopt en om Abdul geroepen had, had hij die ideeën van de hand gewezen als zijnde zwak. Deed er niet toe. Er zou hem wel iets beters te binnen schieten. Intussen was het zijn eerste taak ervoor te zorgen dat hij eerder dan de dokter bij diens huis was.

'Ik wil dat jij het volgende doet, Abdul. Ik wil dat jij bij Bucephalus blijft. Ik ga naar het huis van mijn vader om vrede met hem te sluiten. Onder geen enkele voorwaarde mag je het paard alleen laten. En geef hem niets te eten. Of te drinken.' Dat waren tips die hij had opgepikt bij zijn talloze bezoeken aan paardenstallen. 'Als de paardendokter langskomt...'

Geen tijd voor 'als dit... als dat'. Hij ging er als een haas vandoor. De snelste route was via het Pad der Eunuchen naar de Derde Hof. Onder het rennen overdacht hij wat hij zou zeggen om zijn vader tot bedaren te brengen. Hij wist dat hij een afschuwelijk slechte leugenaar was en dat hij zichzelf vast en zeker zou verraden door te gaan stotteren of blozen. Het was maar beter om de waarheid te vertellen. Dat hij de hele nacht op was gebleven om op de Meester van het Paard te wachten en toen in slaap was gevallen. Een zielig excuus, dacht hij. Een zielig paard leidde tot een zielig excuus. Flauwe grap. Maar dat hij hem bedacht had, vrolijkte hem toch op.

Nu was hij terug in zijn slaapzaal waar deze ellendige dag begonnen was. Van nu af aan hing alles van Vrouwe Fortuna af. Voorbij de klaslokalen bevond zich een achterdeur die vaak door een klein driehoekig stukje hout op een kier werd gehouden. Als hij geluk had, zou een van de pages hem vandaag in verband met de feestelijkheden op zijn plek hebben gelegd en zou Danilo zonder ondervraagd of tegengehouden te worden om het hele paleis heen kunnen spurten – als zijn geluk hem niet in de steek liet. Godzijdank was er het Pad der Eunuchen. Godzijdank was er de oude fruitladder. God geve dat degene die hem het laatst gebruikt had het ding ook weer tegen de dode boomstronk aan de andere kant van de muur had gezet. Hij spuugde op zijn wijsvingers en wreef ermee over zijn voorhoofd, ondertussen een of ander gebed in het Hebreeuws mompelend. Voor de zekerheid voegde hij er nog een smeekbede tot de godin Fortuna aan toe. Als geboren en getogen Italiaan wendde Danilo zich, voor het geval ze haar grillige gunsten nog altijd verleende, steevast tot de oude heidense dame wanneer hij in ernstige moeilijkheden verkeerde en hulp nodig had.

15 De sultan komt aan

Ze hadden lang moeten wachten en de dames hadden het warm gehad, daarboven in de Toren der Gerechtigheid. Nadat ze in het smalle
trappenhuis van de toren omhoog waren geklommen waren er uren
vol pracht en praal gevolgd, maar nog altijd geen teken van de sultan
op zijn witte paard. En sorbets, cakejes, meloenen, zachte kussens en
verkoelende kompressen voor de ogen hadden niet alle ongemak weg
kunnen nemen.

Prinses Saïda begon zich inmiddels wat slap te voelen in de ongewo-
ne hitte. De uren in de toren hadden het gebeuren voor haar teruggebracht tot een wervelstorm aan beelden van banieren, dieren, unifor-
men en wapens. Ze was aangespoord door vrouwe Hürrem om voor de
cavalerie van de sultan te klappen, om zijn kader islamitische rechters
te bewonderen, zijn honderden kamelen en duizenden met een sjabrak
opgetuigde paarden toe te juichen en zich te verbazen over een merkwaardige troep stevig ingepakte bedoeïenen boven op de strijdwagens
die de gevierde Ottomaanse kanonnen over de paraderoute trokken.

Er bestond geen twijfel over, de triomftocht was een verbazingwekkend feest voor de ogen, waarmee niet gezegd was dat de andere zintuigen verwaarloosd waren. Tussen de onderdelen door werden vanmiddag ook de oren van de toeschouwers verwend door de Anatolische
Seljuks. Elk van hun miniparades had zijn eigen band. En dit alles ging
vergezeld van een voortdurende en onverminderde kakofonie van gejuich, geschreeuw en schetterende trompetten.

Inmiddels gewend aan de sereniteit van de harem, waar het hardste
geluid vogelgekwetter was, raakte prinses Saïda overweldigd door het
bombardement aan schouwspelen en geluiden. In de twee jaar dat haar
broers nu van de haremschool af waren was het tempo van haar leven
afgenomen tot het dagelijks ritme van de harem, waar een bezoek aan
de hammam een hele middag in beslag kon nemen en een volledige

ontharing (die meteen in gang gezet werd zodra er ergens een haartje op het lichaam of in de plooien daarvan werd waargenomen) nam met gemak een aantal uren in beslag. Het was niet verbazingwekkend dat de hoofdpijn die al vroeg die dag was komen opzetten nu ook haar slapen in een bankschroef geklemd hield. Zelfs het schitterende vooruitzicht morgen getuige te zijn van de gerit-wedstrijd in de hippodroom verloor zijn glans onder dat spervuur van hitte en lawaai. De prinses was nog maar vijftien en geen partij voor de tweede kadin, wier jonge jaren als boerenmeisje in Rusland haar het uithoudingsvermogen van een os hadden gegeven. In haar hart was vrouwe Hürrem nog altijd een boerenmeisje, en vol ontzag voor alle koninlijke pracht en praal net als elke willekeurige boerin. Ze was zelfs zo in de ban van het spektakel dat zich onder hen ontvouwde dat de ongemakken haar nauwelijks opvielen en de uitputting van het meisje naast haar al helemaal niet.

'Is het niet spannend?' vroeg ze wel voor de tiende keer, zo scheen het Saïda toe. 'En zo meteen...'

Zo meteen is het afgelopen, dacht het meisje verlangend.

Ze verlangde naar de serene rust van de hammam, waar elke neiging tot een al te voortvarend tempo afgeremd werd door de houten klompen met hoge hakken die de haremschoonheden droegen om hun zachte voetjes te beschermen tegen de hete marmeren tegels zodat ze niet uitgleden op de natte vloeren. Deze steltschoenen dienden eveneens om de vrouwen af te remmen en hun te leren – zoals je pony's op het parcours traint – zich met geaffecteerde pasjes door het leven te bewegen. Het hielp ook om de haremmeisjes aan een soort leven te laten wennen waarin de meest inspannende sport het spelletje 'Heer van Istanbul' was. In dit spel ging een van de meisjes, de wenkbrauwen aangezet met kohl en met een pompoen op haar hoofd, achterstevoren op een ezel zitten terwijl ze zich vastklampte aan de staart van het dier en de andere meisjes haar ervan af probeerden te slaan. Het spel was op zijn zachtst gezegd een zeer verhuiselijkte versie van het gerit-spel en leek in niets op Saïda's jonge jaren in de haremschool toen ze met haar broers en neven in de weilanden ravotte en met hen balletje getrapt had. Maar inmiddels hadden twee jaar van het rustige leven in de harem hun tol geëist. Halverwege de dag was zij al helemaal op, terwijl vrouwe Hürrem niet kon wachten op meer.

'En je zult nu gauw je vader terugzien na... hoeveel maanden? Het lijkt wel een eeuwigheid, vind ik.' Hürrem reikte naar een cakeje om

haar spanning weg te eten maar stokte toen in haar beweging, het ge-
bakje halverwege in de lucht. 'Hoor je dat?'

'Hoor ik wat, vrouwe?'

'Die melodie, "De mars van de sultan".'

En inderdaad was in de verte het geluid van fluiten en trommels, het
gekletter van de cymbalen en het gerammel van de tamboerijnen te
onderscheiden.

'Wees stil mijn hart.' Hürrem greep naar haar boezem. 'Luister!'

Blij dat ze ook eindelijk wat bij te dragen had aan wat een niet-aflatende monoloog was geweest, reageerde Saïda: 'De filosoof Plato zegt
dat muziek het universum een ziel geeft, de geest vleugels en alles leven
inblaast.'

'Waar heb je dat geleerd?' Hürrems sentimentaliteit maakte ineens
plaats voor achterdocht. 'Dat soort ketterijen hebben ze je vast niet op
de haremschool geleerd.'

Dit was het moment waar Saïda op gewacht had en ze genoot er even
van voor ze antwoordde: 'Volgens mij heb ik het mijn achtenswaardige
vader horen zeggen, de sultan.' Daarmee kwam er meteen een einde
aan de conversatie en kon de prinses weer naar een sofa terugkeren
voor wat rust. Maar niet voor lang. Algauw kondigde een luid tetterend
geluid de komst aan van weer iets nieuws.

'Kom hiernaartoe,' gebaarde de dame naar de prinses. 'Kom naar de
balustrade. Kijk naar beneden. Wees niet bang. Je móét de janitsaren
zien.'

Vermoeid liep Saïda weer terug om zich bij de dame aan de balustrade te voegen en legde haar bonzende voorhoofd tegen de koele stenen.
Wanneer is het eindelijk voorbij? dacht ze.

'Hij kan nu elk moment verschijnen,' lichtte Saïda haar in, 'zodra de
grootvizier zich eindelijk verwaardigt om het pad voor zijn meester
vrij te maken.'

Het leek er inderdaad sterk op dat Ibrahim Pasha zijn bewieroking
veel langer probeerde te rekken dan nodig. Hij bleef maar halt houden
om zijn met edelstenen bezette tulband naar de menigte te buigen.

'Als je hem zo zag zou je denken dat híj de oorlog had gewonnen,'
snoof Hürrem. Het was geen geheim in de harem dat ze een hekel had
aan de belangrijkste raadsman van de sultan en diens constante metgezel.

Maar ('Eindelijk,' verzuchtte Hürrem) verdwenen de grootvizier en zijn gevolg door de Poort van het Geluk en hun plaats werd ingenomen door het zorgvuldig geselecteerde janitsarenkorps. Je kon ze niet missen, met hun witte tulbanden in de vorm van een zakdoek en hun purperen zijden gewaden.

'De mannen die de sultan het meest vertrouwt,' legde Hürrem uit. 'Ze sterven liever dan dat ze de strijd opgeven.'

Dit absolute elitekorps bood weer een heel andere aanblik dan de voorgaande troepen. Wat het meest opviel was dat ze niet in het gelid, maar dicht opeen en uit de maat voortstapten. Ze slingerden als zeelui en droegen bijna geen verdedigingswapens. Ze hadden ieder slechts een enkele haakbus of kromzwaard bij zich en daarnaast een bijltje of schop aan hun gordel hangen.

Om hun gemis aan vuurwapens te compenseren, waren alle tulbanden versierd met een exorbitante paradijsvogelveer, die in een grote boog bijna tot hun knieën reikte.

Dit vreemde contingent prikkelde Saïda's vermoeide zintuigen inderdaad. 'Dus dit zijn de vermaarde janitsaren die de legers van twee continenten de vreze Allahs inboezemen. Ze zien er meer uit als gravers dan als soldaten,' merkte ze op.

'Laat je niet door uiterlijkheden op het verkeerde been zetten, meisje,' vermaande Hürrem haar. 'Het was met precies dat soort wapens dat het Ottomaanse leger de vestingen van Rhodos, Belgrado en Boedapest op de Europeanen veroverde. Wanneer zo'n honderdduizend man allemaal samen met schop en spaden de muren van een fort ondergraven, maakt het niet uit uit hoeveel man de verdediging bestaat, ze kunnen de muur niet overeind houden.'

'Hoe weet je dit soort dingen?' vroeg Saïda, ondanks alles nieuwsgierig.

'Omdat ik mezelf gedwongen heb ze te leren, zoals ik wil dat jij ook doet. Geloof me, met haar charmes komt een vrouw maar zover bij een man. Vroeger of later zal je echtgenoot een metgezel willen, iemand om mee te praten. En grapjes te maken.'

Een minder grofbesnaarde vrouw was het waarschijnlijk wel opgevallen dat ze, zodra ze het onderwerp huwelijk ter sprake bracht, de aandacht van haar luisteraar min of meer kwijt was. Maar Hürrem was een vrouw die het alleen van belang vond op nuances te letten in de omgang met mannen. Met slaven, kinderen en andere vrouwen, meende ze, was het het eenvoudigst om maar gewoon haar eigen doelen na te jagen. En dus babbelde ze verder over het huwelijk – een onderwerp dat haar na aan het hart lag – terwijl Saïda langzaam wegzakte in een staat van lethargie.

'Saïda, je luistert niet.'

Met tegenzin slaagde de prinses erin wat halfhartig enthousiasme op te brengen voor de fantastische janitsaren ook al geloofde ze niet echt in hun onoverwinnelijkheid. Ze zagen er zo... slonzig uit.

Toen de ordeloze janitsaren verdwenen waren, werd het stil op het grote plein van de Tweede Hof. De eerste die de ontrolde zwarte banier achter de twee achthoekige torens van de Middelste Poort opmerkte, was Saïda en haar hoefde niet verteld te worden wat die betekende. Ze ging staan en boog haar hoofd toen een enkel lid van de oelema, die vandaag geëerd werd boven alle andere islamitische priesters, plechtig de Tweede Hof in liep met zijn ogen op het boek in zijn handen gericht. Hij begon voor te lezen uit hoofdstuk 48 van de Koran, de Soera van de Overwinning. Hij werd gevolgd door drie andere geestelijken die samen langzaam de gescheurde vlag hesen tot hij in zijn volle lengte neerhing. Dit was de Banier van de Profeet, een van de heilige relikwieën van de islam, die door de Ottomanen tezamen met zijn mantel en zijn zwaard en een haar uit zijn baard tot hun grootste schat gerekend werd.

De eerste keer dat Süleyman was vertrokken om het lot van Wenen te bezegelen, was dit misvormde stukje zwarte wol uit zijn vat van zuiver goud gehaald, in veertig zijden doeken gewikkeld en eerbiedig meegedragen, de hele weg naar Oostenrijk en weer terug. Gedurende de verschrikkelijke weken van de belegering van Wenen wapperde hij boven het Ottomaanse kampement aan de voet van de muren van de stad en maande hij stilletjes Mohammeds volgelingen om voor hun geloof te vechten met de belofte dat diegenen die hier hun leven gaven rechtstreeks naar het Paradijs zouden gaan. Dit seizoen had hij boven de verslagen ruïnes van Guns gewapperd. Volgend seizoen zou hij hun voorgaan op de weg naar Bagdad, insjallah.

Vlak onder de toren stonden aan weerszijden van het pad de functionarissen. Ze waren uitgedost als menselijke iconen, met hun met edelstenen bezette tulbands en met gouddraad geborduurde kaftans. Toen de banier langskwam stortten ze zich, zonder acht te slaan op hun fraaie gewaden, met het gezicht omlaag, onder hevig gesnik en het uitroepen van de naam van Allah ter aarde. En daar bleven ze in het stof liggen tot de banier vlak voor de Poort van het Geluk rechtop in een uitholling in een steen werd gestoken, die daar in de dagen van Mehmet de Veroveraar met dat doel was aangebracht.

Boven op de loggia voegde Saïda zich bij de menigte die de Koranlezing uit het hoofd kon opzeggen en ze liet zich samen met de anderen op haar knieën vallen toen het banier geheven werd, steeds weer 'God is groot' herhalend. Naast haar boog Hürrem, die weinig zin had haar mooie kleren vuil te maken, alleen maar en glimlachte goedkeurend naar haar stiefdochter. Het meisje was een geboren prinses en leerde snel. Ze zou een waardevolle aanvulling op Hürrems gevolg vormen als en wanneer de tweede kadin haar nodig had.

Nu de banier van de Profeet veilig verankerd was en de terugkeer van de sultan door het lezen van de soera van de Overwinning naar behoren gewijd, was het zover: de held van de dag kon plaatsnemen op de gouden troon die onder de overhangende rand van de Poort van het Geluk was opgesteld. Maar in plaats van haar vader, schrijlings op zijn rijdier gezeten, zag Saïda een uitermate merkwaardig vervoermiddel door de poorten aankomen: een draagstoel, schitterend versierd voor de gelegenheid en in de lucht gehouden door vier potige dragers. De gordijntjes werden door gouden koorden opzij getrokken en onthulden een oudere man die misschien ooit sterk en onverschrokken was geweest, maar er nu witjes en bibberend bij zat. In volmaakte tegenstelling tot de andere deelnemers aan de tocht was hij gekleed in een simpele zwarte mantel. En om hem nog verder te onderscheiden van alle emirs, Aga's en viziers, leek deze arme kerel, kromgebogen en met een pijnlijk vertrokken gezicht, zijn ereplaats niet te waarderen – zich er zelfs niet eens van bewust te zijn.

'Wie is die man die er zo raar uitziet en die helemaal in het zwart gekleed is? Waarom heeft hij geen kaftan aan als de anderen?' vroeg Saïda aan Hürrem.

'Dat is de lijfarts van de padisjah, Juda del Medigo.'

'En waarom kleedt hij zich helemaal in het zwart?'

'Omdat hij een jood is en andere gewoontes heeft dan wij.'

'En waarom rijdt hij zo dicht bij mijn vader?'

'Omdat hij wonderen kan verrichten. Hij heeft al twee keer je vaders leven gered, een keer bij Mohacs en een keer in Belgrado.'

'U bedoelt toch niet letterlijk "zijn leven gered"?' vroeg het meisje over haar schouder, haar blik op de frêle, kromgebogen gestalte beneden hen gericht.

'Jawel. Zijn leven gered.'

Het meisje ging staan en drukte een oog tegen de ruitvormige ope-ning in het metselwerk. 'Hij ziet eruit alsof hij nauwelijks in staat is zijn eigen leven te redden.'

'Dat komt omdat hij bij Guns geveld werd door koorts. Maar gedu-rende de Oostenrijkse veldtocht heeft deze jood zijn leven geriskeerd om te voorkomen dat de padisjah zou verdrinken.'

Het meisje wendde zich van het tafereel beneden af om Hürrem haar volledige aandacht te schenken. 'Vertel me over deze heldendaad.'

De dame voldeed maar al te graag aan dit verzoek. Hürrem stond niet zonder reden bekend als de Scheherazade van de harem.

'De weg terug naar Buda lag aan de overkant van de Donau,' begon ze. 'Mannen, paarden en wapens moesten het kolkende water overge-dragen worden op pontons die ze daar ter plekke op de rivieroever van huiden hadden gemaakt. Natuurlijk was onze padisjah de eerste die de woeste wateren trotseerde.'

Het meisje knikte. Dat sprak voor zich. 'Maar hoe zat dat dan met de dokter?' vroeg ze.

Ineens achterdochtig, draaide de vrouw zich om om haar aan te kij-ken. 'Waarom ben je zo geïnteresseerd in de joodse dokter?'

Saïda antwoordde direct: 'Als deze dokter het leven van mijn vader heeft gered, is hij een held en sta ik voor eeuwig bij hem in het krijt.'

Tevredengesteld knikte Hürrem.

'Zeg me dus, hoe heeft hij mijn vaders leven gered?' vroeg Saïda, nonchalanter dit keer.

'De ponton van de padisjah kapseisde op de rivier. Hij gleed de ster-ke stroom in en voor iemand doorhad wat er aan de hand was, was de dokter hem al achterna gesprongen en hield hij hem boven water tot de janitsaren hen er allebei uit getrokken hadden.'

'Bravo.'

'Zeker bravo.'

En toen voegde Hürrem, omdat ze nu eenmaal een vrouw was die niet erg op de rol van echo gesteld was, eraan toe: 'Nu begrijp je waar-om ik tegen je zei dat je de oude man moest begroeten. Maar genoeg over hem. Kom.' Ze gebaarde naar het meisje dat ze terug naar de sofa moest komen. 'Volgens mij is het tijd voor wat lekkers.' Ze knipte met haar vingers en meteen kwam de eunuch aanzetten met een verguld dienblad versierd met diamanten dat vol zoetigheden lag. 'Proef deze *rahat lokum* eens. Die kalmeert je keel. De Europeanen noemen het Turks Fruit.'

'Neem je zelf niets?'

'Om je de waarheid te zeggen, kreeg ik meteen kramp in mijn maag toen ik de muziek van de sultan hoorde. Het is zo lang geleden en de wereld is vol vrouwen.' Ze stak haar hand uit naar die van Saïda en greep hem stevig beet. 'Zal ik hem nog wel bevallen?' Haar aanraking was ijskoud.

In verlegenheid gebracht door deze onverwachte ontboezeming zocht Saïda naarstig naar een ander gespreksonderwerp: 'De zoon van de dokter was een leerling op de haremschool,' hoorde ze zichzelf zeggen. 'Ik kende hem als jongen.'

Hürrem pikte stukjes informatie op als een strandjutter schelpen. 'Kende je hem op school?'

'Een beetje. Hij was een leerling daar voor hij page werd.'

'Hoe heet hij?'

'Het is een Italiaanse naam. Danolo, denk ik. Danilo misschien, ik weet het niet meer.'

'Nou, je schoolmakkertje heeft sinds de haremschool een hele weg afgelegd. Hij is nu een kampioen in het gerit-spel. Ik heb van mijn zoon over hem gehoord.' Ze zweeg en corrigeerde zichzelf toen: 'Van je broer, Mehmet, die hem hoog heeft zitten.'

Saïda wachtte op nog meer informatie maar Hürrem was alweer afgeleid. De kapel van de sultan was de Keizerlijke Poort binnengekomen.

'Ken je het wijsje dat ze spelen?' vroeg Hürrem. 'Dat zou wel moeten. Als je meer tijd hier in het paleis had doorgebracht... als we hier zouden wonen... zou je dat soort dingen weten. Nu de sultan weer thuis is zullen ze het elke keer bij het aanbreken van de *ikindi*, het middaguur, spelen. En iedereen in het paleis, van de grote padisjah tot de nederigste wc-schoonmaker, stopt dan met zijn werk en zet zich aan het derde gebed tot Allah. O, hij is zo wonderbaarlijk!'

Er was geen tijd om te verhelderen of het wonderbaarlijke waar ze naar verwees nu op de sultan of Allah zelf betrekking had, want op dit moment kwam er een viertal herauten te paard de Keizerlijke Poort door. Ze riepen uit: 'Naar achteren! De sultan komt eraan!' En alsof er een toverstaf over hen heen was gezwaaid, hield iedereen in de verzamelde menigte collectief de adem in en trad er een absolute stilte in.

Door terug te keren naar de achterkant van de loggia en hun nek ver uit te rekken konden de twee vrouwen in de toren net de zegevierende sultan tevoorschijn zien komen. Een lange, slanke gestalte was hij, lijkbleek, die een schitterende aanblik bood toen hij daar op een melkwitte Nogai-hengst aan kwam rijden, met een driedubbele aigrette naar de Perzische mode zijdelings in zijn tulband gestoken.

De padisjah vorderde langzaam, zoals altijd bij zijn optredens in het openbaar. Zijn onderdanen hadden tijd nodig om dit moment in zich op te nemen zodat ze het aan hun kleinkinderen konden vertellen. Bovendien was het niet echt gepast wanneer de geëxalteerde gazi's nu als wilde sipahi's, links en rechts pijlen afschietend, door de mensenmassa heen zouden razen. Het moment vroeg om plechtstatigheid. En om ervoor te zorgen dat het rijdier van de sultan zijn rol naar behoren speelde, had het paard – zoals altijd voor een triomftocht – de afgelopen nacht opgehangen aan riemen doorgebracht om ervoor te zorgen dat hij zich met trage ernst zou voortbewegen.

Langzaam baande sultan Süleyman zich een weg over de Eerste Hof, zijn lange hals eerst naar links en dan naar rechts buigend, iedereen toeknikkend die daar voor hem neergebogen lag. Achter de tweelingtorens van de Poort van de Groet verdween hij even uit het zicht maar dook toen weer op in de Tweede Hof, gevolgd door zeven Arabische hengsten in geborduurde sjabrakken, bezet met edelstenen, geleid door zeven pages die even schitterend uitgedost waren als de paarden die ze bij de teugel leidden. Maar hoe prachtig ze er ook uit mochten zien, ze waren geen partij voor de padisjah – de Gazi zelf – die als een leeuw met zijn prooi in de poten zijn onderdanen de overwinning voorhield en hen uitnodigde om erin te delen.

Zodra hij door de poort kwam liep Hürrem, zich nu niet meer bewust van haar gezellin, langzaam met een rechte rug als een slaapwandelaar naar de balustrade. Zonder een enkele keer haar ogen van de slanke, elegante gestalte op het witte paard onder haar af te wenden, stak ze haar hand in een buideltje dat aan haar diamanten gordel hing en haalde er een fijn witzijden zakdoekje uit, waar ze zelf witte bloemen op had geborduurd. En daar stond ze dan – als een standbeeld – terwijl de sultan voortging tussen zijn volk.

Het duurde even maar eindelijk verscheen hij dan recht voor de Toren der Gerechtigheid. Daar bracht hij zijn rijdier tot stilstand. Wat volgde leek wel een toneelstuk waarbij de spelers hun bewegingen in één vloeiende beweging op elkaar afstemden alsof ze het gerepeteerd hadden.

De sultan zat doodstil op zijn paard toen hij langzaam zijn blik naar de top van de toren liet gaan. Boven op de loggia hief een hand een delicaat zijden zakdoekje en gooide het door de achthoekige opening in het metselwerk. De blik van de sultan was op het kleine witte vierkantje gefixeerd, dat traag heen en weer schommelde in het briesje. Hürrem snakte naar adem en zakte ineen terwijl de zakdoek een eenzaam vaarwel wuifde toen ze zich van de balustrade terugtrok. Ze was flauwgevallen, het onweerlegbare bewijs van haar overweldigende hartstocht.

Nadat ze op een leeftijd dat ze daar gevoelig voor was kennis had gemaakt met de wereld van de Franse roman, kon men wel zeggen dat Saïda een groot liefhebber van het genre was geworden. Er was natuurlijk altijd de mogelijkheid dat de flauwte vooraf beraamd was. Maar de prinses bleef oprecht geloven in dolende ridders, prinsessen in torens en dat echte liefde boven alles gaat. Bovendien kon de blik op het gezicht van de tweede kadin toen ze haar sultan-minnaar voor het eerst gezien had niet geveinsd worden, zelfs niet door de beste acteur in het rijk.

16 Het Huis van de Dokter

Het was halverwege de middag en er was geen wolkje aan de hemel te bekennen. Een goed voorteken voor de gerit-wedstrijd waaraan hij nu misschien wel niet meer mee zou doen, bedacht Danilo, terwijl hij voortploeterde over het Pad der Eunuchen. Desondanks bleef hij doorrennen, vastbesloten te redden wat er te redden viel van wat zonder meer een rampzalige dag was. En hij slaagde er inderdaad in in een recordtijd om het oude paleis heen te lopen. Maar zou hij er ook in slagen vóór zijn vader bij het Huis van de Dokter te arriveren? Dat hij niet bij de openbare ceremoniën in de Tweede Hof was geweest zou hem misschien nog vergeven worden, maar om de dokter na zijn lange afwezigheid niet bij zijn eigen deur op te wachten, dát misschien niet. Voorbij de bocht in het pad kwam het Huis van de Dokter in het zicht dat eenvoudig te herkennen was aan de heraldische vlag die van het dak neerhing met de heilige slangen van Asclepius erop (de oude god van de geneeskunde was nog zo'n heidense held die Juda zonder enig probleem in zijn pantheon had opgenomen).

Om bij het huis te komen moest Danilo nog over de buitenste paleismuur heen zien te komen. Als de oude ladder zonder erbij na te denken aan de paleiszijde was achtergelaten, zou hij tegen de muur op moeten klimmen. Dat was zeker mogelijk (hij had het meer dan eens gedaan) maar het was een tijdrovende onderneming. Hoe dan ook, voor het eerst die dag keek Fortuna glimlachend op hem neer. Daar stond de ladder, tegen de stronk van de dode perenboom.

Met een kort bedankje aan de goden haalde Danilo hem van zijn plek vandaan en droeg hem naar de muur.

Zoals verwacht kon worden had het soldatenvolk dat de helling controleerde die middag vrijaf gekregen om de parade bij te wonen. Maar Danilo nam geen risico's. Hij spitste zijn oren of hij misschien het geluid van een patrouille hoorde terwijl hij heel voorzichtig, stap voor stap, de krakende ladder op ging. Daarna sprong hij met de gratie van een atleet naar beneden en landde veilig op het zachte gras dat de binnenzijde van de Derde Hof omzoomde. Toen hij zich door de tuin naar het huis van zijn vader begaf, moest hij onwillekeurig grinniken bij de herinnering aan sommige kwajongensstreken die hij met behulp van dezelfde ladder had uitgehaald die vandaag het pad voor hem geëffend had.

Het duurde even voor zijn vaders bediende de deur opendeed. En toen begroette hij de zoon van zijn meester niet met zijn gebruikelijke buiging en korte gebed voor diens geluk en eeuwigdurende goede gezondheid. In plaats daarvan greep hij Danilo bij zijn schouder beet en sleurde hem bijna de vestibule in.

'U bent laat. Heel laat. De dokter is bezorgd. Heel bezorgd.' De bediende schudde afkeurend het hoofd. Daar werd de jongen zo zenuwachtig van dat hij geheel onvoorbereid uiteindelijk voor zijn vader verscheen en dus niet wist hoe hij de vaderlijke schrobbering het hoofd moest bieden waar deze hem meteen op trakteerde.

'Waar was je? Was je in de Eerste Hof om me te begroeten? Nee. Stond je bij mijn deur om me te verwelkomen? Nee. Je zou toch denken dat na een afwezigheid van drie maanden...'

Nu keek de dokter voor het eerst echt naar zijn zoon. Hij zag de conditie waarin deze verkeerde. Hij was ongekamd en onverzorgd en er zaten allemaal blaadjes en takjes in de zijden draden van zijn kaftan verstrikt.

'Je laarzen zijn smerig. Wat heb je uitgespookt?'

'Het komt door mijn paard Bucephalus.' De excuses die Danilo gerepeteerd had waren vergeten, de woorden tuimelden achter elkaar zijn mond uit. 'Ik had iemand om de paardendokter gestuurd maar die had het te druk met de paradepaarden van de sultan. Dus moest ik zelf bij Bucephalus blijven. Hij is heel erg ziek, papa. En opgezwollen. En hij kreunt van de pijn. Hij slaapt nu, maar ik denk dat hij doodgaat.'

Geen woord van verontschuldiging of berouw. Maar de angst op het gekwelde gezicht van de jongen deed al zijn overtredingen teniet. Het enige wat Juda zag was de ellendige staat waarin zijn zoon verkeerde.

'Kom naast me zitten. Rustig nou maar. Laten we eens kijken of we iets voor het arme dier kunnen doen.' De dokter viel, nadat hij zijn woede de kop in had gedrukt, terug in zijn vertrouwde rol van wijze arts die de angstige familie van een zieke patiënt te woord staat. 'Die

Bucephalus van je is er een van een goed ras. Dat betekent dat hij uit alle macht voor zijn leven zal vechten. Vaak is het die wil om te overleven die beter is dan welk medicijn. Vertel me, hoe was het paard eraan toe toen je hem verliet?'

Enigszins gerustgesteld was de jongen in staat om samenhangend te antwoorden. 'In het begin bokte en trapte hij en ik dacht dat hij een been zou breken. Maar ik kreeg hem overeind en aan het lopen en daar scheen hij rustiger van te worden.'

Juda knikte goedkeurend. 'Als het koliek is – en zo klinkt het wel – dan ben je per ongeluk op de beste remedie gestuit.'

'Maar nu ligt hij daar zonder te bewegen. En zijn ademhaling is oppervlakkig. En hij doet zijn ogen niet open.'

'Zwelt zijn buik nog steeds op?'

'Dat kon ik niet zien. O papa, volgens mij sijpelt het leven uit hem weg.'

'Dan moeten we een manier bedenken om hem beter te maken.' Juda stak zijn arm uit. 'Help me naar de kast. Volgens mij weet ik nog een kompres. Of was het een braakmiddel?'

Alhoewel de boekenkast zich op niet meer dan twintig passen van zijn bed bevond, moest Juda zwaar op zijn zoon leunen terwijl hij de kamer door schuifelde. Nu pas kon Danilo de verandering zien die in zijn vader had plaatsgevonden de afgelopen maanden: de bleekheid, het beven, de zwakheid.

'Gaat het wel goed met u, vader?'

'Het gaat best, zoon. Al moest ik vanaf Üsküdar hierheen gebracht worden in een draagstoel.' Het 'Als jij er was geweest om me te begroeten had je dat geweten', liet hij achterwege.

'O papa, het spijt me zo. U heeft nooit geschreven dat u ziek was.'

'Het is maar koorts. Die gaat wel over nu ik thuis ben.' Hij voegde er niet aan toe: met jou om voor me te zorgen.

'Wat kan ik voor u doen, papa?' vroeg Danilo, berouwvol.

Dit oprechte aanbod was meer dan voldoende om ook de laatste sporen van Juda's verbolgenheid te doen verdwijnen. 'Op dit moment kun je me helpen de beste verhandeling ter wereld over paardenziekten te vinden. Hij moet in een doos zitten op de derde plank, gewikkeld in blauw linnen.'

Na een of twee verkeerde planken wist Danilo het manuscript op te sporen. Hij haalde het uit de stoffen omslag en onthulde de inhoud:

een verzameling perkamentrollen, elk met een verschillend gekleurd lint eromheen. En ja hoor, daar was het, netjes met een geel lint dichtgebonden, een oud manuscript dat de dokter de halve wereld over had meegenomen. Als een tovenaar schoof hij er snel een vel uit en wapperde ermee voor de nieuwsgierige ogen van zijn zoon.

'*Eccola*! Dit is het. Hippocrates' *Ziekten bij paarden*. Misschien geeft de vader van de geneeskunst ons wel wat aanwijzingen. Wat denk jij?'

Danilo was te verbijsterd om iets uit te brengen.

'Wil je misschien weten hoe ik aan zo'n waardevol bezit ben gekomen?'

De jongen knikte.

'Het was een geschenk van de marchese van Mantua, die ik diende voordat jij geboren werd. Een totale onbenul, die man. Hij had het gekocht voor hij erachter kwam dat hij het niet kon lezen. Besefte pas toen hij een fortuin had neergeteld dat het in het Grieks geschreven was. En de Griek die hij ingehuurd had bleek een erg onbetrouwbare vertaler. En dus zat hij achter mij aan om bij hem in dienst te komen. Ik geloof oprecht dat hij me als zijn lijfarts aannam in de hoop dat ik de fijnere details van de veterinaire geneeskunde voor hem zou kunnen duiden. Lijfarts en dierenarts, twee voor de prijs van één, snap je. Hij was net zo'n koopjesjager als zijn vrouw. Goed, ik vertaalde de verhandeling voor hem – geen al te uitdagende klus – en ik behandelde hem. Maar uiteindelijk behandelde ik ook zijn paarden.'

Terwijl hij aan het woord was maakte Juda met zorg een stapeltje van de perkamentvellen.

'Wil je wel geloven dat die idioot, Francesco Gonzaga, me dit manuscript schonk toen ik klaar was met de vertaling ervan? Overhandigde het me als een vies vaatdoekje. Hij zei dat hij het niet meer nodig had nu hij een kopie in zijn bezit had die hij kon lezen.' Hij schudde verwonderd zijn hoofd. 'Wat een onnozelheid.' Hij schudde nogmaals zijn hoofd en begon toen, al vertalende, door de vellen heen te bladeren. 'Hier heb ik het. Koliek. Bij herkauwers trommelzucht genoemd. Dit is geen ziekte maar een verzameling symptomen: snelle hartslag in rust, koorts, zweten, hevige pijn, trappen en schoppen...'

Danilo herkende de symptomen meteen.

'Dat heeft Bucephalus allemaal gehad. Ik was al bang dat het koliek was.'

'Hoe wist je dat?' vroeg zijn vader.

'Ik denk dat ik er in de stallen over heb gehoord. Ik let altijd goed op Bucephalus. Om te zorgen dat hij gezond blijft. Hij is zo fijngevoelig. Een volbloed, hè.'

'Om eerlijk te zijn wist ik dat niet. Jij weet waarschijnlijk meer over paarden dan ik, door de dingen die je in de stallen hebt opgepikt.' Hij glimlachte goedkeurend naar zijn zoon. 'Je hebt de diagnose al gesteld. Laten we verder gaan met de behandeling.' Hij schoof de bundel papieren in zijn zoons handen. 'Ik vind het wat lastig om dit te ontcijferen. Probeer jij het eens.'

Gehoorzaam nam Danilo de pagina's van hem aan en begon uit het Grieks te vertalen.

'Behandelwijzen voor koliek. Die zijn er niet. De uitkomst hangt van de goden af. Daarom is het gebed de beste remedie. Sommige dieren herstellen. Sommige gaan dood. Ongeacht de specifieke uitkomst voltrekt het hele ziekteverloop zich binnen een omwenteling van de zon.' Danilo zweeg om hierover na te denken. 'Betekent dat dat we alleen maar kunnen bidden, papa?'

'Lees verder,' antwoordde zijn vader op besliste, geruststellende toon. 'Misschien kunnen we van Hippocrates leren hoe we in Bucephalus' geval zijn kansen kunnen keren.'

De jongen las verder. 'Een wassing van de maag met zout kan in sommige gevallen een probaat middel zijn om het dier te helpen gassen uit te scheiden. Een kompres op de buik eveneens. Tot slot: bid.' Bij deze woorden verloor de jongen zijn zelfbeheersing en hoe hard hij het ook probeerde, hij kon zijn tranen niet inhouden. 'Ik wil niet dat hij doodgaat, papa. Ik hou zo veel van hem.'

Ook al wilde Juda nog zo graag zijn zoon in zijn armen nemen en zijn tranen drogen, de gewoontes van een heel leven waren sterker. In plaats daarvan ging hij verder op zijn geruststellende maar afstandelijke artsenmanier.

'We moeten nog altijd ons best doen om hem te redden,' zei de dokter. 'Ik zal een kompres voor je mengen dat je mee kunt nemen en ik zal je leren hoe je een maag moet spoelen. Ik heb het zelf ooit gedaan. Ook dankzij die barbaar, Francesco Gonzaga. Hij liet mij altijd komen als een van zijn Arabische hengsten ziek was. Volgens mij meende hij dat het een eer voor me was dat ik ze van hem mocht behandelen. Eerlijk gezegd werd ik nogal dol op ze. Je moeder plaagde me er altijd genadeloos mee.'

'Maar ik dacht dat u een hekel had aan paarden.'

'Ik? Ik haat geen enkel levend wezen. En paarden al helemaal niet. Wat ik wel haat is de gedachte dat jij op eentje je nek breekt.'

'Waarom helpt u me dan om Bucephalus te genezen?'

Juda hield even op om de vraag te overwegen. De jongen wachtte. Toen na een paar tellen zei Juda: 'Misschien zie ik je liever je nek breken dan je hart,' zei hij. 'Laten we verder gaan met onze taak.'

Het drankje was vrij snel klaar en Danilo kreeg een pak mee naar de stallen met daarin een grote zak zout, een trechter en zorgvuldige instructies over hoe je een paardenmaag moest uitspoelen. Hij wilde dolgraag zo snel mogelijk met de behandeling van zijn paard beginnen, maar hij bleef nog even om voor hij wegging zijn vader terug naar bed te brengen en hij nam een paar minuten extra de tijd om hem in twee dekens te wikkelen.

Toen boog hij zich, met droge ogen zoals hij zich voorgenomen had, voorover en met een stem die trilde van emotie zwoer hij: 'Ik zal nooit vergeten wat u vandaag voor mij gedaan hebt, papa.'

'Op een dag zul je iets voor mij doen.'

'Alles.'

Dit was Juda's kans en hij greep hem. 'Alles?' vroeg hij. Hij wist heel goed waar hij heen wilde en dacht de hele tijd: ik lok hem regelrecht in de val. Hoe kan ik dat nou doen?

'Alles,' antwoordde de jongen.

En Juda wist dat die woorden uit de mond van zijn zoon nooit ingetrokken zouden worden. 'Beloof me dan dat je, wanneer je dit semester aan de pageschool hebt afgerond, de slaapzaal zult verlaten en bij mij thuis komt wonen. Op het slagveld ben ik niet meer nodig, ik zal de sultan hier in het Topkapi dienen. Ik wil mijn zoon bij me hebben.'

Het was een doortrapte manoeuvre en dat wist Juda. Hij had de jongen overvallen op het moment dat hij het kwetsbaarst was, namelijk toen het leven van het wezen dat hem het meest dierbaar was (ja, het meest dierbaar) aan een zijden draad hing. Hij had het verdriet van de jongen uitgebuit om een belofte te ontlokken; dat was onwaardig en eerloos gedrag. Maar Juda had een kans gezien om zijn zoon bij de verleidingen van het Ottomaanse hof vandaan te krijgen en had geen weerstand kunnen bieden aan de opening die zich voordeed.

Danilo, natuurlijk, merkte niets van dit alles. Hij nam afscheid van Juda, opgemonterd door de hoop dat zijn vaders remedie Bucephalus' leven zou redden, misschien zelfs zou helpen zijn meester de volgende dag bij de gerit te laten schitteren.

'Maak een vuurtje in het komfoor en laat er een emmer water op warm worden. Niet te heet, niet te koud en schiet een beetje op.' Hij droeg Abdul op terug naar de stal te komen. 'Ik ga Bucephalus' leven redden en jij gaat me helpen.'

Hij ging naast het dier in het stro zitten en begon met langzame cirkelbewegingen over de gezwollen buik te wrijven. Het kompres zou worden aangebracht zodra de maag was gespoeld.

Tegen de tijd dat het water warm was, was Bucephalus half wakker en in staat om te reageren toen Danilo een hand in zijn keel stak.

'Laat het paard eraan wennen iets zachts in zijn keel te hebben voor je de trechter inbrengt,' had Juda geadviseerd. 'En zorg ervoor dat de staljongen zijn achterbenen vasthoudt.'

En zo had hij Abdul geïnstrueerd. Maar de voorzorgsmaatregel bleek onnodig. Danilo had in de loop der jaren zoveel smakelijke hapjes op de tong van het dier gelegd dat toen hij zijn blote vuist in Bucephalus' mond stak, het dier geen weerstand bood.

Maar het moeilijkste moest nog komen. Nadat Danilo de zak met zout in het warme water had leeggeschud en erin geroerd had, reikte hij naar de trechter om die in de paardenmond te steken. Teder als een minnaar schoof hij de trechterhals door de keel van het dier en gebaarde naar Abdul om zijn grip om de achterbenen van het dier te verstevigen. Dit was geen lekker hapje. Dit was een scherp, onbuigzaam stuk metaal. Maar opnieuw verbaasde het paard hen door geen weerstand te bieden.

'Hij vertrouwt erop, meester, dat u hem geen pijn zult doen,' opperde Abdul.

En toen was het tijd voor de eigenlijke procedure. Danilo vulde de kop die aan de rand van de emmer hing en fluisterde ondertussen de hele tijd liefkozingen in het fluweelzachte oor. En na wat een eindeloze tijd leek, was de emmer leeg en de klus geklaard.

'Brave jongen, Bucephalus. Brave knul.'

'Wat nu?' wilde Abdul weten.

'Nu bidden we,' antwoordde Danilo. 'Ik zal God vragen om Bucephalus weer sterk te maken zodat hij me morgen tijdens de gerit kan dragen.'

En zo zaten ze daar te bidden, ieder in zijn eigen taal, overeenkomstig het advies dat Hippocrates, de heidense vader van de geneeskunst, had gegeven.

De laatste oproep tot het gebed van de muezzin kwam en ging weer voorbij en het dier bleef daar, oppervlakkig ademend en zo goed als bewusteloos, liggen. Maar hij ademde nog steeds. En toen ineens vlak voor middernacht huiverde het paard, hij schudde zichzelf, deed zijn best om overeind te komen en liet toen een oorverdovende wind. En toen nog een. De geur die vervolgens de stal vulde, dreef zijn verzorgers de nachtlucht in.

'Het gas komt eruit,' schreeuwde Danilo blij tegen Abdul die inmiddels groen zag. En samen liepen ze met dichtgeknepen neus terug naar de stal waar ze zagen hoe de opgezwollen buik van het paard voor hun ogen, alsof iemand er met een speld in geprikt had, langzaam leeg begon te lopen.

17 Aan de vooravond van de gerit

In de stad ging de viering van Süleymans overwinning de hele nacht onverminderd door. Aan zowel de Aziatische als de Europese zijde van de hoofdstad werd het verbod uit de Koran op alcoholgebruik stilzwijgend genegeerd; vrouwen liepen vrij op straat rond (zij het discreet bedekt); en de jongemannen van de pageschool doolden naar believen door de straten en keerden pas weer terug naar hun slaapzalen wanneer ze daar zin in hadden. Het was feest in Istanbul. In de komende vier dagen zou de sultan zich regelmatig buiten zijn paleis aan het volk tonen. Hij zou applaudisseren bij de spelen in de hippodroom, muntjes naar de menigte gooien en de buitensporige offerandes leiden van zoetigheden en sorbets die dag en nacht op straat uitgedeeld werden. Het was een opvallend contrast met de kalmte en de rust die achter de poorten van het Topkapi-paleis heerste.

Zodra de sultan door de Poort van het Geluk zijn selamlik binnen was getreden begon de schoonmaak van het paleis. Tegen de tijd dat de muezzin de gelovigen tot het laatste gebed van de dag opriep, was het hele paleisdomein van alle afval, materieel en menselijk, gezuiverd. In de Eerste en Tweede Hof was geen enkel bewijs achtergebleven van de kunststukjes die de cavalerie daar nog maar een paar uur eerder had verricht. Beschadigde delen van het grasveld waren hersteld, de betegelde paden schoongeveegd en de eerbiedwaardige cipressen beheersten opnieuw de hof. De enorme menigte die op de gazons bijeengekomen was om hun padisjah te verwelkomen was vervangen door gazellen met de zachte ogen die normaal gesproken op de weelderige grasvelden graasden. Met zo'n duizend tuinlieden bij de hand kon er snel resultaat geboekt worden.

Voor prinses Saïda volgden de gebeurtenissen van die avond elkaar snel op zodra vrouwe Hürrem eenmaal hersteld was van haar flauwte. Wat meteen het geval was nadat de indrukwekkende gestalte van de sultan de selamlik in was verdwenen. Daarna werd Saïda ineens de wenteltrap van de Toren der Gerechtigheid af gejaagd, het gebouw uit, langs de paleiswacht en recht in de armen van haar eigen dienstmeid, Marisah. Die maakte deel uit van een kleine groep bedienden die als bij toverslag opdoken toen de dames beneden kwamen. Daar stonden ze in de houding, een handjevol persoonlijke dienaren van Hürrem – onder wie, wat heel hoffelijk was, ook Saïda's dienstmeid – plus een krachtig driemanschap van zwarte eunuchen. Deze waren meegekomen om toevallig aanwezige bedienden van de selamlik die per ongeluk blikken in de richting van de haremvrouwen wierpen als ze langskwamen, te verzoeken weg te gaan.

Toen ze de Toren der Gerechtigheid uit liepen, leek Hürrem precies te weten waar ze heen moest. Zij was degene die hun voorging door de Poorten van het Geluk. En eenmaal in de Derde Hof gaf ze opdracht tot een bad alsof ze zeker wist dat er een hammam zou zijn wanneer ze daar behoefte aan hadden. Hürrem was hier kennelijk al eerder geweest. Waarschijnlijk zelfs meer dan eens.

Saïda, die zelden een bezoek bracht aan haar vaders paleis, was maar al te graag nog wat langer in de Tweede Hof blijven rondhangen die veel weg had van een tuin – vooral de tamme dieren spraken haar aan –, maar Hürrem wilde er niets van horen. En de tweede kadin had hier duidelijk de leiding. Zíj en niet een van de eunuchen, leidde hen door de Poort van het Geluk, langs de Troonkamer en het Huis van de Dokter naar een kleine maar uiterst charmante kiosk tegen de achtermuur van de Derde Hof.

Eenmaal in het gebouwtje gooide de tweede kadin haar hoofddoek en mantel af en zei tegen Saïda dat ze meteen een bad moesten nemen.

'Het was een hele vieze dag,' legde ze uit. 'Ik voel hoe het vuil mijn poriën dichtstopt en dat zal bij jou ook wel zo zijn.'

Geen woord over de ophanden zijnde hereniging met de sultan. Geen spoor van vrees. Kennelijk was alle vertrouwelijkheid nu voorbij. Maar de dame kon kleine, nerveuze symptomen als een met tussenpozen optredend trekken van haar linkeroog en een licht trillen van haar handen, niet verbergen toen ze in de hammam naar een waterkruik reikte.

Hürrem had zich binnen een paar minuten – zo leek het voor Saïda – gewassen en aangekleed en was er, zonder ook maar goedenavond te zeggen, vandoor gegaan. Pas toen de deur achter haar was dichtgevallen daalde er rust neer in de kleine kiosk. Toen pas besefte Saïda hoeveel spanning de vrouw had uitgestraald.

Zou het mogelijk zijn dat onder haar zelfverzekerde manier van doen de tweede kadin in feite twijfelde aan de trouw van de sultan? Was ze echt bang dat zijn lange periodes van afwezigheid zijn gevoelens voor haar zouden veranderen? Dat een andere vrouw – een Hongaarse of een Oostenrijkse krijgsgevangene misschien – inmiddels zijn voorkeur had? Werd ze gekweld door het schrikbeeld van haar lichaam dat in een zak vol stenen op de bodem van de Bosporus eindigde, wat niet weinig concubines voor haar was overkomen?

Saïda herinnerde zich plotseling Hürrems merkwaardige biecht eerder die dag. 'Ik ben maar een arme slavin terwijl jij een prinses bent. Ik weet wat het is om als een stuk vlees gekocht en weer verkocht te worden. Wil je het horen?'

Zonder op antwoord te wachten was de vrouw op een harde, verbitterde toon die Saïda nooit eerder van haar had gehoord, verdergegaan, haar ogen op een duister, ver punt in haar verleden gericht. 'Ik was vijftien. Geen man had me ooit aangeraakt. Ze trokken mijn kleren uit en brachten me naar de Kizlar Agasi, die me opdroeg mijn mond open te doen en wijd opengesperd te houden zodat hij mijn gebit kon controleren. Hij liet zijn vinger langs de binnenkant van mijn mond glijden en controleerde mijn tandvlees zoals hij bij een kameel of een paard gedaan zou hebben. Toen beval hij een andere eunuch mijn haar op te tillen en in mijn tepels te knijpen en eraan te trekken om zeker te weten dat er geen vocht uit kwam. Wil je dat ik verder ga?'

'Alstublieft niet.'

Wanneer ze zich in Hürrems huishouding had bevonden waren er periodes geweest dat het meisje hevige steken van jaloezie had gevoeld jegens deze vrouw die zo'n macht over haar vader leek te hebben. Ze had Hürrem benijd om zijn brieven, de gedichten die hij voor haar schreef, de plechtige verklaringen van zijn eeuwige liefde. Maar nu voelde ze alleen maar medelijden. Hürrem had haar als een dochter opgenomen, had haar mee de wereld in genomen. Zonder Hürrem had ze nooit deel uitgemaakt van het koninklijke gezelschap dat de volgende dag de hippodroom zou bezoeken.

Aan de andere kant van de Derde Hof bevond Hürrem zich in de selamlik van de sultan en straalde, haar ogen schitterender dan juwelen, terwijl ze vol aanbidding naar haar sultan keek. Süleyman was moe.

Zelfs voor een man van staal als hij was het een lange, zware dag geweest. Maar Hürrem wist hoe ze hem weer tot leven moest wekken. Ze had een pakje meegenomen met de drankjes die ze regelmatig kocht van een van de zogenaamde pakjesvrouwen die de harem bedienen. Op zekere manier op zekere lichaamsdelen van de man aangebracht wisten deze smeersels altijd weer het mannelijk lid opnieuw tot leven te wekken. Hürrem bezocht deze pakjesvrouw al sinds ze voor het eerst als jong meisje haar intrede in de harem had gedaan, zo'n tien jaar geleden. Tegen de tijd dat ze naar het bed van de sultan geroepen werd, had ze zich vertrouwd gemaakt met alle remedies die de oude feeks tot haar beschikking had, inclusief een groot aantal methoden om ze toe te passen. Of zoals ze in de bordelen aan de waterkant zeiden: de tweede kadin had een aardige trukendoos tot haar beschikking. En ze was van plan er vanavond goed gebruik van te maken.

Aan de andere kant van de Poort van het Geluk, in de stallen van de sultan, verrichtte een ander elixir wonderen bij het paard van Danilo del Medigo. Tegen twaalven kon Bucephalus op zijn eigen benen staan. Zijn ogen stonden helder en zijn buik had bijna weer een normale omvang. Ver na middernacht liet de Meester van het Paard van de sultan zich eindelijk zien, net op tijd om getuige te zijn van het staartje van de behandeling. Hij was een man met een fijnzinnig gevoel voor hiërarchie – en van zijn eigen onzekere positie daarin aan de hof – en hij had ervoor gezorgd dat alle paradepaarden van de sultan, tot de laatste aan toe, onderzocht en veilig de Bosporus over waren gevaren voor hij gehoor gaf aan de roep om hulp van de page. Desondanks had hij de brutaliteit om, toen hij er dan eindelijk in was geslaagd bij de stallen te arriveren, een compleet overzicht van de problemen te eisen alsof hij Bucephalus al die tijd onder zijn hoede had gehad. Hij verordonneerde bovendien dat het paard de spanningen bespaard moesten blijven van de gerit die dag, een raad die Danilo meteen van de hand wees. Zijn vader had hem tenslotte – met de steun van Hippocrates – al verzekerd dat als de symptomen van de koliek wegtrokken, het beste medicijn voor het dier een reinigende training zou zijn waarbij hij zich flink in het zweet zou werken. Wat was nou een betere remedie dan een uitstapje naar de gerit? Ja, Danilo del Medigo zou vast en zeker bij de spelen op Bucephalus rijden en de meester van de paarden kon de pest krijgen. Aldus besloten, liet hij het paard achter in de handen van Abdul en stevende naar zijn slaapzaal om te zorgen dat hij zo veel mogelijk slaap kreeg.

Om eerlijk te zijn waren de kansen van de jongen om weer op krachten te komen beter dan die van het paard. De jongen was jong, het paard van middelbare leeftijd, eigenlijk te oud voor de gerit. Maar Bucephalus was nu meer dan alleen maar een rijdier voor Danilo, hij was zelfs meer dan een waardevolle volbloed en een geschenk van de sultan. Door het wonderbaarlijke herstel van het dier was hij veranderd in een talisman. Danilo was ervan overtuigd dat hij uitsluitend op de rug van dit rijdier triomfen zou vieren in de gerit. Waarom had Fortuna hem anders in leven gehouden? Ja, Fortuna. Danilo's geest, gevormd door een humanistische opvoeding, had er geen enkele moeite mee zowel de heidense godin als de Ene God van de joodse leer te omarmen. Zijn vader, die zijn hele leven een oplettende jood was geweest, had jarenlang een actieve rol gespeeld in de Platonische Academie van Lorenzo de Medici in Florence waar hij op vrijdagavond altijd naast de sabbatkaarsen op tafel een kaars voor Plato had aangestoken. Hij had daar geen enkele ongerijmdheid in gezien. In navolging van hem sliep Danilo zacht onder het toeziend oog van zowel Fortuna als de joodse God Jahweh – met de amulet van de prinses tegen zijn borst aan gedrukt.

In de gastenkiosk aan de overkant van de Derde Hof had de prinses zo heerlijk diep liggen slapen dat er meer dan een vastberaden por voor nodig was om haar te wekken.

'Sta op, luilakje.' De tweede kadin was deze ochtend in een speelse stemming. Ze stak haar hand onder het zijden dekbed en begon Saïda's tenen te kietelen. 'Word wakker. Doe je ogen open. Ik heb je zo lang mogelijk laten slapen.'

Het meisje keek op in de wijd opengesperde ogen van een stralende Hürrem. Wat was het toch met die vrouw? Ze was zeker niet mooi. Haar neus was te puntig. En haar ogen waren eigenlijk nogal klein. Maar haar levendigheid – de kracht van haar levenslust – maakte die fysieke tekortkomingen meer dan goed. Daar stond ze dan als een amazone, met gespreide armen en de benen gebogen.

Deze vrouw is even jong van geest en vol hoop als ik, dacht Saïda. Voor haar is elke dag een avontuur. Toen kwam de gedachte bij haar op: ze is vast een fantastische minnares.

'Je luistert niet naar me,' verstoorde Hürrem haar gedachten. 'Er wordt van ons verwacht dat we aan het einde van het tweede gebed naar de hippodroom vertrekken. De sultan stuurt draagstoelen om ons erheen te brengen. Jazeker, draagstoelen,' herhaalde ze, duidelijk genoegen scheppend in de woorden, 'zullen ons naar het paleis van de grootvizier brengen.'

'Is het een lange reis?' vroeg Saïda, de bonkende koetsrit van de dag ervoor nog steeds in gedachten.

'Natuurlijk niet. Weet je niet waar je bent? Weet je niet meer dat je gisteravond hierheen gekomen bent?'

Saïda keek om zich heen naar het onmiskenbare rood en levendige blauw van de Izinik-tegels en toen omhoog naar de cassettes van het vergulde plafond. Ze had verhalen gehoord over een luxueus gasten-verblijf dat in het Topkapi gereserveerd was voor concubines die ge-lukkig genoeg waren om daar uitgenodigd te worden. Had ze echt de nacht in die felbegeerde schuilplaats doorgebracht? Kennelijk.

Helemaal wakker nu bestudeerde ze Hürrem. Gisteren was de twee-de kadin erin geslaagd, in de onophoudelijke babbelstroom die haar mond voortbracht, geen enkele maal te zinspelen op de kiosk die voor hen in gereedheid werd gebracht. Wat een gewiekste huichelaar. Ze mocht dan uit een of ander achterlijk Russisch gehucht afkomstig zijn, zoals gezegd werd, maar ze gedroeg zich alsof ze geboren en getogen was in de harem – vol geheimen en streken. Kortom, de volmaakte oda-lisk. Maar niet helemaal, er was iets wat haar van de anderen onder-scheidde.

In Hürrem brandde een witheet, innerlijk vuur dat met geen enkele training te verkrijgen viel. Ik moet niet te dicht bij deze vrouw komen, dacht Saïda terwijl ze een lange laatste blik op haar weldoenster wierp, anders verbrandt ze me tot er niet meer dan wat as van me overblijft.

18 De hippodroom

De eerste keer dat Danilo del Medigo over de renbaan in de hippodroom liep was hij elf. Het had deel uitgemaakt van de pogingen van zijn vader om hem uit de diepe droefenis te lokken die geen enkele remedie in de apotheek van de dokter had kunnen verlichten. Toen medicijnen niet bleken te helpen had hij lekkere hapjes geprobeerd die de patiënt wel opgegeten had als hij dat gevraagd had, maar die geen blos van genoegen op zijn bleke gezicht hadden weten te toveren. Noch hadden de lekkernijen een verzoek om meer aan hem kunnen ontlokken.

De dokter had zich toen tot de natuur gewend. Lange wandelingen in de zon leverden even weinig op. Maar misschien zou hij de ogen van de patiënt met prachtige beelden kunnen strelen en zijn geest kunnen overstelpen met levendige verhalen over gebeurtenissen van lang geleden. Dat was de moeite van het proberen waard. Maar waar moest hij naartoe? De hippodroom, natuurlijk. Zonder twijfel. Waar kon je beter beginnen dan bij die eeuwenoude renbaan waar de stenen nog steeds de afdruk van Griekse strijdwagens droegen? Waar de muren nog steeds het gebrul weerkaatsten van de leeuwen die op de Romeinse gladiatoren werden losgelaten. De hippodroom, waar nog steeds tot in alle uithoeken het gejuich weergalmde van zo'n honderdduizend burgers die hun keizer Justinianus en zijn keizerin Theodora, een voormalig circusmeisje en hoer, na een van zijn triomfen verwelkomden.

Ze gingen de enorme ruimte binnen onder de gewelfde boog aan de noordzijde. Door deze majestueuze bogen waren destijds de Griekse strijdwagens de arena binnen gedenderd vanuit de catacomben, waarin de kleedkamers, stallen, wagenligplaatsen en dierenhokken waren gehuisvest. Voor Juda die opgeleid was volgens de tradities van de oudheid resoneerden de keien nog altijd van de denderende hoeven.

'Als deze stenen eens konden praten,' zei hij tegen zijn zoon toen ze

163

over het geplaveide middenpad van de arena heen liepen, 'wat een verhalen zouden ze dan vertellen.'

De jongen hapte toe. 'Wat voor verhalen?' Het was zijn eerste vraag, merkte Juda tot zijn vreugde op.

'Verhalen van moed en lafheid, triomfen en slachtpartijen, grote overwinningen en omwentelingen,' luidde het antwoord.

En dat klopte. Van de tijd van Constantijn de Grote tot en met die van Süleyman waren alle belangrijke gebeurtenissen nergens anders in de stad gevierd. En of het nu waar was of niet, geen enkele andere benadering had Danilo zo feilloos in het hart kunnen raken. Een didactisch verhaal over de geschiedenis van de stad zou aan dovemansoren gericht zijn geweest. Een jongen echter die door zijn moeder – Grazia de Scriba, die hem ontvallen was maar aan wie hij niet ophield te denken – grootgebracht was met de epen van Homerus, zo'n jongen lustte wel pap van verhalen over magnifieke heldendaden en grote triomfen.

Aangemoedigd door wat op een vleugje belangstelling in de ogen van de jongen leek, gebaarde Juda hem naar de oostelijke baan te komen, een plek waarvan gezegd werd dat het een duizend jaar oude executieplaats was.

'Luister. Hoor je iets vreemds?'

De jongen schudde zijn hoofd.

'Er zijn mensen die zweren dat wanneer ze over dit deel van de baan lopen het geluid kunnen horen van schreeuwende mannen en vaag de geur van bloed kunnen ruiken.' De ogen van de jongen gingen verder open. 'Het was precies op de plek waar we nu staan dat de justiniaanse generaal, Belisarius, een troepenmacht van dertigduizend rebellen in de val lokte en hen afslachtte tot de laatste man. De overlevering wil dat de doden werden begraven waar ze ter aarde stortten en dat hun botten zich nog altijd op deze plek bevinden. Sommigen beweren dat als ze hier lopen ze de doden kunnen horen roepen.'

'En u, heer, heeft u ze gehoord?' vroeg de jongen.

Een tweede vraag, merkte Juda op.

'Lieve hemel, nee,' antwoordde hij, 'ik ben een wetenschapper. Maar ik dacht dat jij misschien de gave zou hebben.'

De jongen schudde zijn hoofd, nee.

Niet belangrijk. Het was voldoende dat hij hem zover uit zijn schulp gekregen had dat hij niet één maar twee vragen had gesteld. Elke dag heeft genoeg aan zijn eigen kwaad, dacht Juda, in navolging van het boek der christenen.

'Laten we de hele renbaan rondlopen,' hij nam de jongen vertrouwelijk bij de arm, 'en dan op huis aan gaan.'

Het was toen ze de westelijke zijde van de arena op draaiden dat hij, geheel spontaan, nog een laatste poging ondernam om de verbeelding van de jongen te prikkelen. 'Dit is de meest hoekige kant van het ovaal en de bocht waar de meeste wagenongelukken gebeurden. En aan deze kant van de tribune had je de meest begeerde zitplaatsen. Waarschijnlijk omdat je hier in de middag naar het oosten keek en de ondergaande zon dus niet in je ogen scheen. Kijk,' hij wees naar een afgebroken smalle stenen trap, 'in de tijd van Constantijn waren er aan weerszijden van de baan rijen met zitplaatsen, tot duizelingwekkende hoogten aan toe. Ze zeggen dat, nadat hij hem gerestaureerd had, de hippodroom van Justinianus zo'n honderdduizend mensen kon herbergen. Stel je voor! Honderdduizend mensen die zich de longen uit het lijf schreeuwen wanneer de strijdwagens deze bocht doorgaan voor het laatste stuk. Als je je ogen sluit en goed luistert kun je de kreten misschien door de jaren heen horen weerklinken.'

Danilo aarzelde. Toen, niet in staat de verleiding te weerstaan, sloot hij zijn ogen stevig en wachtte op het wonder. De ontberingen die hij geleden had, hadden hem geleerd geduld te hebben. En jawel hoor, na een paar tellen begon de jongen langzaam te knikken.

'Volgens mij hoor ik ze, papa,' fluisterde hij. 'Ik kon de woorden niet verstaan. Volgens mij schreeuwden ze in het Grieks.'

Na die dag werd de hippodroom een plek waar Danilo steeds weer naar terugkeerde, soms samen met Juda, wanneer ze van het zaterdagochtendgebed op weg naar huis waren, vaak ook alleen. Ondanks het urenlang bestuderen van de woordenlijsten die zijn moeder ooit voor hem had opgesteld, op zoek naar Griekse woorden voor 'hoera', 'sneller', en 'bravo', slaagde hij er nooit in de geluiden te identificeren die hij meende te horen. Maar in de loop van vele bezoeken begon hij – met zijn ogen dicht – eerst vaag, toen steeds duidelijker, de gezichten van de Grieken voor zich te zien, de ene rij na de andere, de nekpezen strakgespannen terwijl ze aanmoedigingskreten schreeuwden naar hun favoriete wagenmenners. En na een tijdje begon hij ook wanneer hij zijn ogen sloot zichzelf te zien terwijl hij op een magnifiek strijdros in volle galop en op topsnelheid zo'n bocht doorkwam, als overwinnaar van een afmattende race.

Niet één keer kwam Danilo, wanneer zijn verbeelding een dergelijke hoge vlucht nam ook maar in de buurt van de hoop – of zelfs maar gedachte – dat iets dergelijks ooit werkelijkheid zou kunnen worden. Toen de rijmeester van de haremschool hem echter in de gelegenheid stelde om bij het gerit-team te gaan, nam hij het aanbod meteen aan. En hij oefende in al die jaren op de haremschool, en nu op de page-school van de sultan, met niet-aflatende volharding in het richten en paardrijden tot hij dat in de perfectie beheerste. Zijn aanhoudende streven naar meesterschap en de visioenen die hij kreeg wanneer hij met zijn ogen dicht in de hippodroom stond, volgden echter parallelle sporen die elkaar nooit geraakt hadden – tot nu dan, vijf jaar nadat hij voor het eerst met zijn vader de *pista* in was gegaan en de vage echo van de schreeuwende Grieken op de tribunes had gehoord.

Nu, op deze dag van de gerit-wedstrijd tussen het team van de sultan en dat van de grootvizier teneinde Süleymans grote overwinning te vieren, kwamen de twee sporen samen en werd Danilo del Medigo's fantasie werkelijkheid.

19 De gerit-wedstrijd

In zijn villa in de wijk Pera zat de Venetiaanse bailo, Alvise Gritti, al bij het aanbreken van de dag druk aan het rapport te schrijven dat hij elke week voor zijn meesters in de Venetiaanse senaat opstelde.

'De viering van de sultans zege,' schreef hij, 'is een spektakel dat het midden houdt tussen ons carnaval en de Romeinse spelen. Vandaag zal alle aandacht gericht zijn op de hippodroom waar een wedstrijd gehouden zal worden, genoemd naar een speer van ongeveer een meter lang met een stalen pijl als punt, de gerit. Het spel wordt gespeeld door twee teams te paard: een van de pageschool van de sultan, de andere van de pageschool van de grootvizier.

De gerit is het favoriete spel van de Turken en ze spelen het net zoals ze hun oorlogen uitvechten. Van manoeuvres is geen sprake. Elke ruiter doet stoutmoedig en direct een uitval en gooit, wanneer hij dichtbij gekomen is, de gerit met zoveel kracht naar de door hem geselecteerde tegenstander, dat hij deze uit het zadel slaat. Het hangt allemaal af van de nauwkeurigheid van de worp. Het succes wordt afgemeten aan het gezamenlijke aantal treffers die het winnende team gescoord heeft. Het heeft niets te maken met leiderschap of teamspel zoals bij ons het geval zou zijn, maar alleen met ruiterkunst en het pure lef van elke speler. Dus de wedstrijd verandert, zodra deze is begonnen, al snel in een chaotisch strijdgewoel waarin ruiters hun wapens wild alle kanten op slingeren, wat vaak – omdat ze op een leren buis na geen wapenrusting dragen – ernstige verwondingen en soms zelfs de dood tot gevolg heeft. De willekeur ervan druist tegen de rede van elk weldenkend mens in.

Ik ken in Europa niets wat met deze gerit vergeleken kan worden,' vervolgde hij, 'die meer op een gevecht lijkt dan op een steekspel. Dat het, zowel in de stad als op het platteland, de favoriete sport is van de Turken en enthousiast beoefend wordt door zowel ambachtslui als sultans, zegt wel iets over deze mensen. Ik ben inmiddels getuige geweest van talloze wedstrijden als deze, maar de zin ervan begrijp ik nog steeds niet helemaal. Voor iemand die er niet op jonge leeftijd aan verslingerd is geraakt, is de gerit niet meer dan een oorlog van één tegen allen.

Ik zal mij aanstonds naar deze waanzinnige vertoning spoeden. Ik kan er niet onderuit. Mij is een ereplaats toegewezen op een balkon aan de oostelijke zijde van het paleis van de grootvizier met uitzicht over de hippodroom. Ik zal in elk geval aan het einde van de dag niet door de zon verblind zijn. Mij is verder nog de eer van een uitnodiging voor een diner in de Grote Hal van het paleis van de grootvizier te beurt gevallen, waar die leden van het winnende team die niet verminkt of gedood zijn, door de sultan beloond zullen worden. Daarop zal dan een typisch Ottomaans banket volgen van twintig gangen of meer. Als ik niet ziek word van de zon of door een overdaad aan vet eten zonder zelfs maar één glas wijn om de spijsvertering te verbeteren, dan volgt later een verslag van die verduivelde gerit.'

Aldus de verwachtingen van signor Gritti, een typische Venetiaan – ijdel, met een slechte spijsvertering en ervan overtuigd dat er maar één beschaafde plek op de hele aardbol was en dat was zijn geliefde Serenissima. Voor de meeste bewoners van Istanbul – de burgers die de tribunes zouden overstromen en net als hun Griekse en Romeinse voorgangers die middag de longen uit hun lichaam zouden schreeuwen – hield de dag de belofte in van fantastisch vermaak en voor prinses Saïda van hartstochtelijke vervoering. Voor de tweede kadin betekende het haar eerste rit in een draagstoel als de valide sultan die ze van plan was te worden. Voor Danilo del Medigo was deze dag de dag waar hij zich zijn hele leven op had voorbereid.

Bij zijn teamgenoten stond Danilo bekend als iemand met een rustig, zelfs flegmatisch temperament. Niet iemand die zich overgaf aan woede, het uitschreeuwde van de pijn, mokte bij een nederlaag of zich in de handen wreef bij een zege. Maar al met al wel een felle vechter. In de jaren dat hij in het gerit-team van Süleyman zat, was hij een soort mascotte geworden. 'De knul met de ballen van brons,' noemden ze hem. Maar niemand, zelfs niet de meest geharde veteraan, was voor de wedstrijd ooit volledig immuun voor zenuwen. Danilo wist dit. Hij had het bewijs ervoor in de kleedkamer gezien. Desondanks was hij er niet op voorbereid toen hij voor het eerst in paniek raakte.

Tijdens de korte wandeling van het Topkapi naar At Maydani (of Paardenplein, zoals de hippodroom door geboren en getogen Istanboelers nog altijd genoemd werd) voelde hij ineens een harde knoop in zijn maag en zijn adem kwam met horten en stoten. Hij slaagde er maar net in zonder struikelen de gigantische bogen door te geraken die naar de kleedkamers onder de baan leidden. Inmiddels had hij slappe knieën en voelde hij zijn maaginhoud in zijn keel omhoogkomen. Terwijl de andere deelnemers zich verspreidden om naar hun paarden te gaan kijken, liep hij stilletjes verder de brede tunnel door naar de kleedkamer in de hoop dat zijn afwezigheid niet opgemerkt werd.

Hij was niet bekend met paniek maar hij herkende de symptomen. Dit is geen angst, drukte hij zichzelf op het hart. Dit is angst voor de angst. Wanneer je op de grond ligt, te zeer gewond om je nog te kunnen bewegen, en je hoort de stampende hoeven van de paarden die je gaan vertrappelen. Dat is angst. Wat je nu ervaart is schijn. Je kunt het wegblazen. Vul je buik met lucht, als een blaas. Zuig de lucht helemaal tot aan je kruis. Hou vast, hou vast, hou vast. Blaas hem nu langzaam uit. Herhaal net zo lang tot de adem gelijkmatig stroomt.

Met zijn laatste restje vastberadenheid ging hij languit op de grond liggen en begon een aantal keren diep vanuit zijn buik adem te halen. Na dit een paar minuten gedaan te hebben was zijn ademhaling weer normaal. Maar hij was nog steeds misselijk en licht in het hoofd toen het team in de kleedkamer begon te arriveren.

De aanvoerder, een reus die zichzelf Oxy noemde, zag meteen dat er iets mis was. Danilo voelde een troostende arm om zijn schouder en hoorde zachtjes in zijn oor: 'Heb je een knoop in je maag?'

Hij knikte met neergeslagen ogen. Hij schaamde zich.

'Dit is wat ik altijd deed. Ga op de bank liggen. Plat op je rug. Ga nu rechtop zitten. Ik hou je voeten vast zodat je niet kunt vals spelen. Omhoog!'

Danilo kreunde van de pijn.

'Laat jezelf langzaam zakken. Ik weet dat het pijn doet, maar doe het gewoon. En nog eens.' Oxy was onverzoenlijk, niet ontvankelijk voor het gegrom en gekreun dat van de bank afkwam terwijl Danilo zijn stijve spieren dwong te buigen en ontspannen, buigen en ontspannen. Hij had gezien hoe andere atleten vóór een wedstrijd eenzelfde uitdrijving ondergaan hadden. Nu begreep hij waarom. Hij was niet de enige die ooit in paniek was geraakt.

Langzaamaan, naarmate hij de beheersing over zijn weigerachtige spieren terugkreeg, verminderde de kramp en was de enige pijn die hij nog voelde het verschrikkelijke gewicht van Oxy die op zijn voeten zat. En het beste van alles was dat de hele kwestie zo geruisloos was afgehandeld dat niemand het opgemerkt leek te hebben.

'Drink wat water. Geen wijn!' En weg was Oxy om zich met andere aanvoerderzaken bezig te gaan houden.

Hij klinkt net als mijn vader, dacht Danilo.

Inmiddels waren de tijdelijke tribunes aan de westzijde van de renbaan al volgelopen en zij die te laat waren voor een zitplaats hadden zich verdeeld over de staanplaatsen aan de noord- en zuidkant, boven de onderbouw. In vroeger dagen waren er aan alle vier de zijden van de renbaan permanent tribunes geweest die zo'n honderdduizend toeschouwers konden herbergen, maar die accommodatie werd abrupt gehalveerd toen Süleyman, nog maar een paar jaar aan de macht, zich een brede strook land aan de oostelijke rand van de hippodroom toe-eigende als locatie voor het paleis dat hij liet bouwen voor zijn grootvizier en boezemvriend, Ibrahim de Griek. Nu bevond zich aan de oostzijde, tussen de renbaan en het grootse, stenen gebouw waar de grootvizier in gehuisvest was, nog slechts een smalle grasstrook. Deze was vandaag met touwen afgezet zodat de tribune van de sultan meer ruimte en licht kreeg, daarmee de zitplaatscapaciteit van het stadion nog verder terugdringend. Desondanks, gezien vanuit de gunstige positie van de ruiters die vanuit de catacomben het daglicht in reden, leek het alsof heel Istanbul hier vandaag aanwezig was.

Al waren ze dan met velen, toch was de menigte die zich daar sinds de vroege ochtenduren had verzameld, vrij rustig. Toen echter de eerste ruiter van het team van de sultan de spelonkachtige diepten van de catacomben uit galoppeerde en zich in de omlijsting van de middelste boog opstelde, begon het gejuich. Elke speler had in die stenen deuropening zijn moment van erkenning voor hij de baan rond galoppeerde om zijn plaats in de openingsslagorde in te nemen – het team van de sultan aan het zuidelijke einde van de arena, de mannen van de grootvizier in het noorden. Aangezien elk team twaalf leden had, was het een nogal tijdrovend proces dat in niets leek op het ratjetoe waar signor Gritti het in zijn rapport over had gehad. Maar dit was nog maar het begin. Zoals de meeste evenementen in het Ottomaanse openbare leven begon de gerit over het algemeen langzaam en won geleidelijk aan snelheid, tot het moment dat de hel losbrak.

Toen de ruiters eenmaal aan weerszijden van de ovaal waren opgesteld, zwaaiden de enorme voordeuren van het paleis van de grootvizier open en kwamen daar de musici van de sultan, toepasselijk harde muziek blazend (eerder Turks dan Perzisch), naar buiten gestapt. Ze werden gevolgd door een groep oudere pages, schitterend uitgerust in rode kaftans. Zij droegen een opgerolde gouden lap die door hen uitgerold en vaardig over een stel palen heen werd gegooid die al om het verhoogde platform heen geplaatst waren, aldus een gouden baldakijn creërend voor de padisjah.

Zij werden gevolgd door een tweede peloton pages. Deze tilden een gouden troon hoog de lucht in en plaatsten deze vooraan in het midden, onder het baldakijn.

Nu arriveerde de grootvizier, Ibrahim Pasha, vergezeld van zijn eigen dienaren, nog prachtiger uitgedost dan de pages die hun voorgegaan waren. Vergeleken bij zijn dienaren zag hij er maar gewoontjes uit – gemiddeld postuur, vettig haar en een kohlrandje om de ogen – typisch een Griek. Maar uiterlijk kan bedriegen. Hij baande zich een weg naar het podium en ging eerbiedig aan de rechterzijde staan. Het was ondenkbaar dat iemand vóór de sultan plaats zou nemen.

Nu, in een volstrekt ander tempo, kwam er een contingent janitsaren vanaf de zuidkant aanschuifelen.

'Maak plaats, maak plaats,' schreeuwden de herauten.

En de mensen die stonden, altijd vol respect voor de janitsaren, gingen als de Rode Zee uiteen om hen erdoor te laten terwijl deze verder liepen over de *spina* om vervolgens om het afgescheiden koninklijke gedeelte te gaan staan. Het paradeorkest van de sultan liet trompetgeschal horen. De paarden die aan weerszijden van het stadion opgesteld stonden dansten in afwachting. Het toneel was klaar voor de steracteur in dit tableau. Bij elke gelegenheid die de sultan met zijn aanwezigheid verwaardigde te vereren was hij de hoofdattractie. Vandaag kwamen zelfs de ruiters op de tweede plaats.

Alle ogen waren op de bronzen deuren van het paleis van de grootvizier gericht toen deze opengingen en de padisjah onthulden, de Vader van Alle Heersers ter Wereld, schitterend op zijn melkwitte hengst. Zoals altijd was het arme dier weer de hele nacht uitgerekt aan een riem zodat hij een langzame, majestueuze gang had.

Elke keer wanneer de sultan zich – officieel – onder zijn volk begaf bevond hij zich boven hen, af en toe in een draagstoel, meestal boven op een paard. Vandaag stapte hij bij het afstijgen meteen op het verhoogde podium zodat hij niet één keer op hetzelfde niveau als zijn onderdanen was.

Elegant en zonder te glimlachen boog hij zich kaarsrecht vanuit zijn middel naar voren, knikte eerst naar de menigte aan zijn rechter- en vervolgens aan zijn linkerhand. Hij stak zijn rechterhand op.

Precies op dat moment stapte de Hoofdheraut naar voren en kondigde met een stentorstem aan: 'Laat de spelen beginnen!'

Op een teken van hun aanvoerders gingen de ruiters vanuit stilstand naar het midden van het veld, waarbij ze hun rijdieren woest voortjoegen – maar niet zo woest dat ze hun aanvoerder inhaalden. De etiquette van het spel vereiste dat in deze eerste uitval geen enkele speler harder mocht gaan dan zijn aanvoerder, wat een geluk was voor Danilo del Medigo. Terwijl hij zijn paard voortdreef, vroeg hij zich af of hij er wel goed aan had gedaan erop te staan dat hij op Bucephalus zou rijden. Men had hem gewaarschuwd dat het dier niet langer een waardig mededinger was in een snelheidsrace. En toen ze ervandoor gingen leek Bucephalus nogal traag. Waren dit de nawerkingen van de koliek? Was het dier over zijn hoogtepunt heen en had hij om een jonger, sneller, wendbaarder ros moeten vragen? Toen begonnen de gerits rond te vliegen en was er geen tijd meer om daarover na te denken.

Een snelle blik leerde Danilo welke ruiter van de grootvizier hem als doel had uitgezocht. Met zijn gerit in zijn blote hand geklemd – geen handschoenen, want leer kon schuiven – leidde hij Bucephalus naar rechts, een standaardmanoeuvre voordat hij naar links zwenkte om de stoot van zijn tegenstander af te buigen. Hij kneep zijn ogen tot spleetjes waardoor zijn zicht wazig en de andere ruiter gezichtsloos werd – niet meer was dan een hurkende vorm die recht op hem afstormde. Langzaam maar zeker werden, naarmate de afstand tussen hen kleiner werd, de ogen van de andere ruiter onthuld. Gitzwart, genadeloos.

Op het allerlaatste moment moest Danilo naar links leunen om te zorgen dat hij uit de buurt van de pijl bleef, die almaar dichterbij zou komen terwijl hij tegelijkertijd zijn eigen lans naar de borst van zijn tegenstander slingerde – de beste manier om hem van zijn rijdier te slaan. Bij dit soort manoeuvres was het van het grootste belang te weten wanneer het juiste moment daar was.

Danilo hief zijn werparm terwijl hij in het zadel verschoof en het paard een ruk naar rechts gaf. Dit was dat juiste moment. Voor hij echter kon gooien werd hij met een ongelooflijke kracht geraakt op de rechterkant van zijn borst. Verzwakt door de klap verslapte de greep van zijn rechterhand. Zijn wapen viel op de grond en eer hij besefte wat er gebeurd was, lag hij plat op zijn rug op de grasmat en leek alles om hem heen in nevelen gehuld. Hij spande elke spier in zijn lichaam aan om overeind te komen maar de pijn nagelde hem aan de grond. Zijn lichaam dat hij had leren vertrouwen had hem verraden.

Lang uitgestrekt op de grond, een verslagen strijder, knipperde hij met zijn ogen om de tranen tegen te houden. 'Het spijt me,' mompelde hij, 'het spijt me...'

Toen hoorde hij door de mist een stem, een stem die hij goed kende. Hij sloeg zijn ogen ten hemel.

'Zo lang je leeft zal ik bij je zijn.' Zijn moeders woorden toen ze stierf. 'Roep me als je me nodig hebt. Ik zal je antwoord geven vanaf een plek diep binnen in je.'

'Moeder,' fluisterde hij zacht.

Bij wijze van antwoord, leek het wel, reikte een zachte witte hand naar hem vanuit de hemel om hem zachtjes overeind te trekken. Hij stampte met zijn voet om zich ervan te vergewissen dat de grond onder zijn voeten stevig was. En daar stond hij dan, midden in de hippodroom. Hij zag weer goed en stond vast op zijn benen maar een rijdier of wapen had hij niet.

Zonder erbij na te denken bracht hij twee vingers naar zijn mond, tuitte zijn lippen en liet een oorverdovend gefluit horen. Halverwege het veld maakte een paard zonder ruiter zich los van de meute en kwam naar hem toe draven. Bucephalus kwam hem redden. Dit was een manoeuvre die Bucephalus en hij wel honderd keer geoefend hadden voor precies zo'n moment als dit.

Terwijl hij zichzelf in het zadel hees werd hij overspoeld door een ware stortvloed aan geluid, duizenden stemmen juichten hem toe. Hij deed zijn best om te luisteren maar de stemmen werden gesmoord door een tweede golf – het denderende gedaver van paardenhoeven. Zijn gerit lag op de grond tussen hem en de kluwen ruiters in die op hem af kwam galopperen. Zodra hij zijn wapen verloren had moest hij zich volgens de regels van de gerit terugtrekken uit de wedstrijd, een schandelijke nederlaag. Hij had geen tijd om na te denken. Hij draaide Bucephalus bij de veilige haven van de zijlijn vandaan en galoppeerde naar voren om zijn eer te redden. Daarbij week hij met een grote boog van de rechte koers af zodat hij van opzij op zijn tegenstander in zou rijden.

'Schiet op,' schreeuwde hij in het paardenoor. 'Schiet op!'

Toen ze bij de plek kwamen waar zijn wapen lag, liet hij zijn linker-voet uit de stijgbeugel glijden en gleed langs de romp van het paard naar beneden. Nu was hij door niets anders meer met het dier verbon-den dan de teugels en een stijgbeugel. Op precies het juiste moment rekte hij zijn lichaam uit tot die laatste gevaarlijke centimeters waar zijn wapen lag, en met nog maar een paar seconden over raapte hij zijn gerit op, veranderde van richting en galoppeerde naar de zijlijnen, zijn wapen tegen zijn hart gedrukt.

Daarna was het Danilo del Medigo's dag. Weer terug in het spel, te-rug in zichzelf, reed hij dwars door het tumult en de modder, aldoor stipt op tijd, met feilloze aanleg, zijn geest helder. Hij was goed op dreef, zoals ze zeggen. En elke keer dat hij scoorde, kwam het publiek wild juichend overeind. Maar wat er verder nog volgde was niets verge-leken met de opwinding van die eerste paar minuten van de wedstrijd, toen de ruiter op de grond had gelegen, bewusteloos misschien wel, en plotseling weer tot leven was gekomen, voor hun ogen herrezen was.

Gedurende die spannende momenten waren de haremdames boven op het balkon langzaam maar zeker helemaal naar voren geschoven en stonden daar, met hun gezichten tussen het latwerk door, tegen de balustrade aan gedrukt, aanmoedigingen te schreeuwen naar de ruiter die neergegaan was – een hoogst ongebruikelijke faux pas voor harem-dames. Ze krijsten bravo's toen hij worstelde om weer overeind te ko-men, weer op zijn paard klom en – wat nog het meeste indruk maakte – zich met opzet in de baan van een meute ruiters stortte om zijn op de grond gevallen gerit te kunnen pakken.

'Dit bewijst wat ik altijd heb gezegd,' snaterde de tweede kadin daar op het balkon zoals gewoonlijk verder. 'De pages van de paleisschool zijn superieur aan die van de grootvizier. En dat is omdat de sultan zelf toezicht houdt op elk aspect van hun training.'

Ze had niet gezien dat toen de ruiter was gevallen de prinses naar adem had gesnakt. Ze was wit weggetrokken en gedwongen op een di-van achter op het balkon te gaan liggen. Noch was het tot haar doorge-drongen dat, toen het meisje teruggekeerd was naar haar zitplaats bij de reling, ze geen woord gezegd had.

Pas na een tijdje had Saïda zichzelf weer zozeer in de hand dat ze wat uit kon brengen en toen alleen maar om te vragen of ze weg mocht.

'Ik voel me niet goed,' legde ze uit, 'en ik moet terug naar de harem.'

Vergeefs wendde Hürrem alles wat in haar vermogen lag aan om het meisje haar plan uit het hoofd te praten. Ze had toestemming voor hen geregeld dat ze nog een nacht in het Topkapi mochten verblijven. De sultan had blijk gegeven van het verlangen zijn dochter te zien. Misschien nodigde hij haar wel uit voor het diner vanavond in de selamlik – een eer die een vrouw zelden, en zijn dochter tot nu toe nog nooit ten deel was gevallen.

Maar het meisje kon niet overgehaald worden. Ze moest terug naar het Oude Paleis. Ze was al te lang bij haar grootmoeder vandaan. De valide vond het fijn om voor het slapen voorgelezen te worden door haar kleindochter.

'Ik vergeet nooit,' informeerde Saïda vrouwe Hürrem, 'dat mijn vader de valide aan mijn zorgen heeft toevertrouwd. Hij zal het ongetwijfeld begrijpen als u hem uitlegt dat ik het mijn plicht achtte om af te zien van de geneugten van zijn paleis om mijn plicht ten opzichte van zijn vereerde moeder te vervullen.'

Met tegenzin stemde Hürrem ermee in een koets te laten roepen die de prinses terug naar de harem bracht. En naar die veilige haven begaf Saïda zich meteen zodra de gerit-wedstrijd achter de rug was. Dat bracht Hürrem tot de conclusie dat mocht deze prinses ooit een belangrijke positie in haar kring van intimi willen innemen, ze maar beter begrijpen kon dat de gelegenheden om een licht in de ogen van de sultan te ontsteken alle andere verplichtingen ver te boven gingen en al helemaal die aan een oude vrouw die toch binnenkort dood zou zijn.

20 Beloningen van de dag

Toen geschal van blazers het einde aankondigde van de gerit-wedstrijd, schreef de jury vier treffers toe aan Danilo del Medigo, precies het aantal waarmee het team van de sultan dat van de grootvizier verslagen had. Bij deze mededeling hesen Danilo's teamgenoten hem op hun schouders en droegen hem zegevierend van het veld. Door zijn maten in de lucht gehouden, zweefde hij van het veld als op een wolk, terwijl het gejuich van de menigte in zijn hoofd dreunde en de luidruchtige kleedkamerstrapatsen van zijn teamgenoten verdrong. Zijn delirium duurde voort tot zijn aanvoerder, de reus Oxy, hem bij zijn haren greep en een emmer ijswater over zijn hoofd omkiepte.

'Tijd om je netjes te gaan gedragen, knul.' De aanvoerder gaf zijn protegé een klap tegen zijn billen. 'De sultan wacht.'

Binnen de kortste keren had de aanvoerder het geregeld dat zijn team schoongeboend, aangekleed en wel in rijen van twee naar het paleis van de grootvizier marcheerde.

'Bedenk wel,' waarschuwde hij hen toen ze de enorme bronzen deuren naderden, 'dat jullie te allen tijde je hoofd gebogen dienen te houden. Kijk de padisjah nooit in de ogen en zeg nooit, maar dan ook nóóit, iets in zijn aanwezigheid.'

'Wat als hij ons een vraag stelt?' vroeg een van de jongere spelers.

'Mocht dat gebeuren dan is een kort antwoord geoorloofd. Maar houd het beknopt. En zacht. De sultan houdt niet van harde stemmen. Maar je hoeft je geen zorgen te maken. De kans is groot dat hij niets tegen je zegt. Ik ben twee keer eerder ontvangen – en royaal beloond net als jullie vandaag –, maar hij heeft nooit rechtstreeks het woord tot me gericht,' zei de aanvoerder. 'Zijn jullie klaar? Goed. Laten we gaan. Langzaam lopen. Niet dringen. Niet kletsen. Langzaam. Rustig. Waardig. Met eerbied voor de sultan van wie al jullie zegeningen afkomstig zijn.'

Danilo hoefde geen eerbied te veinzen en terwijl hij langzaam de lange gang naar de Ontvangstsalon door stapte – dit was een werkelijk ongelooflijke ruimte, het gewelf was zeker drie maal zo hoog als van welk ander bouwwerk in het Topkapi-paleis ook – verbaasde hij zich over de grandeur van de antichambres in het paleis dat de sultan voor zijn boezemvriend had gebouwd, die bovendien allemaal verwarmd werden door een brandend haardvuur. Deze gigantische gewelfde ruimte, van boven tot onder behangen met schitterende Perzische tapijten, bracht de voorname Italiaanse paleizen in herinnering die hij als kind had gekend en vormde een opvallend contrast met de kleine, lage Ottomaanse kiosken waar het Topkapi-paleis uit bestond. Het was een paleis in de Europese traditie. Hij had nooit durven dromen dat er iets dergelijks in het oosten zou bestaan.

Toen het gerit-team ten slotte de drempel bereikte van de Grote Hal waar de audiëntie plaats zou vinden, werd hij opnieuw overweldigd door de grandeur van het vertrek – een opvallend contrast met de eigen ontvangstkamer van de sultan in de Derde Hof van het Topkapi. Dat was ook een mooie ruimte maar hiermee vergeleken bescheiden. Als ik een sultan was, dacht Danilo terwijl hij langzaam over het dikke rode tapijt in de richting van de verhoging aan de andere zijde van de hal liep, en een van mijn mannen zou mij zo overduidelijk in verlegenheid brengen, dan zou ik dat niet leuk vinden. Maar daar zaten ze, de padisjah en zijn grootvizier, ieder op een gouden troon, met hun hoofden naar elkaar toe gebogen, dat van de grootvizier maar een beetje lager dan dat van de sultan. Zo intiem dat ze wel broers leken.

Zoals verwacht bemoeide de sultan zich niet rechtstreeks met een van de atleten. Hij liet de taak over aan zijn grootvizier om zijn gelukwensen over te brengen en de beurzen met goud te verdelen. Overeenkomstig het Byzantijnse protocol van het Ottomaanse hof stapte elke ontvanger stijfjes met gebogen hoofd naar voren wanneer zijn naam afgeroepen werd. Bij de verhoging stak hij zijn hand uit, nog steeds met gebogen hoofd, en kreeg een 'Goed gedaan!' te horen waarop er door een bedienende page een rinkelende beurs in de handen van de padisjah gelegd werd. Deze werd vervolgens door de koninklijke hand overgedragen aan de grootvizier waarop de ontvanger beleefd achteruit stapte, bij de verheven persoonlijkheid vandaan. Een ongemakkelijke en ietwat vernederende procedure, maar in elk geval liepen de atleten op eigen kracht naar achteren. Buitenlandse hoogwaardigheidsbekleders daarentegen werden eerst routineus ten overstaan van een koninklijk publiek van hun wapens ontdaan, vervolgens met hun armen stevig achter hun rug naar de sultan toe getrokken en weer ruw weggesleept nadat ze waren verwelkomd waren, niet door de sultan zelf – die bleef een op een troon ver boven hen verheven, zwijgende, afstandelijke aanwezigheid –, maar door zijn grootvizier.

'Danilo del Medigo, kom naar voren.'

Danilo stapte met gebogen hoofd naar voren, naar het voorbeeld van degenen die hem voorgegaan waren. Maar er werd geen beurs in zijn uitgestoken hand gelegd en er was geen enkele lof te horen. In plaats daarvan heerste er een onheilspellende stilte.

Boven hem hoorde Danilo de sultan en de grootvizier met elkaar fluisteren. Ze spraken te gedempt voor hem om ze te kunnen verstaan. Toen klonk de stem met het Griekse accent van de grootvizier: 'De sultan heeft een vraag voor deze page. Kom naar boven, Del Medigo.'

Danilo klom met visioenen van een voor zijn ogen heen en weer zwiepend galgentouw op het podium, er zorgvuldig voor wakend zijn blik op de met edelstenen bezette schoenen gericht te houden die onder de gouden zoom van de kaftan van de sultan vandaan piepten.

Nu klonk er een nieuw stemgeluid, dat vandaag nog niet gehoord was; een diep, kalm en zorgvuldig geluid: 'Jij hebt ons vandaag veel voldoening geschonken, jongeman. Je vader zal trots op je zijn.'

Iets zeggen of niets zeggen. Oxy had bevolen in aanwezigheid van de vorst een oosters zwijgen aan de dag te leggen. Maar Danilo was opgevoed als een Europese heer.

'Dank u, Sire,' hoorde hij zichzelf zeggen en hij wachtte vervolgens op de genadeklap.

Maar in plaats daarvan klonk een vraag: 'Hoelang is het nu geleden dat je voor het eerst aan mijn hof kwam?'

'Aanstaande Bayram zal dat zes jaar zijn, heer,' antwoordde de jongen, kort en zacht.

'En je bent dus... hoe oud?'

'Zeventien, Sire.'

'En je bent hier in de prinsenschool met rijden begonnen?'

'Nee, Sire. Mijn moeder heeft me leren rijden. Ze had toegang tot de stoeterij van Gonzaga in Mantua.'

'Toen Gonzaga nog leefde kochten ze paarden van me. Ik herinner me zijn naam niet meer,' antwoordde de sultan, bijna zoals iemand tijdens een gewoon gesprek zou doen.

Wat Danilo de moed gaf om te antwoorden: 'Dat moet marchese Francesco geweest zijn. Zijn vrouw was mijn moeders patrones.'

Een discreet kuchje van de grootvizier legde hem het zwijgen op. Kennelijk werden pages niet geacht het geheugen van sultans op te frissen.

'Staat u me alstublieft toe eraan toe te voegen, Sire, dat ik vanaf dat ik op de haremschool begonnen ben een uitstekende training heb gehad van Agon Effendi. Hij was mijn mentor.'

Zodra het woord zijn mond verlaten had, had hij er al spijt van. En de grootvizier reageerde er dan ook meteen op. 'Je noemt een Albanese rijmeester je mentor en niet je sultan?'

Als je me ooit nodig hebt... De jongen hief zijn hoofd en keek recht omhoog. Stuur me de woorden, moeder...

'Ja, Sire, de rijmeester is mijn mentor. Maar de sultan van wie al mijn zegeningen komen is mijn weldoener.'

Niet in staat weerstand te bieden aan de verleiding, gluurde hij even omhoog naar de twee gezichten boven hem: op het gezicht van de Griek was een geïrriteerde frons te zien; op dat van de sultan iets wat op een glimlach zou kunnen lijken. Hij was gered.

'Je hebt ons vandaag een goede dienst bewezen, jongeman,' hoorde hij de sultan zeggen. 'We verwachten de komende dagen nog meer van je. Denk erom. Ik hou je in de gaten.'

Danilo voelde iemand aan zijn schouder trekken. Het onderhoud was voorbij.

'Wat is er met jou aan de hand, Del Medigo? Zei ik niet dat je je mond moest houden? Heb je me niet gehoord?' bulderde Oxy zodra ze de audiëntiezaal uit waren.

Voor Danilo zich kon verontschuldigen sprong een van zijn kameraden voor hem in de bres. 'Zijn gevatheid heeft hem toch gered, Oxy,' merkte zijn maatje op. Oxy wist dan wel alles als het om de gerit ging, maar wat het hofleven betrof had hij niet veel ervaring.

De jongens drongen nog even aan toen Danilo een uitnodiging afsloeg om zijn makkers over het water naar Galata te vergezellen om het te vieren. Zoals gewoonlijk schreven ze zijn onwil toe aan zijn jeugd. 'Een beetje verlegen nog als het om de dames gaat' was het oordeel. Bovendien had hij een goed excuus. Zijn vader, die te ziek was om de spelen bij te wonen, wachtte op hem. En inderdaad ging Danilo, toen hij eenmaal het paleis van de grootvizier uit was – waar hij blij om was – snel naar het Huis van de Dokter. Hij hield alleen even kort halt in zijn slaapzaal om een dun zijden pakketje dat in de plooien van zijn dekbed verscholen was in veiligheid te brengen. Erin bevond zich een kaneelstokje dat in een afgescheurd stukje kopijpapier zat gerold. Hij wierp er een blik op en stak het toen voor de veiligheid in zijn gordel. Tijdens zijn afwezigheid had Narcissus, de meest onwaarschijnlijke boodschapper van Cupido die er bestond, hem een bezoek gebracht.

Toen hij aan het einde van de middag bij het Huis van de Dokter aankwam deed zijn vader net een dutje. Zeer ongebruikelijk. De dokter moest wel echt ziek zijn als hij zichzelf toestond overdag te rusten. In navolging van de joodse geleerde Maimonides hield Juda del Medigo zich vast aan het motto dat de twee grootste verleidingen in het leven een al te grote toegeeflijkheid ten aanzien van meloenen en overdag slapen waren.

Voorzichtig, zodat hij zijn vader niet zou storen, liep Danilo op het bed af en legde zijn hand op het voorhoofd van de zieke. Geen koorts. Een goed teken. Maar het vlees van de dokter had een grijzige tint die de jongen alarmerend vond. Een rozige blos, zo had hij geleerd, was een belangrijke aanwijzing voor een goede gezondheid. Een gele tint duidde op leverproblemen. En een grijzige bleekheid voorspelde... gelukkig werd Juda net op dat moment opgewekt en uitgerust wakker. Hij wilde maar al te graag de details horen van wat er die middag voorgevallen was. Alles bij elkaar een reactie die in niets leek op de sombere prognose waar zijn gelaatskleur op scheen te wijzen.

Bovendien was het duidelijk dat de dokter, ondanks zichzelf, in zijn sas was met het verslag van zijn zoon. Hoe kon een vader niet trots zijn op een zoon die zo geëxcelleerd had ten overstaan van de hele stad en het hof? Zeker, Juda zou het prettiger hebben gevonden als zijn zoon in een geleerde *disputa* van zijn excellentie had getuigd en niet op een paard. Maar hij was wijs genoeg om te weten dat om meesterschap te bereiken – de beste te worden in wat voor onderneming ook – doorzettingsvermogen, uithoudingsvermogen en durf vereist waren. Die heidense deugden waar Juda als echte platonist zo'n grote bewondering voor had.

De jongen had hem vandaag trots gemaakt. Daar bestond geen twijfel over. Iets wat Juda, omdat hij Juda was, moeilijk vond om te zeggen. In plaats daarvan zei hij: 'Je moeder zou trots op je zijn geweest.' Je kon altijd op de dokter rekenen als het om vriendelijkheid, financiële hulp en medisch advies ging. Nooit als het om lof ging.

Heel even overwoog Danilo zijn vader te vertellen over de zachte, witte hand die uit de hemel was verschenen om hem uit het stof van het speelveld te tillen. Maar hij bedacht zich vrijwel meteen. In plaats daarvan zocht hij veiliger terrein op.

'Bucephalus was degene die me voor een ramp behoed heeft.' Die bewering was waar en oneindig veel minder opruiend dan gered worden door de hand van zijn dode moeder. 'En aangezien u Bucephalus genezen heeft, heb ik veel van mijn succes van vandaag aan u te danken, papa.'

'Ik heb niks gedaan.' Nu hij de eer had gekregen was Juda in staat die te retourneren. 'Het zijn jouw talent en moed geweest die je goud hebben laten winnen.' Hij wees naar de uitpuilende beurs die Danilo had meegebracht om aan hem te laten zien. 'En kennelijk heeft je snelle vernuft een glimlach op het gezicht van onze sultan getoverd. Geen geringe prestatie.' Hij zweeg even. 'Het komt niet vaak voor dat de grootvizier overtroefd wordt in een geestesduel.'

'Ik herhaalde alleen maar wat Oxy me gezegd had,' reageerde de jongen naar waarheid, zij het niet de hele waarheid.

'Het is precies de repartie waar je moeder mee zou zijn gekomen,' vervolgde Juda. 'Ze kon een echte hoveling zijn als ze dat wilde. In tegenstelling tot mij. Ik bedenk altijd pas het perfecte weerwoord als ik thuis in bed lig. Maar ik zal niet doen alsof ik het niet erg leuk vind dat je de Griek overtroefd hebt. Hij heeft me meer dan eens zware hoofdpijn bezorgd sinds ik zijn Griekse landgenoot als lijfarts vervangen heb. Bovendien is hij geen vriend van ons volk. Wat voor indruk kreeg je van hem?'

Voor zover de jongen zich kon herinneren had zijn vader nooit eerder naar zijn mening over iets of iemand gevraagd. Hij aarzelde even voor hij besloot een stoutmoedig antwoord te riskeren.

'Volgens mij stevent de Griek op zijn ondergang af,' antwoordde hij.

'Hmm.' Juda streek bedachtzaam over zijn kin. 'Je weet dat de sultan bevriend raakte met deze Griekse slaaf toen het nog jongens waren. Ze hebben eten, een tent, zelfs een bed gedeeld. En ere wie ere toekomt, Ibrahim is een voortreffelijk onderhandelaar en een behoorlijk goede generaal. Hij is degene die Egypte voor ons heeft onderworpen. Vreedzaam. Waarom denk je dat hij op het punt staat uit de gratie te raken?'

'Het paleis, heer.'

'Het paleis van de grootvizier? Wat is daarmee? Ik ben er nog nooit geweest, weet je. Ibrahim Pasha is nou niet bepaald erg dol op me.'

'Ik heb het ook pas vandaag voor het eerst gezien, heer.'

'En nu dat het geval is?'

'Om te beginnen heeft het een haard in elk vertrek. Zelfs het Palazzo Colonna in Rome heeft geen haard in elk vertrek.'

Juda knikte. Daar had de jongen een punt. 'En wat nog meer?'

'De afmetingen van de vertrekken. De pracht en praal. Bij zijn Grote Hal zinkt de audiëntiezaal van de sultan in het niet. Je kunt wel zeggen dat het hele gebouw het Topkapi klein en van geen betekenis doet lijken.'

'En dus?'

Ga verder, droeg Danilo zichzelf op. Het ergste wat er kan gebeuren is dat hij denkt dat je een idioot bent.

'Als ik de sultan was,' begon hij langzaam, 'en een van mijn mannen vernederde me zo...' Hij deed er even het zwijgen toe en maakte zijn zin toen razendsnel af: 'Dan zou ik zijn hoofd van zijn schouders scheiden.'

'Bravo!' De dokter stak zijn hand op om zijn zoon op de rug te kloppen. 'Een uitstekend vertoon van deductieve logica.'

Dichter dan dit zou de dokter niet komen bij het ondubbelzinnig lof toezwaaien aan zijn zoon. Het bezoek was voorbij. Danilo had zich nog nooit zo goed gevoeld na een gesprek met zijn vader. Hij danste zowat de slaapkamer uit nadat hij Juda verzekerd had dat hij niet van plan was met zijn teamgenoten in Galata te gaan feesten, maar op weg was om Bucephalus met een avondlijk bezoek te vereren. Diep in zijn hart voelde hij dat hij al zijn zegeningen aan hem te danken had (wat opnieuw een glimlach op zijn vaders gezicht toverde). En o ja, vroeg hij tussen neus en lippen door, zou hij even uit zijn vaders keuken wat suiker voor het paard mee mogen nemen? En o, zou hij misschien ook wat massageolie uit de apotheek van de dokter mogen pakken? De dokter zei direct ja op alle vragen.

Zijn woord getrouw nam Danilo inderdaad een kop suiker mee op weg naar de stallen. Wat hij alleen verzuimde te vermelden over de details van zijn avondprogramma, was dat hij, toen hij in de apotheek was, hij een aantal druppels van een volledig onschadelijk maar wel krachtig slaapmiddel in een medicijnflesje goot. Dit middel, zo verzekerde de dokter zijn patiënten, zou hen de hele nacht door laten slapen, zonder te dromen.

21 Bedtijd voor de valide

De wagen die met zoveel tegenzin door Hürrem geroepen was om prinses Saïda terug naar de suite van haar grootmoeder in de harem te brengen leek in niets op het luxerijtuig dat hen naar het Topkapi-paleis had gebracht. Met maar één enkele knol om hem te trekken en slechts een dun katoenen gordijntje om haar tegen de mensenmenigte te beschermen, dat bovendien nogal nonchalant over een afgedankte waslijn gespannen was, leek het een voertuig dat eerder geschikt was voor een bediende dan voor een prinses. Maar de wagen hobbelde evengoed in een fiks tempo voort en bracht Saïda nog vóór de muezzin zijn oproep inzette tot het laatste gebed van die dag naar de poorten van het Oude Paleis. Dat gaf haar de tijd om haar hoofddoek af te doen, haar krap zittende laarsjes los te maken en even met Narcissus ruggespraak te houden eer ze zich voor het avondgebed bij haar grootmoeder voegde.

Gewoonlijk was dit een moment van de dag waar Saïda dol op was. Knielend onder zowel het wakende oog van haar aardse beschermer als haar hemelse, had ze op momenten als deze het gevoel dat haar nooit iets ergs kon overkomen. Maar vandaag ging alles te snel. En toen Narcissus aan haar oproep gehoor gaf, deed ze kortaf tegen hem, wat geheel in strijd was met haar gebruikelijke beleefdheid. Geen begroeting. Geen glimlach.

'Is de boodschap afgeleverd?' wilde ze weten.

'Ja.' Als zij de strenge meesteres wilde spelen, was hij de geïntimideerde slaaf.

'En de kaïk, is die geregeld?'

'Helaas, prinses,' hij zweeg net lang genoeg om haar nerveus te maken, 'hij is maar vier uur beschikbaar. Dat is niet lang genoeg om heen en weer naar de Prinseneilanden te varen natuurlijk. Maar alle tijd,' hij liet zijn opmerkingen vergezeld gaan van wat Saïda vermoedde dat een ietwat wellustige grijns was, 'meer dan genoeg tijd voor een rondvaart bij maanlicht op de Bosporus.'

'Dan zullen we vanavond maar langzaam over de Bosporus heen en weer moeten varen,' gaf ze bruusk toe. 'Maar zorg er wel voor dat de hut volledig is afgeschermd.'

'Het beschikbare vaartuig is een van de favoriete kaïken van de sultan. Voor informele uitstapjes.' Gaf Narcissus haar daar nu een knipoog of verbeeldde ze zich dat maar? 'Slechts vier roeiers maar volledig afgeschermd voor nieuwsgierige blikken. Even veilig als de troon van het rijk.'

'Gelukkig maar,' luidde haar korte vinnige repliek. 'Denk erom, als er iets misgaat, komt jouw hoofd net zo goed op een staak terecht als het mijne.'

'Dat vergeet ik nooit, vrouwe,' antwoordde hij zonder een zweem van ironie.

Zoals gewoonlijk kregen de prinses en haar grootmoeder na het avondgebed een kleine maaltijd opgediend in de slaapkamer. Zonder uitzondering waren dat een hagelwit en uiterst smakelijk brood, gemaakt van tarwe uit Bithynia, die echter verbouwd werd op eigen land van de sultan, pilav gemaakt van Egyptische rijst, wat confituren, gemarineerd vlees (waarvan de valide het meest op *basturma* gesteld was), sorbets natuurlijk en een yoghurtdrank met dikke room en meloenen waar de valide geen genoeg van kon krijgen.

Na de maaltijd volgde het borstelen van het opvallend rode haar van de oude dame. Toen haar zoon, Süleyman, geboren werd, had de dame gezworen dat ze met dezelfde golvende rode lokken het graf in zou gaan die de vader van haar kind zo gefascineerd hadden. Het was een doel dat ze tot dusver had weten te verwezenlijken dankzij een speciale verf die door de joodse pakjesvrouw gemaakt was, een recept dat de tweede kadin onlangs nog verbeterd had. Dankzij deze deskundige bijstand slaagde vrouwe Hafsa erin een aantal jaren jonger te lijken dan ze was. Helaas was geen enkele hoeveelheid henna in staat het falen van haar hart een halt toe te roepen.

'Ik loop af als een van die opwindklokken die ze in Europa maken, klaar om voor de zon ondergaat mijn ogen al te sluiten,' zei ze tegen Saïda toen ze hun maaltijd ophadden.

Dat was nauwelijks overdreven aangezien ze haar eerste kop versneden thee al ophad, zonder het te weten een drank waarvan iedereen die ervan dronk gegarandeerd in zou dommelen nog voor de avond viel, om door te slapen tot de volgende ochtend.

In Saïda's optiek was het slaapmiddel een onschuldige list om haar grootmoeders hart voor de schok te behoeden die ze zou krijgen wanneer ze midden in de nacht wakker werd en ontdekte dat haar geliefde kleindochter verdwenen was.

Een vaartochtje bij maanlicht over de kabbelende golfjes van de Bosporus vervulde in de verbeelding van de bewoners van Istanbul dezelfde rol als een rit bij maanlicht in een rijtuig rond de piramides voor de inwoners van Caïro, met de suggestie van heimelijke kussen, verboden liaisons, intriges, verleiding en een wereld die dankzij de liefde mijlenver weg was. Die ene korte waterweg was het toneel voor talloze avontuurtjes – en mislukkingen – waarover steeds weer verhaald werd gedurende de lange, lome uren in de harem. Maar toen Saïda door het kleine ronde raam van haar grootmoeders slaapkamer een blik op de nachtelijke hemel wierp, was er geen maan te bekennen. En geen sterren ook trouwens. Ze zuchtte maar herinnerde zichzelf er meteen aan dat, al was het dan niet zo prachtig als maanlicht, duisternis diegenen die niet herkend wilden worden veel meer van pas kwam. Na er aldus een positievere draai aan te hebben gegeven, richtte ze haar aandacht weer op de volgende taak: de avondlijke voorlezing.

'Wat zullen we vanavond lezen?' vroeg ze haar grootmoeder, in de hoop op een tekst die ze goed kende en die ze bijna letterlijk met haar ogen dicht voor kon lezen. Maar nee.

'Er wordt vanavond niet voorgelezen,' zei de valide beslist. 'Vanavond vertel je me alles over je uitstap met de tweede kadin. Elk detail. Ik wil alles weten.' Een verzoek dat een uur lang – of misschien wel meer, als de levendige nieuwsgierigheid van de vrouwe haar wakker hield – zorgvuldige redactie betekende, terwijl het meisje tussen de hoogte- en dieptepunten van die dag door navigeerde.

Dat was geen al te lastige taak voor iemand met een goed geheugen en de prinses was in staat om ter plekke met een zorgvuldig bewerkt verhaal op de proppen te komen. Maar toen ze bij het moment aankwam waarop de gerit-teams naar hun standplaatsen aan weerszijden van de hippodroom galoppeerden, lieten haar zenuwen haar in de steek. Ze vroeg zich af of ze wel in staat zou zijn die verschrikkelijke momenten opnieuw te beleven, waarop Danilo bewegingloos op de grond lag en de tegenstanders oprukten om hem in het stof te vertrappen.

Wanhopig op zoek naar een ander onderwerp, stortte ze zich op de tweede kadin. 'Vrouwe Hürrem maakte vandaag een ongewoon chimerieke indruk.' Het was een woord dat ze haar grootmoeder had horen gebruiken als deze het over Hürrem had.

'Hoe dat zo?'

'Nou, vanochtend vertelde ze me, nadat ze gisteravond met mijn vader gedineerd had, dat ze de gelukkigste vrouw ter wereld was. Maar vanmiddag bij de gerit maakte ze een erg verdrietige indruk. Ze zei zelfs dat ze wilde dat ze met me mee terug kon naar de harem. Naar de troost van thuis, zoals ze het formuleerde.'

'Zei ze wat haar dwarszat?' wilde de valide met onverholen nieuwsgierigheid weten.

'Ja. Ik weet zelfs haar exacte woorden nog. Ze leken zo vreemd.'

'Vreemd? In welk opzicht?'

'Ze zei: "Vandaag voel ik mijn schaamte."'

'Waar moet zij zich nou voor schamen?'

'Het begon toen we net in het paleis van de grootvizier gearriveerd waren en op het balkon zaten. Er waren veel vrouwen daar, misschien wel vijf haremmeisjes die mijn vader uitgehuwelijkt heeft. Toen ze hen zo getrouwd zag, raakte vrouwe Hürrem op de een of andere manier van slag. Maar zij had hem er toch toe aangezet?' vroeg het meisje.

'Ja, ze zei tegen mij dat ze zoveel van hem hield dat ze het niet kon verdragen hem met een ander te delen,' reageerde de valide. 'Ik vroeg me af of het wel wijs was om zozeer tegen de traditie in te gaan, maar het nam in elk geval een grote verantwoordelijkheid van mijn oude schouders. Die meisjes waren behoorlijk lastig. Ze probeerden de hele tijd het bed van mijn zoon in te komen en te zorgen dat de anderen eruit bleven. Spreek ik te vrijuit, liefje?'

'Helemaal niet.'

'Maar we moeten aardig zijn voor de tweede kadin.' De valide hernam haar alwetende, allervriendelijkste manier van doen. 'Het leven is niet makkelijk geweest voor haar, om zo als een pluimbal tussen die meisjes en Lenteroos heen en weer geslagen te worden. Dat is een roos met doorns, hoor.'

'Maar grootmoeder, mijn vader negeert Lenteroos volledig en doet alles wat Hürrem wil. Zíj was degene die al die odalisken de harem uit wilde hebben en er bij hem op aandrong ze uit te huwelijken, en dan klaagt ze dat de vrouwen van wie ze zich ontdaan heeft, vrije vrouwen zijn en dat zij een slaaf is.'

'Ze lijdt,' antwoordde de valide. 'Je bent te jong om lijden te begrijpen. En moge je dat, als Allah het wil, voor altijd bespaard blijven.'

'Ik heb u nooit horen klagen, grootmoeder. En u was ook een slaaf zolang mijn gezegende grootvader Selim nog leefde. Heeft u daaronder geleden?'

Het was een onbehoorlijke vraag en zodra ze hem gesteld had, boog Saïda haar hoofd in afwachting van een terechtwijzing.

Er volgde echter geen protest. In plaats daarvan nam vrouwe Hafsa de tijd voor haar antwoord, terwijl ze de kussens herschikte zodat ze haar rug ondersteunden en haar lange nek tot het uiterste rekten. Daarna antwoordde ze vol waardigheid: 'Ik was de moeder van de eerste prins van het rijk met het zekere vooruitzicht dat ik de valide sultan zou worden wanneer mijn zoon sultan werd. Zolang Roos' zoon Moestafa in leven is, zal Hürrem niet meer zijn dan de tweede kadin.' De manier waarop ze die woorden uitsprak maakte dat ze klonken als een onheilsprofetie. 'Vooruit,' ze wuifde met haar handen in de richting van de theepot, 'het is tijd voor mijn laatste kop thee. Ik ben moe.'

Maar Saïda gaf niet graag deze korte periode van intimiteit op. Dergelijke momenten met haar grootmoeder kwamen maar zelden voor. En dus meldde ze, terwijl ze de thee in de bokaal van chalcedoon schonk: 'Ze wil met haar gezin verhuizen naar het Topkapi.'

'Echt waar?' Het leek de valide in het geheel niet te deren.

'En wat moet er dan van ons worden?'

'Nou eh, niets.' Ze voelde een geruststellende aanraking op haar arm. 'We zullen hier in het Oude Paleis blijven wonen, in de harem van mijn zoon, zoals altijd,' verkondigde haar grootmoeder met het gezag van een koninklijke verordening. 'En dan nu mijn thee.' Toen voegde ze eraan toe: 'Je hebt een bijzondere manier van thee zetten, mijn kind. Als jij mijn avondkopje voor me klaarmaakt, slaap ik altijd zo heerlijk.'

22 Incognito

Het was bijna een eeuw geleden dat Mehmet de Veroveraar het Topka-pi-paleis had uitgerust als zijn verblijfplaats en hart van zijn rijk – meer dan genoeg tijd voor generaties overtreders om manieren te bedenken waarop ze de paleisdomeinen in en weer uit konden zonder ontdekt te worden. De panoramische locatie van het Paleispunt aan de samen-loop van de Bosporus, de Zee van Marmara en de Gouden Hoorn bood per boot gemakkelijk toegang tot de drie waterwegen. Van alle drie waren het de taveernen van Galata, precies aan de overkant van de Bosporus, waardoor de pages van de sultanschool het meest in verlei-ding gebracht werden. De pages, die hun gecontroleerde levens achter bewaakte muren leidden en droomden van vrouwen en wijn.

Als vrome moslims – hetzij van geboorte, hetzij bekeerd – was het de bewoners van het paleis verboden om alcohol te drinken. Maar in de lange geschiedenis van de islam was dat verbod altijd meer in ere ge-houden door het te negeren dan door het na te leven. Voor de gelovigen van Istanbul werden de verlokkingen van alcohol nog vergroot door de aanwezigheid in hun midden van zowel christenen als joden, die in dit opzicht geen van beide beperkingen opgelegd hadden gekregen door hun religie en gerust elke dag van het jaar dronken mochten worden als ze daar zin in hadden. De Turken hadden zich altijd tolerant betoond ten opzichte van de typische gewoontes van buitenlanders, maar pro-beerden desalniettemin hun invloed te beteugelen door hen af te zon-deren, samen met hun varkensvlees en hun taveernes, in afgezonderde gebieden, ongeveer zoals de Venetianen probeerden met hun joodse getto. Maar wat geheelonthouding betreft kwam het niet goed uit dat het merendeel van de christenen in Istanbul bestond uit Byzantijnse Grieken. Deze waren namelijk de hartstochtelijkste en meest toegewij-de innemers die zich sinds jaar en dag in de wijk Galata gevestigd had-den, waar hun toren een voortdurende, zichtbare verleiding vormde voor dorstige moslims.

En er waren nog andere drijfveren die de bewoners van het paleis ertoe brachten geheime vluchtwegen te bedenken uit de Zetel van het Geluk van de sultan. Zoals seks. In tegenstelling tot wat buitenlanders schenen te denken, leek de harem van de sultan eerder op een klooster dan op een bordeel. De ontmannelijking van de eunuchen, die het regime van de sultan uitvoerden, had hen niet alleen van hun genitaliën maar ook van hun verlangens beroofd. Dat had men tenminste aanvankelijk gedacht. Maar de genitaliën hadden de onhebbelijke gewoonte, hoe zorgvuldig ze er ook afgesneden waren, om weer terug te groeien, wat de castraten meer dan voldoende reden gaf om bij de vleespotten van Galata rond te hangen.

Wat de jongemannen in de pageschool van de sultan betreft, het was hun ten strengste verboden om gemeenschap te hebben met welke sekse dan ook. De mentoren die 's nachts over hen waakten waren gespitst op álle vormen van seksueel genot.

Maar zelfs drie niveaus van ordehandhaving konden niet het enorme leger aan koks, tuiniers, looiers, kleermakers, klerken, ambachtslieden – en pages – in de gaten houden, dat in het paleisdomein gehuisvest was, om het nog maar niet te hebben over de manschappen die bij de muren en poorten patrouilleerden. Het hoeft dan ook niemand te verbazen dat er, rebellerend tegen zowel religie als verboden, letterlijk honderden bewoners van de Plaats van het Geluk waren die 's nachts de muren over wilden of moesten. Een dronkaard die drank nodig had, een kok die zijn vrouw nodig had, een pasja die een jongen, een jongen die een meisje nodig had, en zelfs een sultan die de anonimiteit zocht – ze kropen allemaal zonder schoenen rond in het holst van de nacht, op de sultan na. Hij behield het recht om zijn laarzen aan te houden, zelfs als hij zijn gezicht zwart maakte, zoals die avond, de dierenhuid van een sipahi omsloeg en anoniem op stap ging met zijn grootvizier om de stemming te peilen onder zijn volk in de taveernes van Galata.

Waarom deed de sultan zoveel moeite, alleen maar om erachter te komen wat zijn onderdanen van hem vonden? Omdat, zelfs al was hij een man die alles had, er één ding was waar de sultan nooit zeker van kon zijn het te zullen krijgen: een eerlijk verslag. Zijn onderdanen hadden vandaag in de hippodroom een uiterst tevreden indruk gemaakt. Maar niemand wist wat er voor opstandige sentimenten in de harten van de mensen huisden. Op dit moment had Süleyman er behoefte aan precies te weten hoe zijn volk reageerde op zijn tweede nederlaag bij

Wenen (al was dit officieel vermomd als overwinning bij Guns) waar de bevolking zwaar voor had moeten betalen met zowel mensenlevens als geld.

Al starende in een spiegel waar hij voor stond om zijn gezicht zwart te maken, liet Süleyman de belegering opnieuw afspelen voor zijn geestesoog. Wat was er fout gegaan?

Het slechte weer, zeiden zijn generaals. Hetzelfde wat ze twee jaar geleden hadden gezegd toen hij gedwongen was geweest zijn eerste belegering van Wenen af te blazen na twee treurige maanden voor de muren van de Oostenrijkse hoofdstad. Dit jaar werd hij drie maanden lang opgehouden bij het onbetekenende grensstadje Guns. Natuurlijk werd het stadje uiteindelijk ingenomen. Maar toen was de winter al in aantocht en Wenen opnieuw een verloren zaak.

Hoeveel vernederingen konden zijn onderdanen verdragen zonder een nederlaag te herkennen? Hoeveel gezwam over overwinningen konden ze slikken voor ze stikten in het dieet van leugens dat zijn mannen hun voorzetten? Niemand – zelfs zijn vertrouwde vizier, Ibrahim, niet – kon hem antwoord geven. Hij werd omringd door pluimstrijkers, door mannen die hem niet in de ogen keken en die (let wel: op zijn eigen bevel) hun mond in zijn aanwezigheid niet openden tenzij hun dat gevraagd werd.

Het was tijd dat de sultan zich onder zijn volk begaf, niet heldhaftig op een melkwitte hengst, maar heimelijk, vermomd in de dierenhuid van een sipahi, zijn torenhoge tulband vervangen door een kapje en zijn gezicht zo zwart als roet.

'Hoe zie ik eruit?' vroeg hij zijn metgezel, die als derwisj verkleed ging.

'Als een echte sipahi, sire,' antwoordde Ibrahim. 'Niemand zal u ooit verdenken tenzij u uw mond opendoet.'

'Mijn mond?'

'Uw tanden, sire. Ze zijn te wit. En het zijn er te veel.' Een uitgekookte kerel, die Griek. 'En ik? Kan ik de inspectie doorstaan?' De grootvizier draaide sierlijk voor zijn meester in het rond als de derwisj waar hij zich in had willen vermommen.

'Je komt op mij nog altijd over als een Griek,' plaagde Süleyman.

'Zolang ik maar niet voor een grootvizier gehouden wordt,' antwoordde Ibrahim terwijl hij een dikke wollen doek om zich heen sloeg. Daarop begon hij de sultan in een even volumineus kledingstuk te wikkelen. 'Zullen we?' Hij stak zijn arm uit.

'Ga voor, mijn beste derwisjvriend.'

Arm in arm gingen ze een van de deuren van de selamlik door die, heel handig, niet op slot waren, en stapten het steile pad op naar de kade van de grootvizier, in volmaakte duisternis gehuld in die zwarte omslagdoeken van hen.

Als de oude goden nog steeds daar ergens in hun pantheon zaten, zoals velen heimelijk geloofden, dan moet wat ze zagen, toen ze door de boomtoppen de tuinen van het Topkapi in keken, hun hevig geamuseerd hebben. De wereld binnen de muren werd door nog geen rimpeling verstoord, alle drie de hoven waren ware zetels van sereniteit, geen blaadje was er van zijn plek verschoven. Maar buiten de muren krioelde het op de oevers die naar het water afliepen van de avonturiers in alle soorten en maten, allemaal even heimelijk, er allemaal evenzeer op gebrand hun bewegingen te verbergen.

Als het Zeus behaagde om stiekem naar de stervelingen beneden te gluren, dan moeten de klungelige vermommingen van deze twee hem wel hogelijk geamuseerd hebben. Het was veel gemakkelijker – en veel eleganter bovendien – jezelf in een vogel of een ezel te veranderen. Maar natuurlijk was deze sultan, al had hij zichzelf dan misschien ook tot keizer, koning en padisjah gekroond, in de eerste plaats nog altijd een sterveling en geen god, de arme kerel. Al leek hij zowaar nog te genieten ook van die hele, zielige maskerade. Stervelingen...!

Aan de andere kant van de heuvel was Danilo del Medigo ook op weg naar de kade van de grootvizier. Maar hij spoedde zich voort zonder gehinderd te worden door mantel of sluier. Bang ontdekt te worden was hij niet. Hij had dit traject al vele malen met succes afgelegd. Vreemd genoeg patrouilleerde de kleine kiosk op wielen die om het domein heen koerste vanavond niet. Hij stuitte er aan de rand van de heuveltop op. Het ding was verlaten. Misschien had de sultan zijn bewakers vrijaf gegeven voor de avond om aan de feestelijkheden te kunnen deelnemen.

En dat was inderdaad het geval. Het zou al te gênant zijn als de grote padisjah door zijn eigen bewakers lastiggevallen werd terwijl hij in vermomming was. Op voorstel van Ibrahim waren de wachten vrijgesteld van dienst. De kans dat iemand bij de paleismuren zou rondhangen was verwaarloosbaar, zei de grootvizier, wanneer er in de stad beneden gratis eten en vertier werden aangeboden.

En dus daalden de sultan en zijn grootvizier het Paleispunt aan de tegengestelde zijde van de heuvel af als die Danilo uitgekozen had. Ze waren er alle drie van overtuigd dat ze geen obstakels op hun pad tegen zouden komen, maar omdat de helling zo steil was vereiste het terrein dat elk pad naar het water een zigzagpatroon volgde. En aangezien de hellingen overdekt waren met een waar netwerk aan paden bestond er altijd een kans dat avonturiers die van verschillende kanten de kust naderden elkaar op weg naar beneden zouden kruisen, een mogelijkheid die dichter bij de oever, waar de paden steeds meer samenvielen, nog toenam.

Van Zeus' uitkijkpunt, hoog boven alles en iedereen verheven, moet het erop geleken hebben dat deze drie gestalten volmaakt op ramkoers lagen. Mochten ze tegen elkaar op botsen, mocht duidelijk worden dat de page getuige was geweest van de charade van de sultan dan bestond er weinig twijfel of hij zou ter plekke gedood worden. De neiging bestond de goden – en de Italianen – de schuld te geven voor dit soort *imbroglio*. De waarheid was dat het menselijk vermogen om onheil aan te richten eindeloos was. En de goden mochten de rommel opruimen.

Het geluk, zo zeiden de Grieken, is met de stoutmoedigen, en dan vaak in de vorm van pech. Danilo ging met grote sprongen verder de heuvel af tot hij ten val kwam in een veldje distels. Hij moest stil blijven staan om ze van zijn kleren te trekken. Het was een tijdrovend karweitje waaronder zijn vingers, die gingen bloeden, en humeur zeer te lijden hadden. Maar het was ook net lang genoeg om de sultan en de grootvizier een voorsprong te geven, zodat tegen de tijd dat Danilo bij de rotsrichel boven de kade aankwam, de twee zwarte mantels de oever op stapten uit het dichte kreupelhout onder de richel.

Zich nog altijd niet bewust van hun aanwezigheid wierp Danilo een blik omhoog langs de paleismuren om zich ervan te vergewissen dat hij niet van boven af in de gaten gehouden werd. Toen stapte hij op de rand van de richel en zakte door zijn knieën om zich voor te bereiden op de sprong omlaag. Maar net toen hij wilde springen hoorde hij beneden zich een geluid dat hem aan de grond nagelde. Het was het onmiskenbare gehijg en gepuf van iemand die buiten adem was. Dieren raakten niet buiten adem bij het afrennen van heuvels. Er was een mens daarbeneden.

Met bonkend hart ging de jongen plat op de rots liggen, waarvandaan hij vanaf de oever niet te zien zou zijn. Toen liet hij zich voorzichtig over de richel heen glijden en keek naar beneden.

Wat hij zag was niet één gestalte maar twee, die zonder hulp van de maan niet geïdentificeerd konden worden. Wie waren deze in het zwart gehulde geestverschijningen? Wat dreef hen naar deze onwaarschijnlijke plek? En wat kon hij doen om te voorkomen dat ze de kaïk zouden zien die zijn prinses zond om hem op te halen?

De twee mannen met de om hun enkels fladderende gewaden stevenden op de pier af, terwijl ze elkaar speels plaagden met hun onhandigheid. Ze waren opgewekt en vrolijk, geamuseerd zelfs, door de absurde aanblik die ze boden en die, voor zover ze wisten, behalve voor henzelf voor niemand anders zichtbaar was.

Net op dat moment rondde de gekromde voorsteven van een kaïk de hoek van de baai. Danilo wachtte op het teken: twee lange lichtflitsen gevolgd door twee korte. Maar er volgde geen signaal. Was Narcissus vergeten de kapitein te instrueren? Was de seinlamp kapot? Zoiets was nog nooit gebeurd.

'Daar is hij!' Hij hoorde van beneden een stem met een Grieks accent. 'Ik heb ze opdracht gegeven de lichten te dimmen. Men kan niet voorzichtig genoeg zijn.'

De stem leek op die van de grootvizier, maar Danilo wist het niet zeker. Zeg nog eens iets, smeekte hij die stem.

In plaats daarvan hoorde hij een bons die vergezeld ging van een kreet van pijn. Vervolgens een tweede stem die vloekte. Toen de eerste – de Griekse – stem weer: 'Alles goed, Sire?' Het was de stem van de grootvizier, daar kon geen twijfel over bestaan.

Daarop volgde het antwoord: 'Niets ernstigs. Alleen een schrammetje.' Dit was de stem die hem diezelfde middag had ondervraagd over de hengst van Gonzaga. De stem die hij hoorde was onmiskenbaar die van de sultan zelf.

Süleyman was geen bijzonder wrede of wraakzuchtige man. In het Oosten was het nu eenmaal zo dat als er een verboden grens overschreden werd, de straf die volgde onmiddellijk, stilzwijgend en onverbiddelijk was. Was de sultan daar een seconde later gearriveerd en had hij zijn page op zijn privékade aangetroffen; erger nog, als de kaïk van de prinses zijn signaal had laten horen en er een complot aan het licht was gekomen om de dochter van de sultan van haar eer te beroven... dan zag Danilo zijn eigen hoofd al voor zich op een staak bij de Poort van het Geluk. Maar zich een voorstelling maken van Saïda's lichaam dat, verzwaard met een zak stenen, naar de inktzwarte diepten van de Bosporus zonk, dat kon hij niet opbrengen. En hij zwoer ter plekke dat, mochten ze deze keer aan ontdekking weten te ontkomen, dit hun laatste rendez-vous zou zijn. Hij legde deze eed in alle oprechtheid af, er volledig van overtuigd dat hij de volgende keer dat Narcissus hem een oproep bezorgde de sirenenlokroep zou kunnen weerstaan.

Nu moesten ze echter deze nacht nog door zien te komen. Saïda's kaïk kon elk moment de hoek ronden en met zijn lantaarn signalen uitzenden. En er was niets wat hij daartegen kon doen. Over de rand glurend, onderscheidde hij de twee in het zwart gehulde mannen die zich voorbereidden om aan boord van hun vaartuig te gaan. Ze smeten hun mantel op de kade toen ze naar beneden stapten en achter het met een gordijn afgescheiden compartiment verdwenen in het midden van het vaartuig. Daarna gleed de kaïk in een vloeiende beweging stilletjes bij de kade vandaan.

Er waren nu geen stemmen te horen. Er was geen licht te zien. Het was onmogelijk om van Danilo's hoge positie af de koers te volgen van de kaïk van de sultan. Maar hij kon wel het zachte geluid horen van druppels die op het wateroppervlak neerkwamen, elke keer dat de acht roeispanen allemaal tegelijk uit het water werden geheven. Pas toen dat geluid in het duister opgegaan was, raakte hij ervan overtuigd dat met elke minuut die voorbijging zijn kansen toenamen. Maar hij maande zichzelf zich niet te verroeren en er het zwijgen toe te doen tot hij er absoluut zeker van was dat de kaïk van de sultan al een goed eind het open water overgestoken was naar waar hij ook maar naartoe op weg was.

Hij besloot – langzaam – tot honderd te tellen voordat hij zijn hoofd boven de richel uitstak. Toen hij dat getal bereikt had, voegde hij er voor de zekerheid nog honderd aan toe. Ze zouden iets vergeten kunnen zijn en hebben besloten daarvoor terug te komen. Of ze waren van gedachten veranderd wat het afgooien van de mantels betreft die ze op de kade hadden achtergelaten. Hij drukte zijn wang tegen de koude steen en wachtte. Honderdzesentachtig, honderdzevenentachtig...

Bij honderdtweeënnegentig zag hij in de verte een lichtvlek. Hij kwam overeind. Twee keer lang. Twee keer kort. Hij rekte zich uit, boog zijn hoofd en dankte alle goden voor zijn nipte ontsnapping. Tegen de tijd dat Saïda's kaïk naar de kade toe gleed was hij ter plekke om zijn vertrouwde plaatsje op de achtersteven in te nemen. Maar in plaats

daarvan gebaarde de kapitein hem naar het met een gordijn afgescheiden compartiment midden op de boot.

Toen hij naar voren liep om het gordijn weg te trekken, begon het uit
eigen beweging langzaam opzij te gaan. Een gesluierd hoofd verscheen.
Was hij bij de neus genomen? Waren dit de mannen van de sultan die
een spelletje met hem speelden? Een gehandschoende hand reikte omhoog en trok de sluier langzaam weg, waardoor een stel roze lipjes onthuld werden. Dit was geen man.

Daarna een klein wipneusje. En toen die ogen die hij zo goed kende,
fluweelbruin met gouden vlekjes, die twinkelden in het zachte licht van
de lantaarn.

'Zoals je ziet,' fluisterde ze, 'ben ik erin geslaagd uit mijn toren te
glippen.' Ze hield haar hoofd schuin en klopte uitnodigend op het kussen naast haar. 'Zin in een middernachtelijk boottochtje samen met
mij?'

Maar haar bravoure verdween zodra ze zijn armen om haar heen
voelde. Nadat ze de gordijnen strak om hen heen getrokken gehad, begroef ze haar hoofd in zijn hals en klampte zich aan hem vast als een
bang kind. Wat was er gebeurd met zijn prinses zonder vrees? Was ze
haar vader tegengekomen op de Bosporus? Misschien maar net aan
een confrontatie ontkomen?

'Ik voel me zo ellendig,' snikte ze. 'Ik ben zo... bang.'

Zijn eerste aandrang was haar te omhelzen en te kussen, en om haar
al plagend haar wanhoop te laten vergeten. Maar een of andere instinc-
tieve impuls zorgde dat hij zijn mond hield en haar liet praten.

'Wat is er dan,' hoorde hij zichzelf zeggen. 'Vertel het me.'

En na haar neus gesnoten te hebben kwam alles eruit: Hürrems plan
om vanuit de harem naar het Topkapi te verhuizen en de weigering van
haar grootmoeder om de consequenties daarvan onder ogen te zien.
'Ik denk maar steeds dat ze binnenkort dood is en dat ik helemaal alleen ben. Dan is er niemand om voor me te zorgen.'

'En ik dan, prinses?' vroeg hij luchtig.

'Jij? Hoe kun jij me helpen?'

'Ik ben sterk. Ik geef om je. Ik ben écht je ridder.'

Nu glimlachte ze voor het eerst. 'Natuurlijk ben je dat. Maar we weten allebei...' Ze keek een andere kant op. 'Ik was vandaag tijdens de
gerit zo trots op je. Je was erg dapper, ridder van mij.'

'Was jij er? In de hippodroom?'

'Ik heb alles gezien vanaf het balkon van de grootvizier.'

'Zag je me vallen?'

Ze knikte.

'En weer opstaan?'

Ze knikte opnieuw.

'Vroeg je je niet af waarom mijn hart niet doorboord werd toen de gerit me raakte?'

Nee, dat had ze zichzelf niet afgevraagd. 'Ik dankte Allah.'

'En wat als ik je vertelde dat Allah er niets mee te maken had.'

Ze trok zich van hem terug. 'Dat zou oneerbiedig zijn.'

'Ook als ik je vertelde dat jij het was die mijn leven redde?'

'Ik?'

'Ik droeg het amulet dat je me gegeven had om het boze oog af te wenden op mijn borst. En de punt van zijn gerit verbrijzelde het sieraad, in plaats van mijn hart.'

'Een wonder,' fluisterde ze zachtjes.

'Het is meer dan dat. Zie je dat niet? Het is een teken.'

Ze schudde haar hoofd.

'Saïda...' Hij legde zijn handen zachtjes op haar schouders om wat hij haar op het punt stond te vertellen extra nadruk te geven. 'Toen ik vanavond hiernaartoe kwam, was ik van plan een einde te maken aan wat er tussen ons is. Voor jouw bestwil. Omdat het te riskant voor je is. Vanavond botste ik bijna op de kade van de grootvizier tegen de sultan op; het scheelde maar een haar. Maar ik liep hem wel mis. En vanmiddag miste de gerit mijn hart. Dat móét wel iets betekenen.'

'Ik begrijp hier helemaal niets van...'

'Het betekent dat we voorbestemd zijn voor altijd bij elkaar te zijn. In mijn godsdienst noemen we dat *besjert*, voorbestemd. De heidenen zouden gezegd hebben dat het lot ons gunstig gezind is.'

'Nee.' Ze stak haar hand op om hem het zwijgen op te leggen. 'We waren het erover eens dat we niet over de toekomst zouden praten.'

'Nou, misschien is het tijd dat we het er wel over hebben.'

'Er valt niets te bespreken. Ik kan niet leven op valse hoop. Mijn godsdienst leert me om vertrouwen te hebben in Allahs wil en te aanvaarden wat niet veranderd kan worden. Zie je dan niet dat wat er tussen ons is volledig afhankelijk is van mijn grootmoeder? Narcissus is haar slaaf. Hij voert mijn bevelen uit in haar naam. Hij is mijn reddingslijn. Als zij er eenmaal niet meer is wordt hij vrijgelaten, dan is hij niet langer een slaaf meer. Dan kunnen we niet meer op een veilige manier contact hebben.'

Ze stond op het punt in tranen uit te barsten, maar hij liet niet los. Zijn godsdienst had hem geen aanvaarding geleerd en zijn opvoeding had hem geleerd zijn hersens te gebruiken. Er moest een manier zijn.

'Waar gaat de slaaf heen?' vroeg hij.

'Hij wordt vrijgelaten. Haar dood betekent zijn vrijheid.'

'Maar als hij haar slaaf is, kan ze hem aan jou nalaten toch?'

Ze keek hem niet-begrijpend aan.

'Voor de valide doodgaat,' vervolgde hij, 'kan ze hem aan jou nalaten. Dat kun je haar vragen.'

'Nee, dat kan ik niet. We hebben het nooit over dat soort dingen.'

'Dat betekent alleen dat je het niet eerder gedaan hebt, niet dat je het niet kan. Ze is een scherpzinnige vrouw en ze houdt erg veel van je. Nu ze weet dat haar einde nadert, vraagt ze jou misschien zelf wel of er iets is dat je van haar zou willen hebben.'

'En als ze dat niet doet?'

'Dan moet je het haar vragen. Voor je eigen bestwil, voor ons. Onthoud: we hebben Narcissus nodig. Narcissus vormt de schakel tussen ons.' Danilo zweeg even om zijn woorden te laten bezinken en zei toen: 'Je kunt het gewoon vragen. Vergeet niet: Audentes fortuna iuvat. Het geluk is met de stoutmoedigen. Zeg me na.'

'Audentes fortuna iuvat,' herhaalde ze. 'Het geluk is met de stoutmoedigen. Ik zal het doen. Ik zal haar vragen me Narcissus na te laten.'

23 De dood van de valide

De laatste dagen van haar leven bracht de valide sultan vredig door. Ze gleed in en uit een pijnloze slaap terwijl de twee mensen van wie ze het meeste hield niet van haar zijde weken.

Toen de doktoren de dagen af begonnen te tellen, liet haar klein-dochter een verrijdbaar veldbed aan het voeteinde van haar bed plaat-sen zodat het meisje, na een dag lang de witte hand vasthouden, het koortsige voorhoofd deppen en lepels met eten aanbieden, zich op het veldbed te ruste kon leggen zonder dat ze van haar grootmoeders zijde hoefde te wijken.

Gedurende deze wake werd ze regelmatig gezelschap gehouden door haar vader, de sultan, die alle staatszaken die niet zijn onmiddellijke aandacht vereisten ter zijde had geschoven om het merendeel van zijn tijd door te brengen tussen zijn moeder en zijn dochter in aan bed, een deel ervan biddend, een ander deel pratend. In zekere zin was deze onverwachte intimiteit het meest waardevolle geschenk dat de valide haar geliefde kleindochter na had kunnen laten. Hoewel de sultan al-tijd zeer nauwgezet was geweest waar het zijn bezoeken aan de harem betrof, was hij verplicht aan al zijn kinderen die daar bij hun moe-ders woonden aandacht te schenken, om nog maar te zwijgen van zijn concubines en natuurlijk zijn moeder. Dus al had de prinses vele uren doorgebracht in het gezelschap van haar vader, ze waren zelden alleen en vrijwel nooit in de gelegenheid echt met elkaar te praten.

Nu, in de gedwongen intimiteit aan het bed van de valide begon hij met zijn dochter te spreken, eerst nogal formeel maar geleidelijk aan op steeds vertrouwelijker toon. Ze informeerde naar zijn gezondheid. Hij klaagde over zijn jicht. Ze bespraken hun wederzijdse liefde voor volbloed paarden en het allerbelangrijkst: ze baden samen, met zijn tweeën, vijf keer per dag.

Op een dag toen hij zich vooroverboog om zijn moeder op de wang te kussen, zei Saïda: 'U zult haar missen.' Dit was niet minder dan een inbreuk op de heiligheid van zijn privésfeer, een vrijheid waar ze een week eerder niet aan gedácht zou hebben om zich die te permitteren.

Het kwam haar op een onthullend deppen van zijn ogen te staan en een zacht gemompeld: 'Meer dan wat ook ter wereld.'

De doktoren hadden hen voorbereid op wat ze in de laatste momenten konden verwachten – kortademigheid, naar adem snakken, een toeval misschien. Maar Saïda was ervan overtuigd, en dat verzekerde ze haar vader terwijl ze daar zo naast elkaar zaten te wachten, dat Allah aardiger zou zijn in de wetenschap dat het einde nabij was.

Alles wat gedaan kon worden was gedaan. De vorige dag had vrouwe Hafsa de bepalingen van haar testament aan een klerk gedicteerd. Op haar verzoek waren Saïda en de sultan daarbij aanwezig geweest. Onder het dicteren wendde ze zich geregeld tot hem met de vraag: 'Is dit overeenkomstig je wensen, mijn leeuw?'

Waarop hij onveranderlijk antwoordde: 'Helemaal, eerwaarde moeder', en hij klopte haar op de hand om haar ervan te verzekeren dat alles in orde was, wat het testament betrof.

Aan haar zo geliefde kleindochter liet de valide een som van drieduizend dukaten na, een aanzienlijk fortuin. Toen dat vastlag, wendde ze zich tot Saïda en vroeg, zoals Danilo had voorspeld, of er nog iets was dat het meisje in het bijzonder wilde hebben. Als ze niet het gesprek met Danilo gehad had, zou Saïda waarschijnlijk bescheiden haar oogleden hebben laten zakken en alle wereldlijke verlangens ontkend hebben. Maar nu moest ze weer aan zijn woorden denken en ze antwoordde dat er, ja, wel iets was. Desondanks aarzelde ze om met zoveel woorden te zeggen wat dat was, uit angst de plechtigheid van het moment te verstoren, tot haar vader zich erin mengde en in haar oor fluisterde: 'Schiet een beetje op, dochter. Elke seconde is kostbaar.'

Dus vroeg ze ten slotte om het bezit van de slaaf Narcissus, die, zei ze tegen haar grootmoeder: 'U zo trouw heeft gediend en als een aandenken en vertroosting voor me zal zijn.'

'Alleen maar een slaaf? Is dat alles? Niet mijn parelsnoer dat je zo prachtig vindt of mijn kroon van smaragd?'

Saïda kon alleen maar nee schudden.

De oude vrouw stak met enige moeite haar hand zover uit dat ze het meisje op de wang kon kloppen. 'Je bescheiden verzoek ontroert me,' zei ze met enigszins onvaste stem. 'Maar je bent dan ook nooit inhalig geweest of hebzuchtig, lief kind. En daar zul je voor beloond worden. Je zult mijn slaaf krijgen, maar ook mijn juwelen. Allemaal.' Bij die woorden snakte de sultan naar adem. Volgens de traditie keerden alle sieraden die hij zijn moeder gegeven had, net als de juwelen die zijn vader haar als huwelijkscadeau geschonken had, na haar dood terug in de koninklijke schatkist. Maar hij had zijn moeder nog nooit iets ontzegd tijdens haar leven en was dat aan haar sterfbed ook niet van plan.

'Het zal allemaal gaan zoals u gevraagd heeft, eerwaarde moeder.' Hij boog zich voorover om haar een kus op haar voorhoofd te geven. 'Nu moet u rusten.'

'Ja, ik moet rusten.' Ze glimlachte flauwtjes. 'Het is tijd.' En nu ze gezegd had wat ze op haar hart had en haar ziel rust had, sloot ze haar ogen om ze nooit weer open te doen.

Enkele tellen later hield haar ademhaling ermee op, zonder zelfs maar de geringste huivering. Ze was er niet meer.

'Wil je bij haar blijven zitten, terwijl ik de priesters ga halen?' vroeg de sultan.

'Ja, alstublieft,' antwoordde Saïda. Toen sloeg ze, het protocol negerend, haar armen om zijn nek. 'O, vader, ik zal haar zo missen.'

Waarop haar vader, die er altijd zo voor waakte afstand te bewaren, de afstand tussen hen in een mum van tijd overbrugde en haar even stevig omhelsde als zij hem. En daar stonden ze dan in de ontzagwekkende aanwezigheid van de dood: hun beider hoofden raakten elkaar, hun tranen vermengden zich.

Uren later, nadat de priesters Hafsa's lichaam meegenomen hadden, zat de prinses nog steeds in de lage stoel naast haar bed, bedaard als een zee zonder wind of stromingen. Alle vijftien jaar van haar leven was ze verzorgd, beschermd en onderricht door deze vrouw die nu heengegaan was. Ineens was haar leidster er niet meer. Voor het eerst in haar leven kon ze naar believen bidden of niet, eten of niet, slapen of niet. Zelfs voor een meisje met een aanzienlijke hoeveelheid moed was dat een afschrikwekkend vooruitzicht. En dus bleef ze daar maar stilletjes zitten zonder zich te verroeren.

Narcissus kwam deze doodse stilte binnenlopen en sloot, zonder op een bevel te wachten, de luiken, stak de kaarsen aan en pookte het vuur op. Toen wendde hij zich tot haar.

'Ik heb gehoord dat u mij geërfd heeft, samen met enkele uiterst waardevolle juwelen.'

Deze steek onder water was niet wat ze verwacht had van de anders zo eerbiedige slaaf. Haar eerste reactie was tegen hem van leer te trekken zoals hij verdiend had en zoals haar grootmoeder ongetwijfeld gedaan zou hebben. Maar hij had nog meer te zeggen.

'Ik ben nu uw slaaf, madame.' Hij maakte een overdreven buiging. 'Uw woord is mijn bevel.'

'Hoe wist je dat?'

'In de harem verspreiden nieuwtjes zich sneller dan vuur,' antwoordde hij luchtig maar met een zekere scherpte.

'Ik ben je een verklaring verschuldigd,' opperde ze.

'Niemand is een slaaf een verklaring verschuldigd, prinses,' kaatste hij terug, nog altijd bits.

'Je had verwacht vrijgelaten te worden toen ze stierf, neem ik aan?'

Geen antwoord.

'Dus heb ik je vandaag onbedoeld van je vrijheid beroofd, of niet?' ging ze door.

Hij bleef zwijgen.

'Ik wil dat je weet dat ik om jou gevraagd heb omdat ik je nu nodig heb. Maar ik ben van plan je in de toekomst je vrijheid terug te geven. En ik zal niet vergeten dat je toen de nood aan de man was bij me bent gebleven.'

'Word ik opnieuw verkocht wanneer u me niet meer nodig heeft?'

'O, nee. Ik zal hetzelfde doen als mijn grootmoeder gedaan zou hebben. Ik zal je je vrijheid teruggeven.'

'Door me de wereld in te sturen als ik oud ben zodat ik bespot, slecht behandeld en slecht betaald kan worden?'

'Het is mijn bedoeling je, wanneer je bij me weggaat, netjes in je nieuwe leven te installeren,' antwoordde ze met een kalme waardigheid. Toen, omdat ze nog niet oud genoeg was om haar teleurstelling te verbergen, barstte ze uit: 'Ik dacht dat je... blij zou zijn.'

'Dat u me mijn vrijheid geeft?' vroeg hij, nog altijd onverzoenlijk.

'Ik heb onlangs wat tijd doorgebracht met een slaaf die zegt dat ze al haar wereldse goederen op zou geven in ruil voor haar vrijheid,' liet ze hem weten.

'U heeft het ongetwijfeld over vrouwe Hürrem,' antwoordde hij. 'Toch?'

'Ja.'

'Die "slaaf",' bracht hij haar op de hoogte, 'is wel de tweede kadin van de sultan. Ik ben een zwarte man en een eunuch.'

'Ik probeerde goed te doen,' snufte ze. 'Ik verwachtte niet om daarvoor berispt te worden.'

Ze praat als een kind, dacht hij. En deze keer was de strijdlust uit zijn stem verdwenen toen hij antwoord gaf.

'Ik moet eerlijk zijn: ik kan u de schuld niet geven, prinses. Als ik iemand de schuld van mijn lot moest geven dan zou ik met God moeten beginnen, die me zwart heeft gemaakt. Of met de handelaren die mij als kind van mijn ouders kochten. Of mijn ouders die me verkocht hebben. Of met de Afrikaan die mijn mannelijkheid eraf sneed en me in het zand begroef en drie dagen wachtte om te kijken of ik dood zou bloeden of zou overleven en verkocht kon worden. En ik werd verkocht. Aan de grootvizier. Een week na mijn aankomst in zijn huishouding werden mijn voeten door houten planken getrokken, vastgebonden en werd er keer op keer met een rotting tegen mijn naakte voetzolen geslagen, net zo lang tot ik het bewustzijn verloor. Dagenlang moest ik naar mijn bed kruipen omdat ik niet kon lopen. Wekenlang wikkelde ik gaas om mijn voeten om het bloeden te stelpen. Ik vertel u dit omdat wat u gedaan heeft noch wreed is noch genadeloos. U heeft aangeboden de verantwoordelijkheid voor mijn leven op u te nemen, een leven dat door anderen bepaald is, niet door u. Ik ben er niet ongelukkig mee uw slaaf te zijn.'

Ze permitteerde zichzelf een opgelucht glimlachje.

'Maar,' ging hij verder, 'aangezien u nu een rijke vrouw bent, vertrouw ik erop dat u, op de dag dat u me niet langer nodig heeft, zich aan uw woord houdt en een goede regeling voor me treft voor als ik met pensioen ben.'

Nu permitteerde ze zichzelf een brede lach: 'We begrijpen elkaar, toch?'

'Ja, prinses.' Ook Narcissus stond zichzelf een glimlach toe. 'Volgens mij wel.'

'Mooi. Dan stel ik voor dat je je uit de voeten maakt en me wat te eten haalt. Een beetje pilav en een rijpe meloen.' Precies hetzelfde als de valide zou hebben gewild, merkte hij op. 'Ik heb je nodig vanavond.'

'Een kaïk met acht roeiers?' informeerde hij, weer even ondeugend als anders.

'Helaas niet,' antwoordde ze. 'Dit is geen tijd om plezier te maken. Ik heb een verplichting ten aanzien van mijn grootmoeder, en het is een verplichting waar ik voor zal moeten vechten om eraan te mogen voldoen. Aangezien ik geen zwaard heb moet ik mijn verstand gebruiken. Haal nu dus eerst eten voor me, en dan papier en mijn schrijfdoos.'

Hij maakte een buiging. 'Verder nog iets?'

'Ik wil dat je wat ik geschreven heb daarna naar de sultan brengt in zijn selamlik.'

Hij fronste verbaasd het voorhoofd.

'Ik heb zijn goedkeuring nodig om mijn taak uit te voeren,' legde ze uit.

'Ben ik te vrijpostig als ik vraag wat die taak is?'

'Ja, dat ben je,' antwoordde ze nuffig. 'Nieuwsgierigheid is een ernstige tekortkoming in een slaaf.' Ze begon al als haar grootmoeder te klinken. 'Maar ik zal je over mijn plan vertellen.'

Mooi, dacht hij. Ze heeft nog steeds iemand nodig om haar geheimen aan te vertellen.

'Ik ben van plan om een grafrede te schrijven en die bij de begrafenis van mijn grootmoeder te houden.'

'U? Een meisje?'

'Wie kan dat beter dan ik? Wie hield het meest van haar en kende haar het beste?'

'Maar een meisje... Zal de oelema dat wel goedvinden?'

'Ik ben niet van plan het de priesters te vragen. Ik vraag mijn vader of ik namens de familie het woord mag doen. Ik weet dat hij een vreselijke hekel heeft aan dat soort dingen. En mijn broers zijn allemaal te lui om te schrijven. Ik krijg het recht om de grafrede te houden omdat niemand anders wil.'

En de grafrede werd inderdaad geschreven, overgeschreven en voor het eerste gebed bij de sultan bezorgd, vergezeld van een lief briefje waarin de sultan herinnerd werd aan bepaalde historische precedenten in de lange geschiedenis van de grafrede. De dag erop werd prinses Saida inderdaad in het gezelschap van haar meid en haar slaaf Narcissus in een draagkoets bij het Oude Paleis opgehaald en over water naar het stadje Boersa gebracht waar haar geliefde grootmoeder de laatste eer werd bewezen door naast de graftombe van Selim de Barse, de vader van haar zoon, Süleyman de Prachtlievende, begraven te worden.

24 De bailo brengt verslag uit

Tegen alle verwachtingen in begon de dag van de begrafenis van de valide sultan helder en kalm, wat voor een dag aan het einde van de herfst zeer ongebruikelijk en bijzonder fortuinlijk voor de rouwenden was die op weg waren van de hoofdstad naar het Ottomaanse familiegraf in Boersa.

De kist van vrouwe Hafsa werd met grote eerbied hoog door de straten van Istanbul gedragen, waarlangs gewone burgers drie rijen dik opgesteld stonden om de vrouw, die zeer bewonderd en geliefd was geweest, eer te komen betuigen. Toen de processie bij de Bahçekapi-steiger arriveerde, drapeerden dragers die uit de pages van de sultan geselecteerd waren, witte zijde over de kist en plaatsten deze op een zuiver witte aak die haar over water naar de kade bij Boersa zou vervoeren. Deze werd gevolgd door een rouwstoet die zich in een eindeloos treurige reeks zwarte kaïken uitstrekte langs de oevers van de Bosporus.

Het hart van de rouwstoet werd gevormd door verschillende honderden hovelingen – vertegenwoordigers van buitenlandse machten, leden van de oelema en de divan, het voltallige janitsarenkorps, alle pages van zowel de school van de sultan als de grootvizier en verschillende honderden gewone burgers die allen somber en van wie velen ronduit bedroefd waren.

De valide had in haar leven een aanzienlijke persoonlijke rijkdom vergaard en het grootste deel daarvan aan enkele *madresses*, gaarkeukens, bibliotheken en tehuizen geschonken. Het was een gewoonte waar ze niet van af was geweken en als getuigenis van haar goedheid werd haar een laatste rustplaats gegund naast die van de Ottomaanse pater familias, met de simpele steen waarop 'Orhan, zoon van Osman, Gazi, sultan van Gazi's, Heer der Horizonten, Burggraeve der Hele Wereld' gegraveerd stond.

Danilo observeerde haar vanaf zijn uitkijkpost vlak bij de kist en verwonderde zich over het zelfvertrouwen en de evenwichtigheid van de prinses toen ze op haar plaats ging staan om de grafrede te houden. Deze beheerste, waardige jonge vrouw was tenslotte hetzelfde meisje dat hem ooit had begroet als een zwaar opgemaakte hoer terwijl ze tegen een eindeloze hoeveelheid kussens aan gevleid lag; bij een andere gelegenheid was ze weer de geslepen paardenhandelaar met beslagen laarzen geweest; weer een andere keer de felle ruiter die hem nu en dan bij een ponyrace wist te verslaan; en bij nog een andere gelegenheid het verloren meisje dat zich als een bang kind aan hem vastgeklampt had en gehuild had bij het vooruitzicht door het verlies van de valide alleen en onbeschermd achter te blijven. En nu, terwijl ze daar met kaarsrechte rug voor een menigte van duizenden stond, was ze een echte vrouwelijke Demosthenes.

'Maar zo het mij geoorloofd is,' vervolgde ze, 'zou ik graag een aantal woorden namens mijzelf spreken. Ik ben de dochter van een groot man. Ze vertellen me dat de hele wereld mijn vader kent als de Prachtlievende, als de Grote vanwege zijn onmetelijke macht. In de ogen van zijn onderdanen is hij de vader van alle armen en hulpelozen ter wereld, een ontzagwekkende verplichting. En toch heeft hij steeds tijd gevonden om een vader voor mij te zijn, een kind zonder moeder. Toen ik geboren werd vertrouwde hij me toe aan de dagelijkse zorgen van mijn geliefde grootmoeder, de tweede zegen waar Allah mij mee heeft vereerd, en natuurlijk aanvaardde ze die taak. Dat was haar plicht. Maar het was geenszins haar plicht om van me te houden, me te koesteren, me te onderwijzen en te begeleiden. Dat ontsproot aan de goedheid van haar hart. Ze gaf me bovendien het geschenk van het geloof. Zij was degene die me Saïda noemde, naar de kleindochter van de Profeet. Zij was degene die erop toezag dat ik, tegen de tijd dat ik twaalf jaar oud was, de hele Koran uit mijn hoofd kende. Mijn eerste pony kreeg ik van mijn vader, maar zij stond erop dat ik samen met mijn broers leerde rijden. En ze vond een plekje voor me naast hen in de haremschool en in het poloteam. "Kracht van geloof, kracht van geest, kracht van lichaam," zei ze altijd.

Op de avond dat mijn grootmoeder stierf, jammerde en huilde ik zoveel vanwege de grote liefde die ik voor haar koesterde dat ik bijna mijn verstand verloor. Niet zozeer omdat we familie van elkaar waren, maar om die vijftien jaar van mijn leven waarin ze me steeds begeleid heeft.

In al die jaren heb ik haar nooit met verbittering of afgunst horen spreken; alleen met genegenheid voor mij, een kind zonder moeder, en voor alle verworpenen ter wereld. Ik zal haar van nu af aan met niets anders dan zegeningen overladen. Moge God zich over haar ziel ontfermen en zich verheugen in haar wezen.'

De grafrede was dermate betoverend verwoord dat zelfs de Venetiaanse bailo, die cynische onverlaat, tot tranen geroerd was. Een citaat uit zijn verslag aan de Venetiaanse senaat:

De zoete eenvoud van dit meisje, haar openhartigheid, haar nederigheid toen ze over haar geloof sprak, maakte grote indruk op alle aanwezigen en verleende een zekere menselijkheid aan een verder bombastische en formele ceremonie.

Maar te hunner verdediging moet aangevoerd worden dat deze mensen er de voorkeur aan geven hun rouw binnenskamers te houden. Mij is verteld dat toen de sultan van zijn moeders begrafenis terugkeerde, hij zijn tulband op de grond smeet, al zijn juwelen afrukte, de versierselen van de muren van het paleis liet halen en de tapijten omkeren. Vanaf dat moment heeft het hof zich afgezonderd voor een rouwperiode van drie maanden.

Het Topkapi-paleis is nu voor alle bezoekers gesloten. De Keizerlijke Poort is in wit gehuld. Er is geen muziek, er zijn geen feesten, geen spelen. Regeringszaken zijn uitgesteld, er worden geen uitspraken gedaan in rechtszaken of petities, geen oorlog gevoerd; al durf ik te beweren dat de belastingen wel geïnd zullen worden, al was het maar om te bevestigen dat er leven na de dood is.

Onder deze omstandigheden zal ik mij eveneens, met uw permissie, terugtrekken op mijn landgoed op het eiland Naxos, waar ik mijn oren zal trakteren op de muziek van de Venetiaanse taal, mijn ogen op de ongesluierde schoonheid van de Venetiaanse vrouwen en mijn maag op het genot van de Venetiaanse kookkunst. Natuurlijk zal ik op tijd naar Istanbul terugkeren om de padisjah welkom te heten, wanneer deze na drie maanden van levend begraven zijn sinds de dag van zijn moeders dood weer in het openbaar terugkeert, en mijn lange verbanning van mijn geliefde Serenissima hervatten. Met een bezwaard maar plichtsgetrouw gemoed.

En inderdaad verscheen op de eenennegentigste dag van zijn rouw de sultan voor het eerst weer in het openbaar om op zijn paard door de straten van de hoofdstad te rijden en aldus te bevestigen dat het leven weer begonnen was. Wat het ook deed op een manier die niemand had verwacht, zelfs de Venetiaanse bailo en zijn goedbetaalde spionnen niet. De bailo schreef aan zijn patronen, de machtige Raad van Tien:

Geëerde senatoren van de Meest Serene Republiek:

Zoals altijd bij dit volk, wordt alle overleg in het grootste geheim gevoerd (wat er de reden van is dat het zo verduiveld kostbaar is om hier inlichtingen te kopen). Dan ineens duikt er een stel herauten in de straten op en kondigt met luid trompetgeschal aan dat er een bepaalde gebeurtenis heeft plaatsgevonden of plaats zal vinden. Deze procedure is vooral waar te nemen bij vieringen – huwelijken, besnijdenissen, begrafenissen enzovoort.

Gisteren werd een dergelijke gelegenheid, zonder enige waarschuwing vooraf, voor de dag na morgen aangekondigd. Over twee dagen zullen er allerlei feestelijkheden zijn om het huwelijk (!) van de sultan en zijn Russische tweede kadin, vrouwe Hürrem, te vieren.

Mijn informanten in het Paleis bezweren mij dat ze geen waarschuwing vooraf hadden ontvangen. Maar zodra het nieuws eenmaal bekend was, volgde er een stortvloed aan verklaringen. Sires, u moet weten dat sinds sultan Bayezit in 1402 door Timoer Lenk verslagen was en de echtgenote van de sultan, Despina, naakt aan de dis van de overwinnaar moest dienen, geen Ottomaanse sultan ooit nog een dergelijke vernedering geriskeerd heeft door met de moeder van zijn kinderen te trouwen. Van dat moment af werden alle kadins uit de vrouwelijke slaven van de sultan gekozen die mannelijke kinderen hadden voortgebracht. (De sultan wijst onder hen zijn erfgenaam aan.) Geen eerstgeboorterecht hier. Zoals ik u met dodelijke regelmaat verteld heb, mijne heren, lijkt dit sultanaat in niets op een Europees koninkrijk zoals wij dat kennen.

En toch heeft deze week, minder dan een maand na de laatste dag van rouw om de valide sultan, sultan Süleyman een Russische concubine met de naam Hürrem tot zijn keizerin gemaakt. Met deze zet lijkt de Russische haar rivale, Lenteroos (waar halen ze die namen toch vandaan?), de moeder van de eerstgeboren zoon van de sultan, prins Moestafa, ver achter zich gelaten te hebben, waardoor vrouwe Hürrem nu de eerste kadin wordt. Dankzij dit huwelijk zal de eerstgeborene van de Russische direct met de kroonprins gaan wedijveren om het sultanaat. Het is een maatregel die adembenemend is in haar elegante eenvoud.

Er heeft ongetwijfeld een echte huwelijksceremonie plaatsgevonden in het paleis. Meteen daarna volgde er een ware uitbarsting aan festiviteiten zoals ik nog niet eerder zag in al mijn jaren aan dit hof. Aan de armen werden brood en olijven uitgedeeld; kaas, fruit en jam van rozenblaadjes aan de meer bemiddelde burgerij. De hoofdstraten waren versierd met bloemen en banieren – de rode vlaggen van het Ottomaanse Rijk en de groene vaandels van de islam.

Er vond een openbare vertoning van huwelijksgeschenken uit de buitenposten van het rijk plaats: kamelen beladen met tapijten, meubels, gouden en zilveren vazen en honderdzestig eunuchen om vrouwe Hürrem te dienen.

Op het terrein van de hippodroom was een gigantisch balkon door zijden draperieën afgeschermd van het publiek en gereserveerd voor de nieuwe keizerin en haar dames. Vandaar konden ze naar de worstelaars, boogschutters, jongleurs en acrobaten kijken die er dag en nacht optraden.

Over de At Meydani werd een optocht gehouden van wilde dieren: leeuwen, panters en luipaarden; olifanten die met hun lange slurven ballen opgooiden; en giraffen met nekken zo lang dat ze de hemel leken te raken.

In een van de optochten werd een brood ter grootte van een kamer op een vlot door de straten gesleept, terwijl de stadsbakker warme broodjes naar de mensenmenigte gooide. Ook klommen er mensen in bomen om een glimp van de sultan op te vangen of een van de geschenken in geld, zijde of fruit deelachtig te worden die de slaven van de sultan de lucht in gooiden.

De bailo besloot zijn verslag met een vraag:

Hoe kon zoiets gebeuren? Als je de roddels in de bazaar moet geloven – en die geloof ik – is deze Russin er op de een of andere manier in geslaagd zich meteen na de begrafenis van de valide de rouwkamer van de sultan in het Topkapi-paleis binnen te wurmen. Daar is ze gebleven om zijn verdriet met hem te delen, al die drie maanden lang dat hij afgezonderd was en ze is al die tijd, zo heb ik gehoord, niet van zijn zijde geweken. Ze heeft met haar eigen handen voor hem gekookt en zijn tranen gedroogd met haar eigen zakdoek. En in de loop daarvan heeft ze hem ervan weten te overtuigen, zeggen ze, dat nu de valide er niet meer was en de grootvizier vaak weg om te vechten, hij alleen op haar kon vertrouwen om wanneer hij op campagne was zijn wil te doen. Al met al heeft ze met dit huwelijk niet alleen haar grootste rivale uitgeschakeld, ze heeft tegelijkertijd het stokje van de dode valide sultan, vrouwe Hafsa, overgenomen.

God moet wel aan haar kant staan. Bijna alsof zij het afgedwongen had brak er een opstand uit onder de weerspannige Koerdische beys van de sultan in Azerbeidzjan, die naar men veronderstelde door Selim de Barse zo'n vijftien jaar geleden voorgoed genezen waren van hun Perzische neigingen. En dus moest de grootvizier, Ibrahim, uitgezonden worden om de rebellerende Koerdische krijgsheren te onderwerpen. Ik heb gehoord dat Süleyman zijn vizier aan het einde van de lente zal volgen naar Mesopotamië. Daardoor ontstaat er een vacuüm in het hart van het bestuur en ik hoor beweren dat de nieuwe sultana zowel de wil als de ambitie heeft om dat gat te vullen. Dat betekent dat wij feitelijk een plaatsvervangende sultan hebben, de zojuist bedachte sultana. Bedenk: het is maar een kleine stap van sultana naar regentes. En een hele grote afstand van Istanbul naar Bagdad waar de opstand zich concentreert. In een dergelijk geval kan een regentes die zich op vijftienhonderd mijl bij de heerser vandaan bevindt in feite zelf heerser – of heerseres – worden.

Het zou ontegenzeggelijk verstandig zijn om op een dergelijke eventualiteit voorbereid te zijn. Wat ik u wil aanraden is een overvloed aan gulle geschenken voor het pasgetrouwde paar, vooral nouveautés die het vrouwvolk in het bijzonder zullen aanspreken. Graag ten spoedigste vanuit Venetië hierheen te zenden.

Uw trouwe dienaar,
was getekend
Alvise Gritti, Venetiaanse bailo te Istanbul.

25 Uitnodiging van de sultan

Van: Süleyman, sultan-kalief, Behoeder van de Islam
Aan: Juda del Medigo, lijfarts van de sultan
Datum: 25 mei 1534

Met een groet van een dankbare sultan.

Vandaag overhandigde jouw zoon, Danilo, me een huwelijkscadeau dat ik meteen herkende als zijnde een manuscript van Arrianus: *Het leven van Alexander de Grote*, de Griekse koning die door ons Iskander genoemd wordt. Alhoewel ik Arrianus' biografie alleen van horen zeggen kende, maak ik uit het colofon op dat dit manuscript een van de kostbaarheden uit de Gozaga-collectie is, getranscribeerd door wijlen jouw vrouw, Grazia de Scriba, in de tijd dat ze onder de marchese van Mantua diende.

De ontvanger waardeert een geschenk als het voor de gever van grote waarde is dubbel zo zeer. Omdat het gekopieerd is in het vlekkeloze handschrift van jouw vrouw is dit een dergelijk geschenk. Wees ervan verzekerd dat het een ereplaats zal krijgen in mijn bibliotheek.

Geleerden verzekeren me dat Arrianus' biografie van Iskander het kortst na zijn leven geschreven en dus het meest nauwgezet is. Maar het is niet gemakkelijk aan kopieën van deze rara avis te komen, deze zeldzaamheid, zelfs voor een sultan. En al ben ik er naarstig naar op zoek geweest, Arrianus' *Het leven van Alexander* is er tot dusver in geslaagd aan mij te ontsnappen, tot vanochtend, toen tot mijn grote verbazing jouw zoon met de lang gezochte schat in zijn handen bij mijn selamlik arriveerde. Volgens de mathematica van het geven wordt de waarde van jouw geschenk ook weer verdubbeld door zijn bijzondere waarde voor mij, nu ik in de voetsporen van Iskander treed teneinde Bagdad op te eisen van de koning van Perzië, net als Iskander gedaan heeft – insjallah.

Wees ervan verzekerd dat uw geschenk onmogelijk voor iemand ter wereld van grotere betekenis kan zijn. Ik ben van plan het onder mijn hoofdkussen te bewaren, precies de plek waar Iskander zijn exemplaar bewaarde van Homerus' *Ilias*, het verhaal van zijn held Achilles.

En gedurende de veldtocht zal ik me elke avond voor laten lezen uit Arrianus' verslag over wat de grote Griekse koning overkwam toen hij eeuwen geleden oostwaarts trok om de Perzische grootmacht het hoofd te bieden, net als ik op het punt sta te doen.

Zoals dat gaat met schatten geeft deze zich niet een, twee, drie gewonnen aan mijn gretige blik. Het is helaas geschreven in een taal die ik niet ken. En dus heb ik, om het te kunnen lezen, een vertaler nodig die thuis is in zowel mijn eigen taal als het Latijn waarin Arrianus schreef. Daarnaast heb ik een betrouwbare secretaris nodig om toe te zien op mijn persoonlijke correspondentie. Toen vanochtend jouw zoon Danilo me het manuscript overhandigde, wist ik dat ik mijn man gevonden had. Ik heb, nadat ik zijn ontwikkeling gevolgd heb in de jaren die hij aan mijn pageschool heeft doorgebracht, een diep en volledig vertrouwen in zijn discretie. Dankzij zijn scholing door je vrouw en jou is hij goed thuis in de oude talen. Zijn opleiding aan mijn paleisschool heeft ervoor gezorgd dat hij onze moedertaal ook vloeiend spreekt. En zelfs uit het kortst denkbare gesprek met hem maak ik op dat zijn enthousiasme voor Iskanders opmerkelijke wapenfeiten even groot is als die van mij.

En dus stel ik jou, mijn vertrouwde lijfarts en al zo lang de hoeder van mijn welzijn, voor dat je zoon Danilo jouw plaats aan mijn zijde overneemt, niet als arts natuurlijk – die plaats kan niemand anders ooit innemen – maar als mijn persoonlijke vertaler gedurende de Perzische veldtocht. Weet dat dit voorstel niet ingaat tegen mijn eerdere plechtige belofte aan jou dat ik je zoon nooit als soldaat zou rekruteren, ondanks zijn vaardigheid met de gerit. Uit eerbied voor je wensen heb ik mij tot dusver aan mijn eed gehouden. En zal dat ook blijven doen. Nu lijkt het er echter op dat hij, dankzij jouw genereuze geschenk, me een waardevolle dienst kan bewijzen die het vechten voor mijn zaak te boven gaat. Ik herhaal: dit is een tijdelijke regeling, beperkt tot de duur van de Aziatische veldtocht en heeft alleen betrekking op wetenschappelijke en secretariële taken. Je hebt mijn persoonlijke garantie, zowel als sultan als als vader, dat de jongeman als lid van mijn gevolg nooit de wapenen op zal nemen.

Ik hoef je niet nader uit te leggen dat dit voor je zoon een gelegenheid is om in de voetstappen van Iskander door de oostelijke gebiedsdelen te trekken, om mee te doen aan een historische campagne, getuige te zijn (insjallah) van de uiteindelijke nederlaag van de Perzische ongelovigen door toedoen van het Ottomaanse Rijk. Een gelegenheid die zich nooit meer voor zal doen. Dit is een opdracht die ik heb geërfd van mijn bewonderenswaardige vader, de alom vereerde Selim, die van ons weggenomen werd voor hij in staat was voorgoed een einde te maken aan de Perzische aanwezigheid in Mesopotamië. En weet ook dat de jongeman zal verblijven in de veilige haven van de koninklijke tent en onder de persoonlijke bescherming van de machtigste heerser ter wereld zal staan.

Geen van ons wil gescheiden worden van onze geliefde kinderen. Maar ik wil er sterk bij je op aandringen om goedkeuring aan mijn plan te hechten. Wees ervan verzekerd dat je zoon de rest van zijn leven dankbaar zal zijn voor deze buitenkans.

In afwachting van je antwoord,
Verzegeld met de tugra van de sultan.

Nadat deze brief bij zijn huis bezorgd was liet de dokter hem twee dagen onbeantwoord ergens onder een stapel papieren op zijn bureau liggen, alsof hij nooit was bezorgd, alsof hij niet bestond. Maar toen Danilo aan het einde van de week van zijn slaapzaal terugkeerde om samen met zijn vader de sabbat te vieren, wekte de aanwezigheid van zijn zoon Juda's sluimerende geweten en eer ze vertrokken voor de avonddienst in de Synagoge Ahrida trok hij de brief onder de stapel boeken vandaan, waar hij hem – hij kon het zichzelf nauwelijks bekennen – verstopt had. Was het papier toen hij het in zijn zak liet glijden echt zo heet geweest dat hij er zijn vingers aan had kunnen branden of had hij zich dat verbeeld?

Na de gebeden bleven vader en zoon op de binnenplaats van de synagoge staan om samen met de oudere mannen van de congregatie een glas wijn te drinken. Juda had zich niet erg prettig gevoeld gedurende de dienst.

De dokter had het nooit moeilijk gevonden om in zichzelf geloof en rede met elkaar te verzoenen. Maar magie, dat was een ander verhaal.

Hoe was het mogelijk dat hij, een volgeling van Plato en een rationeel man, een stuk papier dat niet in brand stond, een gat in zijn zak had voelen branden? En dat nog wel in een gebedshuis tijdens de sabbat...

Hier moet een einde aan komen, wees hij zichzelf terecht. Straks zag hij nog woestijngeesten onder zijn bed. Zodra ze alleen waren zou hij de brief van de sultan tevoorschijn halen en hem aan zijn zoon laten zien. Toen hij dat besluit eenmaal genomen had, was hij in staat om zichzelf over te geven aan het onderwerp van die avond: het eren van God en dank zeggen voor de vele zegeningen die hij in de afgelopen week had ontvangen.

Toch stak hij pas zijn hand in zijn zak om de brief van de sultan eruit te halen toen zijn zoon en hij een eindje langs de Bosporus hadden gelopen en op het punt stonden aan de klim naar het Huis van de Dokter in het Topkapi-paleis te beginnen. Terwijl ze de heuvel op sjokten had hij het gevoel dat zijn zoon bij elke stap verder van hem weg dreef. Toen kwam de gedachte bij hem op dat de brief tenslotte niet aan zijn zoon maar aan hem geadresseerd was geweest en dat hij niet verplicht was om iemand te raadplegen. Hij kon, zonder Danilo ermee lastig te vallen, een beleefde weigering sturen waarin hij zijn slechte gezondheid noemde en zijn onwil om zijn enige kind – het enige levende familielid ter wereld dat hij bezat – het gevaar tegemoet te sturen. Hij kon zelfs aanbieden een vervangende vertaler te zoeken. De jongen hoefde er nooit iets van te weten. Het was een grote vergissing geweest om de sultan het manuscript van Arrianus te sturen.

Naast hem slenterde Danilo verder zonder iets te weten van de strijd die in zijn vader woedde. En dus was de jongen ietwat uit het veld geslagen toen de dokter ineens bleef staan, diep kreunde en een opgerold stuk perkament uit zijn zak tevoorschijn trok. Dit duwde hij in zijn hand met de op hese toon geuite instructie: 'Lees dit.'

Met zijn ogen op het gezicht van zijn zoon gericht, kon Juda de groeiende opwinding van de jongen zien terwijl hij de inhoud van de brief las.

'Nodigt hij me uit om met hem mee te gaan? In zijn eigen gevolg?' De uitdrukking van ongeloof vermengd met ongeremde vreugde die over het jonge gezicht gleed, bevestigde Juda's grootste angsten. Zijn zoon stond op het punt van hem weggenomen te worden.

'Ik kan niet toestaan dat je gaat.' De woorden stroomden ongevraagd uit hem. 'Ik kan niet toestaan dat je een van de janitsaren wordt die opscheppen dat ze de slaaf van de sultan zijn. Als ik eraan denk dat een zoon van mij een dergelijk lot...'

'Met alle respect, heer,' viel de jongen hem in de rede, 'ik moet u eraan herinneren dat ik ook de zoon van mijn moeder ben. Ik kreeg Homerus met de moedermelk mee. Dionysus kende ik al voor ik David kende. Als kind speelde ik dat ik Alexander de Grote was. Mijn moeder las me een boek over zijn heldendaden voor om me ertoe te verleiden Latijn te leren. Alexander maakt evenzeer deel uit van mijn erfgoed als Abraham, Sarah of Jakob en dit is een gelegenheid om in zijn voetsporen te treden.'

'Daar heb je gelijk in,' zei Juda. 'Ik sprak overhaast, maar ik ben bang dat je ziel verstrikt zal raken in de listen en lagen van deze islamitische jihad.'

Nu was het de beurt aan de jongen om diep adem te halen alvorens antwoord te geven. 'Ik geef toe, heer, dat ik een zekere verwantschap ervaar met de moslimpages met wie ik aan de school van de sultan studeer. Ik was verrast te ontdekken hoeveel we gemeen hebben, dat we allemaal beweren van Abraham af te stammen, dat we allemaal door middel van hetzelfde ritueel dieren doden, dat we allemaal weigeren het vlees van varkens te eten, dat we allemaal besneden zijn.'

Om de een of andere reden kreeg Juda bijna een rood hoofd toen het woord 'besnijdenis' viel.

'Vergeef me, vader, dat zei ik alleen maar om u te plagen,' zei de jongen in een poging zijn vader te kalmeren. 'Maar het idee om een nieuwe religie aan te hangen is, echt waar, nooit bij me opgekomen. En in zijn brief stemt de sultan er toch mee in dat hij toezicht zal houden op mijn godsdienstpraktijk alsof ik zijn eigen zoon ben?'

Had de jongen wrokkig gesproken of zelfs gevloekt, dan had Juda waarschijnlijk wel de wilskracht weten op te brengen om vol te houden. Maar Juda was niet alleen een man van de wetenschap, hij was ook een gevoelsmens, en tegen de combinatie van bescheidenheid en zoete rede waarmee zijn zoon zijn zaak bepleit had, had hij geen verweer.

Er volgde een stilte. Toen klonk eindelijk: 'Als je het aanbod van de sultan wil accepteren' – elk woord leek wel in de keel van de dokter te willen blijven steken, terwijl hij het uitsprak – 'dan zal ik daar geen bezwaar tegen maken.'

Die avond zond Juda del Medigo zijn zoon Danilo de binnenhof over naar de selamlik om de sultan zijn zegen over te brengen wat deze onderneming betrof. En de jongen, die met deze gelegenheid zich daar als boodschapper met een communiqué voor de padisjah vrijelijk te bewegen zijn voordeel deed, nam tegelijk een eigen communiqué mee gericht aan prinses Saïda in het Oude Paleis. In al die jaren van heimelijke communicatie tussen hen beiden was het contact om te beginnen van haar uitgegaan. Het was veel gemakkelijker om dingen uit de harem te smokkelen dan erin, vooral aangezien zij de hulp van Narcissus had die als haar postbode optrad.

Maar dit keer kon Danilo niet wachten tot zijn prinses een geschikt tijdstip voor een volgende ontmoeting vastgesteld had. De datum van het vertrek van de sultan naar het oosten stond vast: over twee dagen. Dus voor het eerst werd Danilo geconfronteerd met een taak die generaties van clandestiene vrijers voor hem van hun stuk had gebracht: hoe een boodschap langs de waakzame haremwachters zien te krijgen bij de ijzeren poorten van het Oude Paleis, die als een felle troep leeuwen de vrouwen van de sultan bewaakten.

Terwijl hij wachtte tot Juda zijn boodschap voor de sultan opgesteld had, liet Danilo alle listen, trucjes en boodschappen de revue passeren die hij maar kon verzinnen. Er was niet voldoende tijd om een van de haremeunuchen om te kopen. Dergelijke arrangementen vergden maanden van voorbereiding. Hij moest vanavond nog een boodschap naar binnen smokkelen – een verborgen boodschap. Ineens moest hij denken aan een raad die Juda hem ooit gegeven had: de beste manier om iets te verbergen is om het duidelijk in het zicht te verstoppen. Hij zou zijn bericht verbergen in een onschuldige brief van een oude makker van de haremschool, een brief van een nederige page aan een prinses, een brief om haar te condoleren met de dood van haar grootmoeder!

Het was dan wel bijna vier maanden geleden dat de valide overleden was, maar het was toch heel wel mogelijk dat hij zich terughoudend opgesteld had omdat hij haar niet wilde storen in haar grote verdriet? Nog zo'n wereldse stelregel van Juda schoot hem te binnen: wanneer je een leugen aan het bedenken bent, probeer er dan zoveel waarheid in te verbergen als je kunt. Het kon toch dat hij nu pas schreef omdat hij op het punt stond mee te velde te trekken? (Waar.) In het gevolg van de sultan. (Eveneens waar.)

Eerst was de haremwacht onvermurwbaar. Hij had zijn orders: er mochten geen brieven in de harem bezorgd worden. In zijn wanhoop bood Danilo aan het zegel te verbreken zodat de bewaker zelf de brief kon lezen.

'Lees hem en dan zult u het zien.' Hij stak hem de brief toe met dezelfde hand en hetzelfde nonchalante gemak waarmee hij zijn paard lekkere wortels aanbood. Wie kon er nu zo'n smakelijk hapje afwijzen? De wacht begon te lezen en trof een keurige condoleancebrief aan, van een oud schoolmakkertje van de prinses, dat getuigde van zijn diepste medeleven en de hoop dat nu er aan haar rouwperiode een einde was gekomen, de prinses haar leven van plichtsbetrachting en deugd in navolging van haar geachte grootmoeder kon voortzetten.

'Ik weet dat u altijd om haar zult blijven rouwen,' luidde het bericht. 'Maar ik weet ook dat ze gewild zou hebben dat u uw leven zou leiden vol liefde voor alle schepselen Allahs, net als zij.' Het briefje eindigde, zoals het hoorde, met een formele verklaring van de bereidheid van de page om de prinses te dienen, mocht ze daar behoefte toe gevoelen. 'Mocht er ooit iets zijn, groot of klein, wat ik voor u kan doen, dan hoeft u maar naar mij te vragen in mijn verblijfplaats aan de pageschool van de sultan, vanwaar ik binnenkort vertrek naar Mesopotamië als lid van de erewacht van de sultan. De eer om de padisjah te velde te kunnen dienen gaat mijn stoutste dromen te boven. Ik hoop maar dat ik het vertrouwen niet zal beschamen dat hij in me gesteld heeft door me te vragen als assistent-vertaler bij hem in dienst te komen.'

Het was een boodschap die de eunuch zonder aarzelen bezorgde – formeel, vol respect, zonder dubbelzinnigheden of verborgen betekenissen. Wat de trucs betrof en een eventuele list, die mogelijkheid werd ondervangen door de informatie dat de schrijver op het punt stond als lid van de elitewacht van de padisjah af te reizen voor een jihad tegen de ketterse sjiieten in Perzië.

26 Toverinkt

De volgende ochtend ging voorbij zonder geparfumeerd briefje of kaneelstokje op Danilo's hoofdkussen. Naarmate de middaguren verstreken begon hij zich af te vragen of de haremwacht misschien minder gemakkelijk beet te nemen was geweest dan hij leek en dat hij de condoleances aan de prinses in beslag had genomen. Aan het eind van de middag keek hij al uit naar een stel potige haremeunuchen die hem naar de kerkers zouden sleuren omdat hij de eer van een koninklijke prinses had proberen te bezoedelen. Aan het einde van de dag, toen er nog steeds geen ontvangstbevestiging van zijn brief was verschenen, vertrok hij met een bezwaard gemoed naar het gerit-veld. Hij was op het allerergste voorbereid. Wat een opluchting toen hij daar Narcissus aantrof die hem stond op te wachten.

De eunuch had geen tijd gehad om rozenblaadjes te verzamelen of een kaïk te regelen en hij mompelde slechts een simpel bevel: 'Zorg dat je na het derde gebed bij je paard in de stal bent.' Daarop verdween hij in de richting van de ondergaande zon. Pas toen Narcissus uit het zicht was, besefte Danilo dat de eunuch zelfs niet de tijd genomen had om zijn zijden kaftan aan te trekken, wat hij als teken opvatte dat ook hij maar beter snel kon handelen nu.

Vlak nadat de muezzin begonnen was aan zijn derde oproep, liet Danilo zich verontschuldigen van werptraining en ging op weg naar het vertrouwde Pad der Eunuchen. Er was een kortere route naar de stallen van de sultan door de zwaar bewaakte poort die de Derde en Tweede Binnenhof van elkaar scheidde. Hij nam echter een omweg die hem via een smal paadje het paleisdomein in en uit voerde en waardoor het onmogelijk was voor iemand hem zonder gezien te worden te volgen. Desondanks voelde hij zich nog steeds niet helemaal veilig tot hij gezellig weggestopt zat bij Bucephalus in de paardenstal. Je kon erop vertrouwen dat Bucephalus hem nooit zou verraden. Na een paar minuten knuffelen met het zwijgende paard, kwam er een in een mantel gehulde gestalte bij hem staan met een abominabel gewikkelde tulband op het hoofd en een borstelige zwarte snor. Danilo kon onmogelijk raden wie zij meende voor te moeten stellen. Maar kennelijk was haar vermomming effectief aangezien geen van de stalknechten enige aandacht schonk aan de vreemd uitgedoste bezoeker. Ook besteedden ze er geen aandacht aan toen de blonde page en de pasja met de merkwaardige tulband zich achter in de paardenstal achter twee hoge balen hooi terugtrokken.

Ze was meteen een en al zakelijkheid. 'En, waar ga je heen?' vroeg ze zodra ze zich goed verborgen hadden.

'Ik moet me over een paar dagen in Üsküdar melden,' antwoordde hij even beknopt.

'Zo gauw al?' En voor hij de kans had om antwoord te geven: 'Maar je bent al weg.'

'Ben ik niet hier?' vroeg hij, oprecht verbaasd.

'Alleen in lichaam,' antwoordde ze. 'Je ziel is al ten strijde getrokken. Ontken het maar niet. Je bent vervuld van verlangen naar een of andere strijd ver hiervandaan.'

'Hoe weet je dat?'

'Er valt misschien niet veel te leren in de harem,' antwoordde ze, 'maar wat mannen en oorlogen betreft zijn in de harem opgevoede vrouwen zeer wel onderlegd. Als klein meisje wist ik al dat een vrouw dan misschien een man los kan weken van een andere vrouw, maar dat haar listen niets uit zullen richten tegen een oproep voor de krijgsdienst. Mannen zijn gemaakt voor de oorlog, zoals vrouwen voor de liefde zijn gemaakt. Zeg me de waarheid. Ben je niet blij om ten strijde te trekken en mij achter te laten?'

'Nee!'

'Vooruit dan maar.' Ze legde zachtjes twee vingers tegen zijn lippen. 'Er is geen tijd voor gekibbel. Ik was in staat vandaag te komen onder het voorwendsel dat ik afscheid van mijn vader wilde nemen en hem veel succes wensen met zijn Aziatische jihad. Zijn rijtuig staat op dit moment te wachten om me mee terug te nemen naar het Oude Paleis. Maar ik wilde je nog één keer vertellen dat hoelang we ook van elkaar gescheiden zijn, jij altijd de liefde van mijn leven zult zijn.'

'Je lijkt niet erg bedroefd me te zien gaan,' merkte hij, niet zonder enige gepikeerdheid, op.

'Ik ben niet bedroefd, mijn hart is gebroken,' corrigeerde ze hem op dezelfde pedante manier als ze jaren geleden gedaan had toen ze zijn elfjarige privéleraar was. 'Mijn hart is gebroken,' herhaalde ze. 'Maar het troost me als ik eraan denk dat ook al zullen er lange periodes voor ons liggen waarin we geen contact zullen hebben, we tussen de Bayrams ook maandenlang van elkaar gescheiden zijn geweest en daarna altijd weer samen zijn gekomen. Geloof me, dit is geen vaarwel.'

Dit was niet het radeloze meisje dat hij had verwacht in tranen aan te treffen. 'Hoe komt het dat je daar zo zeker van bent?' vroeg hij.

'Omdat ik tegen mezelf zeg dat al die tijd dat je weg bent, mijn vader ook weg zal zijn. En het is toch ondenkbaar dat ik uitgehuwelijkt zal worden in zijn afwezigheid. Snap je?'

Het begon hem te dagen.

'Het breekt mijn hart dat we elkaar een jaar, of zelfs langer, niet zullen zien. Maar wanneer je terugkeert van de veldtocht naar Bagdad zullen we in elk geval nog een laatste kans hebben om elkaar onopgemerkt te ontmoeten tijdens het festival ter gelegenheid van mijn vaders roemruchte thuiskomst. Daarna...' Ze wreef in haar ogen alsof ze het visioen van wat de toekomst in petto had daaruit wilde vegen. Toen rechtte ze haar schouders en draaide zich naar hem toe om hem direct in de ogen te kunnen kijken. 'Maar ik heb een manier gevonden om dicht bij elkaar te blijven, ook al zijn we zo ver van elkaar.' Zelfs in het halfduister van de stal kon hij iets van de oude ondeugd in de ogen van het meisje zien. 'Door brieven!'

'Brieven?'

'De brieven in de tas van mijn vader. Hij stuurt en ontvangt ze elke dag dat hij op campagne is.'

'Maar brieven kunnen in de verkeerde handen vallen en door de verkeerde mensen gelezen worden,' herinnerde hij haar eraan.

'Niet als ze geschreven zijn met onzichtbare inkt.'

Dit plan begon te klinken als iets wat ze uit *De vertellingen van duizend-en-één-nacht* had opgepikt.

'Geschreven in wat?'

'Geschreven in onzichtbare inkt onder aan de brieven van anderen. De haremmeisjes maken gebruik van onzichtbare inkt om afspraken buiten de muren met hun minnaars te arrangeren. Liefdesbrieven vormen een van de belangrijkste zaken waar ze zich mee bezighouden. En ik heb jarenlang samen met hen in de hammam gebaad.' Ze zweeg.

Toen voegde ze er met een knipoog aan toe: 'Ik weet zelfs hoe ik de toverinkt moet maken.'

Er was weinig toverkracht voor nodig om het ongeloof op Danilo's gezicht te duiden.

'Ze maken er elke week ladingen van,' legde ze uit.

'In de harem?'

'De meisjes hebben tijd genoeg en het is niet moeilijk,' vervolgde ze. 'Eerst laat je een zakdoek weken in een mengsel van salpeterzuur, soda en stijfsel. Dan laat je de stof drogen. Als de stof in water gelegd wordt, komen de chemicaliën eruit en die vloeistof wordt de onzichtbare inkt voor je ganzenveer.'

Ze leek te weten waar ze het over had. 'Maar hoe kan ik die berichten lezen als ze onzichtbaar zijn?'

'Simpel. Het vlammetje van een brandende waspit zal het onzichtbare geschrevene onthullen. Maar je moet snel zijn. Als de inkt eenmaal opgelost is, vervaagt hij snel en is dan voor altijd verdwenen.'

Allemaal goed en wel, maar dat loste voor Danilo het probleem niet op hoe ze hun boodschappen, zichtbaar dan wel onzichtbaar, in de juiste handen konden krijgen en uit de verkeerde houden.

'Ik heb over de brieven nagedacht,' ging ze verder alsof ze zijn gedachten had gelezen. 'Hürrem schrijft mijn vader altijd als hij op veldtocht is. En nu mijn grootmoeder er niet meer is, zal hij naar Hürrem schrijven zoals hij naar zijn moeder schreef. Dat heeft hij beloofd. En mijn vader doet altijd wat hij zegt dat hij zal doen.'

'Maar...'

'Luister naar me,' viel ze hem in de rede. 'Je vergeet dat Hürrem niet kan lezen of schrijven. Na al die jaren heb ik nog steeds moeite het haar te leren. Dus...'

'Dus zijn alle brieven aan hem door jou geschreven.' Het was niet voor het eerst dat hij haar had onderschat. Het kwam door die pruillipjes en die streken van haar dat hij zich liet misleiden.

'Al zijn brieven worden door mij aan haar voorgelezen,' voegde ze eraan toe. 'Ik krijg ze het eerst in handen. Je kunt in onzichtbare inkt alles veilig schrijven wat je wilt aangezien ik degene ben die het eerst het zegel verbreekt. En ik zal je berichten door middel van de waspit kunnen lezen en me er weer van ontdoen vóór ze de brieven onder ogen heeft gehad. Dat was mijn eerste gedachte.'

'En wat was je tweede?' Hij was bijna bang om het antwoord te horen.

'Eerlijk gezegd was mijn tweede gedachte mijn eerste gedachte,' antwoordde ze. 'Hij kwam bij me op toen ik je briefje las – een heel aardig briefje overigens. Het bewijst wel dat ik een goede leraar voor je geweest ben. In elk geval, als je een soort persoonlijke secretaris voor mijn vader wordt, zullen er momenten zijn dat je de hand op de brieven kunt leggen die hij aan Hürrem stuurt, zodat je berichtjes in onzichtbare inkt voor mij aan de onderzijde van de pagina's kunt achterlaten en die zal ik dan lezen voor ik haar mijn vaders brieven laat zien.'

Danilo had wel gehoord over de trucs en listen van de haremvrouwen, maar er nu zelf bij een betrokken raken was een nieuw en merkwaardig angstaanjagend vooruitzicht.

Als zo vaak las de prinses zijn gedachten. 'Dit is gevaarlijk.' Ze keek hem doordringend aan. 'Zodra we ontdekt worden zijn we ten dode opgeschreven. Weet je zeker dat je het wilt doen?'

Twijfel koesteren was één ding, maar het was iets heel anders als zijn moed ter discussie werd gesteld.

'Natuurlijk,' reageerde hij snel. 'Mijn leven zal draaien om jouw berichten. Het is alleen misschien niet zo gemakkelijk voor me de hand te leggen op de persoonlijke post van de sultan...'

Voor hij zijn zin kon beëindigen, viel ze hem in de rede. 'O, je vindt wel een manier. Dat moet. Je bent mijn paladijn. Je bent mijn ridder. Je bent de liefde van mijn leven.'

Als altijd meteen geraakt door haar liefheid, stak hij zijn armen naar haar uit. Maar ze had slechts tijd voor een klein kusje op de wang voor ze verder ging.

'Ik heb veertien fiolen van de onzichtbare inkt besteld. Plus een pakje speciale ganzenveren. Je moet elk fiool in een aparte zakdoek wikkelen om ervoor te zorgen dat ze niet breken. En denk erom: berg ze niet allemaal op dezelfde plek weg. Dan heb je nog reserve-veren mochten er een paar breken. In ruil daarvoor moet jij zorgen dat ik een nieuwe voorraad slaappoeders van de dokter krijg zodat ik, wanneer je terugkeert, weg kan om je te zien zonder Hürrem te alarmeren. Laten we allebei morgenavond op de gebruikelijke tijd onze pakjes naar de kade van de grootvizier brengen. Mocht ik verhinderd zijn, dan zal Narcissus in mijn plaats komen. Doe jij nou maar wat jij moet doen. Het komt allemaal wel goed.'

'Je lijkt zo zeker van je zaak...'

'Je vergeet dat ik al van kleins af aan in de harem geleerd heb met dit soort dingen om te gaan.' Ze stak haar armen uit. 'Het begint laat te worden.'

'Wacht!' Haar bij haar schouders vastpakkend en haar recht in de ogen kijkend, vroeg hij: 'Heb je het ooit eerder geprobeerd? Dat geheime schrijven bedoel ik.'

'Natuurlijk niet.' Nu was haar ongeduld tastbaar. 'Hoe vaak moet ik je vertellen dat jij mijn enige liefde bent? Ik heb niemand anders aan wie ik liefdesbrieven kan schrijven. En dat zal ook nooit het geval zijn. Maar ik heb in de harem genoeg gezien om te weten dat deze inkt je nooit in de steek laat. Nog één veiligheidsmaatregel – we moeten nooit onze naam gebruiken of het over onze liefde hebben.'

Opnieuw voelde hij zich wegzinken in een moeras van verwarring.

'Waar moet ik dan over schrijven?' vroeg hij. 'Het weer?'

Ze greep zijn handen beet zoals zo vaak wanneer ze wilde dat ze zijn volledige aandacht had.

'De woorden doen er niet toe,' legde ze vriendelijk uit. 'Ik zal de echte boodschap begrijpen als ik jouw handschrift op de bladzijde zie. Vergeet niet dat je al bewezen hebt te weten hoe je gecodeerde berichten moet opstellen.'

'Is dat zo?'

Ze stak haar hand in haar zak en haalde het condoleancebriefje tevoorschijn dat hij langs de bewaker bij de harempoort had weten te krijgen.

'De wacht moest dit berichtje van jou interpreteren als een zuiver sociaal gebaar. Maar eigenlijk was het bedoeld om mij te laten weten dat je me wilde zien en dat je de stad uit ging. De haremmeisjes hebben allerlei manieren gevonden om hun berichten te coderen – een couplet uit een *gazel*, een oud adagium, een opmerking die logischerwijs uit de tekst van de brief voort lijkt te vloeien. Ik heb zelfs gezien dat een passage uit de Koran gebruikt werd om een datum en een plek voor een clandestiene afspraak vast te leggen.'

Nu begon hij haar plan te begrijpen. De boodschappen moesten gecodeerd worden in dezelfde ogenschijnlijk onschuldige bewoordingen van een formele correspondentie. Hoe eenvoudig. Hoe slim. En in die allesbehalve romantische sfeer wisselden de geliefden een laatste omhelzing ten afscheid.

Niet voor de eerste keer bleef Danilo in verwondering achter over weer een nieuwe kant aan zijn oneindig veelzijdige prinses. Ze was ken-

nelijk in staat haar aandacht als een blijde op één doel te concentreren
en kon zo nodig een volledig armamentarium aan leugens, geheimzin-
nigdoenerij en bedrog lanceren.

'Je moet goed begrijpen, Bucephalus,' legde hij zijn oude vertrouweling uit, nadat de prinses de stal had verlaten, 'dat dat de enige wapenen
zijn die ze heeft als vrouw. Maar ze zou toch, als ze zoveel van me hield
als ze zegt te doen, in elk geval wel één traantje mogen plengen...'

27 Juda's afscheidscadeaus

Juda del Medigo was een consciëntieuze lijfarts met een sterk verant-woordelijkheidsgevoel ten aanzien van zijn patiënten, zijn meesters, zijn familie en zijn god: een meelevende, bescheiden en gulhartige man. Maar diep in zijn karakter zat een fatale fout verscholen: de le-venslange gewoonte om te weigeren zaken onder ogen te zien die hij te pijnlijk vond en vervolgens te doen alsof ze niet bestonden.

Een dergelijke gebeurtenis had zichzelf voorgedaan aan het begin van zijn huwelijk met Grazia dei Rossi toen hij na de Franse oorlogen naar Venetië terug was gekeerd en haar daar zwanger had aangetroffen van een kind dat onmogelijk van hem kon zijn. Zijn hele leven had hij naar een zoon verlangd. Het leek hem een godsgeschenk om een prachtige jongensbaby in zijn armen geduwd te krijgen. Wat hij dus deed was de jongen accepteren, zonder vragen te stellen, en hem op te voeden als zijn eigen zoon, zonder er ooit blijk van te geven dat hij zich bewust was van het bedrog, zelfs niet tegenover zijn vrouw.

Misschien tot haar eigen schande, speelde Grazia zonder iets te zeg-gen haar eigen rol in deze schijnvertoning. En dus werd het onderwerp van wie de vader was van hun zoon nooit tussen hen aangesneden en de jongen, die Danilo genoemd werd naar zijn grootvader van moe-ders kant, groeide op in de overtuiging dat Juda zijn biologische vader was. Hij had zelfs nooit de naam van zijn biologische vader horen noe-men tot na de dood van zijn moeder, toen hij hem tegenkwam in haar geheime boek, haar *libro segreto*.

Vóór Juda sprak dat hij, toen de waarheid eenmaal bekend was, geen enkele poging deed het feit te verdoezelen dat niet híj maar een christe-lijke ridder, heer Pirro Gonzaga van Gazzuolo, de echte vader was van de jongen. Door Danilo onder druk gezet voor meer details over wat de jongen zijn 'andere vader' noemde, verklaarde de dokter dat de ridder een rechtschapen en fatsoenlijk man was die afstamde van de cadettentak van een familie waar elke jongen trots op zou zijn. Bovendien stemde hij ermee in naar de Gonzaga's in Italië te schrijven om hen te laten weten dat de zoon van heer Pirro aan zijn moeders lot op zee was ontkomen en zich veilig aan de zijde van de dokter in Istanbul bevond.

Alleen geraakte die brief nooit in de tas van de koerier. De tijd verstreek zonder dat er een antwoord van de heer Pirro kwam. Hoe had dat ook gekund wanneer er geen brief was verzonden? Dit alles bracht de jongen tot de conclusie dat de verre heer Pirro Gonzaga er de voorkeur aan gaf zijn bastaardzoon niet te erkennen. Danilo del Medigo legde zich daarbij neer en vervolgde zijn leven als zoon van de dokter in het Topkapi-paleis, tot langzaam maar zeker de 'andere vader' als lid van de familiekring uit beeld verdween.

Juda was zich als bijbelgeleerde het verhaal van Jakob en Esau volledig bewust. Hij wist dat hij Danilo's geboorterecht had vervalst, net zoals Jakob de zegen van zijn broer had gestolen. Maar hij hield zo verschrikkelijk veel van de jongen. En God wist dat hij zeventien jaar lang een toegewijde vader was geweest.

Het was dan ook geen verrassing dat Juda erover dacht de brief van de sultan achter te houden waarin deze Danilo uitnodigde mee te gaan op zijn missie naar het legendarische Bagdad en in de voetsporen van niemand minder dan Alexander de Grote te treden. Het was een droom die de wildste fantasieën van de jongen te boven ging. Maar deze keer kreeg zijn betere natuur de overhand en toen hij uiteindelijk besloot om de werkelijkheid onder ogen te zien dat hij zijn zoon aan de verlokkingen van de roem kwijt zou kunnen raken, wijdde Juda, omdat hij nu eenmaal was die hij was, zich volledig aan deze taak. Hij zou zijn zoon zo goed hij kon voorbereiden op de onderneming. Dat zou hij doen als dokter en als iemand die ervaring had met veldtochten.

De dokter was geen demonstratief man waar het de liefde betrof. Maar de reeks pakjes die hij met de grootst mogelijke zorg koos en in houten kistjes deed – een ware berg aan remedies tegen slangenbeten, schroeiwonden als gevolg van schoten, steekwonden, koorts en buikloop, met een lint bijeengebonden bundeltjes kaarsen om te branden op de vrijdagavond en sokken, gebreid van een speciaal waterafstotend garen die gedragen konden worden wanneer er rivieren overgestoken moesten, plus dan nog de etenswaren, kruiden en andere remedies, de ene doos na de andere – dichter als dit zou de dokter nooit bij een liefdesgedicht komen.

Ze brachten hun laatste uren samen in het groeiende duister van de avond door met het etiketteren en van aantekeningen voorzien van elk artikel, zoals daar waren: de zalf die maar drie dagen gebruikt mocht worden bijvoorbeeld (daarna werd hij giftig); een vest dat je moest dragen wanneer de kogels in het rond vlogen; sokken van alpaca (gebreid van het haar van Mongoolse geiten, dezelfde sokken die Dzjengis Khan hadden beschermd tegen bevriezing); een vloeistof die op kussens en dekens gesproeid moest worden om mijten te verjagen; groenig zand waarmee je mieren uit het eten kon houden, maar die je alleen op de rand van je bord mocht uitstrooien en nooit opeten; en een manuscript van het woordenboek van Quintus Curtius. Plus natuurlijk de herhaalde waarschuwingen op zijn hoede te zijn voor overrijpe meloenen.

Ze werkten zwijgend, stapelden de ene doos op de andere, zodat die de volgende ochtend bij het aanbreken van de dag door Danilo's zojuist toegewezen kruier meegenomen konden worden. En toen was het eindelijk tijd om afscheid te nemen. Maar voor het draad om de laatste doos was gewonden, verontschuldigde Juda zich om nog een laatste geschenk te gaan halen: een fiool zonder etiket met een diep paarse vloeistof erin, die hij verzegelde met was en in de handen van zijn zoon legde.

'Dit is het meest waardevolle dat ik bezit, mijn zoon. Het is een geneesmiddel dat ik zelf heb uitgevonden. Hieraan ben ik het succes verschuldigd van mijn lange ambtstermijn als de lijfarts van de sultan.' Hij bleef echter zijn handen op het fiool houden alsof hij het niet kon verdragen er afstand van te doen.

Toen vroeg Danilo: 'Wat is het, papa?'

'Het is het medicijn dat ik samenstelde om de jicht van de sultan te verlichten. Ja, jicht. Ik zie dat je moet lachen. Maar geloof me, op een veldtocht kan jicht erger zijn dan een schotwond. En de sultan heeft er veel last van. Van alle artsen ben ik de enige die ooit in staat is geweest zijn pijn te verlichten. Wanneer het toeslaat krijgt het zijn ledematen in een ijzeren greep. De pijn is zo verschrikkelijk dat hij zelfs niet in staat is zijn zwaard te grijpen. Hij wordt een veldheer die niet op een paard kan zitten. En dit is de toegangspoort,' hij stak hem het fiool toe – 'naar de dankbaarheid van een vorst. Ga ermee om alsof het zuiver goud is. Bewaar het in de geldbuidel die om je middel hangt. Hou het altijd bij je in de buurt.'

Bij iemand anders zou Danilo deze merkwaardig emotionele uitbarsting van retoriek met een zekere scepsis begroet hebben. Maar van Juda, gezworen vijand van grootspraak en bombast, nam hij het advies zonder meer aan. Hij tastte naar de buidel, die al zwaar was van de goudstukken en vond tussen de munten een veilig plekje voor deze bijzondere schat. En later, nadat Juda naar bed was gegaan, toen de ervaren Argonaut zichzelf door de achterdeur uit had gelaten en zigzaggend de helling naar de kade van de grootvizier af was gegaan, moest hij toegeven dat hij zich, met deze verbazingwekkende tinctuur zo dicht tegen zijn huid, merkwaardig onoverwinnelijk voelde.

Om de een of andere reden verbaasde het hem niet toen hij op de kade niet de prinses maar de onverstoorbare Narcissus aantrof die hem daar, ijsberend als een bezorgde minnaar, opwachtte.

'Ik ben er niet meer in geslaagd regelingen te treffen om haar het water over te zetten,' legde de slaaf uit.

En dus was hun tijd, die de afgelopen jaren zo gehoorzaam voor hen stil had gestaan, op. Op dit moment joeg deze zelfs de slaaf op, die terwijl hij aan het woord was een in kaal papier gewikkeld pakje in zijn hand hield.

'Hier zijn veertien fiolen met toverinkt,' vervolgde hij. 'Je moet elk ervan apart in een zakdoek inpakken. Verberg ze niet allemaal op dezelfde plek. En er zit ook een pakje met speciale ganzenveren in. Oefen voor je ze opbergt even een paar minuten in het schrijven met de inkt en die weer zichtbaar te maken.' Narcissus tikte zenuwachtig met zijn voet op de houten pier. 'Waar is het slaapdrankje?' vroeg hij terwijl hij zijn hand uitstak om de zaak af te handelen.

Toen Danilo hem de flacon overhandigde, merkte hij dat de hand die hem aannam beefde. De slaaf was doodsbang.

'Was het erg gevaarlijk om vanavond te komen?' vroeg hij.

'Het is altijd gevaarlijk, meester,' antwoordde Narcissus met nauw verholen ongeduld.

'Waarom doe je het dan?'

De voet hield op met tikken en Narcissus nam even de tijd alvorens te antwoorden. Toen hij dat deed was er slechts een hint van een glimlach rond zijn lippen te zien.

'Dat is mijn geheim, meester. En het hare.'

Met die woorden draaide hij zich om en haastte zich de stekelige ondergroei in.

Maar voor de donkere nacht hem volledig had kunnen opslokken, riep de slaaf hem over de schouder nog een laatste boodschap toe. 'Moge uw god over u waken en u veilig bij ons terugbrengen.'

Het ijle stemgeluid klonk over het water en was toen verdwenen, als een lichtflits, aldus Danilo del Medigo's laatste band verbrekend met het leven dat hij achter zich ging laten. Een golf van neerslachtigheid overspoelde hem. Tranen lagen op de loer. Maar daarachter begon zijn hart sneller te kloppen bij het bedwelmende vooruitzicht van het grote avontuur dat hem wachtte op weg naar Bagdad.

DE WEG NAAR BAGDAD

Brieven uit de koerierstas

28 Bij het vertrek uit Üsküdar

Van: Alvise Gritti, de Venetiaanse bailo te Istanbul
Aan: de Illustere Senatoren van de Meest Serene Republiek van Venetië
Datum: 9 juni 1534

Uiterst goedgunstige meesters,

Met genoegen laat ik u weten dat het kleine, met edelstenen bezette uurwerkje dat u als huwelijkscadeau voor de sultan had uitgezocht, in ongerepte staat is aangekomen en bij het Topkapi is afgeleverd. Mijn informanten in het paleis hebben me laten weten dat sultan Süleyman en zijn bruid geen enkel ander huwelijkscadeau van een buitenlandse mogendheid met meer verrukking hebben begroet. Meer nog dan de waardevolle edelstenen waarmee het versierd is, verafgoden ze de poppetjes die als Zwitserse gardisten verkleed zijn en steeds tevoorschijn schieten om het uur aan te kondigen. Ik herinner me een even enthousiaste reactie van de Franse koning, toen we hem een klok stuurden die veel op deze leek, teneinde hem op te vrolijken in de Italiaanse gevangenis, alwaar hij zat weg te kwijnen. Hier in Istanbul gestationeerd, te midden van deze Saracenen die met grote regelmaat wel tot een heel ander mensenras dan het onze lijken te horen, vind ik het op de een of andere manier geruststellend dat onze koningen en hun sultans kennelijk gemeenschappelijke interesses hebben. Klokken en koningen.

Al vanaf het moment dat ik hier in Istanbul het ambt van consul aanvaardde ben ik min of meer behandeld als een paria, net als alle andere buitenlandse attachés (behalve dan bij gelegenheid de Fransen). Zelfs mijn verzoek om de ondergrondse waterreservoirs te mogen bezoeken is afgewezen, al zou ik niet weten wat ze daarbeneden zouden moeten verbergen. Zou het kunnen dat er alleen een gouden klokje voor nodig is om de morbide achterdocht jegens buitenlanders uit te bannen die in de oriëntaalse geest schuilgaat?

Doorgaans reageert de sultan op geschenken met een formeel bedankbriefje, verder niets. Deze keer ging het formele bedankbriefje dat ik ontving vergezeld van een uitnodiging om een bezoek te brengen aan Üsküdar waar het Turkse leger voorbereidingen treft voor haar veldtocht tegen Perzië. Normaal maken we gebruik van betaalde informanten, zoals mijn rekeningenboek zal laten zien, om erachter te komen wat deze mensen van plan zijn. Nu ineens worden we gevraagd om zelf te komen kijken.

Slechts één klein onderdeel van het huwelijksgeschenk kan de sultan niet behagen. Hij haat het geklingel. Hij heeft mij verzocht een reparateur te laten komen die de klok het zwijgen op kan leggen zonder de kleine Zwitserse gardisten uit te schakelen. Deze sultan hecht veel waarde aan stilte.

Ik stel u voor, mijne heren, dat er zo snel mogelijk een klokkenmaker hierheen gezonden wordt met de vereiste vaardigheden om een einde te maken aan het aanstootgevende getingel. Dat zou onze positie aan dit hof onnoemelijk verbeteren. Dankzij de klok nemen wij Venetianen op dit moment een bijzonder bevoorrechte positie in aan het Ottomaanse hof. De deur naar ongekende mogelijkheden is zich aan het openen. En daar kunnen we gebruik van maken om op de handelsconcessies aan te dringen waar we nu al zo'n tijd zonder succes jacht op maken.

Toen ik een paar weken geleden een uitnodiging ontving voor een bezoek aan de verzamelplaats van Süleymans leger in Üsküdar, was ik verrast door het tijdstip van vertrek. Half juli was extreem laat voor de Ottomanen om te velde te trekken, dacht ik. En dat was ook zo, als Süleyman probeerde Wenen voor de derde keer te belegeren. Maar hij lijkt – althans voor het moment – zijn plannen opgegeven te hebben om de Oostenrijkse hoofdstad in te nemen. Nu heeft hij zijn blik op Bagdad gevestigd en in Mesopotamië is vechten van juni tot en met september onmogelijk vanwege de zomerhitte. Om die reden was de grootvizier, Ibrahim Pasha, halverwege de winter met het halve leger vooruit gestuurd om de Perzische vestingen in Koerdistan en Azerbeidzjan te heroveren. Hij heeft de enorme kanonnen bij zich die nodig zijn voor de belegering van de steden onderweg, zodat hij maar heel langzaam en moeizaam vooruitkomt. Maar het stelt de sultan in staat met de rest van het leger haast te maken en zich, zonder gehinderd te worden door de ballast van de grote kanonnen, bij zijn vizier te voegen zodat ze samen aan het einde van de herfst op kunnen rukken. Dat is het beste seizoen, zegt men, om Mesopotamië binnen te vallen.

Heeft de sultan Bagdad eenmaal veroverd (insjallah, zoals iedereen hier zegt), dan kan Süleyman de winter gebruiken om zijn positie in Irak te versterken, als reïncarnatie van de kaliefs van de Arabische Gouden Eeuw. Daarna, als het Ottomaanse bewind eenmaal stevig voet aan de grond heeft gekregen in Mesopotamië, zal er nog tijd genoeg zijn om vóór de winter van 1535 terug te keren naar huis.

Tot nu toe was iedereen, inclusief de sultan, van mening dat zijn vader ongeveer twintig jaar geleden de Perzen bij de slag bij Chaldoran aan zich had onderworpen. Maar er is een nieuwe koning in Teheran en deze sjah Tahmasp kon niet wachten om de oud-Turks-Perzische vijandschap nieuw leven in te blazen. Hij had alleen enige provocatie nodig en daar verscheen Zultikan Khan, de gouverneur van Bagdad, als geroepen ten tonele om in het openbaar zijn onafhankelijkheid van Perzië en zijn trouw aan de Ottomaanse sultan te verklaren. Er bestond geen twijfel over dat de schurk de hele tijd achter de rug van Perzië om met de Ottomanen had samengespannen. Deze mensen zijn niet bepaald trouw te noemen. Maar de Khan, die helaas een nogal dramatische inslag had, had het onzalige idee gekregen zijn afvalligheid van het Perzische Rijk te bezegelen door Süleyman de sleutels van Bagdad in een gouden *casque* te zenden. Natuurlijk reageerde Tahmasp daarop door Bagdad te bestormen, het hoofd van de gouverneur af te hakken en in een fluwelen zak naar het Topkapi-paleis te sturen – schijnbaar het Saraceense equivalent van iemand de handschoen toewerpen. En opnieuw was Turkije in oorlog met Perzië.

Ik heb nu twee bezoeken gebracht aan de verzamelplaats te Üsküdar, het eerste een week geleden en het andere vandaag, aan de vooravond van hun vertrek. Voor ik wegging was mij verteld dat de Ottomanen in het veld voornamer gehuisvest zijn dan thuis. Maar niets had me kunnen voorbereiden op wat ik met mijn eigen ogen zag.

Het kampement bestrijkt een enorm veld, bijna vijf keer zo lang als de hippodroom. Bij mijn eerste bezoek stond alleen het privékwartier van de sultan op zijn plek, een veelheid aan tenten van verschillende formaten en verschillende vormen en kleuren. Dit bevond zich in het midden van het veld. Hier moet ik even pauzeren om duidelijk te maken dat wat wij Europeanen een tent noemen in niets lijkt op de bouwsels die ik in Üsküdar zag. Deze Ottomanen maken de grote, belangrijke tenten in de stijl van hun nomadische voorvaderen van zware vilten panelen die door zijden koorden aan palen, dik als het middel van een man, worden opgehangen. De panelen zijn van boven tot onder beschilderd met prachtige patronen. De kleinere tenten, die om het gevolg van de sultan heen, zijn gemaakt van stijve panelen van jute.

Maar denk niet dat Süleyman zich in zijn tent in weelde wentelt terwijl zijn ondergeschikten in de hunne in diepe misère leven. Terwijl ik toekeek was een ploeg werklui bezig de ruwe buitenzijde van de kleinere tenten te versieren met geborduurde draperieën. Zelfs de stallen aan de rand van het kampement zijn bedekt met jute.

Wat het sanctum sanctorum van de sultan betreft – zijn slaaptent, zijn baadtent, zijn vergadertent, zijn eettent –, daar kan ik verder niets over zeggen. Ik heb er nauwelijks een glimp van opgevangen. Maar ze lieten me wel zijn voornaamste ontvangstruimte zien, een enorme koepeltent die helemaal met tapijten bekleed was. Overal hingen lantaarns van gekleurd glas en hij werd afgedekt door een enorme koepel met daarop zijn strijdbanier, zijn tugra. Wel edele heren, ik heb in de lange tijd dat ik in dienst ben van la Serenissima heel wat bivaks gezien, maar een dergelijke grandeur te velde, daar had zelfs ik me geen voorstelling van kunnen maken.

Bij mijn tweede bezoek was het kamp inderdaad uitgebreid en bedekte nu de hele weide met een net van paden waarin voor alles en iedereen een plekje was gereserveerd, jachthonden en dienaren incluis. Het was het Topkapi-paleis, volledig opnieuw uit vilt en jute opgetrokken, en met een palissade van rode zijde bij wijze van vestingmuren.

Staat u me toe u eraan te herinneren, heren, dat deze tijdelijke stad slechts de helft van het leger herbergt dat naar Bagdad oprukt; de andere helft, onder het leiderschap van de grootvizier Ibrahim, zal overwinteren in Tabriz dat, zoals we hebben gehoord, Ibrahim alreeds teruxveroverd heeft op de Perzen. Nota bene: bij deze karavaan zullen zich bij zijn voortgang door Anatolië en Azerbeidzjan ook nog plaatselijke landvoogden voegen, de beys, en verschillende Ottomaanse leenmannen ieder met hun eigen cavalerie, stalknechten, bedienden, paarden, muildieren en bagagetreinen,.

Tegen de tijd dat ik vandaag Üsküdar verliet, stond elke tentpaal overeind en was elke man en elk dier geregistreerd op één na: de sultan. Bij het aanbreken van de dag zal hij uit het Topkapi-paleis aan komen rijden met zijn erewacht van pages en janitsaren om de centrale plek in de marsroute in te nemen. Dan, na een slag tegen het grote bronzen vat dat ze de Trom der Verovering noemen, zal hij oostwaarts vertrekken voor een reis die plaatselijke deskundigen vaststellen op 1334 mijlen.

Morgen tegen de middag, is mij verteld, is het uitgestrekte veld bij Üsküdar leeg. Bij het vallen van de avond is er niets meer van zijn recente bewoners te zien. De stad die in een paar weken tijd opgebouwd werd, is zonder een spoor na te laten binnen een dag verdwenen. Süleyman zal dan opnieuw te velde getrokken zijn, dit keer naar het oosten, over de uitgestrekte Anatolische vlakte naar Aleppo dat nog steeds stevig in handen van de Ottomanen is, en dan verder zuidwaarts door Koerdisch gebied dat grenst aan het Perzische Rijk en nooit in iemands handen lijkt te zijn.

Op bepaalde onderdelen van deze marsroute zal Süleyman in de voetstappen van Alexander de Grote treden op diens veldtocht tegen Bagdad. Kennelijk is onze sultan grootgebracht met een of ander Arabisch verzinsel dat heel populair is onder de Turken, getiteld Ahmedi's *Boek van Iskander* (hun naam voor Alexander), een soort voor kinderen bedoeld allegaartje van Arrianus, Ptolemeus, Herodotus en Xenophons *Anabasis*, vermengd met een grote dosis islamitisch gemythologiseer. Door dit boek, dat hem voorgelezen werd door zijn moeder, kwam Süleyman voor het eerst in aanraking met het verhaal van Alexander en maakte, zo jong al, de Griekse held tot zijn persoonlijke voorbeeld.

Met alle respect, heren, veroorloof ik mij de vrijheid erop te wijzen dat Alexander zelf als jongen de Achilles van Homerus als held koos en dat hij op zijn Perzische veldtocht met een exemplaar van Homerus' *Ilias* onder zijn kussen sliep, waaruit zijn boezemvriend, Hephaistion, hem elke avond voorlas. Het zou me inderdaad niet verbazen als Süleyman – die onlangs een Latijns manuscript ten geschenke kreeg over het leven van Alexander door Arrianus – het eenzelfde ereplaats tussen zijn beddengoed zal toekennen.

Ze beweren dat Süleyman er ook van houdt in slaap gelezen te worden in zijn tent. Toevalligerwijs heeft ook hij een boezemvriend, grootvizier Ibrahim die, zo wordt gezegd, op sommige nachten zijn bed deelt en hem altijd voorleest. Maar de grootvizier bivakkeert vele mijlen hiervandaan in Tabriz. En ik durf te wedden dat een zekere page met een goede beheersing van het Latijn en een scherp oog voor zijn eigen voordeel, gemakkelijk eenzelfde intimiteit als voorlezer van de sultan zal weten te bereiken eer deze optocht Konya heeft bereikt.

Uw eerbiedige dienaar,
  Alvise Gritti

29 Maltepe

Van: Danilo del Medigo te Maltepe
Aan: Juda del Medigo in het Topkapi-paleis
Datum: 13 juni 1534

O, papa,

We zijn op vier dagen van Üsküdar vandaan. We rijden overdag, slapen
's nachts, steevast binnen de grenzen van het gezagscentrum van de
sultan, dat midden in deze enorme optocht van mensen en dieren verstopt zit. Het lijkt op leven in een stad zo groot dat je in geen van beide
richtingen het einde ervan kunt zien. En dat maakt de goed georgani-
seerde ordelijkheid van onze mars zo verbijsterend.

Elke avond als we ons opmaken om te gaan slapen, horen we de
hoorns die de ingenieurs en arbeiders hun bed uit roepen teneinde
zich naar de halteplaats van de volgende dag te begeven. Terwijl wij
verder slapen rijden zij met de kamelen en legertros voor ons uit. Bij
het aanbreken van de dag worden wij wakker, we wassen ons, eten en
gaan, nadat we al ons afval begraven hebben, op weg met achterlating
van onze tenten. Tegen de tijd dat we bij de volgende halteplaats aankomen treffen we daar een nieuwe tentenstad aan, afgebakend door
greppels, latrines en de hele verzameling koninklijke tenten (waarvan
sommige duplicaten zijn van die die we zojuist achtergelaten hebben).
In de tussentijd hebben de achtergebleven wachters het dorp op de
locatie van de vorige dag gedemonteerd en hebben ze ons met hun
wagens vol tenten en spullen ingehaald op weg naar onze volgende
halteplaats.

Ik weet dat dit voor u een oud verhaal is, papa, die al in zovele van de
overwinningen van de sultan gedeeld heeft, maar uw campagnes werden in Bulgarije, Hongarije en Oostenrijk gevoerd. De Donau was uw

hoofdweg. Het enige wat wij hebben is een oude verlaten zijderoute.

Ik weet niet precies wat ik had verwacht van een militaire veldtocht, maar wat het ook was, het was niet dit – de traagheid, de dagelijkse eentonigheid. Je spullen pakken, op je paard klimmen en langzaam naar de bestemming van die dag toe gaan (niet sneller dan de zwaarbeladen kamelen in de bagagetrein). De lastdieren bepalen het tempo.

Hoe had ik gedacht dat het zou zijn? Hoe had ik gedacht dat we anders een complete stad van mensen en dieren van Istanbul naar Bagdad zouden kunnen vervoeren? Het antwoord is: ik dacht niet. Mijn enige ervaring met veldtochten was toen ik samen met heer Pirro Gonzaga een bezoek ging brengen aan het koninklijke leger van de Bourbons buiten Rome. Totdat wij uit Üsküdar vertrokken had ik nog nooit een ander leger op mars gezien dan dat. Ik was bereid te sterven, maar niet van verveling.

Waarom vertelde u me niet dat het zo zou zijn? Waarop u met recht en reden kunt antwoorden: 'Waarom heb je niets gevraagd?'

Na bijna een week heb ik nog altijd geen glimp opgevangen van de sultan. Noch is mij verteld wat er van me verwacht wordt, wat mijn plichten zijn of waarom ik hier eigenlijk ben. Volgens het officiële kamprooster ben ik lid van de hoogste oda van de oudere pages van de sultan – degenen die hem aankleden, scheren, baden, te eten geven, hem bewaken gedurende de campagne en voor hem vechten. Ze zijn zijn erewacht. Ik eet met hen samen en ik slaap met hen samen, maar ze hebben me duidelijk gemaakt dat ik niet een van hen ben. Ze noemen me, om eerlijk te zijn, de Joodse Page. Het is niet kwaadaardig bedoeld, meer om mij van hen te onderscheiden. Het zijn allemaal jongens van christelijke afkomst die na een overwinning meegenomen zijn als buit, tot slaaf gemaakt, bekeerd tot de islam en vervolgens uitverkoren zijn als lid van de persoonlijke en regerende kaste van de sultan, zijn cul. Dat is hun voorgeschiedenis en zonder deze kan volgens hen niemand ooit een waar lid van de vierde oda van de pages van de sultan zijn.

Zelfs Ibrahim de Griek wordt door hen van hun broederschap uitgesloten. Hij mag dan de grootvizier zijn, ze noemen hem altijd de Griek. Hoewel hij evenzeer een trofee was als zij en eveneens christen van geboorte, is hij omdat hij een Griek is niet hun soort christen.

Tot dusver heb ik alleen nog instructies ontvangen van mijn officiële superieur, de hoofdvertaler van de sultan, Ahmed Pasha. Maar om eerlijk te zijn denk ik niet dat Ahmed een beter idee heeft van mijn plichten dan ik. Of van de reden waarom ik aangesteld ben als zijn assistent, aangezien hij niets voor me te doen heeft. Hij was degene die me liet weten dat ik op zaterdag niet mag werken omdat het mijn sabbat is. En dat ik op geen enkele dag van de week varkensvlees mag eten. En dat het me verboden is een wapen te dragen. Dat is wel jammer want mijn vaardigheid met de gerit had me misschien wel wat vrienden onder de oudere pages van de sultan op kunnen leveren. Maar ik veronderstel dat ik dankbaar moet zijn, dat ik, zelfs al heb ik geen idee wat ik hier geacht word te doen, in elk geval weet wat ik niet mag doen.

Mocht u nu denken dat ik ongelukkig ben gedurende deze onderneming dan moet ik u verzekeren dat ik veilig, warm en goed gevoed ben. Ik heb een fantastisch eigen paard om op te rijden, een muilezel voor mijn boeken en papieren en vaste stallen om mijn dieren in onder te brengen. Dus u ziet wel dat ik allesbehalve lijd. En hoogstwaarschijnlijk ook niet in gevaar ben. De Perzische koning bevindt zich nog duizend mijl verderop en de mensen die naar ons wuiven als we door de provincies van Anatolië trekken, lijken erg blij ons te zien. En waarom ook niet? De sultan heeft zijn hele schatkist meegenomen op reis, dus we rukken op met karrenvrachten aan goud en betalen alles wat we kopen contant. Wat een verschil met de herinnering die ik heb aan het koninklijke leger van de Bourbon, verantwoordelijk voor de plundering van Rome, waarbij zijn troepen gedwongen waren het eten uit de monden van verhongerende mensen te grissen om zelf niet te verhongeren. Aangezien wij de meeste voorraden op de kop tikken op het moment dat we ze nodig hebben, wordt ons de voortdurende zoektocht naar eten bespaard die het de Europese legers op mars zo lastig maakt. En aangezien iedereen weet dat we voor een redelijke prijs kopen wat we nodig hebben worden we overal met vlaggen en glimlachende gezichten onthaald.

Natuurlijk is dit nog maar het begin van een lange mars en bevinden we ons nog lang en breed binnen de grenzen van het Ottomaanse Rijk. Bereiken we eenmaal de grens met Mesopotamië, dan zullen we de strijd moeten aanbinden met het leger van Tahmasp en Perzische steden belegeren. Maar we zullen in elk geval gezond en weldoorvoed aankomen. Ik weet, papa, dat u gedurende vele belegeringen, waarvan de meest recente Wenen was, onzegbare ontberingen hebt geleden. En ik wil de mogelijkheid van zware tijden die tijdens deze veldtocht nog zouden kunnen aanbreken niet bagatelliseren, maar op dit moment voel ik me eerder een deelnemer aan een of andere grootse triomftocht dan een soldaat die de misère van de oorlog moet verduren.

Ik weet niet wanneer deze brief u zal bereiken, papa. Het is mijn bedoeling mijn voordeel te doen met de koeriers die voor de sultan op en neer naar Istanbul rijden. Aangezien u zo hoog in aanzien bij hem staat, durf ik misschien wel de moed op te brengen zijn toestemming te vragen mijn brieven aan u in zijn tas mee te sturen. Dat is als ik hem tenminste ooit te zien krijg. Ik hoop dat deze brief u in goede gezondheid aantreft.

D.

*

Van: Danilo del Medigo te Maltepe
Aan: Juda del Medigo in het Topkapi-paleis
Datum: 14 juni 1534

Beste papa,

Net op het moment dat ik meende veroordeeld te zijn de dagen van deze veldtocht al studerende als een schooljongen door te brengen, voor een examen dat ik nooit zou hoeven afleggen, ontving ik de oproep mij na het laatste gebed vanavond bij de tent van de sultan te vervoegen.

Voor u zal ik niet verbergen, papa, dat ik al beefde toen ik mij begon voor te bereiden op mijn eerste voorleessessie met de sultan. Dat laatste deed ik door de passages over Alexander nog eens na te lezen die u mij gestuurd heeft om mij te helpen met mijn vertaalopdrachten. Maar ik was zo zenuwachtig dat toen ik de bladzijden wilde pakken ze uit mijn hand vielen en door de hele tent heen vlogen. Gelukkig maar dat deze tenten vanbinnen helemaal bekleed zijn zodat uw kostbare manuscript geen schade heeft ondervonden.

Toen ik bij de tent van de sultan aankwam, nog altijd bevend, zat hij daar op een troon van kussens naast een klein bureau met hoge stapels papieren erop en keek niet op. Behandelde hij u ook zo, papa? Zonder te groeten? Zonder te glimlachen? Werd er van mij verwacht dat ik mijzelf aankondigde? Ik dacht van niet. Hoe gedraagt men zich in de aanwezigheid van vorsten? Hoe vindt men als radertje zijn plek in het grote wiel dat over Anatolië heen rolt? O, wat wilde ik nu graag dat ik u meer had gevraagd toen ik daar de kans voor had. Omdat ik ooit een keer een militair kampement – en dan ook nog een Europees kampement – had bezocht, meende ik, dwaas genoeg, dat ik alles al wist. Nu kom ik erachter dat ik niet eens weet hoe ik toestemming moet vragen om gebruik te maken van de latrine, laat staan of ik mijn mond al dan niet open moet doen.

En dus stond ik daar in aanwezigheid van de sultan, eindelijk, en wachtte op een teken. En inderdaad, na een paar ongemakkelijke minuten, keek de sultan op. Maar hij begroette me niet. Noch glimlachte hij. Hij is niet van het glimlachende soort. Hij legde gewoon de laatste vellen papier neer, haalde onder zijn kussen mijn moeders vertaling van Arrianus' *Anabasis*, die u hem gegeven had, vandaan en reikte me die aan. Het doet me plezier u te kunnen vertellen dat hij het manuscript in een met gouddraad geborduurde tas bewaart en dat hij er heel voorzichtig mee omgaat. En dat ik, ondanks mijn zenuwen, het niet liet vallen.

Ten slotte volgde het bruuske bevel: 'Je kunt beginnen.'

En dus begon ik met de anekdote over Alexander die het wilde paard, Bucephalus, temde. Maar ik had nog maar net de eerste woorden uitgesproken of de koninklijke hand ging de lucht in.

'Ik wil de Griekse versie van de landing van Iskander op de kust van Azië horen. Het is een verhaal dat ik als kind hoorde van mijn gezegende moeder, moge zij rusten in vrede.'

Waarop ik zei: 'Amen.'

Om u de waarheid te vertellen, papa, was ik niet weinig verbaasd bij het gebrek aan interesse van de sultan in de vroege jaren van Alexander. Was deze sultan zelf nooit een jongen geweest? Misschien gaat hij op dit moment, nu hij in de voetsporen van Alexander treedt, te zeer op in het hier en nu, bedacht ik me. Maar gedurende het voorlezen gisteravond begon ik te merken dat hij wel degelijk een soort verwantschap voelt met Alexander, maar dat die eerder mystiek is dan historisch. Ik geloof dat hij denkt dat hij de reïncarnatie van Iskander is, op aarde gekomen om ten overstaan van de ketterse Perzen de macht van het Ware Geloof te verdedigen.

Gelukkig voor mij was ik in staat Iskanders oversteek van de Hellespont in acceptabel Turks te vertalen, en ook dat fantastische deel waarin hij van de koninklijke trireem afspringt en zijn speer in de aarde van het Perzische Rijk slingert om dat voor zichzelf op te eisen. Ik weet het niet zeker, maar op dat moment meen ik dat ik de sultan zachtjes 'Bravo, Iskander!' hoorde mompelen.

Dit gaf me de moed verder te ploeteren in de richting van Alexanders verovering van Troje en zijn eerbetoon bij de graftombe van Achilles. Arrianus laat ons weten dat Alexander en zijn boezemvriend Hephaistion kransen legden op de graven van zowel Achilles als diens boezemvriend Patrokles. Terwijl ik voorlas knikte mijn sultan goedkeurend, zij het misschien niet om mijnentwil maar dan toch in elk geval om Alexander. Maar toen ik bij het woord 'kransen' kwam richtte hij zich in zijn kussens op en zijn gezicht betrok.

'Kransen!' Hij spuugde het woord uit als was het een vloek. 'Hoe zit het met de naakte dans rond Achilles' graf? Hoe zit het met de geparfumeerde olie en het engelenkoor?' Hij wees met een beschuldigende vinger naar mij. 'Je moet een bladzijde hebben overgeslagen.'

Even vroeg ik mij af of ik misschien inderdaad een bladzijde had overgeslagen, deze man spreekt namelijk met zoveel gezag dat je de neiging krijgt aan jezelf te twijfelen. Maar een snelle bestudering van het manuscript leerde me dat ik niets over het hoofd gezien had. Ik verzekerde hem bovendien dat ik geen enkele keer dat ik het verhaal gelezen had op een vermelding gestuit was van Alexander die om Achilles' graf heen danste. Daar werd zijn humeur alleen maar slechter van. Gelukkig reageerde hij dat niet op mij af, maar op de arme, oude, dode Arrianus.

'Wie is die Arrianus eigenlijk?' wilde hij weten. 'Mij is verteld dat hij de meest betrouwbare bron was wat het leven van Iskander betreft. Nu kom ik erachter dat de informatie uit Ahmedi's *Boek van Iskander* dat mijn moeder me als kind voorlas veel beter is.'

Tja, wie was Arrianus eigenlijk? En hoeveel wist hij in feite van Alexander? Maar goed, hoeveel wist ik? En wat kon er in mijn eigen armetierige kennisvoorraad op tegen de verhaaltjes voor het slapengaan van de gezegende moeder van de sultan?

Mezelf bijeenrapend zocht ik mijn geheugen af naar alles wat ik ooit van mijn moeder en u over Alexanders leven had geleerd en stortte een mengelmoes van namen, data, geleerden en scriba's over hem uit – Arrianus, Plutarchus, Quintus, Diodorus, Ptolemeus, niet één uitgezonderd. Al deze biografen, legde ik uit, hadden hun eigen versie van

Iskanders verhaal. Helaas is geen van hun oorspronkelijke bronnen bewaard gebleven. Tegenwoordig hebben we alleen navertellingen, elk met hun eigen omissies en vergissingen. Arrianus wordt geacht van hen allemaal het meest complete verhaal van Alexander te vertellen.

'Maar we moeten niet vergeten,' raadde ik hem vriendelijk aan, 'dat Arrianus zijn boek vier eeuwen na de dood van Iskander geschreven heeft, toen iedereen die de jonge koning ooit gekend had en getuigenis kon afleggen van de gebeurtenissen uit zijn leven allang dood was.'

We moeten niet vergeten... Had ik echt in de gebiedende wijs tegen de padisjah gesproken? Niemand vertelt de sultan wat hij moet doen. Zelfs een onnozele hals als ik weet dat.

Ik zat te wachten op de genadeklap. In plaats daarvan ontving ik een nogal vriendelijk verzoek nog eens na te denken over wat ik in het Latijn en Grieks had gelezen aangaande Iskanders belevenissen in Troje. Hetzij de padisjah had mijn protocollaire misstap niet opgemerkt of hij kon zijn oren gewoon niet geloven. Dat gaf me een ogenblik om mijn hachje te redden.

Denk na, Danilo. Waar zou de moeder van de sultan het verhaal over dat naakte gedans vandaan kunnen hebben? Hoogstwaarschijnlijk uit de Turkse roman over Iskander, die uit het Perzisch in het Arabisch vertaald was en daarvóór vanuit het oorspronkelijke Grieks. Hoe gemakkelijk zou op een dergelijk kronkelig linguïstisch pad een woord, zinsnede, een hele alinea zelfs, verkeerd gelezen kunnen zijn.

'Mag ik u iets vragen, Sire?' vroeg ik.

Hij knikte instemmend.

'Kunt u zich misschien nog de precieze bewoordingen herinneren die gebruikt werden in het boek dat u als kind was voorgelezen?'

'Zeker,' antwoordde hij uitermate minzaam. 'Ik heb vele keren vernomen dat Iskander en Hephaistion op hun knieën de graftombe van Achilles naderden en dat ze zich uit eerbetoon geheel uitkleedden, zichzelf met welriekende heilige olie inwreven om hun lichamen te zuiveren en vervolgens een traditionele dans uitvoerden rond de heilige plek. Ik hoor nog mijn moeders stem terwijl ze mij voorleest. Elk woord.'

De stem van zijn moeder. In een flits hoorde ik weer de stem van mijn eigen moeder die me verhaalde van een Alexander op weg naar Troje om er zijn held Achilles te eren. Hoe hij daar zijn eigen wapenrusting ruilde voor een schild waarvan men zei dat het Achilles bij Troje had beschermd. En hoe, bij wijze van traditioneel eerbetoon, zijn boezemvriend Hephaistion en hij zichzelf geheel uitkleedden en naakt een hardloopwedstrijd om de graftombe van Achilles heen hielden.

Kennelijk was ergens in de lange kronkelige weg die de vertaling had afgelegd de wedstrijd een dans geworden. Wedstrijd en dans verschilden ook niet al te veel van elkaar. En in elk geval, wie ben ik om het woord van de heilige moeder van de sultan ter discussie te stellen? Dus terwijl ik het verhaal van mijn moeder opnieuw vertelde, verving ik haar woord 'wedstrijd' door de term van zijn moeder 'dans', stilletjes mijn nauwgezette moeder biddend me mijn onzorgvuldigheid te vergeven.

En toen dat achter de rug was, smeekte ik de sultan of hij me wilde vergeven voor mijn vergissing, waarbij ik de vertalers de schuld gaf. In het Latijn, legde ik uit, wordt met het woord 'cursus' gewoonlijk 'wedstrijd' bedoeld, zoals een hardloopwedstrijd. Vrijwel meteen zag ik het voorhoofd van de sultan weer betrekken.

'Maar het kan ook dans betekenen,' voegde ik er haastig aan toe. En ontving een tevreden knikje als antwoord.

Ik was erin geslaagd mijn reputatie intact te houden. Maar hoe zat het met de arme Arrianus? Zijn naam was door het slijk gehaald. En aldus sloten we de lange avond af.

Volgens mij kan ik met een gerust hart zeggen dat ik een of andere test heb doorstaan. Maar één ding maakt me wat ongerust. Niet alleen wil deze man dat ik ter plekke Arrianus vertaal, hij wil bovendien dat Arrianus de roman van Iskander heeft geschreven die zijn moeder hem als kind voorlas. En ik weet niet zeker of ik een dergelijke wonderbaarlijke transformatie kan uitvoeren.

Wat de sultan van mij wil is een romantisch verhaal en Arrianus is noch een verhalenverteller noch romantisch. Bij zijn woorden zie ik dat de ogen van de sultan beginnen te knipperen en vervolgens dichtvallen. Arrianus sust hem in slaap. Hij is gortdroog, deze Griek, zonder sappige details om je aan te verlekkeren. En daardoor begin ik de hoop op te geven wat mijn toekomst als Assistent-Vertaler betreft. En vervloek ik de dag dat ik ooit de naam Iskander gehoord heb.

Uw eerbiedige en liefhebbende zoon,
   Danilo del Medigo

Van: sultana Hürrem in het Topkapi-paleis
Aan: de Gazi sultan Süleyman onderweg, ontvangen te Maltepe
Datum: 14 juni 1534

Mijn sultan en meester die ik adoreer,

Vijf dagen zonder u lijken wel vier maanden. Elke dag vragen de kinderen: 'Waarom is papa niet hier? Wanneer komt hij weer bij ons terug?'
Ze zijn te jong om te begrijpen dat hun papa een gazi is en dat wanneer
de jihad roept hij daar gehoor aan moet geven.

Het past mij niet mijn lot te beklagen tegenover u, die uit plichtsbe-
sef zijn leven geeft voor zijn volk. Maar aangezien u mij tot de verheven
staat van Keizerin bevorderd heeft en mij de eer bewezen heeft mij tot
regentes te benoemen in uw afwezigheid, heeft u mij, mijn aanbeden
echtgenoot, bovendien een aantal zware verantwoordelijkheden opgelegd die mijn schamele vermogens ver te boven gaan. Niet alleen moet
ik optreden als een regentes die uw vertrouwen waardig is, maar in uw
afwezigheid ook als voogd van onze zo geliefde kinderen. Bij deze ondernemingen heb ik in ernstige mate alle hulp nodig die ik kan krijgen.
We hebben al het belang in leren zien van een privésecretaris die mij
volledig trouw is en ik dank Allah dagelijks dat ik in prinses Saïda een
dergelijk persoon gevonden heb. Ze is een rots in de branding voor mij.
Maar helaas, ook al legt ze getrouw elke middag vanaf de harem de reis
door de stad af om mij hier in het Topkapi van dienst te zijn, ik betreur
het ten zeerste dat ik niet in staat ben haar hulp in te roepen zodra de
gelegenheid zich voordoet, wanneer ik haar bijvoorbeeld in de ochtend
of in de avond nodig heb. Maar ze is vastberaden het hele rouwjaar ter
nagedachtenis van haar grootmoeder vol te maken in de vertrekken
van de valide in het Oude Paleis.

Ongetwijfeld neemt niemand zijn rouwverplichtingen getrouwer in
acht dan u. En toch, toen de plicht riep, slechts drie maanden na de
voortijdige dood van de valide, gaf u daaraan gehoor en trok ten strijde
tegen de ketterse sjahs van Perzië. Ik heb onze rouwende prinses duidelijk gemaakt dat ook zij een verplichting heeft, en wel de zorg voor haar
jongere broers en zussen terwijl zij zich voorbereidt op het huwelijk
– veel te lang uitgesteld – met een echtgenoot van uw keuze, om u al-

dus een damat, die aan ons gebonden is door de banden des bloeds, te schenken als toekomstige schoonzoon, alsmede een toekomstige vizier wiens trouw boven alle twijfel verheven is.

Het is niet zo dat ze van haar rouwende bestaan geniet. Men heeft mij verteld dat ze zichzelf elke avond in slaap huilt, dat ze in tranen is vanwege het verlies van haar grootmoeder, naar wier liefde zij nog steeds snakt maar die voor altijd verloren is. De enige oplossing is dat ze haar riten opgeeft en haar verplichtingen als vrouw en moeder en draagster van Ottomaanse zonen nakomt.

De voorbereiding voor een dergelijke belangrijke gebeurtenis heeft tijd nodig. De uitzet van de bruid moet besteld worden – bedenk dat elke parel in de sleep er met de hand opgenaaid dient te worden – er moet een paleis aangeschaft en een passende staf bijeengebracht worden voor de huishouding van een prinses en haar echtgenoot, de damat van de sultan. Ik ben begonnen een lijst samen te stellen van vooraanstaande personen die deze grote eer waardig zijn, zodat het enige wat u hoeft te doen wanneer u thuiskomt – o, gezegend zij die dag! – is degene aan te wijzen die uw voorkeur heeft en de huwelijksdatum aan te kondigen, wat volgens de wet uw taak is.

Schrijf me alstublieft of ik zal sterven.

Was getekend,
uw sultana

*

Onder aan deze brief is een bericht in code opgenomen. Een snelle strijkbeweging met een brandende waspit over de bladzijden brengt deze woorden aan het licht:

De prinses is in tranen vanwege haar verlangen naar iemand wiens liefde ze zo nodig heeft, geen liefde die voor altijd verloren is, maar een liefde die door een magische waspit in leven wordt gehouden.

30 Elmadağ

Van: Danilo del Medigo te Elmadağ
Aan: Juda del Medigo in het Topkapi-paleis
Datum: 17 juni 1534

Beste papa,

We hebben voor twee dagen halt gehouden aan de voet van de berg om ons voordeel te doen met de uitstekende jachtmogelijkheden in de omringende bossen. Niet alleen zijn hier vogels in overvloed, maar ook herten, antilopen en zelfs wilde zwijnen. Toen ik dit hoorde kon ik bijna niet slapen omdat ik al lag te fantaseren hoe ik met mijn gerit een groot dier om zou leggen. Omdat ik deel uitmaak van de vierde oda kwam het niet bij me op dat ik misschien niet uitgenodigd zou worden om samen met mijn medepages mee te gaan met het jachtgezelschap van de sultan. Maar toen ik mijzelf aan het voorbereiden was op mijn eerste koninklijke jachtpartij trok mijn superieur, Ahmed Pasha, de Hoofdvertaler, me ter zijde om me te laten weten dat ik achter moest blijven. Daar bleek dat de belofte van de sultan aan u, dat ik in zijn dienst geen wapens zou dragen mijn deelname aan de jacht uitsloot.

'Maar het ging over de oorlog,' protesteerde ik vergeefs. En dus reden mijn medepages vanochtend bij het aanbreken van de dag weg zonder mij, elke hoefslag een klap voor mijn bezwaard gemoed. Papa, ik weet dat u mijn enthousiasme voor paarden of sport niet deelt. En ik begrijp dat dit verbod wat betreft het dragen van wapenen voor mijn veiligheid bedoeld is, maar betekent dat dat ik het komende jaar aldoor als een dom kind afgezonderd van mijn kameraden alleen in mijn tent achter moet blijven? Zo ja, dan begin ik me af te vragen of de voorwaarden waaronder ik in het leger van de sultan reis misschien niet te strikt voor mij zijn. Ik heb me neergelegd bij mijn uitzonderingspositie als de joodse page vanwege mijn religie, maar het vooruitzicht veracht te worden door de kameraden met wie ik eet, slaap en elke dag rijd, als een zwakkeling die niet weet hoe hij een gerit moet hanteren, vervult me met afgrijzen.

Dat is de reden waarom ik u smeek, papa, dat u de voorwaarden van mijn dienstverlening aan de sultan herziet. Staat u me alstublieft toe in elk geval deel te nemen aan alle gerit-wedstrijden onderweg en aan andere niet-sporten zoals jagen. Zoals de situatie nu is, lig ik de hele ochtend op mijn brits, me nutteloos, vriendenloos en hopeloos te voelen. Daar trof Ahmed me aan en hij kreeg medelijden met me. Natuurlijk durft hij niet tegen de orders van zijn heer in te gaan maar hij kwam wel met een voorstel dat me opfleurde. Waarom, vroeg hij, gebruikte ik deze twee dagen niet om het kamp beter te leren kennen?

'Ik ben bevoegd om je twee dagen vrijaf te geven van je vertaalwerk zodat je rond kunt gaan in het kamp,' raadde hij me aan. 'Niemand heeft me gezegd dat je niet op je paard mag rijden. Volgens mijn inschatting geven twee dagen te paard je voldoende tijd om de hele stoet te bezichtigen, van de eenheden vooraan tot de achterblijvers aan het einde.' Toen voegde hij er met een glinstering in zijn ogen aan toe: 'Dit is een zeldzame kans, mijn jongen, dat verzeker ik je. Ikzelf kreeg pas bij mijn derde veldtocht een compleet overzicht van de marsroute. En deze gelegenheid krijg je misschien nooit meer.'

Dit was, zoals een Italiaan zou zeggen, zo'n goed aanbod dat je het onmogelijk af kon slaan. En dus trok ik mijn laarzen aan, vulde mijn waterfles, zadelde mijn paard en ging op pad om iets te leren over deze expeditie waarvan ik wel en geen deel uitmaak.

Ahmeds advies indachtig besloot ik om achteraan te beginnen, en vervolgens elk onderdeel van de stoet van achter naar voor te bezoeken. Alsof iemand kon verwachten dit in twee dagen tijd voor elkaar te krijgen. Het kostte me een paar uur om de dwaasheid van mijn plan in te zien zoals u ongetwijfeld weet gezien uw langdurige ervaring met dit leger. Maar van de andere kant, gezien uw afkeer van paarden en muildieren zou u het waarschijnlijk helemaal niet erg hebben gevonden op een vrije dag gewoon in uw tent te blijven.

Mocht dat zo zijn, dan loop ik het risico u te vervelen door te vertellen wat ik vandaag zag. Maar bewaart u alstublieft deze brief zodat ik mijn avontuur opnieuw in herinnering kan brengen als ik oud ben en knikkebollend bij het vuur mijn verhalen opnieuw aan mijn kleinkinderen vertel.

Voor de volledigheid, onze route heeft ons tot in de buurt van de Granicus-rivier gevoerd, waar Alexander voor het eerst stuitte op de troepenmacht van koning Darius van Perzië in het jaar 334 voor Christus. In Alexanders tijd bevond deze uitgestrekte streek van Anatolië, waar we nu vredig doorheen trekken, zich in handen van de Perzen. Ik zei hier iets over tegen de sultan toen ik hem gisteravond uit Arrianus voorlas. We waren het er allebei over eens dat het interessant geweest zou zijn een bezoek te brengen aan Iskanders oude slagveld bij de Granicus. Maar helaas, zei de padisjah, we moeten verder. De plicht roept. Al lijkt het erop (deze opmerking is alleen voor uw oren bestemd, papa) dat de jachthoorn harder roept dan de plicht als het om een bezoek aan een historisch slagveld gaat.

Zelf zou ik het fantastisch gevonden hebben om Alexanders weg helemaal langs de Ionische kust te volgen tot aan de provincie Caria waar hij halt hield om het orakel te raadplegen. Maar de sultan had, zo bleek, zijn eigen orakel dat hij wilde raadplegen – een soefi-mysticus, Rumi genaamd, wiens graf en heiligdom zich in Konya bevinden. Is het niet interessant, papa, dat deze twee grote leiders allebei van hun pad afwijken om zich ervan te verzekeren dat de goden op hun hand waren voor ze op pad gingen om Perzië te veroveren? Maar ik dwaal af.

Zoals u weet is het kamp ontworpen als een stad, in een lange reeks kampementen achter elkaar, waarbij elke eenheid omgeven is door weiden en stallen voor de dieren en netjes georganiseerd in reeksen tentstraten. Elke straat op zijn beurt is weer netjes afgezoomd met greppels terwijl de padisjah veilig weggestopt zit in het midden van de formatie die aan weerszijden beschermd wordt door janitsaren.

Onze naaste buren in de marsroute, een janitsarenbrigade, hadden al een vuur gemaakt toen ik door hun kampement heen reed dat een verbazingwekkend rustige en vredige indruk maakte. Nergens zag ik afval of vuil, of tekenen van gokken of dronkenschap. Ik kon moeilijk geloven dat ik me midden in een bivak van doorgewinterde soldaten bevond en het was zelfs nog verbazingwekkender dat het zo rustig was, aangezien hun bevelhebbers boven op de berg met de sultan aan het jagen waren. In mijn herinnering aan het koninklijke kamp vlak bij Rome was noch de hertog van Bourbon noch zijn medebevelhebber over de Duitse Landsknechte in staat een dergelijke strenge orde af te dwingen, zelfs niet als ze vlak voor hun mannen stonden om hun bevelen te geven.

De volgende verrassing – de vrijgevigheid van de intendant. Zelfs in dit gortdroge land waar water vaak evenveel waard is als geld, zag ik ketels vol gereedstaan voor de koks. En water voor het wassen van de handen na bezoekjes aan de latrine. Natuurlijk bestaan deze troepen uit allemaal moslims en het is in hun religie verboden papier te gebruiken om hun kont af te vegen. Ik herinner me nog dat me op een van mijn eerste dagen in de prinsenschool verteld werd dat het onfatsoenlijk zou zijn voor dat doel papier te gebruiken omdat de naam van God op papier geschreven is. Ik herinner me ook dat me diezelfde dag opviel dat de jongens hun tulbanden afzetten voor ze gingen pissen en er daarna een kus op gaven wanneer ze hem weer opzetten, omdat de hoofdbedekking een teken is van toewijding aan Allah. Of zoals de Fransen zeggen: *quel delicatesse!*

Ik was natuurlijk niet verrast dat toen ik bij het gevolg van de sultan kwam ik overal rust en zuiverheid aantrof, plus een volle provisiekast en waswater in overvloed, want hij is nu eenmaal de sultan. Maar dat er water was om de handen te wassen van hele compagnies soldaten te velde – daar stond ik wel van te kijken.

Natuurlijk snelde ik niet aan het janitsarenkamp voorbij zoals ik van plan was geweest, maar ik steeg af en liep wat door de tentstraten heen, die naar een lange rij kiosken leidden, naar schuurtjes die bezet waren door zadel-, boog- en slippermakers, zwaardsmeden en tentpalensnijders en heel veel verkopers van etenswaren. Een broederschap van gildeleden richtte bij elke halteplaats een bazaar op, net als in Elmadağ, en zal dat blijven doen.

Ik bracht een hele aangename tijd door in het kampement van de janitsaren. Het deed me denken aan een bezoek aan een drukke marktplaats en ik had weinig zin om verder te gaan. Maar als ik bij elk kampement evenveel tijd door zou brengen als ik bij de janitsaren gedaan had, zou ik nooit het einde van de formatie bereiken of het einde van deze brief.

En dus ging ik snel verder naar de volgende eenheid – de klerken en geestelijken van de divan. Ik wist dat de hele raad en hun klerken en scriba's met ons meereisden en regelmatig bijeenkwamen zoals in het Topkapi. Maar vijf minuten in hun omgeving – de ene straat na de andere met gekleurde tenten en wel honderd mensen die daartussen heen en weer sjokten met grote stapels papier in hun handen – gaf me een heel nieuw besef van de omvang van deze onderneming. En ineens herinnerde ik me dat ik een keer bij ons thuis aan het diner de Venetiaanse bailo minachtend had horen zeggen dat de zetel van het Ottomaanse Rijk zich daar bevindt waar de sultan zijn tent belieft op te slaan. Destijds vatte ik dit op als zijnde niet meer dan een sneer naar de nederige afkomst van de Osmaanse familie. Maar vandaag zag ik met mijn eigen ogen hoe de sultan letterlijk het middelpunt van zijn rijk vormt en dat overal waar hij heen gaat, de hele regering met hem meegaat, alles en iedereen, tot en met de laatste dukaat in zijn enorme schatkist aan toe.

Natuurlijk, een oog op de schatkist houden zou heel goed geïnterpreteerd kunnen worden als bezorgdheid om de dreiging van diefstal, vanwege de lange periodes waarin de sultan niet in zijn hoofdstad aanwezig was. Nog altijd ligt de heilige roomse keizer slechts een paar honderd mijl naar het westen op de loer. Maar de noodzaak de schatkist veilig te stellen daargelaten, wat kan er verder voor reden zijn om elk lid van de divan, tezamen met zijn klerken, zijn secretaris, zijn kruiers en hofhouding mee te slepen over bergen en woestijnen zodat ze elke week bijeen kunnen komen, net als in het Topkapi, om petities aan te nemen, nieuwe wetten op te stellen of oude op te heffen? Ik kwam tot de conclusie dat door zichzelf in het hart van deze beweegbare stad te plaatsen, de sultan de letterlijke verpersoonlijking van het rijk wordt als dat op veldtocht gaat. Hij heeft alle aspecten van de bewindvoering letterlijk onder zijn neus, zonder hem is er geen rijk. De Venetiaanse bailo is dus veel slimmer dan hij weet. De zetel van de Ottomaanse macht bevindt zich inderdaad overal waar de sultan zijn tent opslaat.

Na het kampement van de divan vervolgde ik mijn weg door de verschillende keukens die de verschillende districten bedienen, langs de gemeenschap van schapenslachters die bovendien huiden looit (neus dicht!), het domein van de schatkist in. Hier houdt een grootkanselier toezicht, die reist met tweehonderd slaven en een zelfs nog groter aantal gigantische eiken kisten, elk ervan dichtgebonden met zeven stalen riemen en beveiligd met drie sloten. Op de halteplaatsen nemen deze kisten zes grote tenten in beslag (bijna evenveel als de sultan heeft). Samen bevatten ze de hele schatkist van het rijk, zodat de sultan overal waar hij maar heen reist er direct over kan beschikken.

In het tempo waarmee ik voortgang boekte zou ik mezelf gelukkig mogen prijzen als ik voor het vallen van de avond het einde van de formatie bereikt had, dacht ik. Maar toen ik bij de ziekenboeg aankwam móést ik gewoon naar binnen om erachter te komen wat er voor soort geneeskunde beoefend wordt in deze cirkel van een kwart mijl in omtrek.

Het antwoord is dat ze er elk medisch probleem behandelen, van aambeien tot steekwonden aan toe. Zo aan het begin van de veldtocht waren er vrijwel geen patiënten aanwezig, maar het lijkt erop dat er altijd wel op de een of andere manier geleden wordt. Ik zag hoe er twee tanden werden getrokken en een paar botten gezet. Ook zag ik dat een hoer van haar baby verlost werd. Gingen deze vrouwen misschien opzettelijk mee op veldtocht, vroeg ik me af, in de wetenschap dat ze op deze uitstekend uitgeruste plek het soort zorg zouden ontvangen dat anders zelden voor hun soort beschikbaar was? Pas toen ik het einde van de formatie bereikte, ontdekte ik de gemeenschap van vrouwen en hoeren. En nu weet ik dus waarom ze 'kampvolgsters' genoemd worden. Ze volgen het kamp.

Laatste medische opmerking. Toen ik het ziekenhuis verliet, merkte ik een vrij kleine, onduidelijke tent op van rood canvas die eraan vast leek te zijn gemaakt. Ik stak mijn hoofd naar binnen om te informeren wat hier gedaan werd en kreeg heel achteloos te horen dat ik de tent van de aborteur binnen was gelopen. Inderdaad, geen enkele mogelijke behoefte is over het hoofd gezien.

Om u gerust te stellen, papa, ik ben bij deze gelegenheid niet bij de kampvolgsters rond blijven hangen. Tegen de tijd dat ik bij hen aankwam was de duisternis ingevallen en had ik nauwelijks nog voldoende tijd om met mijn paard terug naar de eenheid van de sultan te rijden eer de stallen werden afgesloten voor de nacht. Maar ik ging naar bed, vastbesloten vroeg wakker te worden en mezelf meer dan genoeg tijd te gunnen voor een bezoek aan wat zich voor me in de formatie bevond – de artilleristen, de musici en onze andere buren, de beroemde Ottomaanse sipahi's, bij het horen van wier naam alleen al de Europeanen beginnen te bibberen van angst.

D.

*

Van: Danilo del Medigo te Elmadağ
Aan: Juda del Medigo in het Topkapi-paleis
Datum: 18 juni 1534

Beste papa,

Toen ik gisteravond terugkeerde van mijn tocht door het achterste deel van het kamp, smeekte ik u dit document te bewaren als verslag voor mijn kinderen. Tot nog toe was het enige wat ik van de Ottomaanse wijze van ten strijde trekken wist dat de padisjah elk jaar mijn vader zeven maanden van mij wegnam en dat hij altijd als overwinnaar terugkeerde, waarna het Ottomaanse leger een nieuw gebied of land aan het rijk had toegevoegd. Bij het aanbreken van de dag kon ik nauwelijks wachten om mijn onderzoek te voltooien – nu van de voorste helft van de formatie. En dus begon ik vroeg, vastberaden om een bezoek te brengen aan elke eenheid van het kamp. Tot zover het plan. Het is nu een uur of twaalf en ik ben weer terug bij mijn bureaukoffer, verward, bedroefd en beroofd van elke overtuiging dat er ook maar enig fatsoen, laat staan verhevenheid schuilgaat in deze onderneming.

In draf ging ik het kampement van de sipahi's binnen in de hoop hen bij een oefening aan te treffen, of zelfs wat ruiterkunstjes op te pikken waar zij, zoals u weet de absolute meesters in zijn. Net als alle andere jongens van Istanbul heb ik hen in triomftochten zien optreden. En net als alle anderen heb ik groot ontzag voor hun kracht, hun moed en hun buitensporige vaardigheid; en ben ik verblind door het zwieren van hun mantels van luipaardvel wanneer ze achteromkijkend twintig pijlen per minuut afschieten en keer op keer de koperen roos raken. Ik kan wel duizend jaar oefenen maar een dergelijk meesterschap zal ik nooit bereiken. Het moet in je bloed zitten.

Ik had heel naïef gehoopt een gesprek over paarden met een van hen aan te knopen. Maar de natuur eiste zijn tol dus maakte ik mijn paard vast en begaf me te voet op weg naar de latrinegreppel die langs deze kampementen loopt. En dat is waar ik onverwacht oog in oog kwam te staan met iets wat me voor altijd zal achtervolgen: een eenzame boom, van zijn takken ontdaan om op een galg te lijken, met daaraan een sipahi in uniform die in het briesje heen en weer zwaaide met op de plek waar ooit zijn hand had gezeten een stomp. Het bloed drupte eruit. Dit alles in de felle zon vlak achter de keurige tenten, terwijl zijn kameraden gewoon doorgingen met pissen en schijten alsof er niets ongewoons aan de hand was.

Wat zou hij voor gruweldaad hebben begaan?

Ik herinner me vaag dat ik, terwijl ik langzaam terugliep naar mijn paard, een voorbijganger vroeg wat de man had gedaan. Maar mijn herinnering aan het antwoord is allesbehalve vaag.

'Hij heeft een kip gestolen,' werd me verteld, op een effen, achteloze toon waar mijn haren van overeind gingen staan.

Die bewering, de botheid ervan, maakte een einde aan wat er nog aan zin voor avontuur in mij over was, en ik liep met mijn paard naar het kampement van de sultan, niet in staat om mijn tranen in te houden. Deze man was geen ordinaire misdadiger. Deze man was lid van de hooggewaardeerde cavalerie van de sultan. Zijn trouw en zijn moed hadden alle tests doorstaan. Is dit de prijs die we betalen voor rust en hygiëne? En als dat zo is, is het die prijs dan waard?

Thuis kan ik me altijd tot u wenden, papa, als ik op dergelijke raadsels stuit. Of tot Bucephalus die erg wijs is voor een paard. Maar dit nieuwe rijdier dat de sultan me toegewezen heeft is geen Bucephalus, ook al is hij jonger en sneller. Ik heb wel geprobeerd met hem te praten, maar daar wordt hij ongeduldig van. Hij geeft de voorkeur aan wortelen.

En dus trok ik me terug op mijn veldbed waar Ahmed me opnieuw aantrof met mijn gezicht naar de muur gekeerd. Natuurlijk wilde hij weten wat ik die dag had gedaan en in een vlaag van openhartigheid vertelde ik het hem. Nu komt de reden dat ik u dit verhaal vertel, papa. Hij was het ermee eens dat de bestraffing wreed was. Maar hij zei dat de misdaad ook heel ernstig was.

'Een kip stelen?'

'Die kerel mag van geluk spreken dat dit zijn eerste overtreding is. Anders is de straf allebei de handen.'

'Voor het stelen van een kip?'

'Voor het in het uniform van de sultan binnendringen van privé-eigendom en het schenden van de rechten van iemand uit het gevolg van de sultan.'

'Maar de boeren hier zijn allemaal Grieks en christen,' bracht ik hem in herinnering.

'Des te meer reden waarom een onderdaan van de sultan niet met meer mildheid behandeld kan worden dan ieder ander,' legde hij uit.

En vervolgens met een glimlach: 'Zelfs joden. Is het je niet opgevallen dat overal waar we in Anatolië komen, we met lachende gezichten en bloemen begroet worden?'

Dat was zeker het geval.

'Dat komt omdat zo'n honderd jaar geleden, toen de sipahi's nog altijd grensstrijders waren, ze deze gebieden van de Byzantijnen overnamen met de belofte dat iedereen voor de wet gelijk zou zijn. Elk lid van de kudde van de sultan valt, ongeacht zijn ras, onder het Turkse recht. Plundering en roof worden geen van beide toegestaan. Op die manier heeft het rijk de trouw van zijn onderdanen verdiend. En kunnen we ons erop beroemen dat we in alle landen die we veroverd hebben een burgerlijke rechtsorde geïnstalleerd hebben. En vraag jezelf nu eens af, is het verlies van een hand of zelfs een leven die prijs niet waard?'

Dat antwoord, papa, maakte me duidelijk dat ik mijn gewoonte om mijn oordeel al klaar te hebben vóór ik alle omstandigheden ken moet beteugelen. En dat sommige teleurstellingen uiteindelijk een goede afloop kennen. Als ik niet thuis had moeten blijven van de jacht vandaag, had ik deze dingen niet geleerd. Maar dat gezegd hebbende, smeek ik u om uw voorwaarden iets aan te passen, een fractie. Ik vraag geen toestemming van u mee te mogen vechten. Ik vraag u alleen wat plezier te mogen hebben met mijn paard en mijn gerit.

Uw dankbare en liefhebbende zoon,
D.

31 Eskişehir

Van: Danilo del Medigo te Eskişehir
Aan: Juda del Medigo in het Topkapi-paleis
Datum: 25 juni 1534

Beste papa,

Ik dank u uit de grond van mijn hart voor de tijdige aankomst van uw manuscript van Plutarchus. Zodra ik het manuscript inkeek, wist ik waar mijn moeder het verhaal van Alexanders hardloopwedstrijd rond de graftombe van Achilles vandaan had. Dat de sultan nog steeds gelooft dat de wedstrijd een dans was, behoeft geen nader betoog. En wie ben ik om zijn plezier te bederven?

Ik begon de sultan voor te lezen uit het gedeelte over Troje in het manuscript van Plutarchus op de dag dat het arriveerde en, zoals u al zo knap voorspelde, heeft het onze jacht op de avonturen van Iskander nieuw leven ingeblazen. Plutarchus weet pas hoe je een verhaal moet vertellen. De sultan krijgt er geen genoeg van.

Overigens, ik heb hem nog niet verteld dat sommige dingen die we nu lezen niet van Arrianus zijn maar van Plutarchus. Luistert hij naar hem, dan valt de sultan niet meer in slaap onder het lezen maar dringt hij er bij mij op aan nóg een bladzijde voor te lezen. En nóg een. Bovendien is mijn taak er nu eenvoudiger op geworden, aangezien ik meer thuis ben in het Latijn dan in het Grieks.

Ik breng nu elke avond aan de zijde van de sultan door en lees hem voor. Eenmaal begonnen, hadden we binnen de kortste keren een vaste routine opgebouwd. Hij is erg ordelijk. Elke ochtend overhandigt hij me een lijst met speciaal uitgekozen gebeurtenissen die in onze reisbibliotheek beschreven worden en hij verwacht me elke avond nadat de zon is ondergegaan bij zijn tent, om er een te vertalen. Ik heb nu mijn eigen dienaar – kunt u zich dat voorstellen! – die, terwijl we oprukken, me in een karretje met daarin onze boekenopslag volgt. Ik hoef maar een manuscript te noemen en er wordt meteen een boodschapper naar Istanbul gestuurd om het te halen. De enige voorwaarde is: het boek moet op de een of andere manier met Alexander de Grote te maken hebben die ik langzaam maar zeker Iskander begin te noemen.

Op sommige avonden praat de sultan, nadat ik met lezen ben opgehouden, nog vaak met me door over Iskander die hem in zijn dromen bezoekt. Hij ziet veel parallellen tussen hemzelf en Iskander, en ik ook. Ze zijn beiden op zeer jonge leeftijd grote koningen geworden. Beiden zijn eropuit getrokken om het almachtige Perzische Rijk te verslaan. Beiden zijn erg aan een boezemvriend gehecht. Plutarchus zegt dat Alexander gek werd van verdriet toen Hephaistion stierf. Toen ik hiervan verhaalde zag ik tranen in de ogen van de sultan. Ook al heeft hij nog nooit de naam van Ibrahim hardop tegenover mij uitgesproken, ik merk wel dat hij vaak moet denken aan zijn jeugdvriend, nu zijn grootvizier en boezemvriend. Hier in het kamp plagen de pages me ermee dat nu ik de plek van Ibrahim als nachtelijk voorlezer heb ingenomen, ik binnenkort ook zijn plek in het koninklijke bed in zal nemen. Dat is allemaal jaloerse praat. Hoe zou ik, een simpele jongen met weinig wat in mijn voordeel spreekt op mijn armzalige talenten als vertaler na, de meest naaste raadgever van de sultan en diens oudste vriend ook maar enigszins kunnen vervangen? Het idee is lachwekkend.

Wat mij betreft is de verklaring voor mijn huidige promotie eenvoudig. De sultan mist zijn vriend en vertrouweling heel erg, waarschijnlijk de enige persoon ter wereld, op zijn moeder na, die hij volledig kan vertrouwen. Gelukkig kom ik bij hem met een waar stempel van betrouwbaarheid, dankzij jou, beste papa, die deze sultan zo goed en zo discreet van dienst is geweest.

Het helpt, denk ik, dat ik een jood ben. Het volk van de sultan aanbidt hem als een god, maar ze begrijpen hem niet. Wij joden zijn geen slaven zoals die pages van hem die zijn opgevoed in de *seraglio*. Mensen van ons ras – joodse kooplui en joodse dokters – kennen een lange geschiedenis van eervolle betrekkingen met de Ottomanen.

Net toen ik dacht dat ik volledig gefaald had, heeft u me met Plutarchus gered. Ik sta bij u in het krijt maar ik zit tegelijk in tijdnood.

In dankbaarheid en liefde,
D.

Van: sultana Hürrem in het Topkapi-paleis
Aan: Süleyman de Prachtlievende onderweg, ontvangen te Eskişehir
Datum: 23 juni 1534

Mijn geliefde sultan,

Ik vraag u, ik smeek u – laat me alstublieft heel snel weten dat alles in
orde is met u. Want ik heb geen brieven van u ontvangen – ik zweer
het – sinds uw vertrek, nu meer dan tien dagen geleden. Denk niet dat
ik alleen voor mijzelf smeek om een paar woorden over uw voortgang
door Anatolië. De hele wereld schreeuwt om nieuws.

Iedereen hier verkeert in goede gezondheid, al zijn we vermoeid van
de zorgen. Slechts een enkel woord in uw handschrift zou onze pijn
verzachten en allen vreugd brengen.

Uw zoon Mehmet, uw dochters Mihrimah en Saïda en de prinsen
Selim en Abdullah laten u groeten en wrijven hun gezicht in het stof
aan uw voeten.

Was getekend,
sultana Hürrem
(Geopend en weer verzegeld om ingesloten te worden in de tas van de
koerier)

*Verlangen en pijn zouden verzacht worden wanneer ze hoorden dat de
magische berichten de mijlen overleefden.*

*

Van: sultan Süleyman, gelegerd in Eskişehir
Aan: sultana Hürrem in het Topkapi-paleis
Datum: 26 juni 1534

Voor geen goud ter wereld zou ik willen dat jij, al was het maar één
traan, zou schreien. Er zijn stappen genomen om de snelheid van de
koerier in de toekomst op te voeren.

Dit gedicht is een teken van verontschuldiging om je hartenpijn te verzachten, gecomponeerd in een donkere nacht vol verlangen:

Ik ben de sultan van de liefde.
Een glas wijn voldoet als kroon op mijn hoofd
En de brigade van mijn zuchten kan heel wel
dienen als de vuurspugende troepen van de draak.

De bedstee, het meest geschikt voor jou, mijn lief, is een bed van rozen.
Voor mij zijn een bed en een kussen uit rots gehouwen genoeg.

Het hart kan niet langer bij de plek komen waar jij woont
Maar het smacht naar hereniging met jou.

Getekend door Süleyman met zijn pseudoniem, Moehabbi, de sultan van de liefde.

Mijl na mijl licht de waspit de weg bij en fleurt de dagen op van sultan en page. Ga door met schrijven!

32 Kütahya

Van: Danilo del Medigo te Kütahya
Aan: Juda del Medigo in het Topkapi-paleis
Datum: 30 juni 1534

Gewaardeerde papa,

De sultan blijkt net zozeer een slachtoffer te zijn van vrouwengrillen als elke andere man. Meer dan een met tranen bevlekte brief, waarin de sultana huilde over hoelang het duurde voordat zijn brieven haar bereikten was er niet voor nodig om zijn gramschap te wekken.

Ik zal u vertellen hoe dit in zijn werk ging. Na een aantal dagen rijden – het is moeilijk het precieze aantal bij te houden – kwam ons bij het stadje Kütahya een koerier tegemoet met een brief in zijn tas die de sultan een woedeaanval bezorgde. Ik herkende de identiteit van de afzender, róók die eerlijk gezegd, voor ik hem zelfs maar onder ogen kreeg. Sultana Hürrem besprenkelt al haar correspondentie met een krachtige tinctuur, zodat de hele kamer ernaar ruikt wanneer deze uit de enveloppe tevoorschijn komt.

Deze keer maakte het hem woedend wat ze hem te vertellen had. Waarschijnlijk kunt u zich nog wel die koude, doordringende blik van hem herinneren, de blik die je bijna ter plekke in een zoutpilaar doet veranderen. Geloof me, papa, zelfs de onbevreesde janitsaren stonden op hun benen te trillen toen ze me kwamen halen. En dat allemaal vanwege een vertraagde postbezorging. Tegen de tijd dat ik naar binnen werd geroepen, had het gezicht van de sultan zijn normale kleur weer. Maar de onbevreesde janitsaren stonden nog steeds te bibberen.

In een poging te helpen bood ik mijn assistentie aan, teneinde de koeriersdienst sneller te maken. En dus ben ik nu niet alleen assistent-vertaler, ik ben ook page van de post, bewaarder van de correspondentie van de sultan en een volwaardig lid van de vierde oda.

Tot mijn verplichtingen behoort het nu een eemansexpresdienst te verzorgen, van en naar de dichtstbijzijnde koerierspost. Normaal wacht de sultan tot de koerier in ons kamp is aangekomen om zijn brieven aan hem af te geven, aangezien onze karavaan zich voortbeweegt met de snelheid van een slak.

Maar een snelle galop van ons kamp naar de volgende koerierspost geeft de persoonlijke post van de sultan op zijn weg naar de hoofdstad een voorsprong van een dag ten opzichte van de berichten die met hem mee voortsukkelen. Bovendien bezorgt het mij de dagelijkse galop die ik zo gemist heb toen ik als een oude man in een kar met mijn bibliotheek over de marsroute werd gevoerd. Zonder je te willen beledigen, papa.

De dag na mijn afspraak haalde ik op de ochtend voor we het kamp opbraken een brief op die de sultan eigenhandig geschreven had en bracht hem *veloce, veloce* naar de volgende halteplaats waar de koerier hem mee naar de hoofdstad kon nemen.

Mijn orders waren dat ik daar een wachtende koerier moest zoeken die post uit de andere richting bij zich had en van tas met hem ruilen. Mij werden ook de sleutels voor beide tassen gegeven met de instructie de arriverende tas open te maken en de post in twee stapels te verdelen: officieel en persoonlijk. De officiële stapel word ik geacht aan de Hoofdklerk door te geven wanneer ik terug ben in het kamp. Maar eerst moet ik ervoor zorgen dat ik de sultan zijn persoonlijke post breng, meteen zodra hij afstijgt na de dagelijkse mars. Tot zover het dienstrooster van de page van de post. Maar het doet me deugd te kunnen melden dat mijn nieuwe titel me al het respect heeft opgeleverd van de vierde oda. Ze noemen me nu allemaal Post in plaats van Jood.

En hier is een lijst van de geschenken die ik ontving toen ik bevorderd werd naar de vierde oda.

– Een geborduurde kaftan, afgezet met witte bontrand
– Een zilveren inktpot, ingelegd met edelstenen
– Een met vijf robijnen versierde tamboerijn
– Een *kalpak* van sabelbont om te zorgen dat mijn oren warm blijven in Koerdistan, mochten we daar ooit aankomen.

Nog een fijn gevolg. Nu ik de page van de post ben kan ik mijn brieven aan u meesturen in het pakket van de sultan zonder aan iemand toestemming te hoeven vragen. En bij wijze van bonus: mijn dagelijkse ritjes door de olijfbomenplantages en vijgenboomgaarden voeren mij over hetzelfde pad als Alexander op zijn beroemde tocht door Anatolië, teneinde de Perzen het hoofd te bieden.

Mijn huidige routine is ongeveer het equivalent van een dagelijkse rit van twintig mijl voor mijn avondlezingen. Mijn tijd wordt dagelijks vastgelegd. En als ik mijn eigen record verbeter, feliciteert de sultan me persoonlijk. Maar wees niet bang dat ik naast mijn schoenen ben gaan lopen sinds mijn succes als de page van de post. Ik ben me ervan bewust dat noch mijn uitstekende werk noch mijn aangeboren recht-schapenheid voor deze ongehoorde bevordering gezorgd heeft. Ik ben gewoon toevallig de snelste ruiter in de oda. Ik weet dat u er de voor-keur aan gegeven zou hebben dat ik me zou onderscheiden door mijn kennis, liever dan door mijn ruiterkunst. Maar papa, is het niet beter om – hoe dan ook – iemand te worden dan niemand te zijn?

Voor het geval u bezorgd mocht zijn dat ik kans loop belaagd te worden door de bloeddorstige schurken die op met ijsnagels beslagen paarden over de Anatolische steppen razen, daar is geen reden voor. De sultan is een man van zijn woord en ik draag geen wapen. Maar ik word vergezeld door een gewapende bewaker, een angstaanjagende woeste-ling. Vergeet niet dat ik de Keizerlijk Posttas bij me draag.

Laat me u ook verzekeren dat u zo vaak van me zult blijven horen als ik beloofd heb. Misschien niet elke week, maar zeker elke keer dat we ergens langer dan een nacht blijven. Onze volgende, lange reisonder-breking is Konya. Mij is verteld dat het de heiligste plek van Turkije is. Er bestaat niet veel kans om daar in de problemen te raken en ik heb er zeeën van tijd om brieven te schrijven.

Tot dan bent u in mijn gebeden.

Uw toegenegen zoon,
Danilo del Medigo

33 Afyon

Van: sultana Hürrem in het Topkapi-paleis
Aan: Süleyman de Prachtlievende onderweg, ontvangen te Afyon
Datum: 5 juli 1534

Mijn sultan,

Toen uw brief via de snelle nieuwe koerier hardop voorgelezen werd door uw geachte dochter, prinses Saïda, waren we allen in tranen.

De prinses is zo'n schat. Ze is altijd bescheiden en bloost terwijl ze mijn woorden opschrijft. Hoe verdrietig dat vrouwe Hafsa, die haar kleindochter met zo'n breed scala aan deugden heeft bezield, niet bij ons kan zijn om op haar bruiloft te dansen – die zich, zo God het wil, nu gauw zal aandienen. De prinses bloost weer, mijn schattige, bescheiden dochter.

Elke week leg ik de mooiste zijden stoffen uit Boersa voor haar apart en het fraaiste linnen waar ik met de hulp van mijn pakjesvrouw aan weet te komen, zodat wanneer u terugkeert alles voor de aankondiging van haar huwelijk in gereedheid zal zijn gebracht. Dit huwelijk, dat nu vlug zal plaatsvinden, zou het hoogtepunt zijn geweest van het voogdijschap van de valide over haar door het fortuin gezegende kleindochter. Nu is de tijd bijna voorbij voor het meisje om de vrouw te worden die ze voorbestemd was te zijn.

Terwijl ze deze woorden schrijft bloost de onwillige maagd van verlegenheid. Maar ik houd vol dat het niet passend is dat zij in haar eentje in de woonvertrekken van haar grootmoeder woont met alleen de vrouwen van de harem om haar gezelschap te houden, de dikke slaaf die ze van de valide geërfd heeft en haar paard. Haar eerbied voor de nagedachtenis van haar grootmoeder is bewonderenswaardig, maar ik geloof dat de geliefde valide – moge God waken over haar ziel – het met me eens zou zijn geweest dat het niet goed is voor een meisje om als een getrouwde vrouw opgesloten te worden in het Oude Paleis met een heel gevolg aan bedienden. En aan het einde van elke dag, wanneer haar bediende komt om haar mee naar huis te nemen, denk ik aan de mistroostigheid van haar eenzame bestaan, zonder familie om zich tot te wenden voor troost of advies, zonder spelletjes of ander vertier dan de stapel boeken naast haar bed.

Degene die het dichtst bij haar staat is, echt waar, haar paard, waar ze, zo heb ik gehoord, elke dag een bezoek aan brengt om het eten te geven en ermee te praten. Het is toch tijd dat ze haar plaats inneemt tussen haar broers en zus en zich voorbereidt op een huwelijk met de damat van haar vaders keuze?

Ik maak me zorgen over haar. Ze wuift mijn zorgen weg, maar zoals ik haar duidelijk maakte vrees ik dat ze een van die ongehuwde vrouwen wordt die overdreven aan hun maagdelijkheid gaan hechten als ze niet op jeugdige leeftijd in het huwelijk treden.

Tot zover heb ik haar niet kunnen overhalen om de eenzame en kille appartementen van haar grootmoeder te verlaten en bij ons in het Topkapi-paleis te komen wonen, waar haar warmte, kameraadschap, een hartelijk welkom en een ware lusthof wacht.

Ze noteert mijn woorden plichtsgetrouw met haar pen, maar ik kan u wel zeggen dat ze haar hart niet bereiken. Nog niet. Maar misschien in de loop der tijd. Laten we daarvoor bidden.

Moge God u beschermen, mijn sultan; moge u vele jihads beginnen, vele landen innemen, de zeven zeeën veroveren en veilig terugkeren.

Getekend en verzegeld met het zegel van de regentes door sultana Hürrem.

Voor sommigen is het Topkapi-paleis een lusthof. Voor anderen is het een gouden kooi waarin men levenslang gevangenzit zonder enig uitzicht op vrijlating.

34 Konya

Van: Danilo del Medigo te Konya
Aan: Juda del Medigo in het Topkapi-paleis
Datum: 20 juni 1534

Beste papa,

U zou naar Konya moeten komen al was het maar om het meest verbazingwekkende torentje te zien dat u ooit zag. Ik zag het ineens toen we net de kromming in de weg uit het noorden achter ons lieten. En echt waar, ik viel bijna van mijn paard.

Het eerste wat ik zag was gewoon een kleurvlek in de lucht. Naarmate we de stad dichter naderden nam deze de vorm aan van een koepel op een rond voetstuk die als een in facetten geslepen edelsteen omhoogstak. Ik zeg edelsteen omdat het hele bouwwerk van boven tot onder is bekleed met tegels van één en dezelfde kleur, een licht blauwgroen, dat frisser oogt dan de wateren van de Adriatische zee en zachter dan het hemelgewelf. Deze tegels moeten wel het mooiste zijn dat Iznik ooit heeft voortgebracht.

Dit prachtige kleine ding heeft bij het naderen van Konya hetzelfde effect op de reiziger als de minaretten van de Hagia Sofia in Istanbul en wenkt deze om steeds verder de stad in te komen. Toen onze karavaan halt hield bij de toren om er onze eer te betuigen zag ik dat het een graftombe was. Van dichtbij merkte ik op dat het hele bouwwerk verdeeld is in zestien lobben die op het hoogste punt bijeenkomen als de parten van een sinaasappel. De voet en de koepel worden van elkaar gescheiden door een gekalligrafeerde band met daarop: 'In naam van Allah, de Barmhartige, de Genadevolle'. Met deze regel, meen ik me te herinneren, begint elk boek van de Koran. Ik begreep dat deze koepel zich vlak boven het graf van Jalal al-Din Rumi verheft, de soefi-mysticus die de Ottomanen de Mevlana noemen.

Konya is inderdaad een vroom plaatsje. Je kunt hier al een pak slaag krijgen als je op straat rookt! Ik huiver bij de gedachte aan wat ze met vrouwen doen die hun misnoegen opwekken. Het wemelt er van de pelgrims die de Mevlana eer komen betuigen. In weerwil van uw herhaald advies niet te snel conclusies te trekken, kwam ik meteen tot de slotsom dat me drie saaie dagen zonder gezelschap te wachten stonden waarin mijn medepages zich bezighielden met hun soefi-rituelen.

Tot deze week had ik eigenlijk niet eerder van deze Rumi gehoord. Op de avond voor we in Konya aan zouden komen, informeerde de sultan op het moment dat ik afscheid van hem nam of ik ooit wel eens een gedicht van de Mevlana gehoord had. En toen ik nee zei begon hij in een koffer naar een deeltje te zoeken dat hij me in de hand drukte.

'Dit zijn enkele van de vele gedichten die Rumi ons heeft nagelaten. Hij woonde, predikte en schreef drie eeuwen geleden in Konya en ligt hier begraven. Hij is wat een christen de patroonheilige van onze familie zou noemen,' zei hij tegen me.

Dat was het moment dat ik erachter kwam dat het turkooizen torentje, waar ik zo verrukt van was, de graftombe was van deze Rumi.

'Begrijp me goed, alsjeblieft. Dit is allesbehalve een poging om je te bekeren,' vervolgde de sultan. 'Ik heb daarvoor te veel eerbied voor de wensen van je vader. Maar ik dacht dat je de gedichten wel zou kunnen waarderen.'

Nu weet u hoe dat zit met poëzie en mij. Toen ik op de pageschool gedwongen was om de gedichten van de sultan uit het hoofd te leren, had ik het gevoel grote stukken aloë door te moeten slikken. Natuurlijk nam ik het boek hoffelijk in ontvangst en bedankte hem uitvoerig. En meende dat het daarmee wel gedaan was wat de poëzie van Rumi en mij betrof.

Maar de volgende dag zat ik ineens, nadat ik me de blaren op de voeten had gelopen te midden van de monumenten van Konya, wat in het boekje te bladeren dat de sultan me had gegeven. Toen, deels uit respect voor de sultan en deels omdat ik mijn buik vol had van Arrianus, slenterde ik naar Rumi's graftombe.

U kent me, papa. De combinatie van mystieke poëzie en Korancitaten is niet bepaald mijn idee van pret maken. Het behoeft dan ook geen betoog dat ik me daar bij de ingang naar Rumi's graftombe in een allesbehalve eerbiedige gemoedstoestand bevond. Natuurlijk zorgde ik er wel voor bij de fontein op de binnenhof mijn handen en voeten te wassen. En ik liet mijn laarzen bij de deur staan. Ik wil niet gestenigd worden tot de dood erop volgt.

Het eerste wat me opviel was de inscriptie van vier regels op de muur van het voorvertrek:

Kom, kom, wie je ook bent,
Ongelovige, dienaar van vele goden, vuuraanbidder, kom toch.
Dit is geen klooster zonder hoop.
Al heb je berouw gehad,
En daarna weer honderdmaal gezondigd, kom toch.

Is dat niet een opmerkelijke boodschap voor op een graf? Hij hield me voldoende bezig om er voor u een afschrift van te maken. En zo trof de sultan me aan toen hij er kwam bidden. Terwijl ik Rumi zat over te schrijven. Je kunt bij hem moeilijk zien of hem dat plezier deed, maar dat moet haast wel, omdat hij me uitnodigde die avond met zijn gezelschap mee te gaan naar de *semahane*, waar de soefi's een *sema* uitvoeren ter ere van hem.

Ahmed Pasha zei tegen me dat de Ottomanen de soefileer omarmd hebben vanaf dat ze zich tot de islam bekeerd hadden en dat de hal waar de semaceremonie plaats zou vinden gebouwd was door Süleymans grootvader, Bayezid. Ook de fontein waar ik mijn voeten had gewassen was een geschenk geweest van de vader van de sultan, Selim de Barse. Ik had in elk geval de juiste heilige uitgekozen, als ik dan toch mijn voeten voor iemand ging wassen.

Natuurlijk kende ik de verhalen over de wervelende derwisjen van Konya, die door net zo lang rond te tollen tot ze in trance neervallen aan hun waarnemingen komen. Dus die avond verwachtte ik zonder meer getuige te zijn van een hoop wild gedans waarbij de soefi's als razenden wervelen om ten slotte met het schuim op de mond ter aarde te storten. Maar zo gaat het helemaal niet, papa. De ceremonie vindt plaats op een rond podium met een balustrade eromheen, in de schaduw van de graftombe van de Mevlana. De soefi's komen stilletjes binnen, allemaal met zwarte mantels om en de hoofden bedekt met hoge zandkleurige hoeden. Ik heb begrepen dat de mantel het graf vertegenwoordigt en de hoed de grafsteen en verder is ook alles wat volgt geladen van een bijzondere betekenis.

Na twee keer met plechtstatige eerbied langs de sultan te zijn getrokken, deden de soefi's langzaam hun mantels uit en werden de lange witte rokken daaronder zichtbaar. Deze moeten de lijkwaden verbeelden die langzaam om hen heen wervelen als zij in de rondte draaien. Dit kledingstuk symboliseert hun ontsnapping uit het graf en aan alle wereldlijke zorgen. Terwijl dit gaande was bleef de sultan met de handen over de buik gevouwen staan, evenals de rest van zijn gezelschap.

Toen waren de klanken te horen van de neyfluit, een hartverscheurende klacht die het verlangen uitdrukt het Ultieme te bereiken. Dit moet wel het verdrietigste instrument ter wereld zijn. De soefi's zeggen dat het het geluid is van het riet dat terugverlangt naar zijn thuis in de rivierbedding. Ik zag dat de melancholie ervan sommige leden van ons gezelschap tot tranen toe roerde.

Daarna volgde de Muziek der Sferen die de dansers in hemellichamen transformeert. Heel waardig. Eerst heel langzaam. Onder het draaien herhalen ze fluisterend steeds weer dezelfde monotone spreuk terwijl de musici een hymne zingen. Dan beginnen ze steeds sneller rond te tollen. Maar met een volmaakte beheersing. Ten slotte voegt het hoofd van de orde zich bij de dansers en tolt met hen mee. Hun doel is, zegt men, om eenheid met God te bereiken. En echt waar, papa, ik dacht dat de leider ten hemel zou stijgen en weg zou vliegen.

Morgen vertrekken we naar het noorden en hervat ik mijn eigenlijke taken van page van de post. Ik zal u altijd dankbaar zijn voor deze kans om de wijde wereld te zien.

D.

*

Van: sultana Hürrem in het Topkapi-paleis
Aan: sultan de Grote onderweg, ontvangen te Konya
Datum: 17 juli 1534

Mijn geachte sultan,

Aanvankelijk, toen u me aangesteld had als regentes bij uw afwezigheid, nam ik aan dat het een erebaan was – bezoekers ontvangen, documenten tekenen en dat soort dingen. Wie had kunnen denken dat ik een onderzoek in zou moeten stellen naar elke kandidaat voor de hand van onze dochter? Of dat dit de compilatie van een aantal lange curricula vitae met zich mee zou brengen? Of dat het een taak zou blijken te zijn die een vaardigheid en discretie vereist die de capaciteiten van mijn huidige staf te boven gaan?

Volgens mij zou het het beste zijn om de talenten die ik nu nodig heb onder uw eunuchen, pages of klerken te zoeken. Mij is verteld dat uw Mannen in het Zwart uitstekend voor dergelijke taken zijn opgeleid. Misschien dat een paar van hen vrijgesteld zouden kunnen worden om mij te komen helpen deze kandidaten aan een nader onderzoek te onderwerpen? Dat laat ik aan u over, geëerde sultan. Wat u dan rest, mijn heer, is om uw schatbewaarders opdracht te geven in mijn huishoudelijke begroting een nieuwe post 'beveiliging' op te nemen.

Ik wacht uw goedkeuring af en bid elke dag voor de kracht om deze onverwacht zware verantwoordelijkheid te dragen.

Getekend en verzegeld met de tugra van de regentes.

Deze week kwamen er drie vrijers om de bruid te bekijken – een rechter, een admiraal en een hogepriester van de oelema. Allemaal oud. Allemaal grijs. Allemaal dik. Degene aan wie hij de voorkeur geeft zal zijn dochters keuze zijn. Doet het er iets toe?

*

Van: sultan Süleyman, gelegerd te Konya
Aan: sultana Hürrem in het Topkapi-paleis
Datum: 22 juli 1534

Hoe had ik kunnen weten dat toen ik in de diepe poelen van je ogen verdronk, ik in jou een echte levensgezellin zou vinden? Met ingang van vandaag maakt mijn bevel om twee van mijn Mannen in het Zwart aan jouw staf toe te voegen officieel deel uit van je huishoudbegroting. Ik zou willen dat ik je lasten kon verlichten maar helaas is er niemand ter wereld die ik volledig kan vertrouwen.

De plicht roept en je dichter, Moehabbi de minnaar, lijdt. Aangezien Rumi een grote troost voor me is in deze tijd van scheiding en eenzaamheid, hoop ik dat zijn woorden voor mij het woord kunnen doen, totdat de tijd Moehabbi opnieuw in staat stelt zijn eigen gedichten te schrijven. Tot het zover is, is hier een *ghazal* van Rumi, vertaald door mijn assistent-vertaler.

> *Mijn slechtste gewoonte: zo moe word ik van de winter,*
> *Dat ik een marteling ben voor mijn omgeving.*
>
> *Wanneer jij niet hier bent, groeit niets.*
> *Alle helderheid verlaat mij. Mijn woorden*
> *Raken verward en verstrikt.*
>
> *Hoe stinkend water te genezen? Stuur het terug naar de rivier.*
> *Hoe slechte gewoonten te genezen? Stuur mij terug naar jou.**

Was getekend, Moehabbi,
de sultan van de liefde

Zoals de pen van de page het woord voert voor de dichter, zo voert de pen van de dichter het woord voor de page.

*Vertaling Ann De Craemer

35 Ereğli

Van: sultana Hürrem in het Topkapi-paleis
Aan: sultan Süleyman onderweg, ontvangen te Ereğli
Datum: 21 juli 1534

Mijn sultan, u schreef me ooit dat als ik in staat was te lezen wat u schreef u nog uitvoeriger over uw verlangens naar mij zou schrijven. Dat moment is gisteren aangebroken. Vandaag heb ik onze lieve prinses Saïda laten weten dat ik van nu af aan rechtstreeks contact met u, mijn geliefde, op zal nemen in geval van zaken van intieme of persoonlijke aard, zonder tussenkomst van een derde. Onder het toeziend oog van de prinses heb ik een elegante stijl aangeleerd en dankzij haar inspanningen heb ik er nu voldoende vertrouwen in om me zonder me te schamen tegenover u uit te drukken. Natuurlijk zal ik een beroep blijven doen op de prinses in haar officiële rol als secretaris van de regentes, maar dit verlicht in elk geval enigszins de last die op haar schouders rust. Jarenlang heeft ze gezwoegd om mij te onderwijzen en nu zal ze op haar trouwdag als geschenk van mij haar beloning ontvangen – wat het ook is dat haar hart begeert. Ze hoeft maar iets te noemen en het is van haar.

Ze bloost, maar het is tijd dat haar aanhoudende dienstverlening aan mij afneemt, zodat ze vrij is om haar eigen leven als echtgenote en moeder in te stappen.

Het doet mij veel genoegen u te kunnen melden dat de aanstelling van mijn nieuwe veiligheidssecretarissen boven verwachting is geslaagd. De twee Mannen in het Zwart die u mij heeft toegewezen kwamen zo snel aanzetten met zulke complete dossiers, dat ik in staat was mijn oorspronkelijke lijst van kandidaten voor prinses Saïda terug te brengen tot een rechter, een hogepriester van de oelema en een admiraal, die u al jarenlang trouw gediend hebben. De uiteindelijke beslissing ligt natuurlijk bij u en zal bij uw terugkeer bekendgemaakt worden (moge Allah dat gauw laten gebeuren).

Ik vat het op als een teken van Allahs genade dat ik een tweede en niet onbelangrijke toepassing heb ontdekt voor wat de documenten van de kandidaat damat betreft. Bij het compileren van hun levenslange staat van dienst zijn er nieuwe details uit hun leven – zowel persoonlijk als financieel – aan het licht gekomen. We weten nu dat sommige geschenken van de sultan, zoals land, slaven en paleizen die bij de dood van de ontvanger weer terug zouden vallen aan de Koninklijke Schatkist op mysterieuze wijze in handen van anderen terecht zijn gekomen – sommigen familieleden – bij wie geen enkele verplichting berust om hun geschenken terug te geven als de gever sterft. Bestaat er een misdaad als financieel verraad? Ja of nee, het feit dat we van deze verborgen rijkdommen weten is alleen maar goed voor uw schatkist. Mijn pas verworven vaardigheid met de pen heeft mij in staat gesteld u dit in het diepste vertrouwen mede te delen.

Mijn nieuwe schrijfvaardigheid heb ik grotendeels te danken aan uw schat, prinses Saïda, die onvermoeibaar haar best gedaan heeft ervoor te zorgen dat ik mijn lessen bleef volgen wanneer mijn eigen wilskracht me in de steek liet. Arme Saïda. Eerst verliest ze haar moeder, dan de grootmoeder die de plaats van haar moeder ingenomen had, een rol die ik niet geheel succesvol heb proberen over te nemen. Natuurlijk vergeet ze nooit mijn poging met dankbaarheid tegemoet te treden, maar haar hart blijft kil. Misschien heb ik te zwaar op haar geleund waar het haar familieverplichtingen betreft aan de Ottomaanse dynastie. Misschien had ik meer moeite moeten doen om de geneugten van het vrouw-zijn te benadrukken – en dan vooral die voor een prinses.

En dus heb ik een uitstapje geregeld – alleen de twee prinsessen en ik – om paleizen te bezoeken aan de Bosporus die te koop zouden kunnen zijn. Toen ik van dit plan repte tegenover viceadmiraal Lofti – met wie ik gisteren afgesproken had om zijn scheiding te bespreken – schoot hij me te hulp en bood me een van zijn kleine boten aan (met bemanning erbij) om ons in het zomerbriesje over de Bosporus te varen. Zodra ik het met de kleine prinses Mihrimah hierover had, begon ze van opwinding te blozen, ook al begrijpt ze volledig dat geen van deze paleizen van haar kan zijn eer haar zuster is getrouwd en zich heeft gevestigd. Maar prinses Saïda bleef onbewogen.

Er is zo'n groot verschil tussen de twee prinsessen. Mihrimah is verzot op elk detail van haar toekomstige leven; Saïda blijft in het verleden hangen. Ze leest. Ze rijdt paard. Ze bidt. Overdag staat ze me gewillig ter zijde en 's nachts, zo heb ik gehoord, huilt ze. Zo anders dan haar jongere zus die, met maar tien jaar, al een halve vrouw is. U kunt erop rekenen dat wanneer de tijd voor onze dochter Mihrimah aangebroken is om te trouwen, ze die blijmoedig zal verwelkomen. Daar heeft ze geen aanmoediging van ons voor nodig. Nu al speelt ze dat ze de namen van haar kinderen uitkiest en de bedienden en slaven die ze zal hebben.

Ik verwacht niet dat prinses Saïda zich met de details van het huwelijksfeest bezighoudt, zoals de openbare ceremonie, de spelen in de hippodroom, de orkestjes die gaan spelen voor de mensen die in de straat zullen dansen. Dat zijn zorgen die bij de moeder van de aanstaande bruid thuishoren, niet bij de bruid zelf. Maar ik moet wel toegeven dat ik het af en toe aardig zou vinden in elk geval iets van interesse bij haar te merken, hetzij een goedkeurend knikje, hetzij een ander teken waar een zekere verwachting uit spreekt. Het is me wel duidelijk dat als we niets ondernemen, deze mooie dochter van ons als een oude vrijster het graf in zal gaan en nooit het genoegen zal kennen van getrouwd zijn met een voortreffelijke damat en de vreugde en trots die het moederschap van koninklijke kinderen met zich meebrengt. Deze gedachten heb ik vaak gehad, maar het leek me niet wijs om er uitdrukking aan te geven onder het dicteren tegenover degene om wie het ging, uit angst haar delicate gevoelens te kwetsen.

Er is iets – en wat dat is heb ik nog niet kunnen achterhalen – wat dit meisje, dat van nature zo inschikkelijk is, uiterst weerspannig maakt als het om haar huwelijk gaat. Was ze slechts een van de haremmeisjes geweest, dan zou ik gezworen hebben dat ze een geheime minnaar had. Maar de prinses leidt het leven van een christelijke non. En hoezeer ik ook probeer, ik lijk maar geen glimlach op haar gezicht tevoorschijn te kunnen toveren bij het vooruitzicht van haar gelukkige toekomst en het leven waar ze voor in de wieg is gelegd.

Dus bereid u er maar op voor, mijn lief! U dient straks misschien een droevige, bleke geestverschijning van een prinses naar haar huwelijksceremonie begeleiden. Maar ik beloof u, mijn aanbeden en vereerde echtgenoot, dat we samen de bedroefde prinses naar een gelukkiger staat zullen leiden of ze dat nu wil of niet.

Getekend en verzegeld met het wasstempel van het zegel van de regentes.

De hete vlam van ware liefde kan de was smelten die de boodschap verzegelt, maar kan niet veranderen wat daar geschreven staat.

*

Van: Danilo del Medigo te Ereğli
Aan: Juda del Medigo in het Topkapi-paleis
Datum: 26 juli 1534

Beste papa,

Ik dacht dat Konya een rustplaats voor me zou zijn. In plaats daarvan heb ik het sinds mijn dagen aan de pageschool niet zo druk gehad, van de ochtend tot de avond. Ik ben nu een klerk – een kopiist zo u wilt – die alle dagen in Konya over zijn bureau gebogen zit om voorzichtig de gedichten van Rumi over te schrijven onder de kritische blik van de sultana in Istanbul (die niet kan lezen).

Sinds hij me aantrof toen ik Rumi's inscriptie aan het overschrijven was, gaat de sultan ervan uit dat ik zijn bewondering – ontzag is een beter woord – voor de soefimysticus deel. En dus ben ik uitverkoren om een selectie te maken van Rumi's gedichten en deze met grote accuratesse en in een fraai handschrift vertaald, rechtstreeks via de koerier van de sultan naar vrouwe Hürrem te zenden. Wat betekent dit? Denkt u eens in! Zal ik nu deze hele veldtocht verder vervolgen als klerk? Aan de andere kant schrijf ik nu wel rechtstreeks naar vrouwe Hürrem in het Topkapi-paleis. Hoewel zij zelf mijn handschrift niet kan lezen verzekert de sultan me dat haar voorlezer dat wel kan en de kwaliteitseisen van deze lezer heel hoog zijn. Ik had nooit kunnen bedenken dat een voortbrengsel van mijn pen binnen het bereik van zulke veeleisende handen zou komen.

Wat dit alles zo verwarrend maakt is, dat door me tot deze saaie taak te veroordelen (waar ik zo slecht voor toegerust ben), de sultan het idee heeft dat hij me met een plek in de Gemeenschap van Dichters vereerd heeft. Het resultaat? Mijn paard wordt bokkig vanwege het gebrek aan beweging en verlangt terug naar de genoegens van de posttas.

D.

36 Kayseri

Van: Danilo del Medigo te Kayseri
Aan: Juda del Medigo in het Topkapi-paleis
Datum: 2 augustus 1534

Beste papa,

In het geheime boek dat ze ten behoeve van mij geschreven had, herinnerde mama mij eraan dat het hart van degenen met macht onbestendig is en dat je er nooit op moet vertrouwen. En ik herinner me de vele malen dat ze het over de grillige aard van haar meesteres had, vrouwe Isabella d'Este, die als een kolibrie van de ene bevlieging naar de andere fladderde.

Maar ik wed, papa, dat de voorname Gonzaga-dame haar grillige evenknie gevonden heeft in mijn meester, de sultan.

Sinds ons verblijf in Konya is Iskander de Grote, de Heldhaftige, de Gekoesterde, zijn allure volledig kwijtgeraakt. Hij is vergeten. In de steek gelaten. Op dit moment lezen we alleen nog Rumi. En dragen we Rumi voor. En spreken we over Rumi. En schrijf ik Rumi over ten behoeve van sultana Hürrem in het verre Istanbul, die, zo blijkt, een diep verlangen naar zijn verzen koestert. Of ze heeft een dringende behoefte ontwikkeld om geïnspireerd te worden door zijn mystieke visioenen, die haar voorgelezen worden aan de hand van afschrijfsels, gemaakt door... wie anders dan Danilo del Medigo, voormalig assistent vertaler, nu Danilo de Klerk. Mijn bureautje, mijn pennen, mijn schrijfblokken en de bibliotheek aan manuscripten, bijeengebracht om mij te helpen bij mijn wetenschappelijke worstelingen met die verduivelde Arrianus en verduivelde Plutarchus, zijn volkomen doelloos achtergebleven. Alexander, die niet langer groot is, is als een versleten karrenpaard op de vuilnishoop gegooid. En de vroegere assistent-vertaler is nu aangesteld als afschrijver van teksten, een klerk!

De wrange grap is dat na weken reizen het leger van de sultan nu echt in de voetsporen van Alexander treedt, toen deze zich vanaf de Middellandse Zee een weg baande naar de stad van waaruit ik u deze brief schrijf – namelijk Kayseri. Nadat hij precies de havens aan de Middellandse Zee veroverd had, kwam Alexander hierlangs op weg naar het noorden, naar Gordium. Onze laarzen volgen zijn schreden nu ook wij naar het noorden trekken. En dit net op het moment dat de sultan al zijn interesse in hem is verloren. Het kon niet slechter uitkomen.

Herinnert u zich de gordiaanse knoop nog, papa? Ik hoorde er voor het eerst over toen ik op uw schoot zat. En ik was van plan geweest de sultan mee naar boven te nemen, de gordiaanse acropolis op waar je, zo heb ik horen zeggen, de eeuwenoude kar kunt zien met de houten wielen waarin de oude Gordias vanuit Macedonië reisde om Anatolië te veroveren. Niet alleen de kar maar ook de restanten van de leren knoop die het juk met de as verbindt, de beroemde gordiaanse knoop, zijn bewaard gebleven.

In de omgeving waar we doorheen rijden heb ik onderweg soortgelijk tuig gezien waarbij een leren riem het juk aan de as verbindt. Maar de gordiaanse knoop was, zo wordt gezegd, een knoop die zo buitengewoon ingewikkeld in elkaar stak, dat tot de tijd van Alexander er niemand in geslaagd was hem los te maken. Dat had de knoop profetische waarde verleend: wie erin slaagde de verborgen eindjes te vinden en ze los te maken zou over heel Azië heersen.

Dat moet de uitdaging voor Alexander onweerstaanbaar hebben gemaakt. Op mij kwam het over als een perfect verhaal voor de sultan. Arrianus, die als hij het kon vermijden, zich verre hield van alle drama, zegt alleen dat Alexander zijn hand erin stak en de pin eruit trok die het ding bijeenhield. Serieus? Na eeuwen? Maar Curtius bood me een conclusie waarvan ik meteen zag dat die meer bij de sultan in de smaak zou vallen.

Volgens de versie van Curtius begon Alexander net als honderden mannen voor hem, de knoop van alle kanten te bestuderen. Net als zij stond hij daar een paar minuten zonder te weten wat te doen. Er moest een manier zijn. En ineens schoot hem die te binnen.

'Niemand heeft gezegd hóé hij losgemaakt moet worden,' hoorden degenen die dicht bij hem stonden hem mompelen. En met die woorden trok hij zijn zwaard uit de schede en hakte de knoop door waardoor de eindjes diep vanbinnen aan het licht kwamen. Voilà!

Ik vertrouwde er zozeer op dat dit verhaal de sultan in verrukking zou brengen dat ik aan de hand van Quintus Curtius' *De geschiedenis van Alexander* zelfs een eigen vertaling van de gebeurtenis maakte. Het spijt me te moeten zeggen dat tegen de tijd dat die af was, de sultan geen tijd had voor mijn wetenschappelijke inspanningen of voor het uitstapje naar Gordium. Vanaf het moment van onze aankomst in Kayseri was hij stevig aan het onderhandelen met de paardenhandelaren van die stad, een stijfkoppig stelletje dat in deze delen bekendstaat om hun gewiekste handelspraktijken.

Kayseri is onder verschillende namen door velen handen gegaan sinds haar vroege dagen als hoofdstad van de Hittieten. Romeinen, Perzen, Byzantijnen, Mongolen, kruisvaarders en de gevreesde Timoer Lenk wisten allen hun (zware) hand te leggen op Kayseri, het als een zootje ververijen, looierijen en slachthuizen achterlatend, omringd door kuddes schapen en waterbuffels die gefokt worden voor de worst en *pastirma*-industrie. Het hele stadje is één langgerekt banket van gerookt vlees. Daarnaast gebruiken ze de huiden van deze dieren om de meest fantastische gele Marokkaanse leren slippers te maken. En ik moet bekennen dat ik bezweken ben voor de verlokkingen van de mode en mezelf verwend heb door een paar aan te schaffen.

De handel is ongetwijfeld het hart van deze stad en de verhalen daaromtrent zijn legio. Mijn favoriet is het verhaal – dat door de plaatselijke bevolking graag verteld wordt – van de man die een ezel stal, hem bruin schilderde en toen weer terug aan de eigenaar verkocht. En Ahmed Pasha vertelde me de nieuwste variant op dit verhaal, waarin de koopman dit keer zijn moeder wegvoert, haar opdoft en weer aan zijn vader terugverkoopt.

Je kunt nog steeds variaties op dit verhaal horen. Deze worden boven de theekopjes in stalletjes van Kayseri's bazaar verteld, evenals de verschillende versies van Iskanders wonderbaarlijke ontwarring van de gordiaanse knoop verweven raken met de rook van de waterpijpen in Gordium. Wat zegt dat over de mensen die deze verhalen van de ene generatie op de andere doorverteld hebben? Wat voor soort mensen vindt de manier waarop je de beste koop sluit fascinerender om aan hun erfgenamen over te dragen dan de verovering van Azië? En wat zegt het over degenen – zoals wij – die er eerder voor kiezen via Kayseri

dan via Gordium naar Aleppo te gaan? Er waren verschillende mogelijkheden. Het is niet toevallig dat we hier nu over paarden aan het
onderhandelen zijn en niet beter behandeld worden dan de eerste de
beste veedief. Maar ik troost mijzelf met de wetenschap dat er in Syrië prachtige dingen te zien zullen zijn en dat ik de kans zal hebben
naar Babylon te varen over de beroemdste rivier ter wereld: de Eufraat.
En wie weet? Misschien herrijst Iskander wel net als Lazarus op uit de
Mesopotamische as als we eenmaal in Irak beland zijn. Ik zie in elk geval de wereld. En voor die gelegenheid ben ik u dankbaar, papa.

Uw dankbare zoon,
D.

＊

Van: sultana Hürrem in het Topkapi-paleis
Aan: sultan Süleyman onderweg, ontvangen te Kayseri
Datum: 28 juli 1534

Mijn door het fortuin gezegende sultan,

Het gedicht van Rumi dat uw vertaler me toezond, daalde over me neer
als rozenblaadjes uit de hemel. Mijn vreugde werd nog honderdmaal
groter toen mijn trouwe voorlezeres, prinses Saïda, zich bij ons voegde om de woorden voor te dragen. Maar – en dit zal ongetwijfeld een
weerspiegeling zijn van mijn gebrek aan onderricht in poëzie – ik geef
de voorkeur aan uw eigen gedichten boven deze en ik verlang naar, al
waren het maar een paar, regels van uw hand.
    Mijn sultan van de liefde, Moehabbi: deze lange dagen waarin we
gescheiden zijn, leef ik gekweld door verlangen en geplaagd door dromen van de gevaren die mijn krijgsman-echtgenoot bedreigen: niet in
het minst door de wetenschap die alle vrouwen delen dat het bij alle
veldtochten wemelt van de slechte vrouwen die maar al te graag hun
charmes opdringen aan de eenzame soldaten die ver van huis vertoeven. Vrouwen weten dat bij mannen liefdevolle herinneringen met de
afstand meer vervagen.
    Dat geschreven hebbende vrees ik dat mijn eisen om verzekerd te
worden van uw liefde, me de grote eer onwaardig maken die u mij be-

wezen hebt door mij tot uw sultana te benoemen. Zoals Saïda me in herinnering bracht toen ze me een standje gaf vanwege mijn traagheid bij mijn taallessen: een kadin mag best huilen en klagen vanwege een afwezige geliefde maar een sultana moet weerstand bieden aan haar angsten en eenzaamheid past haar verheven status.

Mijn hart slaat over als ik aan uw terugkeer denk. Ik bid tot Allah dat het maar gauw mag zijn. Kon ik maar door de lucht naar u toe vliegen zoals ze in *Duizend-en-één nacht* doen, al was het maar voor een uur. Maar ik moet me troosten met de wetenschap dat wanneer de dag der overwinning aanbreekt, mijn onbetekenende opoffering deel uitmaakt van de grootste inspanning om de sjiitische ketters uit te roeien, ter meerdere eer en glorie van het ware soennitische geloof.

Mijn sultan, uw zoons en dochters bidden dagelijks dat Allah over u waakt en u beschermt tegen alle kwaad terwijl u uw heilige jihad voortzet.

Getekend, gestempeld en verzegeld door hare regentes.

Geldt voor alle soldaten die ver van huis zijn dat hun liefdevolle herinneringen beginnen te vervagen naarmate de mijlen en maanden verstrijken?

37 Sivas

Van: Danilo del Medigo te Sivas
Aan: Juda del Medigo in het Topkapi-paleis
Datum: 9 augustus 1534

Hallo, beste papa,

We nemen Anatolië zonder een schot te lossen in. Maar het leven van de jihad is een leven vol verrassingen en we zijn niet zoals verwacht onderweg naar Syrië. In plaats daarvan rijden we naar het noorden om ons bij de troepen van de grootvizier in Tabriz te voegen.

Deze beslissing om een omtrekkende beweging door Azerbeidzjan in het noorden te maken, werd twee dagen geleden onverwacht door de sultan bekendgemaakt. Maar wie ben ik om te klagen? Ook al lijken we ons in de verkeerde richting te begeven voor ons uiteindelijke doel (tenzij dat doel eveneens veranderd is terwijl ik sliep), we staan wel op het punt binnenkort de twee grote rivieren uit de oudheid te zien, aangezien Bagdad zich daartussenin bevindt.

In ons kamp doet een gerucht de ronde dat de reden voor deze koerswijziging een ruzie is die in Tabriz is uitgebroken tussen grootvizier Ibrahim en zijn janitsarenbrigade, en dat tussenkomst van de sultan noodzakelijk is. Er wordt gefluisterd dat de janitsaren die ingedeeld zijn bij de troepen van de grootvizier op het punt staan er het bijltje bij neer te gooien. Feit is dat de aan de grootvizier toegewezen helft van het leger hun padisjah vele maanden lang niet gezien heeft en velen zullen weigeren om Perzië binnen te rukken zonder hun ware gazi-leider. Aangezien niemand hier veel opheeft met Ibrahim Pasha moet het verhaal met een korreltje zout genomen worden.

Wat de reden ook is, ik zeg u dat de sultan deze verandering in marsroute zeer mishaagt. Vanavond, toen ik net met het voorlezen van Rumi was begonnen, arriveerde er een boodschapper met een pakje van de grootvizier. Zijn gezicht was rood aangelopen en hij was helemaal bezweet. Ik herkende zijn zegel. De sultan leek niet erg ingenomen met de inhoud van het pakje. Een tijdlang bladerde hij, al hoofdschuddend en mompelend, door de papieren. Toen, ineens, smeet hij het hele pakket met een machtige zwaai door de tent en werden we omgeven door een ware storm van papier.

Natuurlijk dook er meteen een groep pages op om de rommel op te ruimen. Terwijl ik zit te schrijven zijn de jongens nog steeds bezig vellen papier op te pakken. Misschien zijn zij gewend aan deze uitbarstingen maar ik heb nu twee maanden lang, dag en nacht, aan de zijde van deze man vertoefd en hem nog nooit zo gezien. Toen een van de pages hem een slokje van een sorbet aanbood om hem wat te kalmeren, mepte hij de beker met zo'n kracht uit de hand van de jongen dat hij hem bijna omversloeg. Op dat moment, papa, wou ik dat u hier was geweest om hem uw kalmeringsmedicijn toe te dienen. Maar het enige wat ik kon doen was me klein maken in een hoekje, in de hoop zo de rondvliegende objecten te ontwijken. En inderdaad, naarmate de minuten voorbij tikten, hield de sultan langzaam maar zeker op met beven en mompelen en begon hij eindelijk hardop uit een van de depêches voor te lezen – tegen mij nota bene.

'Het contract om het Ottomaanse oppercommando te Aleppo tweeduizend woestijnkamelen te leveren is geannuleerd,' las hij en hij zuchtte. 'Aangehecht is een nieuw contract voor tweeduizend bergkamelen die in Tabriz afgeleverd dienen te worden.' Toen, in één adem door, zwaaide hij zijn vinger onder mijn neus heen en weer en wilde weten: 'Weet jij hoe ver een kameel op een dag kan reizen?'

Hij verwachtte geen antwoord en ik gaf er geen.

'Gemiddeld vijfentwintig mijl bij goed weer,' zei hij. 'Weet je hoeveel mijl het is van waar we ons nu bevinden door de Syrische woestijn naar Mesopotamië?'

'Vierhonderd mijl,' beantwoordde hij zijn eigen vraag. 'En hoeveel mijl denk je dat mijn leger moet afleggen om zich bij de troepen van de grootvizier in Tabriz te voegen teneinde vanuit het oosten, via Perzië in plaats van Syrië, bij Bagdad te komen?' Hij zweeg even voor het effect. 'Vijfhonderd mijl. Wat nog eens een extra mars van vier dagen betekent,' informeerde hij me. 'En heb je enig idee hoeveel het kost om een kameel te huren voor slechts één dag marcheren?'

'Nee, Sire,' slaagde ik erin te antwoorden.

'Natuurlijk weet je dat niet. Dat hoef je ook helemaal niet te weten. En ik ook niet. Daar heb ik adviseurs voor. En die adviseren me dat de honderd extra mijl volgens de huidige koers mijn schatkist honderd zilveren roepies per lading zal kosten. En dat is nog maar een schíjntje van wat dit nieuwe plan alles bij elkaar gaat kosten.' Dit vooruitzicht werd gevolgd door een diepe zucht en een somber schudden van de tulband.

Even dacht ik dat hij zou gaan huilen. Maar hij is niet voor niets de sultan. In plaats daarvan haalde hij diep adem, ging met gekruiste benen en een rechte rug op zijn kussens zitten en begon, zo leek het, aan een nieuw onderwerp.

'Deze Europeanen weten niets van oorlog. Niets.' Het was geen beschuldiging maar eenvoudig een constatering die op de een of andere manier te maken had met de kosten van de kamelen. 'Ze noemen mijn rijk het Buskruitrijk. Omdat mijn geëerde voorvader, Mehmet de Veroveraar, erin slaagde Constantinopel met een kanonnade op de knieën te dwingen, zijn ze de mening toegedaan dat het enige wat wij kunnen dingen opblazen is. De waarheid is dat wij het buskruit niet uitgevonden hebben. De eersten die het gebruikt hebben waren de Chinezen. Maar het waren mijn voorouders die ontdekten dat de mengeling van zwavel en salpeter nuttiger gebruikt kon worden dan door er vuurwerk voor festivals van te maken. Zoals gaten in stadsmuren blazen. Desalniettemin is er meer nodig dan een explosie om een oorlog te winnen. En laat me je vertellen, jongen, buskruit is een uitermate onbetrouwbaar wapen. Mocht het per ongeluk nat of zelfs maar vochtig worden, dan brandt het niet. En hoe word je geacht het droog te houden wanneer het in sloepen over rivieren heen vervoerd wordt? Zeg me dat eens.'

Het leek me maar het beste mijn gedachten voor me te houden.

'Bovendien,' vervolgde hij, 'zelfs als je erin slaagt met geluk en goed weer je poeder droog te houden, dan nog kunnen de veldkanonnen slechts maximaal driehonderd meter overbruggen. Op die afstand kunnen ze nauwelijks een schuurtje raken. Vergeleken met een pijl is buskruit een grof wapen. Praat me niet van buskruit.'

Niet dat ik dat gedurfd zou hebben. Buskruit leek op tal van manieren de sultan persoonlijk teleurgesteld te hebben.

'Als buskruit het enige wapen was dat we in ons arsenaal bezaten, denk je dan dat we nu heer en meester zouden zijn in Tunis? Of in Egypte?' Hij was inmiddels gaan staan en ijsbeerde heen en weer. 'Of Hongarije? Zelfs hier in Anatolië? Op Rhodos hebben we veel aan buskruit gehad. Maar vergeleken met een stuk papier,' hij stak zijn hand uit naar een van de depêches en hield hem in de lucht, 'ja geloof me, vergeleken met dit stuk papier en duizenden als deze, is buskruit niet meer dan tweederangs wapentuig. Hier in mijn hand,' hij kwam nu dicht naar me toe en wapperde het vel onder mijn neus, 'hier bevindt zich het grote geheim van de Ottomaanse oorlogsvoering waar de Europeanen hun spionnen aldoor naar laten zoeken. Papier, mijn zoon. Nog een wapen dat we van de Chinezen hebben gekregen. Ere wie ere toekomt. Maar het waren niet de Chinezen die de wereld geleerd hebben om van papier een oorlogswapen te maken. Nee, het was mijn volk, de eerste Osmaanse stam,' zei hij, 'door de Europeanen barbaren genoemd, die eraan gedacht hebben om papier te gebruiken om geschreven registers bij te houden van afstanden, troepenaantallen, voedselvoorraden en bagagelimieten. En het is dankzij papier dat wij een aanval kunnen plannen lang voordat een jihad begint. Dat, en Allah die aan onze zijde is,' hij zweeg lange tijd, 'vormen wat Europeanen het "Ottomaanse geluk" noemen.'

Ik vond zijn woorden erg overtuigend en kon niet wachten tot ik weer terug was aan mijn bureau om ze op te schrijven voor ik ze vergeten was. Je krijgt niet elke dag een privéles in militaire strategie van de veroveraar van de halve wereld. Maar voor ik overeind kon komen hervatte hij zijn oratie.

Wilde ik misschien weten, vroeg hij, wat hij als zijn tweede meest waardevolle wapen op papier na zou kiezen? Deze keer deed hij niet eens alsof hij op mijn antwoord wachtte.

'Het weer,' kondigde hij aan. 'Het weer, mijn zoon. Als ik de god van de donder was zou ik een strategie kunnen ontwikkelen waarmee ik elke oorlog kon winnen.'

De god van de donder? Had ik dat goed gehoord?

'Neem nu deze oorlog,' vervolgde hij. 'We moeten oppassen dat we niet in de zomermaanden in Mesopotamië aankomen omdat de hitte onze reistijd beperkt tot vier uur per dag van de vierentwintig. Overschrijden we die limiet, dan vallen de lastdieren in zwijm en sterven. Tot zover de zomer. Aan de andere kant kunnen de modderstromen en lawines in de winter in één nacht een heel leger van de aardbodem ve-

gen. Dus moeten we onze aankomst in Mesopotamië zorgvuldig bera-
men om het Zagros-gebergte in de winter te vermijden. Elke vertraging
is gevaarlijk. Begin je het probleem te begrijpen, mijn zoon?'

Er kon geen misverstand over bestaan, hij had me 'mijn zoon' genoemd. Twee keer!

'Het weer is altijd de zwakste schakel in elke strategie,' vervolgde hij.
'Maar, helaas, ik ben de god van de donder niet en heb geen controle
over het weer. Dus moet ik doen wat ik kan met vuurkracht en papier
en tot Allah bidden dat Hij het weer naar mijn doeleinden schikt.'

Daarop zei hij een kort insjallah en ik begon opnieuw overeind te
komen. En weer gebaarde hij dat ik moest blijven waar ik was.

Gelukkig voor mij heeft hij kennelijk, net als gewone stervelingen,
honger en dorst. En dus werden er, nadat hij even met zijn vingers geknipt had, sorbets binnengebracht in veldbekers van massief goud, ingelegd met smaragden en robijnen. Er werd zeker tien minuten niet
over de oorlog gepraat terwijl we ons koninklijk verkwikten. Daarop
gebaarde hij dat de bekers weggezet moesten worden en nam hij weer
plaats op de kussens, als een professor aan zijn lessenaar. En toen hij
opnieuw het woord nam, kwam het bij me op dat mij ergens onderweg
vanaf Kayseri een nieuwe rol was toebedeeld. Ik was niet langer de vertaler of de page van de post of Rumi's scriba, ik was nu de akoliet en de
sultan was mijn mentor.

'Weet je, mijn zoon,' dit was de derde keer dat hij me 'mijn zoon'
noemde, 'zolang we binnen de grenzen van ons rijk zijn, kunnen we
etenswaren opslaan in de schuren onderweg. Maar zodra we Perzisch
grondgebied betreden kunnen we niet langer rekenen op de welwillendheid van de mensen en hun bereidheid ons te verkopen wat we nodig hebben. De Koerden zijn nu eens trouw aan ons, dan weer aan de
Perzen, afhankelijk van wie de meeste overtuigingskracht heeft – met
wapens dan wel met goud. En mochten de Perzen meer bieden dan wij
voor hun diensten, dan zijn de Koerden er uitermate bedreven in om
alles te verbranden wat ze niet kunnen dragen en met hun dieren de
bergen in te verdwijnen. Dus, zie je, we moeten alles zelf meenemen
wat we nodig hebben teneinde een offensief tegen Bagdad in stelling
te brengen. Niet alleen buskruit, wapens en belegeringsgeschut, maar
ook voedsel voor de mannen en voer voor de dieren, metaal voor de
hoefijzers, leer voor de laarzen – alles, tot de kleine zeteltjes tussen de
bulten van de kameel aan toe. Anders zijn we verloren.'

Het was een grimmig beeld. Maar hoe naargeestiger het vooruitzicht, hoe minder melancholiek de sultan werd. Hij wist zelfs een flauw lachje op te brengen voor de zeteltjes tussen de bulten van de kameel. Toen begon hij, met wat alleen maar beschreven kan worden als hernieuwde levenslust, in zijn papieren rond te woelen. En ja hoor, daar had hij precies de depêche te pakken waar hij naar op zoek was en hij stortte zich erop.

'Hier in mijn hand,' hij wapperde triomfantelijk met het document, 'heb ik een rekening voor het vervoer van slechts vier soorten voorraden, met uitzondering van graan, van Hamadan naar Bagdad per kameel. Trekken we eenmaal Perzisch gebied in (insjallah) dan hebben we vierduizend kamelen nodig om het arsenaal te bevoorraden. Plus nog eens vijfduizend voor mijn eigen provisiekamer. Plus tweeduizend voor de benodigdheden van de janitsaren. Meer dan elfduizend kamelen bij elkaar. Ik kan je wel zeggen dat deze kamelen behoeftige wezens zijn. Alles moet precies voor hen in orde gemaakt zijn, tot zelfs de zadeldekens aan toe. Dat kost dus 1400 *akces* per dier, alleen al voor de uitrusting. Voeg daar nog de aankoop of huurkosten van de paarden, ezels en waterbuffels bij, die de zware wapens dragen, dan snap je wel wat deze verandering van plannen gaat kosten. En dan word ik verondersteld om deze orders te tekenen,' hij wuifde met zijn beringde hand over de papierzee waar hij ons mee overspoeld had, 'en ergens het geld voor dit alles vandaan te halen.'

Met een somber hoofdschudden gebaarde hij me overeind te komen. De les was voorbij. En ik begon op de verplichte wijze achteruit de koninklijke aanwezigheid te verlaten.

Voor ik het wist voelde ik zijn hand op mijn schouder. Nu had ik op de pageschool geleerd dat de sultan niemand aanraakt en dat niemand de sultan aanraakt. En toch stond ik daar in het midden van zijn tent met iemands hand op mijn schouder terwijl alleen wij tweeën aanwezig waren. Het kon alleen maar zijn hand zijn. Terwijl ik me af zat te vragen of ik mijn ogen op moest slaan om erachter te komen of ik droomde of niet, zei hij: 'Toen ik zo oud was als jij las mijn vader me een citaat voor van onze voorvader, de grote Dzjengis Khan. Wil je dat ik dat doorgeef aan jou?'

Natuurlijk wilde ik dat. En dit zijn de woorden die hij aanhaalde (zo goed als ik me herinner): 'Na ons zullen de afstammelingen van onze clan met gouddraad geborduurde gewaden dragen, vet en zoet voedsel eten, op fraaie paarden rijden en prachtige vrouwen omhelzen. Maar ze zullen niet zeggen dat ze dat allemaal aan hun Chinese voorvaderen te danken hebben en aan ons, hun vaders. Ze zullen ons en onze geweldige tijden vergeten.'

Volgens mij, papa, zag ik een floers van tranen in zijn ogen eer hij opnieuw het woord nam.

'Dit is een lange avond voor me geweest, zoon.' Weer! 'Niet wat je verwacht had toen je intekende voor deze veldtocht. Zonder een militaire rol om te vervullen en nu ook nog eens beroofd van je vertaaltaak, lijkt het erop dat je geen uitdrukkingsmogelijkheden meer hebt voor je jeugdige vuur. Op dergelijke momenten heb ik zelf vaak mijn toevlucht tot de poëzie gezocht en gevonden. En gezien de welwillende manier waarmee je op de gedichten van de Mevlana reageerde, geloof ik dat ik een uitlaatklep heb gevonden voor je poëtische natuur.'

Mijn poëtische natuur! Gelukkig had ik mijn ogen niet naar hem opgeslagen. Anders had hij vast en zeker mijn afgrijzen bij deze volkomen misplaatste inschatting van mijn karakter gezien.

Maar ja, papa, ik had inderdaad een vurig verlangen ontwikkeld om een rol te spelen die die van een simpele klerk te boven ging en zoals u al zo wijs voorspelde, dat verlangen beet me in de staart, zo bleek.'

Goedenacht,
D.

*

Van: sultana Hürrem in het Topkapi-paleis
Aan: sultan Süleyman onderweg, ontvangen te Sivas
Datum: 3 augustus 1534

Mijn door het fortuin gezegende sultan,

Iedereen erkent dat uw genereuze inborst een van uw grootste deugden is, mijn sultan. Maar helaas zijn niet alle harten zo edelmoedig als het uwe. Weest u toch alstublieft spaarzaam met wie u uw vertrouwen schenkt, omwille van mij, arme mij, want u bent mijn leven, maar ook omwille van uw kinderen, die de zoom kussen van uw gewaad. Een koninklijk hof wordt maar al te gemakkelijk een nest van jaloers addergebroed. Helaas moet ik u eraan herinneren dat door de viziers in de raad die u vertrouwde, in het verleden verschillende samenzwerings-complotten in gang zijn gezet. We moeten allen waakzaam zijn namens u en ervoor zorgen dat we ons uitsluitend omringen met diegenen die het meest van ons houden, onze geliefden.

Als liefhebbende vader wilt u uw dochter gelukkig zien, net als wij allemaal. Maar als koninklijke familie moeten we doorgaan met het toevoegen van nieuwe leden die ons huis sterker maken. Een koninklijk huwelijk is een door God gegeven gelegenheid om een nieuwe damat in het leven te roepen, een schoonzoon van bewezen trouw die als vizier plaats kan nemen in uw raad. Ik heb ieder van de kandidaten op onze korte lijst van echtgenoten voor prinses Saïda nu afzonderlijk ontmoet en kan u verzekeren dat ze allen, de rechter, de priester en de admiraal, maar al te zeer bereid zijn zich te ontdoen van huidige huiselijke belemmeringen zoals de traditie wil. Ze zouden allen de royale bruidsschat verwelkomen die prinses Saïda met zich meebrengt samen met het geschenk van een geschikt paleis dat nog uitgekozen en ingericht dient te worden, een taak die ik met plezier zal volbrengen.

Mijn eigen favoriet is admiraal Lofti. Hij heeft zich al bewezen in de arena van de Middellandse Zee. U heeft misschien een voorkeur voor de rechter. De keus is natuurlijk aan u. Maar staat u me toe op te merken dat koninklijke huwelijken niet in één dag voor elkaar zijn. Het is nu al bijna te laat om nog een bruiloft te regelen die bij uw terugkeer plaats zal kunnen vinden. Ik kan eigenlijk in geen enkel opzicht verder vóór ik met de uitverkoren damat kan overleggen, alwaar ik niet toe in staat ben voordat er door u persoonlijk een damat is benoemd. In de tussentijd vliegen de dagen voorbij en heb ik geen idee hoe ik de onmogelijke taak moet aanvangen van het vastleggen van talloze afspraken met een niet-bestaande toekomstige damat. Ik smeek u op mijn knieën, o Prachtlievende, tijd vrij te maken in uw door zorgen getekend bestaan en het volgende voorstel te overwegen:

Wat vind u ervan als u informeel via mij admiraal Lofti aanwijst en dan alleen nog de keuze officieel maakt op de dag dat u, met Gods wil, veilig terugkeert? Dat zou me in de gelegenheid stellen de wettelijke en financiële regelingen in gang te zetten die aan elk belangrijk huwelijkscontract voorafgaan. U heeft geen idee hoe gretig ik ernaar uitkijk een nieuwe schoonzoon in onze familiekring te begroeten, die wat van de verantwoordelijkheden over zou kunnen nemen die zo zwaar op u drukken en, bij uw afwezigheid, op mij.

Ik smeek u, mijn door het fortuin gezegende sultan, onthoud admiraal Lofti uw goedkeuring niet, omwille van uw mooie dochter, mij, uzelf en de hele Ottomaanse dynastie. Ik smeek u om hem informeel meteen uw zegen te geven als damat voor prinses Saïda. Ik heb uit uw naam met hem gesproken. Hij is uw slaaf. Onze burgers hebben diep in hun geldkisten getast om deze oorlog te steunen en hebben, wat erger is, vele lange maanden uw afwezigheid doorstaan, zonder klagen. Zou het geen juiste beloning zijn hen op de dag van uw terugkeer uit te nodigen te delen in uw geluk om het huwelijk van uw geliefde dochter met een man van uw keuze?

Ik verlang naar uw roemvolle terugkeer. Ik bid voor uw veiligheid. Moge Allah over u waken. Nu heb ik geen inkt en ook geen tranen meer.

Getekend en verzegeld met het zegel van de regentes.

Vandaag kwamen de juweliers een schatting maken van de hoeveelheid parels die nodig zijn om de bruidssleep van een prinses te versieren. Hoeveel parels heeft men nodig om op een lijkwade te borduren?

*

Van: sultan Süleyman, gelegerd te Sivas
Aan: sultana Hürrem in het Topkapi-paleis
Datum: 9 augustus 1534

Uw scherpe blik en moederlijke bezorgdheid hebben me doen terugdenken aan prinses Saïda's lieve glimlach, die we zo zelden hebben gezien in de maanden na het verlies van haar geliefde grootmoeder. Net als jij zou ik wat kleur verwelkomen op haar bleke wangen en een sprankeling in haar droevige ogen. Het geluk van mijn dochter ligt mij na aan het hart en het zal me veel deugd doen om op haar bruiloft met haar te dansen.

Jouw inspanningen die blijde dag dichterbij te brengen is een van de vele genereuze gebaren die uit je grote hart voortkomen en waar ik zoveel waarde aan hecht. Zelfs een sultan kan niet altijd op een dergelijke niet-aflatende toewijding rekenen. Jouw keuze is de mijne. Ik zal een informele brief nasturen die je aan admiraal Lofti kunt laten zien, een document dat slechts gedeeld mag worden met die enkelen die het noodzakelijkerwijs betreft.

Mijn dochter is gezegend dat haar toekomstige geluk in zulke liefdevolle en capabele handen als de jouwe rust.

Was getekend,
de sultan

De mens wikt, God beschikt. Oorlogen veranderen lotsbestemmingen. Op de marsroute worden nieuwe relaties aangeknoopt. Nieuwe banden gesmeed. Verboden wegen openen zich. Wat onmogelijk leek wordt mogelijk.

38 Aleppo

Van: Zijn Speciale Afgezant, Jean de la Foret te Aleppo
Aan: H.M. Frans I, koning van Frankrijk te Blois
Datum: 15 september 1534

Majesteit,

Verwondert de plaats van herkomst van deze brief Uwe Majesteit? Niet meer dan mij, die hier in Syrië is maar nog steeds niet in de buurt van de sultan. Ik kan geen woord bedenken dat de wilde jacht die we begonnen zijn beter beschrijft dan 'komedie'.

Zoals ik uit Constantinopel meldde (dat door de Ottomanen is omgedoopt in Istanbul) kwamen we daar aan voor de afgesproken conferentie met de sultan om te ontdekken dat hij een paar weken eerder naar Mesopotamië was vertrokken. Maar men verzekerde ons dat we hem in Aleppo zouden kunnen inhalen als we de route over zee naar Syrië namen. We hadden geen keus, wilden we in onze missie slagen met hem over een handelsovereenkomst te onderhandelen. Maar wat we ook van hun opstelling mochten vinden, in het voordeel van de Ottomanen sprak dat ze een kooi voor ons regelden op een van hun schepen dat op weg was naar Antiochië en ons voorzagen van een groepje janitsaren om ons te beschermen op het gedeelte over land dat daarna kwam.

De zeereis vanaf Istanbul verliep vrijwel zonder incidenten. Deze Ottomanen hebben inderdaad van de Middellandse Zee een Turks meer gemaakt. Zij zijn de eigenaren en dat weten ze. Wanneer ze ons op hun flottieljes passeerden wuifden ze opgewekt naar ons als gastheren op een tuinfeest.

Maar die illusie viel abrupt in duigen toen we in Aleppo aankwamen en daar geen sultan aantroffen. Ons is nu medegedeeld dat, terwijl ik dit schrijf, de sultan zijn route gewijzigd heeft en onderweg is naar het noorden om zich in Azerbeidzjan bij de grootvizier te voegen. Men laat ons nu weten dat het de padisjah zal behagen ons niet in Aleppo maar in Tabriz te ontvangen.

Men heeft ons een uitgebreide verklaring voor deze verandering van koers gegeven – het had iets te maken met een woeste stroming in de Tigris die abnormaal was voor het seizoen en die de dieren en kanonnen in gevaar zou hebben gebracht. Ongetwijfeld hebben de ingenieurs de condities van de Tigris bestudeerd voordat ze de Syrische route opgaven. Men krijgt het vermoeden dat ons niet het hele verhaal wordt verteld en het te maken heeft met gebeurtenissen in Tabriz. Volgens een informant, die deze week bij ons is teruggekeerd van een verkenningsmissie in Azerbeidzjan, heeft de grootvizier twee maanden tot zijn beschikking gehad om een hof samen te stellen en hij lijkt die tijd gebruikt te hebben om zichzelf als surrogaatkoning neer te zetten. Al heeft men u de verovering van Tabriz waarschijnlijk gepresenteerd als een grote triomf, men moet erkennen dat de overwinning aanzienlijk vergemakkelijkt werd toen de grote koning van Perzië na gehoord te hebben dat het Ottomaanse leger in aantocht was ervandoor ging en oostwaarts vluchtte. En dus liep Ibrahim Pasha feitelijk ongehinderd een onaangeraakte stad binnen, inclusief een volledig functionerend paleis, compleet met meubilair. Mijn informant vertelt me dat de Perzen niet eens de tijd hadden om water op de kookvuurtjes te gooien.

Let wel, niemand kan de grootvizier zijn organisatietalent ontzeggen. Vergeet niet hoe hij het Ottomaanse bestuur van Egypte in de jaren twintig heeft opgezet – een bestuur dat tien jaar later nog steeds functioneert – wetten, protocollen, posten, benoemingen, het was allemaal binnen drie maanden nadat hij de Mamluks verslagen had, geregeld. Ibrahim Pasha is niet aimabel, niet betrouwbaar – hij is per slot van rekening een Griek en dus is hij van nature corrupt en van aanleg ambitieus – maar hij weet hoe hij dingen voor elkaar moet krijgen. Nu heeft hij zichzelf kennelijk als een koning geïnstalleerd in het paleis dat Tahmasp achterliet en heeft hij de Perzische gewoonte van de prosternatie overgenomen – als was het zijn recht. Hij is ook begonnen zijn edicten te ondertekenen met *Saskehier* wat in het Turks koning betekent.

Wat zal Süleyman hier allemaal van vinden als hij in Tabriz arriveert? Hij was uitermate tevreden met Ibrahims veldheerscapaciteiten waar het de Egyptische verovering betrof. Maar Azerbeidzjan is Egypte niet. De Mamluk-heersers van Egypte waren overweldigers die nieuwe bestuursinstrumenten in het leven riepen en achterlieten. Toen Ibrahim Pasha Egypte veroverde hoefde hij verder alleen nog hun officiële tugra te vervangen door het Ottomaanse insigne en voort te gaan als buitenlands heerser. Maar de hoofdstad die Tahmasp in Tabriz achterliet is een stad met een lange geschiedenis van dienstbetoon aan de sjah van Perzië. En daar zijn we nu naar op weg. Op de een of andere manier is wat begon als een diplomatieke missie onderweg veranderd in een kinderspelletje, tikkertje, waarin de Ottomanen de grote koning van Perzië achternazitten en wij achter de Ottomanen aanjagen, met de plaatselijke bedoeïenen, die als kleine hondjes naar onze hielen happen.

Wees gerust, Majesteit, meteen na onze veilige aankomst in Azerbeidzjan zult u op de hoogte gebracht worden van wat ons hier te wachten staat. Moge God met ons zijn en met u, Sire.

Uw dienaar,
Jean de la Foret

39 Erzurum

Van: Danilo del Medigo te Erzurum
Aan: Juda del Medigo in het Topkapi-paleis
Datum: 9 september 1534

Beste papa,

Na een helse tocht van twee weken over het laatste gedeelte van het Anatolische plateau kwamen we te Erzurum aan met nog maar één dag om ons voor te bereiden op de aankomst van Uzun Hazan de Lange, bey van de Akroyun-stam van de Turkmenen, die zich bij ons zullen voegen in onze campagne tegen de Perzische koning. Onderweg hebben zich steeds meer kleine groepen *subashi's* bij ons aangesloten – merendeels hoofdmannen van stadjes die, wanneer ze geroepen worden, aan komen zetten met troepen. Maar deze bey is hoofdman van een hele stam Turkmenen, wat hem een verre verwant maakt van de Osmaanse stam, aangezien beide hun oorsprong vinden op de steppen van Centraal-Azië.

Als gouverneur brengt Uzun zijn voltallige staf met zich mee – schatmeesters en boekhouders, klerken en koks, stalknechten, musici en wapenmeesters – en krijgsmannen. Er moeten op zijn minst zo'n duizend van hen zijn, allemaal in hun mooiste kleren, alsof ze niet ten strijde zijn getrokken, maar naar een feestje zijn gegaan.

Wij, aan de andere kant, hadden slechts een dag om de Anatolische stof uit ons haar te wassen, om het nog maar niet te hebben over onze vingernagels en oren.

Al vroeg vandaag strekten langs de hele omtrek van het kamp de rijen zich uit voor de barbier en die voor de wasvrouwen zelfs nog verder.

Dus ging mijn hele dag op aan het me opknappen voor de Turkmenen. Wordt vervolgd.

Gegroet,
D.

*

Van: Danilo del Medigo te Erzurum
Aan: Juda del Medigo in het Topkapi-paleis
Datum: 10 september 1534

Beste papa,

Wat een dag! De hele ochtend draafden herauten, al blazende op hun hoorns, het kamp rond om een bijeenkomst tegen het vallen van de avond aan te kondigen teneinde Uzun Hassan en zijn stam officieel lid van de expeditie van de sultan te maken.

Stelt u voor: een reusachtige tent bij de vesting, groot genoeg om mocht het gaan regenen duizend mensen te herbergen, wat het niet deed. Daar verschijnt Uzun de Lange ten tonele, kwistig met sieraden behangen, terwijl zijn musici hem begeleiden. Daarop volgt een fantastisch welkomstkoor gevormd door de muziekkapel van de sultan. Dat is vele malen talrijker dan dat van de emir en dus ook vele malen luider. Nu volgt de entree van de janitsaren, zoals gewoonlijk voortsjokkend maar desondanks indrukwekkend, met hun enorme pluimen van paradijsvogelveren die aan hun witte kappen ontspruiten en in een bocht langs hun rug bijna tot op hun knieën vallen.

Daarop kwamen de leden van de divan binnen, elke klerk, imam, jurist en pasja. De penningmeesters onderscheiden zich met hun rode, de priesters met paarse en de rechters met groene tulbanden. Eindelijk vertoont de sultan zich in rood fluweel en bont en slaagt erin de overvloedige sieraden van de emir te overtreffen met een achteloos op zijn tulband gespelde diamanten corsage.

Als altijd eist de sultan complete stilte. Met een wuivend handgebaar maant hij de Turkmenen dat ze naar het podium moeten komen en een voor een lopen ze langzaam, met neergeslagen ogen, naar zijn troon toe waar ze allemaal een buidel met munten krijgen en een geborduurde kaftan. Vervolgens verwijderen ze zich weer achterwaarts uit de aanwezigheid van de sultan. (Kennelijk hebben deze rovers sinds hun begintijd als wilde grensstrijders wel iets over decorum geleerd.) Het is een lange procedure en aan het einde heeft iedereen veel honger.

Het banket begint. Ik kan het aantal gangen niet tellen. En ik kan me niet voorstellen hoe de koks ze allemaal in de loop van één dag hebben kunnen bereiden. Met simpele kost als gierst, gruwel en macaroni is dat eenvoudig genoeg, maar bedenk eens wat er voor nodig is om een maaltijd te bereiden van in *kumis* gekookt paarden- en schapenvlees, gefermenteerde merriemelk, en met alleen een simpele veldkeuken tot hun beschikking. Hoe hebben ze het voor elkaar gekregen? En waar hadden ze de paljassen, de dwergen en de jongleurs zo lang verborgen gehouden, die tussen de gangen tevoorschijn sprongen en die ik op deze lange mars nooit eerder had gezien? Het was alsof ze in een doos bij de hand waren gehouden, wachtend op hun kans om ons te vermaken, wat ze met veel energie en enthousiasme deden om vervolgens te verdwijnen naar hun deel van de karavaan waarin ze afgezonderd waren gehouden, welk deel dat ook mocht zijn.

Een spektakel dat ook maar in de buurt komt van het welkomstritueel dat de sultan had geregeld is moeilijk voorstelbaar, maar toen de Turkmeense hoofdman opstond om te reageren kwam hij er dicht bij in de buurt. Nadat hij de gulle gastvrijheid van de sultan had geprezen en had gebeden voor het succes van onze missie, kondigde Hazan de Lange aan dat hij een geschenk voor de padisjah had meegenomen. Hij knipte met zijn vingers en trommelde een troep robuuste kerels uit de bergen op die een immens kleed droegen, dat zo breed was dat er acht krachtpatsers voor nodig waren om het uit te rollen.

Dit kleed, zo legde hij uit, was geweven van draden die door de vrouwen van de Akroyun-stam waren geverfd. Eenmaal uitgespreid leek het op een altaarstuk met acht panelen. Per paneel werd er een Ottomaanse overwinning gevierd, te beginnen met hun vroege veroveringen in Anatolië. Het eerste paneel – het eenvoudigste – was een eenvoudige zwarte rechthoek omzoomd met goud, en bevatte slechts een paar regels tekst, elk daarvan geborduurd in glinsterende letters. 'Orhan, zoon van Osman, Gazi, sultan van de Gazi, Heer der Horizonten, Burggraeve van de Hele Wereld', konden we lezen.

Het volgende paneel stak de loftrompet over de eerste Osmaanse grensstrijders, gevolgd door de verovering van Boersa op de Byzantijnen. Terwijl ik toekeek vroeg ik me af hoeveel anderen eveneens getroffen waren door de pure brutaliteit van deze nomaden, die slechts twee eeuwen eerder tot in de weiden van Anatolië afgedaald waren om er hun Aziatische geiten te hoeden.

Het geleidelijk aan, tafereel voor tafereel, uitrollen van het kleed was een ceremonie die enige tijd in beslag nam aangezien de scènes stuk voor stuk bekeken moesten worden, verklaard en toegejuicht. Na Boersa kwam de oversteek naar Europa, gezien vanaf de oevers van de Donau (in donkerblauw), waar Orhans krijgslieden een troepenmacht van Franse kruisvaarders te gronde richtten en afgebeeld werden met van bloed druipende kruisen in hun hand (donkerrood). Daarna volgde de overwinning van de Veroveraar op de Serven in Kosovo, de stichting van een Europese hoofdstad in Edirne en een verbazingwekkende afbeelding van de omverwerping van het Byzantijnse Rijk te Constantinopel in 1453. Zelfs nu krijg ik elke keer dat ik eraan denk koude rillingen.

Daar heb je Mehmet de Veroveraar, zijn blik genadeloos op keizer Constantijn gericht op het moment van overgave. Langs de kustlijn van de Bosporus zijn de hoofdloze lijken te zien van de verslagenen die daar als geplette meloenen op en neer dobberen. Het beeld van Mehmet –met zijn smalle neus die over zijn rode lippen heen krult, zijn doordringende ogen die vanonder zijn zware, gebogen wenkbrauwen priemen– is zo levensecht dat je niet kunt geloven dat het gemaakt is met behulp van wat naalden en zijden draden. Men zou denken dat dit geschenk meer dan voldoende was. Maar nee! Het bleek dat het kleed slechts verpakkingsmateriaal was voor iets wat in zijn plooien schuilging.

Denkt u eens in: het kleed bedekt nu de hele vloer, van ingang tot podium, en alleen het laatste gedeelte is nog opgerold. Daar direct boven zit de sultan op zijn troon en lijkt erg ingenomen met dit schitterend eerbetoon aan zijn huis. Op een teken van de hoofdkruier pakken de tapijtdragers de laatste opgerolde rand beet en slaan hem naar achter om te onthullen wat daarbinnen verstopt zit: een jongen met een roodsatijnen pantalon aan en slippers met gouden gespen. Zijn dikke gouden krullen zijn met zijden linten opgebonden en hij heeft het gezicht van een zwarte engel. Glimlachend staat hij op en loopt met het soort waardigheid dat alleen een slaaf op kan brengen naar de rand van het podium. Daar strekt hij zich, met evenveel gratie als een gazelle, uit aan de voeten van de sultan.

Daarna is het enige wat ik nog kan zeggen dat hij snel afgevoerd werd naar de tent van de sultan en dat ik die avond niet hoefde komen voorlezen.

D.

Van: sultana Hürrem in het Topkapi-paleis
Aan: sultan Süleyman, kalief van de Wereld, ontvangen te Erzuru
Datum: 30 augustus 1534

Edele heer,

Ik heb enige tijd nagedacht over de tradities aangaande vieringen in uw befaamde familie. Wat zegt u hiervan: als we de festiviteiten ter gelegenheid van uw triomfantelijke terugkeer uit Bagdad eens met de koninklijke bruiloft combineren tot één roemrijk jubileum? De wereld herinnert zich nog dat na uw triomfantelijke terugkeer uit Oostenrijk in 1530, uw vernedering van de zogenaamde heilige roomse keizer te Wenen tegelijk werd herdacht met de besnijdenis van onze vier zonen. Uw onderdanen denken nog altijd vol genegenheid terug aan dat gecombineerde militaire en huiselijke gala – de weken van dansen, steekspelen en feestvieren – en spreken er nog tot op de dag van vandaag over.

Nu biedt het aanstaande huwelijk van prinses Saïda een soortgelijke gelegenheid. Het biedt u de kans om uw volk te belonen voor de vele opofferingen die het zich getroost heeft ten behoeve van uw jihad, een gelegenheid die zich misschien tijdens uw leven niet weer voordoet (moge Allah u een lang en gelukkig leven schenken). We kunnen het het Festival noemen van Dubbel Geluk of iets wat daarop lijkt.

De voorbereiding en het ten uitvoer brengen, wat wel een week in beslag zal nemen, vergt ongetwijfeld het uiterste van mijn vermogens, maar wees ervan verzekerd dat mijn hele hart in deze onderneming ligt. Als u ermee akkoord gaat en nu admiraal Lofti Pasha onofficieus tot prinses Saïda's damat verkozen is, is het enige wat u hoeft te doen op de dag van uw triomfantelijke terugkeer officieel de hand op zijn schouder te leggen om een dubbele viering in gang te zetten, zoals men nooit eerder heeft aanschouwd.

Bij deze pogingen zou ik de hulp van de prinses kunnen gebruiken. Helaas heeft het lieve kind er meer dan voldoende blijk van gegeven niet in staat te zijn te begrijpen dat de tijd voor haar is aangebroken haar intrede in de wereld te doen: als de mooie, plichtsgetrouwe dochter die ze is, die een mooie, plichtsgetrouwe echtgenote voor haar damat zal zijn en de schitterende Ottomaanse naam nieuwe luister bij zal zetten. Ik voel me vereerd dat ik, hoe onbetekenend ook, een rol kan spelen bij dergelijke belangrijke gebeurtenissen.

Geschreven en met was verzegeld door sultana Hürrem persoonlijk.

De uitverkiezing van de bruidegom heeft de huwelijksdag dichterbij gebracht.

*

Van: Danilo del Medigo te Erzurum
Aan: Juda del Medigo in het Topkapi-paleis
Datum: 26 september 1534

Beste papa,

Vanochtend werden we, nog voor ik kans had gezien de brief van gisteravond in de tas voor Istanbul te doen, allemaal opgeroepen naar dezelfde kamer te komen als eerst zodat we op de hoogte gebracht konden worden van de details van onze reis van hier naar Tabriz. Als altijd nam de sultan plaats op het podium, hoog boven ons. Maar deze keer had hij het slavenjongetje meegenomen en hij liet hem op zijn schoot zitten. Naar mijn idee leek de padisjah met dit tweede geschenk van de emir zelfs nog meer in zijn sas dan hij met het eerste geschenk, het kleed, was geweest.

Ik hoorde de aga tegen mijn mentor Ahmed Pasha zeggen dat de jongen erop getraind was om te behagen. Als dat zo was dan konden zijn leraren tevreden zijn met hun werk. Maar zal zijn Afrikaanse bloed de ontberingen van Armenië en Azerbeidzjan wel kunnen overleven? Ik veronderstel dat ze hem als een kleine Russische prins kunnen inbakeren in bontvellen. Nu ik eraan denk, ik zou zelf ook wel wat inbakering kunnen gebruiken. Een grapje, papa. U heeft me uitstekend voorbereid op pad gestuurd, met mijn voorraad wollen sokken en mijn vest van schapenvel, waarvoor ik u alvast begin te bedanken nu we de noordelijke gebiedsdelen in trekken.

In dankbaarheid,
D.

40 Tabriz

Van: Danilo del Medigo te Tabriz
Aan: Juda del Medigo in het Topkapi-paleis
Datum: 28 september 1534

Beste papa,

Wat is het oosten een openbaring! We hebben Perzië nog niet eens bereikt maar nu al, hier in Tabriz, maken onze oren, ogen en neus ons bij elke bocht duidelijk dat Azerbeidzjan niet in Europa ligt.

Gelukkig voor ons had de Perzische koning geen tijd zijn schatkist mee te nemen toen hij er zo haastje-repje vandoor ging. Geloof het of niet, maar daar staat hij, in een niet-afgesloten kamer, voor zijn veiligheid bewaakt door onze janitsaren die dankzij een schitterende wending van het lot binnenkort hun driemaandelijkse soldij uitbetaald zullen krijgen uit de schatkist die ze verplicht zijn te bewaken.

Het lijkt erop dat toen hij Tahmasps hoofdstad veroverde de grootvizier de sultan niet alleen een militaire coup bezorgde maar ook een enorm fortuin. En voegt men deze voorraad bij de rijkdommen die al door de Ottomaanse veroveringen in Egypte en Europa bijeen zijn vergaard – daarbij in gedachten houdend dat sultan Süleyman zijn bewind ook niet bepaald als armlastige begon – moet deze nieuwe aanwinst van hem op zijn minst de op één na rijkste man ter wereld maken. De eerste blijft naar mijn mening de Perzische monarch, die, naar ik heb horen zeggen, nog altijd gigantische rijkdommen ergens in de oostelijke uithoeken van zijn koninkrijk heeft liggen. En wij, die deel uitmaken van het gevolg van de sultan, zijn hier gehuisvest in wat zijn paleis was.

U zou de slaapkamer van de sjah moeten zien, papa. De vloer en sofa's zijn allemaal bekleed met Perzische tapijten van zijde met goud.

Geen draadje gewone wol te bespeuren. Het bed, dat niet op houten stutten staat maar op zuilen van gecanneleerd goud, wordt bewaakt door reusachtige leeuwen van kristal, elk met gigantische smaragden als ogen.

Ik bezit de vaardigheid niet om de lantaarn boven ons hoofd te beschrijven, met zijn honderden zilveren druppels die ingelegd zijn met goud. Hij is bezet met turkooizen en druipt van de robijnen en diamanten. Noch kunnen woorden de indruk juist weergeven van de Divan-khane, waar de sultan zijn audiënties houdt. Die kamer wordt overspannen door een scharlakenrood doek waarin een bladerdek is uitgesneden, waarvan elk blad is afgezet met gekleurd zijden lint. De verfijning van het applicatiewerk is nog indrukwekkender dan de kostbaarheid van de stof. Iedere zaal in dit paleis is precies zoals sjah Tahmasp hem achterliet, tot de bekkens om de handen in te wassen en de lampetkannen van massief goud aan toe.

Staande bij de ingang werd ik herinnerd aan wat Alexander zag toen hij de tent binnenging die de Perzische koning Darius bij Issus voor hem had achtergelaten: de massief gouden troon, omvergegooid in de haast om weg te komen, de kleden, in het rond gesmeten als een stel vodden en goud, overal goud – gouden vaten, gouden dienbladen, gouden gereedschappen.

In deze wildernis aan extravaganza loopt de overwinnaar naar binnen, Alexander de Grote, vijfentwintig jaar oud en grootgebracht in het strenge Macedonië. Daar staat hij dan om zich heen te kijken naar de evidente resten van het dagelijkse leven van de grote Perzische heerser die hij zojuist verdreven heeft. Eerst is hij sprakeloos. Dan eindelijk zegt hij: 'Dus zo is het om een groot koning te zijn.' Er is geen twijfel over mogelijk, deze Ottomanen kunnen nog wel wat leren van de Perzische koningen, waar het koninklijke allure betreft.

In tegenstelling tot de entourage van de sultan kan de achterban van ons leger natuurlijk niet in dergelijke weelde gehuisvest worden. De troepen worden ondergebracht in een tentenkamp dat aan de rand van de stad wordt opgericht. Niet, zoals u zult opmerken, buiten de muren. De stad Tabriz kent net als Venetië geen vestingmuren. En daarom is het misschien ook nooit geplunderd. Vraag het aan welke burger dan ook en deze zal u zonder schaamte vertellen dat destijds, in 1392, toen Timoer Lenk als een dolle door Perzië heen raasde, de omliggende velden in de as en de steden in puin legde, de inwoners van Tabriz meteen de witte vlag hesen en een gezelschap van hoogwaardigheidsbekleders naar hem toe stuurden om hun 'mond in het stof aan zijn voeten te steken'. Het leek erop dat er in Tabriz in 150 jaar niet veel veranderd was.

Maar ook al was er dit keer van gewapende tegenstand geen sprake, ik merkte een ongemakkelijke sfeer op in dit paleis. Wat de grootvizier ook gedaan had om de bevolking te onderwerpen, hij had het zo aangepakt dat er een onderstroom van wrok ontstaan is die merkbaar is in een toegeknepen oog of een lip die zich krult. En het spreekt voor zich dat wanneer er een oproer in Tabriz broeit, de sultan daar een oplossing voor moet zien te vinden eer hij door kan naar Irak.

Het is begrijpelijk dat de sultan niet langer tijd heeft voor ontspannen voorleessessies 's avonds. Aldus de opperstalmeester van de grootvizier. Misschien is er een andere reden waarom mijn avondlijke aanwezigheid niet langer gevraagd wordt.

Op de avond van onze aankomst in Tabriz ging ik naar de tent van de sultan en nam zoals altijd plaats in de antichambre van zijn slaapvertrek. Het is een uitermate rustige en vredige plek waar ik mijn avondlezing kan voorbereiden zonder afgeleid te worden. Nou, toen ik vanavond mijn hand uitstak om de olielamp omhoog te draaien, bleef mijn mouw aan de rand van het lampenglas haken, waardoor deze omviel en mij en mijn fraaie kaftan volledig doordrenkte. Het glas spoot overal heen, en de grootste flater van allemaal: de stilte werd verbroken. Ik was zo druk bezig met de olie van mijn kaftan te deppen dat ik nauwelijks erg had in de persoon die met een fles wijn in zijn hand de kamer van de sultan uit kwam en nu met norse blik voor me stond.

'Wie ben jij en wat doe je hier?' Zijn Griekse accent was onmiskenbaar.

Voor ik mijzelf weer voldoende onder controle had en hem kon antwoorden, werd ik door een stel sterke handen bij de schouders gevat, omhooggetrokken om hem aan te kijken en werd me toegebeten: 'Wie heeft je binnengelaten?'

'Ik ben de assistent-vertaler van de sultan, heer,' slaagde ik erin uit te brengen.

'Heeft Ahmed je gestuurd?'

'Nee, heer. Ik kom elke avond na het laatste gebed langs... op verzoek van de sultan.'

Bij het woord 'sultan' voelde ik de greep op mijn schouders losser worden.

'Hm, de sultan zal vanavond geen gebruik maken van je diensten. Dus pak je spullen en maak dat je wegkomt,' zei hij met een wegwuivend handgebaar. 'En schiet een beetje op. Je kunt in deze staat echt niet voor de padisjah verschijnen. Je kaftan is doorweekt.'

Mijn uiterlijk was wel het laatste waar ik mee bezig was, maar hij had gelijk. De sultan is veeleisend als het het optreden van zijn pages betreft en mijn prachtige kaftan zat onder de vlekken en was doordrenkt met olie. Daar kon ik niets tegen inbrengen.

En dus pakte ik mijn papieren bijeen en liep in de richting van de gang, terwijl zijn stem me onder het lopen achtervolgde. 'Geconcentreerde azijn is een uitstekend middel tegen vetvlekken. Zonde om de mantel te verpesten. Het is een prachtig gewaad. Hoe ben je eraan gekomen?'

'Het was een geschenk van de sultan, heer,' antwoordde ik.

'Ik snap het.' Hij streek bedachtzaam over zijn baard en kwam toen dichter naar me toe. 'Kijk omhoog. Heb ik je eerder gezien?' Hij trakteerde me op een blik die me het gevoel gaf dat hij recht in mijn ziel kon kijken. 'Ja! Jij bent degene die met het gerit-team opgetreden hebt in de hippodroom.'

Ik knikte instemmend.

'Dus jij bent wat wij een dubbeltalent noemen, niet alleen vertaler maar ook nog eens een meester met de gerit.' Toen, abrupt van toon veranderend: 'Maar niets daarvan geeft je het recht in de tent van de sultan rond te hangen, begrepen?'

Mocht ik zijn woorden niet begrijpen, zijn toon was in elk geval zonneklaar.

'Zorg ervoor dat je nooit meer betrapt wordt terwijl je rond de privévertrekken van de sultan sluipt.'

Hij draaide zich abrupt om en liep terug naar het slaapvertrek van de sultan. Toen hij de gordijnen opzijschoof, ving ik een glimp op van een lage tafel met daarop twee hoge kristallen wijnglazen en een waterpijp die aan een *argulah* bevestigd was. Het was voor het eerst dat ik zag dat de padisjah wijn dronk. Anders hield hij het islamitische verbod op het gebruik van alcohol altijd in ere.

Later in mijn kamer hoorde ik uit de gang het geluid komen van twee mannen die eenstemmig een kroeglied zongen, met veel vuur, sneller en sneller tot de noten over elkaar heen begonnen te duikelen en de stemmen ten slotte oplosten in schaterende lachbuien. Het was voor het eerst dat ik de sultan hardop hoorde lachen.

De volgende ochtend vertelde Selim – een page die er zeer trots op is dat hij de naam van de vader van de sultan, Selim de Barse, heeft gekregen toen hij na zijn besnijdenis moslim werd – dat de grootvizier tot aan de ochtend in het bed van de sultan had geslapen. Sindsdien word ik niet langer gevraagd om 's avonds te komen voorlezen in de koninklijke tent. En Selim plaagt me er niet langer mee dat ik de Perzische jongen van de sultan ben.

Natuurlijk ben ik opgelucht dat me de pesterijen bespaard blijven. Toch bleef de gedachte door mijn hoofd spoken. En ik zou niet helemaal eerlijk zijn wanneer ik ontkende dat het idee de favoriet van de sultan te worden me niet echt tegenstond. De privileges die daar het gevolg van zijn! De promotie! De rijkdommen (ja, de rijkdommen)! De mogelijkheden! De boezemvriend van de sultan, Ibrahim, is opgeklommen tot de rang van grootvizier. Hij heeft paleizen. Hij voert het bevel over legers. Hij hoeft niet te smeken voor een kans om te vechten. Terwijl ik krijgsman ben noch geleerde – niet meer dan een zeepok op het grootse schip van Staat.

Maar ik klamp me vast aan de hoop dat ik, ter gelegenheid van het bezoek van de Franse delegatie dat ons elk moment ten deel kan vallen, mijn superieur, de hoofdvertaler Ahmed Pasha misschien nog enigszins van nut kan zijn. Het Franse bezoek is een uiterst geheime missie waar iedereen ter wereld van lijkt te weten, behalve, zo hoopt men, de heilige roomse keizer (die wij die in dienst zijn van de sultan de koning van Spanje noemen). Misschien dat de kennis van het Frans die ik op de knie van mijn moeder heb opgedaan van enig nut kan zijn. Het lijkt erop dat u me heeft grootgebracht met het idee dat ik me liever nuttig maak dan werkloos rond te hangen. En ik verlang nog steeds naar het gevoel van de gerit in mijn hand.

Goedenacht,
D.

*

Van: Zijn Speciale Afgezant, Jean de la Foret te Tabriz
Aan: H.M. Frans I, koning van Frankrijk te Blois
Datum: 29 september 1534

Majesteit,

Het doet me groot genoegen u te kunnen melden dat we na een lange en belastende reis de sultan ingehaald hebben die zich thans in Tabriz gevestigd heeft, in het paleis dat voorheen bewoond werd door de koning van Perzië. Helaas is de mantel van onzichtbaarheid waarin we deze missie met veel pijn en moeite hebben proberen te hullen, in gevaar gebracht ondanks onze ultieme pogingen tot discretie. En door niemand anders dan de sultan zelf.

Hij is ons sinds onze aankomst openlijk tegemoet getreden met alle eerbewijzen die men ambassadeurs verschuldigd is – en die de grenzen van een handelsmissie ver te boven gaan. We zijn gehuisvest in het koninklijk paleis in plaats van in een van die herbergen voor reizigers die karavanserai genoemd worden en waar dit land zo trots op is. Veelzeggend is dat onze paarden naast die van de sultan in de koninklijke stallen staan, een gebaar dat uitdrukking geeft aan het grootste respect van de zijde der Ottomanen. Bovendien sprak de sultan in onze eerste audiëntie over uwe Majesteit als zijn verwant en gaf hij uitdrukking aan de wens als uw wapenbroeder gezien te worden. Dit voorspelt veel goeds voor onze missie. De Ottomanen zijn echt niet altijd zo gastvrij tegenover buitenlandse afgezanten. Vraag dat de Venetianen maar!

Door een gelukkig toeval arriveerden we precies op tijd in Tabriz voor de driemaandelijkse uitbetaling van de soldij, een dag waarop iedereen goedgehumeurd is en vooral de sultan, denk ik, die in staat is een dergelijke enorme hoeveelheid goud te betalen uit de schatkist die Tahmasp achter heeft gelaten. Natuurlijk zijn we ons er allemaal bewust van dat in dit deel van de wereld de heerser gewoonlijk zijn hele schatkist meezeult op campagne. Deze praktijk deed de Grieken in de tijd van Alexander al versteld staan en het is nog altijd een ontzagwekkende aanblik: duizenden mannen die in lange rijen op het veld staan voor een buidel met daarin hun verdiensten van het afgelopen kwartaal en ze vervolgens rammelend met een beurs vol goude munten te zien weglopen, een buidel die hun ter hand gesteld wordt tot op de dag precies drie maanden na de laatste betaaldag – ongeacht in welk deel van de wereld ze dienen. Tijdens een veldtocht ontvangen deze Ottomaanse troepen bovendien nog eens twaalf akce voor kleding en onverwachte voorvallen, plus dertig akce voor wapens met een extra toelage voor munitie.

Zei ik al dat de sultan zelf ook, als officier in het janitsarenkorps, samen met zijn janitsaren in de rij gaat staan voor zijn soldij? Voor het Europese oog lijkt een dergelijk overdadig vertoon van kisten vol munten die uitgedeeld worden door de soeverein zelf wel een tafereel uit *De vertellingen van duizend-en-één-nacht*. Maar in het Oosten is het gewoon een van de vele gebaren naar het volk die dienen om de Ottomanen stevig te verankeren in het hart van hun troepen en onderdanen.

Natuurlijk heeft men onuitputtelijke rijkdom nodig om een tafereel te kunnen financieren zoals waar ik vandaag hier getuige van was. En met alle respect, Majesteit, mag ik u mijn gelukwensen aanbieden een bondgenootschap gesloten te hebben met een dergelijk financieel wonderkind als onze broeder, de sultan.

Het zal niemand verbazen dat het ritueel rond betaaldag – en de winst waar dat mee gepaard gaat – het kampement in een deken van vrolijkheid hulde dat zich eveneens over de pages van de sultan heen vleide. Aan het einde van het betaaldagritueel gingen de troepen er joelend vandoor om zo veel mogelijk geld aan sterkedrank en hoeren te spenderen, terwijl het hof in de grote ontvangsthal van de sjah bijeenkwam, alwaar de sultan op een koninklijk welkom vergast werd door de inheemse Tabriziten en verschillende Koerdische hoofdmannen.

De begroeting begon met de entree van de soennitische priesters (die allen zowel lid van de Ottomaanse divan als juristen zijn, wat van hen dubbel zo geachte personen maakte). Dit regeringslichaam heeft heel de weg vanaf Üsküdar afgelegd en wordt geacht tot we Bagdad bereiken bij de sultan te blijven en regelmatig, twee keer per week, op de halteplaatsen bijeen te komen. Men begint een idee te krijgen van de immense omvang van onze cavalcade wanneer verschillende kaders, die tot nu toe onzichtbaar waren, ineens tevoorschijn springen om een taak uit te voeren of eenvoudig om zich te laten zien.

Niemand met wie ik spreek lijkt precies te weten hoe groot onze cavalcade is die aanzienlijk gegroeid is sinds we uit Istanbul vertrokken, aangezien bij elke halteplaats verschillende leenmannen en beys met hun eigen troepenmacht arriveren om hun militaire verplichtingen te vervullen ten aanzien van de sultan. Volgens mijn informant in het paleis moeten er nu, nu de twee legerhelften in Tabriz samengevoegd zijn en rekening houdend met enkele aarzelende Koerdische hoofdmannen, bijna 300.000 mensen aanwezig zijn teneinde het Perzische rijk binnen te dringen, plus daarnaast nog een even groot aantal dieren. Wat de dieren betreft gaat de schatting het aantal legerpaarden ver te boven. Deze houdt ook rekening met lastdieren als kamelen, ezels en waterbuffels. Samen overstijgt hun totale aantal waarschijnlijk dat van de troepen. Maar aangezien deze vaak voor beperkte diensten gehuurd worden, op bepaalde delen van de route, kunnen mijn informanten onmogelijk tot een accurate telling komen van de dieren die tot het Ottomaanse leger behoren en die, die slechts gehuurd zijn.

Om u een voorbeeld te geven van de veranderlijkheid van deze schattingen. Vanmiddag spoelde er een veelvoud aan nooit eerder waargenomen cohorten de verzamelplaats op, de ene golf na de andere, waarbij elke groep zich van de andere onderscheidde door de kleur van hun tulband. Volgens mij waren er zo'n vijf van dit soort militaire eenheden, de meeste van hen bestaande uit zo'n duizend mannen en dieren. Heel kleurrijk allemaal. Maar de rechters winnen van hen allemaal de prijs voor de fraaiste kleding, vanwege hun smaragdgroene hoofddeksels. Ze lijken wel een gigantische smaragdgroene wolk, zo allemaal bijeen.

Nadat we waren gaan zitten, waren we getuige van de overgave van zowel Gilan als Shirvan – twee onlangs verworven gewesten – wier leiders letterlijk de stof voor de voeten van de sultan opaten. Daarna volgde de installatie van de zoon van de emir van Shirvan als nieuwe gouverneur van Tabriz. Volgens de gewoonte van het land had hij bij wijze van gruwelijke trofee het afgehakte hoofd meegenomen van de opstandige gouverneur van Bitlis, die onnadenkend de kant van Tahmasp had gekozen vóór het leger van de grootvizier de stad heroverd had. Ten slotte werden wij van de Franse delegatie erkend.

Al dit heen en weer gemarcheer en trompetgeschal vond plaats onder leiding van de grootvizier. Deze viel in voor de sultan die zo langzamerhand wel genoeg moest hebben van alle afgehakte hoofden. Aangezien het de gewoonte aan dit hof is dat buitenlandse bezoekers hun zaken met de grootvizier afhandelen – en regelmatig de sultan zelfs niet eens in levenden lijve zien – waren we erop voorbereid onze geloofsbrieven alleen aan de grootvizier aan te zullen bieden. Maar nee. Nadat het bloederige hoofd uit Bitlis verwijderd was, trok Ibrahim Pasha zich terug op één kant van het podium, waarna er, begeleid door de melodieën van het orkest van de sultan, op het podium een verbijsterend schouwspel te zien was: een kleine delegatie pages die een hele jonge, hele schitterende, hele zwarte jongen gekleed in wit satijn op een palankijn ten tonele droegen. De jonge moor hield een kussen op dat eveneens overtrokken was met wit satijn en waarop een levensgrote tulband te zien was, niet van bladgoud maar helemaal van echt goud, waarbij elke draaiing afgezet werd met een rij verschillend gekleurde kostbare stenen. Je kreeg een indruk van het gewicht van het ding door de zichtbare moeite die de jongen had hem omhoog te houden.

Later die avond hoorde ik van Selim, de page die alles van iedereen lijkt te weten, dat deze monsterlijke hoofdversiering door de grootvizier besteld was bij de legendarische Venetiaanse goudsmid Caorlini, hoogstwaarschijnlijk om Süleymans ongenoegen te verzachten toen hij hoorde dat zijn Europese rivaal Karel v, door de Medici-paus tot heilige roomse keizer was gekroond. Kennelijk was de sultan beledigd dat hem een soortgelijke eer ontzegd was en dus had de grootvizier een hoofddeksel voor hem laten maken. Maar aangezien in de islamitische wereld geen kronen worden gedragen, had de grootvizier deze kroon in de vorm van een tulband laten uitvoeren. Er was niet zuinig aan gedaan – men fluisterde dat hij hij 115.000 dukaten had gekost. En hij was een aantal jaren geleden in het openbaar tentoongesteld in het paleis van de doge, waar hij veel bijval geoogst had, voor het ding verscheept werd naar Istanbul. Wat niemand leek te beseffen was hoe zwaar een tulband van goud zou zijn, vooral nadat hij ook nog eens overdekt was met parels en edelstenen.

Kort gezegd, de sultan kreeg hoofdpijn van de wonderbaarlijke kroon. Vanwege deze indispositie ontstond het idee om de verschijning van de sultan bij staatsgelegenheden aan te kondigen door zijn gouden tulband voor hem uit te sturen, *in locum tenens* als het ware.

Ik heb uw geduld, majesteit, op de proef gesteld door u op deze details te vergasten teneinde de bijzondere aard duidelijk te maken van het volk waar u me mee hebt laten onderhandelen. In deze maatschappij gaat extreme beleefdheid hand in hand met buitensporige wreedheid, zoals de onfortuinlijke gewoonte om meteen het hoofd van iemand af te hakken die je door enig woord of gebaar mishaagd heeft, en vervolgens het aanstootgevende lichaamsdeel op een satijnen kussen het land rond te dragen als trofee. Op zulke momenten kan ik alleen mijn dankbaarheid jegens God uitspreken dat hij een Fransman van me gemaakt heeft.

Morgenochtend gaan we over op het praktische gedeelte, door de details van het handelsverdrag tussen het Ottomaanse Rijk en ons door te nemen. Dat zal het merendeel van de dag wel in beslag nemen maar het is onwaarschijnlijk dat we op moeilijkheden stuiten aangezien beide partijen het ontwerp getekend hebben. Hebben we het zakelijke gedeelte eenmaal afgesloten, dan gaan we pakken voor de terugreis naar Istanbul. Daar zal ik mijzelf, nadat ik de sultana mijn eer betuigd heb, aan de hoede toevertrouwen van een Venetiaanse zeekapitein, de beste keuze in het oostelijk deel van de Middellandse Zee – in elk geval zolang de Venetianen en Turken hun huidige vijandschap in stand houden.

Uw dienaar,
Jean de la Foret

41 Coup de foudre

Van: Zijn Speciale Gezant, Jean de la Foret te Tabriz
Aan: H.M. Frans I, koning van Frankrijk te Blois
Datum: 29 september 1534

Majesteit,

Was het Aristoteles of Sophocles, die ons ervoor waarschuwde dat iemand zichzelf pas op het moment van zijn dood als een gelukkig mens kan beschouwen? Vanmiddag deed zich een totaal onaangekondigde gebeurtenis voor, die voor even onze hele missie in de waagschaal leek te stellen. Het lijkt erop dat geen verdrag waarlijk bekrachtigd is tot het getekend is. Gelukkig werd het document ten slotte, op het allerlaatste moment bevestigd nadat degene van wie alles afhing als door de bliksem getroffen werd, net toen hij op het punt stond de voorwaarden van de laatste clausule vast te leggen. Om u gerust te stellen, majesteit, het was niet de sultan die het slachtoffer was van deze coup de foudre, en ook niemand van ons gezelschap, goddank, maar de hoofdvertaler van de sultan die zonder waarschuwing vooraf ineens flauwviel en bewusteloos van de onderhandelingstafel weggedragen werd.

We hadden de hele ochtend over details zitten marchanderen, zoals hoeveel van onze landgenoten precies in de voorgestelde Franse wijk van Istanbul ondergebracht zouden worden. Het compromisvoorstel waar we het over eens werden: een gelijk aantal als de Genovezen, maar iets minder dan de Venetianen. Binnen deze beperkingen hebben de Fransen nu het recht om op dezelfde voorwaarden als de Turken zelf over land of zee te reizen en door het hele Ottomaanse Rijk te kopen en verkopen.

Toen we na de lunch bijeenkwamen – vele gangen die allemaal naar pilav smaakten – begon de hoofdvertaler van de sultan de slotvoorwaarden van het verdrag een voor een vast te leggen, eerst in het Arabisch en daarna in het Frans. Maar voor hij kon afronden werd hij plotseling bleek, snakte naar adem en stortte in achter zijn lessenaar. Eerst benaderden we deze coup de foudre als een zuiver persoonlijke ramp. Het was pas nadat de doktoren Ahmed Pasha uit de kamer weggedragen hadden dat de moeilijkheden die het gevolg waren van zijn ongeluk zich manifesteerden.

Zoals u zich misschien herinnert, majesteit, was ons aan het begin beloofd dat de andere partij voor directe vertaling zou zorgen in allebei onze officiële talen. En inderdaad, de onfortuinlijke vertaler bleek uiterst competent. Waar de Turken niet op voorbereid waren was dat hij ineens door de hand van God hors de combat gesteld zou worden. En dus hadden ze niet de moeite genomen een vervanger te regelen, en wij evenmin. Iets wat op paniek leek begon over ons neer te dalen toen ons onze hachelijke situatie duidelijk begon te worden.

'Niets aan de hand,' zei de sultan met het zelfvertrouwen van iemand die niet gewend is om teleurgesteld te worden. 'Mijn grootvizier zal de taak op zich nemen. Hij is aardig vertrouwd met het Latijn, net als jullie Franken, en hij zal het document in die taal afmaken terwijl hij het ondertussen voor mij vertaalt. Helaas zijn de enige talen die ik beheers Turks, Arabisch en Perzisch.'

Iedereen knikte opgelucht, op de grootvizier na die enigszins roze werd en de opdracht weigerde. Zijn Latijn was stoffig en onvoldoende voor de linguïstische vereisten die aan een dergelijke precieze interpretatie gesteld werden, wierp hij tegen. Bovendien, ook al zou een van ons in staat zijn om het verdrag in het Latijn te vertalen, aan de zijde van de Ottomanen lijkt er niemand te zijn die het van het Latijn in het Arabisch kan omzetten. Of Turks of Perzisch. Iedereen was ongerust, en de grootvizier nog het meest. De toekomstige gevaren die een verkeerd vertaald verdrag met zich mee zouden brengen, leken hem nog meer te beangstigen dan de verwijtende blikken van zijn meester.

En daar zaten we dan, verlamd door de hand van God, toen er ineens uit het niets een hand de lucht in schoot.

'Sire?'

De sultan gebaarde dat de page op moest staan en zijn zegje doen.

'Met alle respect, Sire, ik beheers het Turks dankzij mijn schitterende opleiding aan uw pageschool. En ook al is mijn Frans misschien achteruitgegaan doordat ik er weinig gebruik van heb gemaakt, het is de taal die ik op mijn moeders knie leerde in de tijd dat ze in dienst was van de marchesana van Mantua. Ze vertaalde toen een aantal zogenaamde Franse romans waar de vrouwe verzot op was, en las ze haar voor.'

De sultan gebaarde naar hem en de page ging naar de lessenaar die zo recentelijk ontruimd was door de hoofdvertaler. Een jonge kerel, was het, licht van huidskleur en aangenaam om te zien met een verbazingwekkende bos gouden krullen; waarschijnlijk, vermoed ik, een van die jongens die bij wijze van tienden in verafgelegen oorden als Rusland en Polen uit gevangengenomen christelijke gezinnen weggevoerd en besneden werden, als moslimslaaf voor de sultan. (Later hoorde ik dat deze jongen inderdaad besneden is, maar niet als moslim. Laat hij nou de zoon van de joodse arts van de sultan zijn.)

Wel, Sire, het Frans van de page was niet van ons niveau – hij begon aarzelend en sprak het niet één keer echt vloeiend. Maar hij had wel de vaardigheid en de intelligentie om ons aan het eind van de dag tot ieders tevredenheid door heel het document geloodst te hebben. Correctie: niet iedereen. Het was duidelijk dat de sultan erg ingenomen was met zijn joodse page. Naarmate het werk vorderde veranderde zijn gelaatsuitdrukking van een bezorgde frons in een flauwe glimlach. Maar de uitdrukking op het gezicht van de grootvizier, die de dag uitermate vergenoegd was aangevangen, verwerd van enthousiasme tot ronduit rood aangelopen chagrijn. Het kan niet anders of deze episode heeft schade toegebracht aan de hoogachting die zijn meester, de sultan, hem toedraagt.

Zoals ik al liet weten in een eerdere depêche uit Constantinopel was de grootvizier, toen ze klein waren, een slavenvriend van de sultan en sindsdien is zijn ster razendsnel gestegen aan het koninklijke firmament. Na aan het hoofd gestaan te hebben van een triomferende veldtocht in Egypte, werd deze Griek over de hoofden van een aantal oudere en wijzere viziers heen tot grootvizier benoemd, wat hem nou niet bepaald bij iedereen geliefd maakt. Maar dat lijkt hem niet te storen.

Ongetwijfeld meent de grootvizier dat hij door zijn intimiteit met de sultan beschermd is tegen zijn vijanden. En inderdaad, ze dineren samen, ze jagen samen en op veldtocht delen ze een tent en zelfs kleren. Over het niveau van intimiteit dat dit impliceert durf ik geen uitspraken te doen. Maar niemand bevond zich in een betere positie om de leegte te vullen die de dood van zijn geliefde moeder en raadgeefster in het leven van de sultan achterliet dan de grootvizier. Behalve misschien de pasgetrouwde sultana, nu de regentes.

Laat me u verzekeren, Sire, om te voorkomen dat u begint te denken dat ik besmet ben geraakt door de Byzantijnse broeierige atmosfeer waarvan deze plek doordesemd is, dat giswerk als dit allesbehalve achterklap is. Dat komt omdat enige beteugeling van de grillen des sultans door een aristocratie hier ten enen male ontbreekt. Samenzweringen vormen het hart van de Ottomaanse politiek. En wat de uitkomst van dit incident ook zal zijn, de nare wind die de grootvizier gevaarlijke wateren op blies bleek voor ons een heerlijke bries te zijn. Want het was door tussenkomst van de knul dat onze onderneming gered werd en wij in staat waren onze taak doeltreffend af te handelen.

Morgen zullen de sultan en ik afscheid nemen van elkaar en ieder ons weegs gaan. Hij gaat naar Perzië om Bagdad te heroveren (dat zijn vader op de een of andere manier door de vingers was geglipt) en onze kleine delegatie vertrekt naar Trabzon – de schimmen van Jason en zijn Argonauten tegemoet – vanwaar we de lange reis terug naar Frankrijk zullen aanvangen.

Uw trouwe dienaar,
Jean de la Foret

*

Van: Danilo del Medigo te Tabriz
Aan: Juda del Medigo in het Topkapi-paleis
Datum: 30 september 1534

Beste papa,

Wat laatste informatie uit Tabriz. Morgen vertrekken we bij het aanbreken van de dag naar de Koerdische bergen. Vanochtend is monsieur De la Foret vertrokken. Hij lijkt erg tevreden met dit verdrag, net als de sultan. Dat is wat ik noem een succesvol resultaat voor elke onderhandeling: wanneer ieder tevreden is met het resultaat. Daar komt bij dat ik een kleine rol in het geheel vermocht te vervullen doordat ik Ahmed Pasha verving, die ineens ziek werd.

Zoals met al mama's pogingen om een ontwikkeld man van mij te maken (en ik mis haar nog elke dag, papa) was het nu mijn rudimentaire kennis van het Frans die me te hulp schoot. Ik sta voor altijd bij haar in het krijt, net als bij u.

U had het afscheid vanochtend moeten zien toen de Franken vertrokken: de sultan uitgedost met al zijn diamanten en zijn zilverreigerveren ter ere van de gast en monsieur De la Foret, met de armen gekruist en gekleed in de prachtige kaftan die hij van de sultan had gekregen.

En wat denkt u dat de Fransman als geschenk voor zijn meester, de Franse koning, meenam? Het was de kleine moor, die de sultan zelf van Uzun Hazan de Lange gekregen had en die hij verkoos over te dragen aan de Franse koning. Ik vraag me af waarom de sultan de jongen wegzond. Kennelijk was het op voorstel van de grootvizier. Toen hem door zijn meester gevraagd werd welk geschenk het beste de grote waarde zou uitdrukken die hij hechtte aan deze Franse verbintenis, antwoordde de grootvizier, die altijd een antwoord paraat heeft, dat het meest waardevolle geschenk dat men kan geven datgene is waar men het minst graag afstand van doet. En dus werd de jongen heengezonden als een pakje in een met gouddraad geborduurd kleed gewikkeld en zullen wij verder gaan zonder hem. Tot ieders spijt. Met zijn dansjes en trucjes verlevendigde het kereltje de sfeer in het paleis. En hij maakte de sultan aan het lachen.

Deze brief wordt u via de koerier van de sultan gestuurd, ver weg in de zon van Istanbul, terwijl wij zuidwaarts trekken, Perzië in. Denk aan mij terwijl ik voortploeter over de gure en kille wegen van Azerbeidzjan en u dan wel enigszins benijd om uw knusse situatie, maar u desondanks een goede gezondheid wens, daar in de zon.

D.

42 Sultaniye

Van: Danilo del Medigo te Sultaniye
Aan: Juda del Medigo in het Topkapi-paleis
Datum: 12 oktober 1534

Beste papa,

Ik kan mezelf er niet toe brengen opnieuw de ellendige details te bele-ven van wat mij overkwam nadat de Franse ambassadeurs Tabriz ver-lieten. Iets wat ik gedaan of gezegd heb gedurende hun audiëntie met de sultan had grootvizier Ibrahim zwaar beledigd. Gisteravond kwam hij naar mijn kamer om mij te berispen – ik zou tegen mijn mentor, Ahmed Pasha, samenspannen – en om me te waarschuwen uit de buurt van de sultan te blijven, omdat ik in de gaten zal worden gehouden waar het mijn ongepaste pogingen betreft mijn persoontje op mijn uit-gekookte joodse wijze onder de aandacht van de padisjah te brengen. Kennelijk is mijn overtreding onvervalste brutaliteit en buitensporige ambitie – ik, uw zoon, Danilo, die altijd verweten is te weinig ambitie te hebben en die nu beschuldigd wordt van een overmaat!

Dus reis ik met twee beperkingen. Ten eerste, aangezien de sultan nog steeds volledig onder de invloed van de Mevlana verkeert, interes-seren mijn voorlezingen uit het leven van Alexander hem niet langer. Op zoiets had ik voorbereid moeten zijn. Mama waarschuwde me vaak genoeg dat ik op mijn hoede moest zijn voor de grillige aard van de vooraanstaanden van deze wereld. 'Hij die voortgaat in het gevolg van een prins,' zei ze altijd, 'loopt op drijfzand.' Ik begreep echter niet dat dit grillige schenken en onthouden van liefde zowel op dode als op le-vende favorieten van toepassing is. Toen Iskander eenmaal uit de gratie was, raakte ik mijn plek als historicus kwijt en in Tabriz werd ik door de grootvizier ontslagen van mijn avondlijke voorleesplichten. Daarna, meende ik, zou er een wonder voor nodig zijn om de zieltogende overblijfselen van Alexander de Grote nieuw leven in te blazen.

Gedurende de onderhandelingen met de Franse ambassadeur – toen ik in staat was de padisjah een kleine dienst te bewijzen – meende ik dat ik misschien een nieuwe plek voor mezelf verworven had. Maar het lijkt er nu op dat wat ik ook doe om de sultan van dienst te zijn, dit door de grootvizier als aanmatigend opgevat wordt en als teken van mijn uitgekookte joodse sluwheid. Ik kan hier vanavond verder niet meer over schrijven. Het is te pijnlijk.

Goedenacht, papa.

D.

*

Van: Danilo del Medigo te Sultaniye
Aan: Juda del Medigo in het Topkapi-paleis
Datum: 13 oktober 1534

Beste papa,

Morgen reizen we verder naar Hamedan. In elk geval was dat de volgende bestemming de laatste keer dat ik erover hoorde. Maar aangezien ik gewaarschuwd ben uit de buurt van de sultan te blijven, ben ik niet langer aanwezig bij de gesprekken in zijn tent. En dus ben ik afhankelijk van mijn medepages – in wie ik overigens medestanders gevonden heb in onze gedeelde afkeer van de grootvizier – wat informatie over verandering van de route, tijdschema's en dat soort dingen betreft. Maar zelfs de pages van de sultan worden het merendeel van de tijd in het ongewisse gelaten vanwege diens natuurlijke neiging tot geheimhouding. Deze tendens in zijn karakter heeft u vast en zeker in de vele uren die u aan zijn zijde heeft doorgebracht opgemerkt. Of was hij mededeelzamer tegen u? Volgens mij neemt hij de grootvizier wél in vertrouwen. En hij communiceert daarnaast ook per duif met de voor- en de achterhoede van ons leger. Kapiteins moeten per slot van rekening op de hoogte gehouden worden van elke verandering in de marsroute, omdat dat de enige manier is waarop ze kunnen weten welke kant ze 's ochtends hun paarden op moeten sturen. Maar voor de rest van ons, zo is ons verteld, is deze kennis niet dringend vereist.

Voor een minderwaardiger leider dan sultan Süleyman zou het desolate tafereel dat ons in dit niemandsland tussen Azerbeidzjan en Perzië wachtte wellicht ontmoedigend zijn geweest. Maar onze sultan wendde het juist aan als prikkel voor zijn vermoeide troepen. Zijn toespraak bij onze aankomst in Perzië was slechts aan één enkel thema gewijd: als de Perzen, laf en zwak als zij zijn, zoals we weten, opnieuw weggerend zijn, gaan we achter hen aan om hen te zoeken en te doden.

Natuurlijk gaat iedereen ervan uit dat het ons uiteindelijke doel is om Bagdad te bezetten en onze sultan daar tot de nieuwe kalief te benoemen. Maar ik heb niemand dat ooit hardop horen zeggen. Dus, gezien het niveau van geheimhouding dat de overhand heeft in dit kamp wat aangelegenheden van een dergelijke betekenis betreft veronderstel ik dat ik ook niet verrast zou moeten zijn dat mijn oren bovendien nooit een missive bereikt heeft over wat er van mij persoonlijk zou worden. Ik heb nog steeds mijn paard, mijn dienaar, een reisbibliotheek en mijn aanstelling als assistent-vertaler, al heb ik niets te vertalen gehad sinds mijn ontmoeting met de Franse missie te Tabriz. Maar ik ben doorgegaan met het bestuderen van de oude historici, gewoon voor het geval ik in ere hersteld zou worden, als bron van informatie over oorlogsvoering in Centraal-Azië, zoals toegepast door de grootste militair die de wereld ooit gekend heeft.

Fabels over de schoonheid van het vrouwvolk van Sultaniye zijn schromelijk overdreven. In tegenstelling tot sommige vrouwen, zoals we bijvoorbeeld in Erzurum hebben gezien, waar ze hun echtgenotes en dochters als Egyptische mummies in donkere juten lappen wikkelen eer ze hen het huis laten verlaten, bedekken Koerdische vrouwen hun gezichten niet, alleen hun haar. Met andere woorden: je kunt ze echt zien. Ze maken een verlegen, bescheiden indruk en hebben een prettig, zij het dan niet uitzonderlijk knap, uiterlijk. Inderdaad, ze zien er niet veel anders uit dan de meeste vrouwen, op de prostituees na; die zijn opzichtig, op geld belust en luidruchtig als de meeste publieke vrouwen. Maak u geen zorgen, papa, ik spreek niet uit persoonlijke ervaring, maar ik mag toch wel kijken en luisteren?

Het is laat en als het laat wordt ben ik geneigd flauwe grappen te maken. Ik wens u dus goedenacht en vraag u opnieuw mijn brieven voor mijn kinderen te bewaren. Voor het geval die ooit zouden willen weten wat hun papa allemaal uitspookte op zijn reizen door Koerdistan.

Gegroet,
D.

*

Van: sultan Süleyman, gelegerd te Sultaniye
Aan: sultana Hürrem in het Topkapi-paleis
Datum: 9 oktober 1534

Mijn uiterst gewaardeerde en hooggeachte gemalin,

Moehabbi, de dichter, schrijft zijn liefdesgedichten op jouw schoonheid. Süleyman, de koning, schrijft deze lofzang op jouw wijsheid. Natuurlijk zullen we een dubbele viering hebben – een overwinning en een huwelijk. Hoe kan ik mijn kudde beter belonen voor hun opofferingen ten behoeve van mijn zaak? Onder jouw wijze leiding zullen we ons volk een vreugdevolle feestdag aanbieden die hun verbeeldingskracht te boven gaat. En terwijl zij aan het feesten en dansen zijn, zal boven het tumult uit Moehabbi, de sultan van de liefde, te horen zijn die zo lang het zwijgen is opgelegd door de eisen van zijn ambt. Hij zal zingen van zijn lof voor en toewijding jegens zijn ware liefde, de mooie sultana Hürrem.

Alleen een koning die zeker weet dat zijn majesteit bewaakt wordt tegen zijn vijanden, zowel thuis als in het buitenland, kan zich het risico veroorloven een dergelijk voorbestemd avontuur als de verovering van Bagdad aan te gaan. Met mijn koningin als regentes en Allah naast mij aan het roer van het schip van Staat, ben ik zo'n koning.

Getekend door middel van het zegel van de sultan.

Wanneer is een page gelijk aan een koning? Wanneer hij met zijn prinses verenigd is in de jihad van liefde tot de dood erop volgt.

43 Hamedan

Van: sultana Hürrem in het Topkapi-paleis
Aan: sultan Süleyman onderweg, ontvangen te Hamedan
Datum: 8 oktober 1534

Gegroet zij de heldhaftige veroveraar!

Istanbul loopt over van vreugde bij het nieuws van uw bezetting van de hoofdstad van de sjah. De straten weergalmen van de kreet 'Tabriz is van ons!' Elke nacht huil ik tranen van eenzaamheid, maar mijn hart zwelt van trots de sultana te zijn van de Meester van Twee Continenten en Drie Zeeën.

Naarmate de mijlen tussen ons groeien, neemt ook de zwaarmoedigheid van mijn hart toe, maar dan herinner ik mij zelf eraan dat u eerst het angstaanjagende Zagros-gebergte van Perzië nog door moet trekken eer u te Bagdad uw beloning in ontvangst kan nemen. Wie ben ik om te klagen in het licht van dergelijke beproevingen, terwijl ik hier warm en veilig in mijn kussens zit, terwijl u de last draagt van het veroveren der wereld?

Desondanks heb ik zo mijn eigen taakjes en teleurstellinkjes, die me bij tijd en wijle de moed ontnemen. Kort samengevat, mijn uitstapje langs de Bosporus met de twee prinsessen was een mislukking. Om redenen die duidelijk zullen worden, maak ik gebruik van mijn pas ontdekte schrijftalent om een persoonlijk verslag te schrijven van wat er gebeurd is. Dit is uitsluitend bestemd voor uw ogen en verzegeld met mijn signet in was, mijn eigen onvaste handschrift.

Gisterochtend vroeg vertrok ons gezelschap van de kade van de grootvizier in het prachtige vaartuig dat ons voor de gelegenheid door admiraal Lofti geleend was. Met de felle zon die hoog aan de hemel stond en de Bosporus die in zijn stralen lag te glinsteren, leek het erop dat onze kleine missie om een paleis voor prinses Saïda te vinden, Allahs zegen had. Maar terwijl de paleizen, die ter verkoop werden aangeboden, een voor een aan onze blik voorbijtrokken verhevigde, naarmate deze steeds eleganter werden, de somberheid die onze droevige prinses Saïda omhulde steeds meer.

Aan het uitstapje kwam een eind toen we van boord gingen op het eiland Kinali om onze benen te strekken en van de ongerepte natuur te genieten. We moeste ons een weg door de braambossen hakken naar de kleine verwoeste moskee die in het groen verscholen lag en prinses Saïda's humeur leek op te klaren. Maar zodra we het hek, dat heen en weer zwaaide in het windje, hoorden kraken veranderde haar stemming. En toen we de moskee te zien kregen barstte ze uit in een oncontroleerbare huilbui. Gelukkig was de admiraal er niet bij om van deze vertoning getuige te zijn.

Het is duidelijk dat mijn woorden van aansporing jegens onze dierbare Saïda om het zichzelf na een jaar rouw niet meer zo moeilijk te maken tegen dovemansoren uitgesproken waren. Willen we dit kind getrouwd krijgen, dan zullen we dat zonder haar hulp moeten doen. Zolang uw plicht u zo ver hiervandaan houdt, zolang rust de verantwoordelijkheid om dit meisje door haar verlies naar een leven van geluk en vervulling te loodsen nu op mij. Wees gerust, ik zal niet falen in mijn pogingen de verplichtingen van een moeder na te komen ten aanzien van onze onwillige dochter.

Getekend en verzegeld met het stempel van de regentes door sultana Hürrem.

*

Van: sultana Hürrem in het Topkapi-paleis
Aan: sultan Süleyman, ontvangen te Hamedan
Datum: 16 oktober 1534

Aanbeden, vereerde, glorieuze sultan,

Was er ooit een vrouw zo fortuinlijk als ik dat ze een rol kon spelen bij de viering van de grootste overwinning waar de wereld ooit getuige van is geweest? Vandaag arriveerde er een document van u dat me in staat stelt de uitgaven te doen die nodig zijn om mijn droom van een dubbel festijn in uw hoofdstad, dat de wereld versteld zal doen staan, werkelijkheid te laten worden. Uw generositeit is niet alleen oneindig maar bovendien een tastbaar teken van uw vertrouwen in mij.

In alle eerlijkheid moet ik bekennen dat ik nooit aan deze zware verantwoordelijkheden zou kunnen voldoen zonder de hulp van onze geliefde dochter, prinses Saïda, die naast me zit om mijn woorden vast te leggen. Ik ben nog steeds niet zover dat ik voorgoed van haar secretariële diensten af kan zien. Ook al heeft ze me trouw geleerd mijn eigen correspondentie te lezen en mijn eigen brieven te schrijven, mijn nieuwe vaardigheid om zelf te schrijven blijft ver achter bij de hoeveelheid correspondentie die ik af moet handelen. Zonder haar ben ik nog steeds half stom en blind.

Als mijn informatie juist is, zult u in Perzië zijn tegen de tijd dat de koerier, die deze brief in zijn tas meevoert, u bereikt. De gedachte dat mijn verre aanwezigheid zelfs maar een klein deel uitmaakt van een dergelijke, glorieuze gebeurtenis, geeft me de kracht door te gaan met mijn talloze verplichtingen als uw gezalfde regentes en voogdes over uw kinderen. Het is mij een eer en een voorrecht.

Getekend en gestempeld met het zegel van de regentes door sultana Hürrem.

Vandaag kwam de kleermaker uit de bazaar om het gezelschap van de bruid en de sultana op te meten voor hun jurken bij het huwelijk. De sultana en de bruidsmeisjes liepen over van enthousiasme. De bruid zweeg.

*

Van: Danilo del Medigo, te Hamedan
Aan: Juda del Medigo in het Topkapi-paleis
Datum: 31 oktober 1534

Beste papa,

De vluchtende koning, Tahmasp, is zonder een spoor na te laten uit Hamedan vertrokken. Toen hij ervandoor ging, aten, verbrandden de Perzen alles wat eetbaar was in de buurt of voerden het af. Gelukkig hebben we onze eigen voorraden bij ons. Maar we zijn bovendien belast met tonnen aan belegeringsgeschut dat we hard nodig zullen hebben als de koning der koningen besluit om zich in Bagdad tegen ons teweer te stellen. Officieel is die roemruchte stad door zijn gouverneur aan ons overgedragen maar dit is Koerdisch gebied en de Koerden staan bekend als onbetrouwbare bondgenoten. Wie weet wat ons nog voor onaangename verrassingen te wachten staan wanneer we aan de andere zijde van het Zagros-gebergte Irak in zullen trekken?

In de tussentijd is de grootvizier hier in Hamedan opnieuw bezig om ons onhandelbare leger opnieuw op te splitsen, deze keer om vanuit Perzië Irak binnen te trekken. Hij zal de voorhoede aanvoeren om toezicht te kunnen houden op de zware aanvalswapens en artillerie. Zodra wij vernemen dat hij veilig het Zagros-gebergte door is gestoken en dat er geen Perzen meer in de pas zijn zullen wij vertrekken om ons bij de poorten van Bagdad bij hem te voegen.

Morgen vertrekt hij en diegenen van ons die deel uitmaken van het gevolg van de sultan zullen een paar dagen vrijaf hebben hier in Hamedan, de stad die in de oudheid bekendheid genoot als Ecbatana en het hart van de wereld van Alexander de Grote. Als ik ooit nog eens de kans krijg om het over de door de sultan ooit zo geliefde Iskander te hebben, dan moet het nu zijn. Hamedan ligt op slechts twee uur rijden van het slagveld bij Gaugamela waar Alexander de gordiaanse profetie waarheid liet worden en heerser over heel Azië werd. Hier, in deze omgeving van Ecbatana, is de grond waarop Alexander zijn Perzische oorlog won.

Hamedan is ook de begraafplaats van Hephaistion, Alexanders boezemvriend, die hier op de terugreis ziek werd en stierf.

Het samenvallen van deze twee belangrijke momenten in het leven van de held – het hoogtepunt en dieptepunt – op een en dezelfde plek is bijna voldoende om het geloof te rechtvaardigen in een door de goden tot stand gebracht sluiten van de cirkel. Toch? Het is maar een idee.

En dus zijn we nu hier in Hamedan, dat door de plaatselijke Koerden nog altijd Ecbatana genoemd wordt, en waar ze het over Iskander hebben alsof hij hen gister nog op straat voorbijliep. De tijd slaagt er niet goed in het geheugen in deze contreien te wissen. Toen ik dit tegen Ahmed Pasha zei, antwoordde hij dat nomadenvolkeren zoals dat van hemzelf en de voorouders van de sultan de neiging hebben voorwaarts te gaan met een oog op het verleden gericht. Hij herinnert me eraan dat nomaden geen bezit en dus ook geen banden hebben met een bepaald thuisland. En omdat ze daarnaast merendeels ongeletterd zijn, hebben ze ook geen geschreven verslagen om te delen. Het enige wat ze delen is hun geschiedenis die van mond tot mond overgedragen wordt van de ene generatie op de andere.

'Hun enige nalatenschap bestaat uit verhalen over het verleden,' legde hij me uit. 'Bij hen worden oude overwinningen gevierd alsof ze vorige week plaatsvonden en wordt oud verraad nooit vergeten. Iedereen die Irak of Perzië wil veroveren en hun stammenverleden negeert doet dat op eigen risico.' Morgen meer.

Gegroet,
D.

*

Van: zijn trotse metgezel, sultana Hürram in het Topkapi-paleis
Aan: sultan Süleyman, de Schaduw van God op Aarde, Keizer van het Oosten en Westen, Padishah van alle Arabische landen, op weg naar een grootse overwinning op de ketterse Tahmasp, ontvangen te Hamedan
Datum: 1 november 1534

Mijn door het fortuin gezegende sultan,

Vandaag ontving ik een bezoek van vizier Rustem, mijn keuze als damat voor onze beminde jongere dochter, Mihrimah. Hij zal de volmaakte schoonzoon zijn – verstandig, succesvol en uiterst loyaal aan zijn sultan. Nu moeten we haast maken en eenzelfde toekomst voor Saïda regelen, om geen andere reden dan dat haar huwelijk natuurlijk vóór dat van haar jongere zuster plaats moet vinden.

Ik pauzeer even om mijzelf een zucht van verlichting te permitteren. Het volgende koninklijke huwelijk dat op touw gezet moet worden, wanneer het prinses Mihrimah's beurt is, zal gemakkelijk zijn. Ze springt nu al op van vreugde elke keer als ik het over haar toekomst heb. Net als alle jonge meisjes droomt ze van haar paleis en de sieraden die ze zal dragen. En het doet me plezier te kunnen melden dat onze voorkeur waar het haar echtgenoot betreft, de geachte Rustem Pasha, al met mij in gesprek is. Na een bijeenkomst met de hofastroloog heb ik de datum van het huwelijk vastgesteld in mei, over twee jaar. Zelfs twee jaar is niet te vroeg om met de voorbereidingen te beginnen voor dit soort grote evenementen.

Ik verlang naar uw terugkeer. Ik bid voor uw veiligheid. Moge Allah over u waken.

Getekend en gestempeld met het zegel van de regentes door sultana Hürrem.

Niet alle jonge meisjes dromen van paleizen en juwelen. Een prinses in een toren droomt ervan gered te worden door een paladijn op een wit paard.

*

Van: Danilo del Medigo te Hamedan
Aan: Juda del Medigo in het Topkapi-paleis
Datum: 2 november 1534

Beste papa,

Ibrahim Pasha is vanochtend eindelijk vertrokken en samen met hem meer dan de helft van ons leger en het merendeel van onze wapens. De sfeer in het kamp is al lichter, bijna alsof we op vakantie zijn. Eerlijk is eerlijk, het ontbreekt de grootvizier niet aan moed of capaciteiten. Ik wilde alleen dat hij me wat meer mocht. Maar er is iets aan mij wat hem irriteert. Soms heb ik het gevoel dat hij me ziet als een rivaal wanneer het om de gunsten van de sultan gaat. Maar dat is toch belachelijk? De sultan en hij zijn tenslotte jeugdvrienden, medestrijders, en zo is mij verteld, af en toe bedpartners. Misschien komt het gewoon omdat ik een jood ben en hij alle joden haat.

In de uren nadat de grootvizier afgetrokken was, zag ik de sultan door het kampement dwalen alsof hij zijn beste vriend kwijt was. Misschien is dit de tijd om Alexander opnieuw ten tonele te voeren. We zijn vlak bij Gaugamela. En hier zit ik dan, een bereidwillige gids klaar om de eenzame sultan af te leiden met dat stukje oude geschiedenis. Het is tijd om mijn Arrianus weer wat op te frissen, voor het geval dat.

Gegroet,
D.

Later:

Zeg wat u wil, papa, maar wonderen gebeuren echt. Een paar minuten geleden, toen ik Arrianus aan het herlezen was over Alexanders overwinning te Gaugamela – voor het geval dat – arriveerde er een briefje waarin mij medegedeeld werd dat mijn aanwezigheid gewenst was om het bezoek van morgen voor te bereiden aan het slagveld te – jawel – Gaugamela. Hoe heeft dit kunnen gebeuren?

Ik ken uw mening over wat mensen buitenzintuiglijke interruptie noemen – dat valt voor u in dezelfde categorie als wonderdoenerij, tovenarij en alchemie. Maar een van de vele dingen die u me heeft geleerd is om altijd ruimdenkend te zijn. Nu vraag ik hetzelfde van u. Gisteravond had ik een gedachte die zo door de lucht de geest van de sultan in zweefde. Mijn bewijs? We zijn bij het aanbreken van de dag vertrokken naar Gaugamela om daar Alexanders overwinning te doen herleven.

'Ik zal morgen een samenvatting van de slag nodig hebben wanneer we op die plek aankomen,' liet de sultan me weten alsof ons laatste gesprek over het onderwerp de dag ervoor plaats had gevonden in plaats van een maand eerder. 'Dus moet je alle boeken over Alexanders veldslagen meenemen die we in onze bibliotheek hebben. Hij was toch op weg naar Bagdad toen Darius hem in Gaugamela confronteerde?'

'Net als wij, heer,' antwoordde ik.

'We zullen in zijn voetsporen treden. Van Gaugamela over het Zagros-gebergte naar Bagdad,' hij zweeg even, 'en vandaar naar het einde van de wereld,' voegde hij eraan toe.

Wat me de moed gaf om de vraag te stellen die mij al vele dagen kwelde: 'En hoe zit het met onze expeditie, heer? Zullen we na Bagdad ook in zijn voetsporen treden?'

'Na Bagdad?' Gretigheid valt net zo gemakkelijk waar te nemen in de blik van een man als angst of liefde. Het was duidelijk dat het vooruitzicht hem erg lokte. Hij glimlachte op een manier die ik alleen als ondeugend kan omschrijven. 'Na Bagdad?' herhaalde hij. 'Wie zal het zeggen?'

En daarmee eindigde het gesprek en ik begaf me naar mijn tent om de nacht door te brengen met Arrianus, Quintus Curtius en die goede oude Plutarchus – ter voorbereiding op mijn dienst als slagveldgids.

O, kon mama me nu maar zien!

Gegroet,
D.

44 Gaugamela

Van: Danilo del Medigo te Gaugamela
Aan: Juda del Medigo in het Topkapi-paleis
Datum: 3 november 1534

Beste papa,

Vandaag vergezelde ik de sultan naar Gaugamela om hem door de gebeurtenissen gedurende de slag te leiden, precies op de plek waar die uitgevochten is. Als altijd ging de bagagetrein van de sultan vooruit om op het slagveld een rust- en een eettent voor hem in te richten. Maar geen bedden. Dit was een uitje, net als een dagje jagen. Maar hier joegen we op de echo's van een ver verleden. Hoe kon ik, vroeg ik me af, de sultan beter voorbereiden op zijn terugkeer naar de wereld van Alexander? Meteen daarop dacht ik aan mama's manier om me kennis te laten maken met de geschiedenis. Waarom zijn interesse niet opnieuw proberen aan te wakkeren door hem een verhaal te vertellen? Dus vertelde ik hem onder het rijden over de gedachtewisseling tussen Alexander en de generaal van zijn vader, Parmenio, aan de vooravond van de slag bij Gaugamela. Voor u oude koek, papa, maar voor de sultan was het nieuw en ik moet toegeven dat ik ervan genoot het na te vertellen, ervoor zorgend zoals mama me geleerd had, hem niet te veel met allerlei feiten te belasten.

Ik legde eenvoudig uit dat tegen de tijd dat Alexander Hamedan bereikte, hij Darius' leger bij Issus had verslagen en de moeder van de grote koning gevangen had genomen, diens vrouwen en dochters, en nog duizend anderen. De rijkdom van deze oude Perzen was onvoorstelbaar. Zelfs nadat zijn leger gedecimeerd was, keerde Darius binnen een paar maanden vanuit zijn rijk in het oosten terug naar het strijdgewoel aan het hoofd van een complete krijgsmacht, inclusief olifanten en zeiswagens.

Maar eerst vereiste zijn eer dat hij zijn vrouwen bevrijdde. Hij zond tot tweemaal toe boodschappers naar Alexander om hem in ruil voor hen geld en land aan te bieden. Tot twee maal toe werd hij afgewezen. De derde keer bood Darius Alexander bij wijze van losgeld al zijn gebiedsdelen ten westen van de Eufraat aan, plus dertigduizend talenten voor zijn vrouwen en de hand van een van zijn dochters.

Parmenio, reeds lang deel uitmakend van Alexanders intieme kring van adviseurs, merkte op dat het erg kostbaar was al de gevangen die ze hadden genomen mee te zeulen – en dan wilde hij het nog niet eens hebben over het eten – waarom lieten ze dus het zooitje niet vrij, zodat ze ervanaf waren?

'Als ik Alexander was,' besloot Parmenio, 'accepteerde ik het aanbod van koning Darius.'

'Ik ook,' antwoordde Alexander, 'als ik Parmenio was. Maar,' hij zweeg even om zijn punt duidelijk te maken, 'ik ben Alexander. Ik heb geen geld nodig van Darius. En ik hoef ook geen deel van het land in plaats van het hele land. Dit land en al zijn schatten zijn al van mij. Als ik zijn dochter wil trouwen, dan doe ik dat of hij me haar schenkt of niet. Maar laat hij gewaarschuwd zijn: Azië kan net zomin twee monarchen onderhouden als de aarde tussen twee zonnen kan bestaan.'

Toen Darius dit antwoord ontving, trok hij al zijn voorstellen in en begon hij zich voor te bereiden op de strijd.

Dit is het verhaal dat ik de sultan vertelde terwijl we naar de vlakte reden waar de twee koningen voor het laatst tegenover elkaar hadden gestaan. In minder dan drie uur rijden vanaf Hamedan stonden we nu in navolging van Alexander op de lage heuvelrug boven het dorp Gaugamela. En vanaf die uitkijkpost speelden we de veldslag na waarbij ik Arrianus' beschrijving van Alexanders cruciale overwinning herhaalde. Precies zoals de gordiaanse profeet had voorspeld, heerste Alexander nu over heel Azië.

Tot op dit punt in het verhaal had ik me keurig aan Arrianus' vertelling gehouden. Maar ineens werd ik overweldigd door het verlangen mijn eigen stem te laten horen. Toen ik voor het eerst de verslagen van de klassieken over Gaugamela en de nasleep ervan had gelezen, leek het me vrij duidelijk dat, al scheen Gaugamela destijds een grote overwinning toe, deze tegelijk de kiem van zijn eigen nederlaag in zich bleek te dragen. En om de een of andere reden uitte ik ineens mijn mening hierover tegenover mijn meester.

'Met deze overwinning in Gaugamela had Iskander zijn missie voltooid,' liet ik de sultan weten (zonder toe te geven wie de bron van mijn observatie was). 'Na zeven jaar van huis geweest te zijn, waarvan drie jaar in de schijnbaar onbedwingbare hooglanden van Centraal-Azië, hadden de Macedonische troepen het idee dat ze het recht verworven hadden om hun deel van de buit te incasseren en er thuis met hun familie van te gaan genieten.'

'Zelfs de meest loyale troepenmacht bereikt op zeker moment een grens,' merkte de sultan met een begrijpend knikje op. Hoewel hij nog jong is, heeft hij al tien jaar van strijd op zijn conto en heeft hij een helder gevoel ontwikkeld voor de gemoedstoestand van zijn mannen.

'Maar Iskanders visioen koning van heel Azië te worden kreeg de overhand op zijn gezonde verstand,' was ik zo vrij te menen. 'Het was dat visioen dat hem ertoe dreef zijn troepen de grens van Centraal-Azië over, van overwinning naar rampspoed te sleuren.'

Op dat moment stond ik op het punt te gaan vertellen over de aaneenschakeling van triomfen die Alexander ervoer toen hij Centraal-Azië doorstak, voor hij bij de rivier de Oxus in India werd teruggedreven. Maar nu werd de aandacht van de sultan in beslag genomen door mijn onbezonnen opmerking dat Iskanders overwinning in Gaugamela reeds de kiem van zijn nederlaag in zich droeg. En hij begon me zo dringend te bestoken met een spervuur aan vragen, dat we tijdens de rit terug naar huis ons tempo moesten vertragen tot een slome draf om ons gesprek te kunnen blijven voeren en tegelijkertijd door te gaan met rijden. De sultan is geen geduldig man. Overwinningen waren hem gaan vervelen. Hij wilde naar het einde van het verhaal, naar Alexanders laatste dagen die zoals u weet, papa, een aaneenschakeling van rampen werden.

'Waardoor veranderden Iskanders laatste dagen op de reis terug naar huis in nederlaag en schande?' wilde hij weten. 'Welke elementen spanden samen om de schitterende veroveraar zo'n ellendig en ontmoedigend einde te bezorgen.' Toen er geen antwoord volgde, eiste hij het gewoon: 'Vertel het me!'

En dus werd ik gedwongen het over de afvalligheid van de oude Macedonische garde te hebben en hun overtuiging dat Alexander zijn Macedonische erfgoed verkwanselde, dat hij 'Perzisch was geworden'; dat hij de beste aanstellingen aan plaatselijke Perzische hoogwaardigheidsbekleders had toebedeeld; dat hij hen aangemoedigd had zich voor hem op een kruiperige manier ter aarde te werpen, waar geen enkele respectabele Macedoniër zichzelf toe zou verlagen; dat hij zich zelfs als koning der koningen uit was gaan dossen met een vergulde riem om, die hij droeg als een vrouw. Ik praatte zelfs de roddel na dat Alexander vergiftigd zou zijn door zijn Macedonische generaals, al was ik wel zo voorzichtig Arrianus' opmerking eraan toe te voegen dat dit gerucht nog altijd allesbehalve bewezen is. Desondanks bleek dit sappige detail verleidelijker voor de sultan dan al mijn zorgvuldige onderzoek naar de slag van Gaugamela.

Ik herinner me dat u me ooit verteld heeft dat de Ottomanen een onverzadigbare honger hebben naar bedrog, complotten en verraad.

'Het zijn oosterlingen,' herinnerde u me eraan. 'Het maakt deel uit van hun wereldvisie.'

Dat zag ik gisteren inderdaad overtuigend bewezen. Er verscheen een opgewonden blos op de bleke wangen van de sultan toen het woord 'vergif' viel. En ik moet toegeven dat ik, als de een of andere brave Scheherazade, doorging hem te voorzien van nog wat schandaaltjes en geruchten die ik aan mijn leeswerk had overgehouden. Onder andere dat tegen de tijd dat ze de Oxus bereikten, de Macedoniërs op het punt van muiten stonden; dat Alexander zichzelf elke avond lazarus dronk; dat hij op een keer zozeer zijn zelfbeheersing kwijt was geraakt dat hij in dronken razernij een van zijn oude kapiteins aan zijn zwaard had geregen. De militair, die Zwarte Clitus heette, had onder Alexanders vader gediend en Alexander zelf het leven gered gedurende de slag bij Granicus, in de eerste jaren van de Perzische veldtocht.

Het antwoord dat de sultan gaf op dit stukje informatie is me bijgebleven: 'Geen enkele grote leider doodt in razernij, dronken dan wel nuchter. Ik wil weten wat er gebeurd is, waardoor deze dappere en nobele koning tot een dergelijke wanhoopsdaad gedreven werd. Wat had Zwarte Clitus gedaan om zo'n afstraffing te verdienen?'

Hij wilde dat ik Alexander een excuus bezorgde – na tweeduizend jaar. Naarmate de seconden voorbij tikten voelde ik hoe alle welwillendheid die ik op het slagveld had opgebouwd omsloeg in ongeduld en teleurstelling. Gelukkig verloor mijn paard op dat moment een hoefijzer, zodat ik een smoes had om uit de rij te gaan en een paar uur extra om een goede reden te bedenken waarom Alexander de Grote in dronken razernij de man gedood zou hebben die zijn leven had gered.

Maar eerst ga ik slapen. Misschien dat het antwoord in een droom tot me komt. Zo niet dan heb ik in elk geval nog een avond en een dag om me te verdiepen in het verhaal van Zwarte Clitus.

Goedenacht,
D.

*

Van: Danilo del Medigo te Gaugamela
Aan: Juda del Medigo in het Topkapi-paleis
Datum: 8 november 1534

Beste papa,

Gisteravond schreef ik dat ik een dag zou hebben om weer bij te raken waar het het verhaal van Zwarte Clitus betreft. Maar nee! Mijn oproep om voor te komen lezen arriveerde al voor het ontbijt, bij het eerste gebed. Het is bijna alsof mijn poging om Alexander opnieuw tot leven te wekken al te goed geslaagd is. Nu is de sultan zo verzot op mijn verhaal dat hij 's ochtends al zijn dosis Iskander wil. Is zoiets bizars Scheherazade wel eens overkomen?

Vandaag is het kamp een warboel van opgerolde tenten, voorraadkasten, paarden en kamelen, aangezien we ons voorbereiden op ons vertrek naar Bagdad. Maar geen olifanten of kanonnen. Die zijn met de grootvizier mee vooruitgegaan. Desondanks is het een chaos in het kamp. Niet in het deel van de sultan natuurlijk. Dat is, net als zijn selamlik, een oase van sereniteit. Zijn slaven pakken onze tenten pas in wanneer we morgenochtend wegrijden. Zijn tweede ploeg is al vertrokken om een kamp in te richten in het Zagros-gebergte, voor als hij daar morgenavond aankomt. En toen ik vanochtend aan mijn oproep gehoor gaf, zat hij daar in kleermakerszit op zijn kussens, kalm, onverstoorbaar, fronsend, vastbesloten Alexander dwars door het tumult van oostelijk Perzië heen te volgen. Hij gaat helemaal op in Alexanders transformatie van triomf naar tragedie. Hoe kwam het dat dit toonbeeld van verhevenheid aan zijn einde kwam als een dronken moordenaar? Het leek wel of hij die vraag als een koe bleef herkauwen.

U zult een inschatting kunnen maken van de hevigheid van zijn hartstocht wanneer ik u vertel dat de sultan zich onmogelijk los kon rukken van deze koortsachtige jacht, zelfs niet om de boodschappers te woord te staan die de hele dag door vanuit alle delen van het rijk arriveerden. U kent het protocol, papa. Deze estafetteruiters scheppen er graag over op dat ze elke reis kunnen voltooien, zij het door sneeuw, regen, verzengende hitte of inktzwarte duisternis. Zij zijn, zoals de sultan me op een keer vertelde, het hartenbloed dat door de aderen van het rijk stroomt. Het zijn deze koeriers die hem voortdurend op de hoogte houden van de gebeurtenissen van de Nijl tot aan de Indus; ze worden altijd meteen, ongeacht het tijdstip, bij hem toegelaten zodra ze aankomen, en hun verslagen worden altijd door hem gelezen zodra ze tot zijn beschikking zijn. Met deze wetenschap zal het tafereel voor zijn tent deze ochtend u verbazen, net als het mij deed: daar stonden drie koeriers achter elkaar, posttassen in de hand, te wachten op zijn knikje terwijl hij alleen oog en oor had voor mijn verhaal over de beproevingen die Alexander duizend jaar voor de geboorte van de profeet had doorstaan. Hij leek het verhaal vanochtend zelfs nog liever te willen horen dan gister.

'Ik heb nog steeds niet het hele verhaal,' klaagde hij. 'Wat bezielde Alexander precies dat hij een man doodde die zijn leven had gered? Wat kon hem tot een dergelijke verachtelijke daad gedreven hebben?'

Zoals u weet, papa, heeft geen enkele historicus die aandacht aan Alexander besteed heeft het verhaal over Zwarte Clitus over het hoofd gezien. Behalve misschien die ene waarmee de sultan in zijn kinderkamer geconfronteerd werd. Verder vertelt iedereen – Arrianus, Plutarchus, de Romein Quintus Curtius – een ander verhaal over wat er gebeurd is op die veelvuldig te boek gestelde avond in Marakanda.

Voor ik mezelf in dit moeras van tegenstrijdig bewijs kon begeven, voelde ik de behoefte om de plaats van handeling te beschrijven. Met slecht verborgen ongeduld wierp mijn meester me een zuinig instemmend knikje toe. 'Maar hou het kort,' zei hij. Wat ik als volgt ook deed:

Na een heftig jaar van gevechten zonder concrete overwinning tegen de grensstammen van Bactria, legde ik uit, waren de Macedoniërs bevroren van de kou, uitgehongerd en uitgeput. Inmiddels was er een scheiding in de gelederen ontstaan, tussen de oude Macedonische veteranen en de jonge honden. De campagne verliep slecht. Net als de Koerden bleven de plaatselijke stammen niet lang verslagen. Was de vrede eenmaal getekend, dan kwamen ze meteen weer in actie zodra Alexander zijn aandacht naar elders verlegde. Al met al, hij kon het rijk dat hij had veroverd, niet regeren. En om deze aaneenschakeling van obstakels volledig te maken, was het water vervuild, zodat de enige vloeistof die gedronken kon worden de scherpe, koppige wijn van het district was.

'En hoe zat het met Clitus?'

Mijn moment was daar. 'Arrianus keurt Clitus niet goed,' liet ik hem weten, 'maar hij geeft de schuld voor wat er gebeurd is aan de drank en die types die, zegt hij, altijd aan elk hof aangetroffen kunnen worden en die door vleierij in de gunst van de vorst proberen te komen.'

Deze observatie was goed voor een bevestigend knikje van het koninklijke hoofd. 'Zelfs anderszins hoffelijke veteranen willen soms maar al te graag nog een laatste triomf toevoegen aan hun wapenfeiten,' zei hij. 'Ik zou je er een paar kunnen noemen.'

Maar dat deed hij niet en ik ging verder. 'Deze vleiers begonnen Alexander met de goden te vergelijken, met Herakles...! Dat alles met Alexanders aanmoediging.' Ik moest dat eraan toevoegen omdat alle drie de historici melding maken van Alexanders beweringen dat hij het kind van Zeus was.

'En hoe zat het met Clitus?'

Volgens Arrianus, zei ik, was Clitus gekrenkt door Alexanders overgang naar wat hij de barbaarse Perzische stijl noemde en nu, onder invloed van de wijn, kon de oude strijder het gebrek aan respect voor de daden van de helden van vroeger niet langer verdragen. Maar toen... ik aarzelde.

'Ja?'

Niets aan te doen. Ik moest het verhaal vertellen zoals Arrianus het verteld had. 'Clitus herinnerde de koning eraan dat hij zijn grote daden niet alleen had verricht, maar dat ze voor het merendeel Macedonische prestaties waren die uit de tijd van zijn vader dateerden. En verhit door de wijn...'

'Ga verder.' Dit is waar hij op had zitten wachten, wist ik.

'Wat meer is,' ik moest hem maar gewoon het hele vreselijke verhaal vertellen, dan was ik ervanaf, 'Clitus stak zijn schild omhoog, zwaaide het ding in het gezicht van de koning en begon hem voor de hele Macedonische groep te beschimpen.'

De sultan snakte naar adem. 'Vloekte hij? Schreeuwde hij? Wat zegt Arrianus erover?'

'Arrianus zegt dat Clitus de koning uitdaagde eens goed te kijken naar het schild dat hij in zijn rechterhand hield. Hij herinnerde de koning eraan dat het hetzelfde schild was dat Alexander beschermd had toen deze blootshoofds neergevallen was, terwijl hij door de rivier waadde. Toen stak Clitus zijn zwaard omhoog en verkondigde: "Het is deze hand, Alexander, die je leven gered heeft bij de Granicus."'

De sultan liet zich naar achter vallen alsof de woorden die Clitus zijn koning toegebeten had, hem verwond hadden. Even later hief hij zijn ogen naar me op, zwart als git en koud als ijs.

'Iskander moest de schurk doden. Hij had geen keus. Die hele toespraak is zuivere insubordinatie.'

Het oordeel werd uitgesproken, niet met de stem van Süleyman de gazi, maar met die van Süleyman de wetgever.

'Plutarchus is het met u eens,' zei ik tegen hem. 'Hij noemt Clitus een kwaadwillende genius. Wilt u horen wat Plutarchus te zeggen heeft?'

'Nee,' antwoordde hij. 'Ik heb genoeg gehoord. De man bezoedelde de eer van de koning. Hij moest sterven.' Eerbiedig boog hij het hoofd, niet uit respect voor de dood van Clitus maar uit sympathie voor een koning die moet doden om zijn eer te bewaken.

Toen, even plotseling als de bui hem had overvallen, was hij voorbij. Ik werd zonder bedankje weggestuurd – koningen zeggen geen dank voor bewezen diensten – maar wel met wat, naar ik aannam, de manier van een koning was om dankbaarheid te uiten.

'Je hebt me al genoeg gegeven om te overpeinzen,' zei hij. 'En zo'n waardevol lid van mijn gevolg kan ik de genoegens van de jacht niet ontzeggen. Van nu af aan zal ik uitzien naar je gezelschap wanneer we een dag gaan jagen.'

'En mijn wapen, Sire? Is het mij toegestaan mijn gerit mee te nemen?'

Een bruuske vraag was zijn antwoord. 'Hoe kan een man jagen zonder wapen?'

'Maar mijn vader, Sire?'

Gelukkig vatte hij mijn vraag niet verkeerd op. 'Ah, ja, je vader.'

Misschien was hij zijn belofte aan u vergeten dat het mij niet toegestaan zou worden een wapen te dragen. Maar dat betwijfel ik. Hoe dan ook, hij schoof het ter zijde alsof het hem gewoon even ontschoten was.

'Ik zal je vader schrijven om het verschil uit te leggen tussen het gebruik van een wapen om op dieren te jagen en strijd te voeren. De dokter is een rationeel man. Hij begrijpt het vast wel.'

Natuurlijk ben ik het met hem eens, papa. Ik vertrouw erop dat u dat ook bent. Het vooruitzicht van een koninklijke jachtpartij in het Zagros-gebergte is iets waar ik nooit van had durven dromen. Het is in elk geval meer dan voldoende beloning voor alle weken waarin ik het nut van deze onderneming, sinds Konya al, in twijfel heb getrokken. En eerlijk is eerlijk papa, ik zal blij zijn als we Perzië verlaten. Ondanks zijn rijke verleden is het tegenwoordig een troosteloos oord. Overal waar je kijkt valt je blik op hopen puin die de plekken markeren waar ooit huizen, schuren, kippenrennen gestaan hebben. In elke staat zijn de tekenen te zien dat men inderhaast vertrokken is. Toen wij aankwamen hing de was nog aan de takken van de bomen bij de rivier. Tahmasps mannen gunden zich zelfs niet de tijd om fatsoenlijk brand te stichten en veel van de gebouwen staan er nog steeds. Maar zonder mensen er-in. Hamedan is als een lijk waaruit de ziel is ontsnapt. Dit is een aspect van de oorlog waar ik niet op voorbereid was. Maar de Tigris en de Eufraat lokken nog steeds.

En vannacht gebeurde er iets dat mijn hoop deed opflakkeren, dat mijn stuntelige vertalingen niet tegen dovemansoren gericht waren. Toen ik door de tentflap naar buiten stapte, werd ik tegengehouden door de stem van de sultan. Eerst dacht ik dat hij het tegen mij had, maar toen besefte ik dat hij in zichzelf praatte – over Gaugamela. En weet u wat ik hem hoorde zeggen, papa? Laat me u zijn exacte woorden overbrengen: 'De jongen had gelijk!' hoorde ik hem zeggen. 'Na Gau-gamela was Iskander koning van Azië. Als hij zich daarmee tevreden had gesteld en opgehouden was bij Bagdad, was geen van die slechte dingen hem overkomen.' Zijn woorden.

Wees niet verbaasd als dit een tijdlang de laatste brief is die u van mij krijgt. De tocht voorwaarts voert ons over bergen waar de koeriers-dienst tussen ons kampement en de hoofdstad niet werkt. Maar er is geen reden voor u om u zorgen te maken. De grootvizier heeft de weg voorbereid. De pas is vrij van Perzen. En dit is het beste seizoen om door het Zagros-gebergte heen te trekken.

Volgende halte, Bagdad.

Als altijd, uw toegewijde zoon,
D.

45 Haniikyye

Van: Danilo del Medigo te Haniikyye
Aan: Juda del Medigo in het Topkapi-paleis
Datum: 23 november 1534

Beste papa,

Tegen de tijd dat u dit leest heeft het nieuws van onze tegenspoed via het koerierssysteem van de sultan de hoofdstad bereikt. Maar ik betwijfel of wat door de staf van de grootvizier doorgegeven wordt het hele verhaal vertelt van onze rampzalige belevenissen in de bergpas. Bedenk dat hij verantwoordelijk is voor de koerswijziging die ons zo in het nauw heeft gebracht – excuses voor het gezochte woordgrapje. Dus hij heeft alle reden om de gevolgen van die beslissing in zijn rapport te bagatelliseren.

Laat me u er ten eerste van verzekeren dat ik ongedeerd ben, terwijl ik u schrijf vanuit het plaatsje Hanikiiyye, waar we op de westelijke helling van de angstaanjagende Zagros zijn neergestreken. Dit is de plek waar we terechtkwamen toen we ons eindelijk een weg uit de Manisht-pas wisten te blazen.

U kunt gerust ademhalen. We zijn niet opgewacht en overvallen door Perzische sluipschutters. Om eerlijk te zijn zou ik, na wat ik de afgelopen twee dagen heb meegemaakt, zonder meer liever door Perzische scherpschutters vanaf de bergtoppen zijn bedreigd, dan door wat ons met zo'n genadeloze gewelddadigheid in de Zagros-pas overkomen is.

Weet dat er vanuit Hamedan twee routes door de bergen die Perzië van Mesopotamië scheiden lopen. De ene is de winterroute, vlak bij de woestijn in het oosten. De andere is de eenvoudige zomerroute door het voorgebergte. Aangezien het november is en nog ruim voor de aan-

335

vang van de winter, namen we natuurlijk de gemakkelijkere weg en onze reis begon kalmpjes in mist en motregen, in deze contreien normaal voor november.

Op de derde dag na Hamedan doemden de pieken van de Zagros voor ons op als goden die de ingang van de pas aan de oostelijke rand van de vlakte bewaakten. Gigantische rotsen van kalk- en zandsteen en van dolomiet rezen er zo'n driehonderd meter recht de lucht in. Ze leken dichter bij de hemel dan bij ons. Maar wij volgden tenslotte ook de druk bereisde zijderoute naar en van China, die al honderden jaren in gebruik was. En toen de zon van achter de pieken tevoorschijn piepte om ons in het land van de kaliefen te verwelkomen, was ik volgens mij niet de enige die dat behalve als een bron van warmte opvatte als een goed voorteken.

Snel gingen we het netwerk in van geulen dat door het hele voorgebergte loopt. Aan weerszijden heeft de wind de kammen kaal geblazen en rimpelingen van sneeuw in de ondiepe holtes tussen de rotsachtige, dagzomende aardlagen achtergelaten. Die plekken hadden voor ons als kleine seinvlaggen kunnen dienen, die aangaven dat er meer sneeuw in aantocht was, maar de toppen van deze bergen zijn het hele jaar door met sneeuw bedekt, dus de aanwezigheid van een paar losse vlokken op de helling merkten we nauwelijks op. Bovendien was de grootvizier minder dan een week daarvoor langs deze zelfde route gekomen en had een gunstig verslag teruggestuurd, met slechts één waarschuwing: wanneer we bij de hoge bergen aankwamen, moesten we uitkijken voor verborgen Perzische sluipschutters.

Het was in de middag dat er vanuit het oosten een fikse bries opstak, maar we waren te druk met het opzetten van het kamp om er enige aandacht aan te schenken. En tegen de tijd dat de tentpalen ingegraven, de dieren veilig vastgemaakt en de voedselrantsoenen verdeeld waren, was iedereen te moe om zich druk te maken over de windvlagen die inmiddels meer op windstoten waren gaan lijken. Het afgematte leger dat uiteindelijk achter onze canvasmuren in een diepe slaap wegzonk, was zelfs te uitgeput om ook maar één gedachte aan het weer te spenderen.

Terwijl we sliepen kondigde de lawine zichzelf aan door een reeks lichtflitsen die onze slaap verstoorde met een gekraak, dat klonk alsof een reus met enorme klauwen de hemel aan flarden reet. Toen volgde er een knal, van heel ver leek het. Toen nog een, dichterbij dit keer. En nog een, die klonk als een musketschot.

Inmiddels helemaal wakker hoorden we stukken van de corniche boven ons afknappen, breken, scheuren en kraken. Het maakte een oorverdovend kabaal toen ze steeds sneller langs ons heen de glooiing af rolden. Je kon merken dat ze dichterbij kwamen omdat de grond onder ons begon te schudden. Op de god van de donder zelf na had niemand een dergelijk misbaar kunnen creëren. Ik wist zeker dat ik zou sterven. Is het niet gek wat er op dat soort momenten bij je opkomt? Zo moest ik ineens aan de stem van de sultan denken die sprak zoals hij vele weken geleden in deze zelfde tent had gedaan toen we in Sivas bivakkeerden.

'Als ik voor de keuze gesteld werd of ik de god van het kruit dan wel de god van het weer zou mogen zijn dan zou ik zonder nadenken voor het weer kiezen.' Dat zei hij, papa. Zou het mogelijk zijn dat hij een voorgevoel had? Uw afkeer van alle vormen van waarzeggerij kennende zal ik niet doorborduren op deze gedachte.

Ik kan u niet zeggen hoelang de lawine duurde. Ik weet alleen dat het leek alsof we daar uren in het donker lagen, met alleen de geluiden die de tent van de sultan binnensijpelden om ons te vertellen wat er buiten aan de hand was. Elke keer dat er een stuk van de sneeuwbank afbrak was er dat pijnlijke gekraak te horen, en vervolgens een beginnend gerommel wanneer de plaat de berg af begon te donderen, almaar groter en lawaaieriger wordend naarmate er steeds meer sneeuw aan de ijskern bleef plakken en hij steeds dichterbij kwam. En je kon met geen mogelijkheid zeggen of hij langs je tent zou denderen of je op zou pakken en levend begraven in het pak sneeuw.

Tot die nacht, papa, had ik er nooit echt bij stilgestaan dat ik dood kon gaan. Maar toen we ons daar in de weg van dat monster bevonden, me er voortdurend van bewust dat onze schuilplaats hierna aan de beurt zou kunnen zijn, was ik ervan overtuigd dat ik de zon niet meer op zou zien komen. Maar wat vreemd dat het enige wat ik kon denken was: alstublieft, God, laat me niet zo ver van huis sterven.

Tegen de ochtend was de wind gaan liggen, maar de stilte was op de een of andere manier nog griezeliger dan het gieren in de nacht. Volgens mij ben ik niet het enige lid van dit gezelschap dat wakker werd in de veronderstelling dat ik gestorven en naar de hemel gegaan was. Ons was tenslotte verteld dat dood door bevriezing pijnloos is – alsof je langzaam wegzakt in een diepe slaap. Maar na een tijdje konden we het gedempte zachte gekraak horen van ijs dat begint te smelten. Toen een zacht gekwetter. Zijn er vogels in de hemel? vroeg ik me af. Toen volgde een kreet. Toen een vloek. Dit was duidelijk niet de hemel. Toen we ons buiten waagden begon wat we zagen steeds meer op de hel te lijken.

In één nacht tijd hadden grote hopen sneeuw en ijs heuvels geschapen, waar er de dag ervoor geen waren geweest. Sommige zo groot als een mens, andere groot genoeg om verschillende lichamen tegelijk te begraven – menselijke en dierlijke. Stil als geestverschijningen zweefden er mannen door de mist. Sommigen waren erin geslaagd spades te vinden en stonden aan de sneeuw te krabben om, nogal onzinnig, te proberen een kameraad te bevrijden, of ze trokken met blote handen aan de teugels van paarden die gevangenzaten. Hele regimenten waren onder het pak sneeuw bedolven, samen met kuddes dieren en ontelbare karren, wagens met voorraden, wapens en eten.

Overal wuifden stukken canvas in de wind als de gescheurde banieren van een verslagen leger. Was de sultan er niet geweest – zijn kracht, zijn troost, zijn bezieling, dan zouden de meesten van ons bij het zien van de begrafenis van de helft van ons leger zich gewoon bij ons lot neergelegd hebben. We zouden ons hebben opgekruld en overgegeven aan de verlokking van een pijnloze slaap.

Wat me bijblijft zijn de kleine dingen. Ik zal nooit vergeten dat ik uit de tent kwam en vlak voor me een zuiver witte vorm zag, die qua vorm op een sarcofaag leek, met het bovenste oppervlak glad als satijn en alleen ontsierd door iets wat op een twijgje leek dat er midden uit omhoog groeide. Toen we dichterbij kwamen begon het twijgje heen en weer te zwaaien en ziedaar, toen een van de pages boven op de hoop sprong om het te onderzoeken meldde hij dat het een menselijke vinger was. Niemand zei iets. We maakten ons als een haas uit de voeten, op zoek naar een graafgereedschap, en binnen een paar tellen stond er een ploeg mannen in de sneeuw te graven om de eigenaar van de vinger te bevrijden.

Het lichaam verscheen alsof het door een goochelaar tevoorschijn werd getoverd: een hand, een arm, een oor, een haarlok. Terwijl de sneeuw alle kanten op vloog, werden we druipend van het zweet uiteindelijk beloond met gegrom. Wie het ook was, hij was in leven.

We bleven doorgraven zelfs nadat het gegrom opgehouden was en we geen ademhalingsgeluiden meer konden horen. Zonder dat het ons werd verteld, wisten we op de een of andere manier dat elke seconde telde. Ik weet dat we allemaal onder het graven aan het bidden waren.

Er verscheen bij wijze van antwoord een gezicht in beeld. Het was het gezicht van Selim, de jongste van de pages, die midden in de nacht naar de latrine moet zijn gegaan, zijn behoefte sterker dan zijn angst. Hij was bewusteloos en leek niet meer te ademen.

Achter me duwde Ahmed Pasha de gravers opzij die waren gestopt met graven en als aan de grond genageld naar het blauwige gezicht stonden te staren. Ahmed was nog maar net hersteld van zijn toeval, maar hij slaagde erin tot naast het levenloze lichaam van Selim te springen. Met zijn vingers schepte hij in de mond van de jongen om die schoon te maken van de sneeuw. Waarop deze, miraculeus genoeg, zich met een zwak kuchje weer terug het leven in proestte.

Het door de vallei op en neer galmende gejuich moet de aandacht van de sultan getrokken hebben en hij verscheen net op tijd om er getuige van te zijn dat Selim zijn ogen opendeed.

'Mijn complimenten, hoofdvertaler.' De sultan veegde met zijn kaftan over de sneeuw in een zeldzaam gebaar van respect voor een ander menselijk wezen. 'Als deze jongen nog vele minuten langer begraven was geweest zou hij vast en zeker zijn gestorven.' Toen, zich omdraaiend, boog hij voor ons allen. 'Mijn gelukwensen, jullie allemaal. Door jullie collega te redden hebben jullie de lawine verslagen.'

De sultan klonk kalm, zijn stem was krachtig. Vanaf dat moment wisten we dat we voorbestemd waren onszelf uit de kaken van het monster te vechten, ongeacht wat dat verder nog voor ons in petto had.

Een troep janitsaren was eropuit gestuurd om over de hele lengte van het kampement een pad te graven, wat ze met verbazingwekkende snelheid voor elkaar kregen. (Nooit meer zal ik grapjes maken over de kleine schepjes die aan hun middel bungelen.) Tegen de middag was de weg langs de hele marsroute vrij en begonnen rapporten, afkomstig van zowel de kop als de staart van de lijn, bij de sultan te arriveren. De sneeuw had zijn schade aangericht op een lichtzinnige, je zou kunnen zeggen goddelijke, manier door voedselvoorraden te begraven, maar de ziekenboeg, de duivenhokken en de schatkist te sparen. (Was ik de enige page die moest denken aan koning Midas die stierf van de honger omdat alles wat hij aanraakte in goud veranderde?)

Tegen het einde van de dag was de fatwa van de sultan doorgegeven naar boven en onder in de vallei en was iedereen gerustgesteld. Ook al waren onze voedselwagens verloren gegaan, we waren niet gedoemd door verhongering om te komen. Het enige wat we nodig hadden waren drie dingen, zei de fatwa: eten, water en warmte. Wat water betreft had Allah ons voorzien van een oneindige hoeveelheid sneeuw om te smelten, waarvoor we een dankgebed moesten zeggen. Allah had ook al massa's afgebroken bomen gespleten, vervolgde de fatwa, die als brandhout gesprokkeld konden worden. En morgen beloofde de sultan ons eten, met Allahs hulp.

'Kijk eens dwars door de breuk in de sneeuwbank omhoog over de flank van de berg,' droeg hij ons op.

Het enige wat ze zagen was een woud van afgeknapte bomen. Toen zei een van de pages: 'Het bos is vernietigd, Sire.'

'Dat is juist. Maar het blijft het domein van vogels. En waar vogels zijn, zijn ook gazellen, steenbokken en ongetwijfeld wilde zwijnen voor ons om te eten. Het enige wat we moeten doen is ze vangen.'

'Maar hoe komen we daar, Sire?' vroeg een van de pages.

'We klimmen op de rug van de paarden die we nog overhebben. Ik zal voorgaan. Ik hoef jullie er niet aan te herinneren dat de Osmaanse stam vele generaties lang een zeer intieme band met paard en zadel heeft gehad. Lang geleden wisten mijn voorvaderen op de steppen van Centraal-Azië te overleven doordat ze zo goed konden jagen. En tot op de dag van vandaag staan de Ottomanen bekend als de beste ruiters ter wereld.'

'Bravo!' weerklonk het door de hele vallei.

'In gelukkiger tijden,' vervolgde hij, 'jaagden we voor de sport. Nu zullen we jagen voor ons eten, de essentie van het leven. Morgenvroeg bij het aanbreken van de dag, insjallah.' Hij boog eerbiedig zijn hoofd. 'Ik zal jullie de flank van de berg op leiden voor de grootste jachtpartij in de geschiedenis. En ik heb er alle vertrouwen in dat we zullen slagen, aangezien ik vergezeld wordt door een groep jagers van reputatie.'

Het geschreeuw en gestamp dat volgde, weerkaatste tegen de muren van de pas, waardoor zijn woorden iets van een eeuwenoude profetie kregen. In het uur erna galmde het gejuich steeds opnieuw door de vallei, elke keer wanneer de fatwa hardop aan een deel van onze toegetakelde troepenmacht werd voorgelezen.

Wat de sultan niet onthulde – en wat wij in het gevolg van de sultan alleen naarmate de dag vorderde via gefluister aan de weet kwamen – was dat aan het einde van de vallei janitsaren gestuit waren op een muur van sneeuw, zo hoog als een kleine berg, die zich tussen ons en een mogelijke redding in bevond, doeltreffender dan welke Perzische generaal ook. Bovendien gingen diepte en gewicht van de barrière het vermogen van schoppen en spaden ver te boven. Er was dynamiet nodig. En we kwamen er algauw achter dat door een speling van het lot onze voorraad buskruit met de grootvizier mee vooruitgestuurd was, zodat hij zich voor kon bereiden op de belegering van Bagdad. Was het mogelijk dat het grote leger van het Buskruitrijk ten onder zou gaan in de Zagros-pas, aangezien men niet genoeg explosieven had om zich een weg naar buiten te blazen? Dat was de bittere grap die onder de pages de ronde deed, terwijl we ons klaarmaakten voor de grote jachtpartij van de volgende dag. Ja, papa, de sultan had een koerier naar me toegestuurd om me eraan te herinneren dat, vanwege mijn recente diensten aan hem, ik nu uitgenodigd was deel uit te maken van zijn persoonlijke jachtgezelschap.

Of ik mijn wapen bij me had, wilde hij weten. Ik kon hem bevestigend antwoorden. U kent me. Ik had de hele veldtocht al met mijn gerit naast me geslapen, zelfs tijdens de lawine. En ik was klaar om hem te gebruiken. Wordt vervolgd.

Gegroet,
D.

Bijgesloten de brief die ik u schreef toen we in de Manisht-pas ingesloten zaten.

46 De jachtpartij

Van: Danilo del Medigo, ingesneeuwd in de Manisht-pas
Aan: Juda del Medigo in het Topkapi-paleis
Datum: 12 november 1534

Beste papa,

Ook al is onze gewone koeriersdienst nog niet hervat, dan heeft de duivenpost van de sultan het nieuws van de grote jachtpartij in het Zagros-gebergte misschien al naar de hoofdstad gebracht. Maar ik vermoed dat er een deel van het verhaal is dat u nooit te horen zult krijgen zolang Ibrahim de Griek de verslagen doorstuurt. Bovendien ben ik straks misschien wel helemaal vergeten hoe het was gegaan, tegen de tijd dat we uit dit ijskoude hellegat bevrijd zijn.

Merk op dat ik geschreven heb: '...tegen de tijd dat we zijn bevrijd', en niet 'als we bevrijd zijn'. Want ik twijfel er niet aan dat we gered zullen worden, zodra de grootvizier van onze gevangenschap hoort en een groep sappeurs stuurt om met explosieven een weg voor ons vrij te maken. Nu echter zitten we nog steeds gevangen achter een muur van sneeuw en er blijkt nog nergens uit dat iemand zich van onze hachelijke situatie bewust is. De koeriers en paarden zitten hier bij ons opgesloten. En dus is ons enige contact met de buitenwereld volledig afhankelijk van de postduiven die de sultan net als zijn voorouders met alle geweld op elke veldtocht mee wil nemen. Slimme sultan. Slimme voorouders. Ahmed Pasha zegt dat deze vogels tachtig mijl afleggen in vier uur, ongeveer drie keer zoveel als onze koeriers. Slimme duiven.

Sommige pages – meer dan één – vrezen dat we een tweede lawine over ons heen krijgen door het lawaai dat we met onze musketten in het woud maken bij onze jacht op eten. Alsof een geweersalvo een sneeuwverschuiving kan veroorzaken. Sommige mensen geloven echt alles.

Wat ik wel nogal alarmerend vond was dat de sultan vanochtend ieder van ons een envelop van wasdoek deed toekomen waarin diegenen die dat wilden hun testament konden stoppen en dat vervolgens op hun lichaam binden. Ik hoef er niet over uit te wijden wat dit gebaar betekent. Maar ik verzeker u dat ik niet van plan ben doodgevroren met mijn laatste wilsbeschikking op mijn borst aangetroffen te worden. Bovendien heb ik niets na te laten op een ooggetuigenverslag van deze vervloekte veldtocht na, dus waarom er niet over schrijven? Ik dring er bij u op aan om deze krabbels van mij op een veilige plek te bewaren voor de kinderen die ik, dat weet ik gewoon, op een dag voort zal brengen. Maar als we hier om de een of andere reden niet veilig wegkomen, zorgt u er dan alstublieft voor dat mijn paard Bucephalus goed verzorgd wordt en dat ze hem niet laten inslapen vóór zijn natuurlijke levensduur erop zit. Dat is mijn wilsbeschikking.

U weet net zo goed als iedereen hoeveel het voor me betekende om mee te mogen met het jachtgezelschap van de sultan. Ik betrapte mezelf erop dat ik gedurende de voorbereidingen aan het fluiten was. Maar terwijl ik mijn gerit aan het slijpen was, kreeg ik ineens een visioen, geen droom, maar iets wat op een droom leek. Ik zat op mijn paard en we reden, kniehoog in de bladeren, door een woud. Nergens verroerde zich iets. Toen was er geritsel in de bosjes te horen en stootte er een dierlijke kop dwars door de takken heen. Het was een wilde beer die recht op me af kwam stormen en ik stond aan de grond genageld van angst omdat ik geen idee had hoe ik hem moest doden.

U weet, ik ben geen huichelaar. Wanneer ik een nieuwe tekst onder ogen krijg, weet ik heel goed dat, gezien mijn ontoereikende wetenschappelijke kwaliteiten, ondanks uw pogingen en die van mama om me kennis bij te brengen, het moeilijk voor me zal zijn de betekenis ervan te ontcijferen. Aan de andere kant weet ik ook dat wanneer ik in de rij op het schietterrein aanschuif, ik de beste scherpschutter van mijn oda ben. Geconfronteerd echter met het snuivende, grauwende wezen in mijn visioen was ik mij er plotseling van bewust dat ik niets van jagen af wist en nog minder van de zwijnenjacht. Wat ronddartelen in de manege of zelfs onder luid gejuich van het publiek in de hippodroom, lijkt in niets op het jagen op wilde dieren in het bos. Tot nu toe was heel mijn training in de paardensport erop gericht geweest aan toernooien deel te kunnen nemen om met andere ruiters te wedijveren op plekken met hekken eromheen. En er zijn regels. Maar in het bos zijn geen hekken. Of regels. Zelfs als die er waren dan ontbrak me de tijd om ze te leren en er was ook niemand die me erin kon onderwijzen. Ik kon moeilijk Ahmed midden in de nacht wakker maken en hem smeken me voor de ochtend te leren hoe ik in een dicht woud een wild zwijn dood moest maken.

Even dacht ik erover de jacht te mijden door te doen alsof ik koorts had. Maar ik ben zo'n slechte leugenaar dat ik onherroepelijk ontmaskerd en aan de schandpaal genageld zou worden. Het enige wat ik nodig had was een snelle les in zwijnenjacht. Een paar goede tips als bijvoorbeeld: wat is het beste moment om toe te slaan, op welk gedeelte van het lijf moet je richten en hoe dichtbij moet je zien te komen – wat gerit-steekspelen betreft voel ik sommige dingen gewoon in mijn botten aan, maar die gaan misschien niet op voor de zwijnenjacht. Dat ik die dingen niet weet, betekent niet alleen een schande voor mij maar uiteindelijk misschien zelfs de dood.

Toen had ik het opeens. Daar in de tent hoorde ik in het midden van de nacht mijn moeders stem samen met die van mij dat gedeelte van de *Odyssee* voorlezen waarin Odysseus in Ithaca terugkeert na een afwezigheid van vele jaren. Zijn vrouw wil hem echter maar niet herkennen. Ze vraagt om bewijs dat deze haveloze, grijze oude man haar knappe, heldhaftige echtgenoot is, die ze tien jaar eerder uitzwaaide toen hij naar Troje vertrok.

Odysseus wendt zich tot zijn oude kindermeid en laat een litteken op zijn been zien van een wond die hij opliep tijdens de zwijnenjacht toen hij klein was.

'O ja!' zegt ze terwijl ze de wond streelt. 'Jij bent echt Odysseus! Ach, mijn lieve kind! Ik zag het tot nu toe niet – niet tot ik het lichaam van mijn meester met mijn eigen handen voelde!'

Dan beschrijft ze de jacht waarin de jongen verwond werd. Dit is de canto die mama me uit mijn hoofd deed leren en ik herinner me hem tot op de dag van vandaag.

Daar lag een reusachtig zwijn in zijn dichtbegroeid leger:
noch de krachtige, vochtige winden woeien tot daar,
noch kon de brandende zon met zijn stralen haar bereiken,
noch drong de regen ooit tot haar door: zó dicht was dat leger gebed,
en erin lag een dicht bladerdek uitgespreid.
Hem trof het gedreun van de voeten van mannen en honden,

toen zij jagend op hem afkwamen; en hij sprong hen uit zijn leger
tegemoet, ruig in zijn nekborstels, vuur bliksemend in zijn ogen,
vlak bij hen bleef hij staan; Odysseus stoof als eerste op hem af,
zijn speer met zijn krachtige hand in de aanslag,
belust hem te treffen; maar het zwijn was hem vóór, trof hem
boven zijn knie en met zijn sprong opwaarts legde hij het vlees open
met zijn slagtand maar kwam niet tot het bot van de held.
Maar Odysseus trof hem met een wond rechts in de schouder
en de punt van de blinkende lans vloog er dwars doorheen;
Stuiptrekkend zakte hij in het stof en zijn leven wiekte weg.*

Toen ik de woorden hardop voor mezelf herhaalde, besefte ik dat ik echt een paar jachttips had opgepikt van de oude Homerus. Ik had ontdekt dat wilde zwijnen hun slagtanden gebruiken op de manier waarop wij dat met de gerit doen, om er een enorme stoot mee uit te delen. Wat dit me duidelijk maakte was dat je heel voorzichtig bij het richten moet zijn omdat je waarschijnlijk geen tweede kans krijgt bij dit beest. Odysseus had geluk. Hij miste het zwijn de eerste keer en raakte gewond, maar hij overleefde het en doodde zijn prooi. Opnieuw had hij de goden aan zijn zijde. Maar goed, ik kon noch op de goden noch op mijn mazzel rekenen. Ik had wel het sterke gevoel dat mijn moeder vanuit de hemel over me waakte, terwijl ik me bij het jachtgezelschap voegde.

Het kostte ons de hele ochtend om naar het terras te klimmen waar het bos begon. Tegen het einde van de klim was de helling zo steil dat we af moesten stijgen om de paarden te ontzien. We werden door een detachement van muilezeldrijvers gevolgd, elk met een sliert lastdieren onder zijn hoede om genoeg hout en vlees mee terug naar het kamp te nemen teneinde de duizenden monden die beneden stonden te wachten te kunnen voeden. Wij moeten er, terwijl we ons al voortschuifelend naar de top van de berg voortbewogen, voor hen uitgezien hebben als de langste slang ter wereld. Af en toe viel er een paard, maar bijna iedereen kwam veilig boven. En natuurlijk zijn muilezels bijna even goed in het beklimmen van rotsachtige kliffen als geiten.

Gelukkig slaagden we erin op tijd de open plek te bereiken om wat brandhout te sprokkelen voor het donker werd. Dat kon vervolgens

*Vertaling: Ben Bijnsdorp

345

naar beneden gestuurd worden voor de kookvuren. We hadden zelfs tijd om de vogels te roosteren die de jagers, zodra we aangekomen waren, uit de bosrand hadden doen opvliegen. Pas gesmolten sneeuw, pas gedode kwartel en een vreugdevuur van jeneverbestakken – we hadden ons al heerlijk tegoed gedaan terwijl de ernst van de jacht nog moest beginnen. Die taak was natuurlijk het grootschalig doden van grote dieren – wat beren maar vooral zwijnen – waarvan het in het bos, zo men zei, moest wemelen. Onze gidsen rapporteerden bovendien dat deze dieren sterker waren dan ossen en fel hun jongen beschermden.

We lieten de hele nacht de vuren branden in ons geïmproviseerde kamp, maar desondanks was het water dat was achtergebleven in bekers in de buurt van het vuur bevroren. Allesbehalve een zacht weertje, maar we waren hier niet naartoe geklommen voor een picknick. We waren hier om een leger van voedsel te voorzien en meteen bij het aanbreken van de dag gingen we daarmee aan de slag.

Zoals beloofd krioelde het in de bossen letterlijk van het wild, dat overal rende, sprong, kraste, kraaide, wegdook. Een jagersparadijs. Ons was gezegd om pijlen te gebruiken voor het kleinere wild en onze gerits en de lansen te bewaren voor de grotere dieren. Ikzelf doodde vier zwijntjes, die net toen we het bos in trokken op een rijtje vlak voor ons liepen. We hadden nauwelijks de tijd om ze stevig op te binden en de muilezeldrijvers te roepen toen er nog vier aan kwamen. Deze liet ik over aan mijn medeschutters. Toen de eerste neerging was hij gewond maar niet dood. Daarna gingen de andere drie eromheen staan terwijl hij op de grond lag te schoppen en te krijsen. Ze stonden daar maar totdat een van de janitsaren ernaartoe reed en ze allemaal afmaakte, pang, pang, pang. In tegenstelling tot diegenen onder ons die gedrild worden voor de competitie zijn de janitsaren allemaal bedreven en enthousiaste schutters.

En zo ging het de hele dag door. De muilezels hadden het zwaar om alle vangst bij te houden en de dieren boden geen verzet. Maar op onze weg terug naar het kamp, toen we onze paarden op een open plek vrij hadden laten grazen, zagen we hoe een zeug een stelletje biggen bijeendreef. Dit vrouwtje bleek van een heel ander kaliber dan de mannetjes die eerder verward dan vijandig waren geweest. Misschien waren ze net als ik nooit eerder geconfronteerd geweest met een tegenstander van een ander ras. Maar ik vermoed dat sommige gevoelens bij alle levende wezens hetzelfde zijn. Toen het vrouwtje ons in het oog kreeg veranderde ze razendsnel van richting en duwde haar beschermelingen naar een grot in de buurt. Een van de pages te paard ging erachteraan en maakte het karwei af en even was het stil. Toen klonk er diep vanuit de bossen iets wat tussen een schreeuw en een gil in lag: 'Het maakt me af! Het maakt me af!'

We sprongen met zijn allen weer op onze paarden en galoppeerden naar hem toe, maar troffen de arme knul plat voorover op de grond aan terwijl het bloed uit zijn rug spoot. Van het zwijn was geen spoor te bekennen. De wond vertelde wat er gebeurd was. Een ziekmakend gezicht, met die afgescheurde spieruiteinden die uit zijn kloppende vlees staken.

'Gelukkig was het een zeug die hem te grazen nam,' mompelde mijn partner tegen me toen we het gestrekte lichaam van de gewonde page op een geïmproviseerde brancard hesen. 'Een mannetjeszwijn zou beter hebben gemikt.'

Dat was waarschijnlijk waar, maar een schrale troost voor de page wiens onderlichaam inmiddels bedekt was met bloed.

We hadden eerder die dag verbazingwekkend veel geluk gehad en nu werden we geconfronteerd met de duistere kant van de zwijnenjacht. Kennelijk reageren deze grote dieren vaak langzaam, maar als ze het doen zijn ze dodelijk. Zelf nam ik dat niet persoonlijk op. Dat was nu eenmaal de wet van de wildernis. Maar mijn medejagers zagen dat anders. Zodra ze hun bebloede kameraad zagen, steeg er geschreeuw op.

'Doodt het varken!'

'Pak die zeug!'

'Dood! Dood! Dood!'

Ze waren op wraak uit. Ze wisten zelfs de sultan over te halen om de zondaar op te sporen uit wraak voor het verwonden van hun bloedende kameraad. Ik geloof niet dat zijn hart echt in de risicovolle onderneming lag. Een vertraging was, met al die karkassen die langs de helling naar zijn hongerige troepen beneden vervoerd moesten worden, op dit moment wel het laatste waar hij op zat te wachten. Misschien wilde hij de mannen een soort beloning geven voor een dag hard werken die hun plicht ver te boven was gegaan. Wat zijn reden ook was, hij ging ons allemaal voor, terug het donker wordende bos in, op zoek naar de zeug, die we verbazingwekkend genoeg algauw vonden. Deze keer samen met twee enorme mannetjes die voor het hol waakten.

Naast me vuurde een janitsaar met een musket en raakte de grootste beer. Het dier tolde in het rond maar ging niet neer. In plaats daarvan kwam hij recht op ons afstormen. Ik hoorde een volgend schot maar het beest wankelde zelfs niet. Toen nog een en hij bleef doorrennen. Je moest de moed van het dier wel bewonderen.

Nu was hij heel dicht bij diegenen van ons in de voorste colonne. Uit een of ander soort instinct plaatste ik mijn gerit op mijn heup. Vanuit mijn ooghoek zag ik de tweede beer de lucht in springen om zichzelf op de sultan te storten. Geen tijd om de afstand te meten of de hoek, of het juiste moment te kiezen voor de worp. Ik liet mijn gerit gaan. Toen ineens vertraagde alles, alsof de hele wereld op halve snelheid voortbewoog, en het beest viel zo uit de lucht aan de voeten van de sultan neer. Iets eerder en ik zou hem gemist hebben. Was de hoek niet helemaal zuiver geweest dan zou ik met mijn gerit de sultan gedood hebben in plaats van de beer.

Daarna viel ik flauw en gleed van mijn paard af, vertelden ze me later, want ik herinner me er niets meer van. Mijn laatste herinnering, toen ik op de grond lag, was van de sultan die zich over me heen boog en naar zijn met edelstenen bezette dolk greep – ging hij me doden? Toen mijn zicht snel vager werd, voelde ik hoe hij met zijn vingers het wapen onder mijn gordel schoof. Ik hoorde zijn stem zeggen: 'Houd dit altijd bij je. Het zal je beschermen tegen het kwaad. En vergeet nooit: mocht je ooit iets nodig hebben waarvan het in mijn vermogen ligt het je te geven, dan hoef je er maar om te vragen en je wens zal verhoord worden.'

Ik reikte omlaag en daar was het, de dolk van de sultan, ingelegd met edelstenen en honderden dukaten waard. Ik hoorde hem iets zeggen over Allah en daarop werd het donker, en stil.

Toen ik bijkwam bevond ik me weer aan de voet van de berg op mijn eigen beddengoed, door een donzig dekbed bedekt en met allemaal mannen om me heen. Ik begroette hen en ze begonnen allemaal voor me te applaudisseren als de toeschouwers in de hippodroom. Daarop vertelde Ahmed me dat ik het leven van de sultan gered had. Maar wat ik hier geschreven heb, is mijn enige herinnering daaraan.

Nu ziet u waarom ik u het verhaal zelf wilde vertellen. Vandaag heb ik het leven van de sultan gered. Vanavond werd ik in het hele kamp gehuldigd. Maar ik weet dat ik gedachteloos gehandeld heb, zonder vooropgezet plan, zonder echte moed.

Dit waagstuk heeft me wel aan het denken gezet over hoeveel tijd we in ons leven doorbrengen met bang zijn en ons voorbereiden op gevaren die nooit plaatsvinden. Terwijl de mannen beefden van angst om door Perzische boogschutters van boven af bestookt te worden, werden ze bijna gedood door een lawine. Terwijl we ons eten op de ouderwetse manier bij elkaar aan het jagen waren, werd onze leider bijna gedood door een toevallige ontmoeting met een wild dier. En ik word geëerd vanwege een daad die buiten mij omging. Er is veel waar we het over moeten hebben, papa.

Tot slot deze gedachte. De sultan zei ooit tegen me dat hij, als hij voor de keuze gesteld werd, liever de god van het weer dan de god van het buskruit zou zijn. Als ik vandaag voor die keuze werd gesteld dan zou ik ervoor kiezen de god van het juiste moment te zijn.

Ik mis u.

D.

*

Van: sultan Süleyman, gelegerd in de Manisht-pas
Aan: sultana Hürrem in het Topkapi-paleis
Datum: 12 november 1534

Allah is mild. Allah is genadig. In de zwartste momenten werden de troepen van de heilige jihad, die ingesneeuwd waren geraakt in de Manisht-pas, van alle kanten belegerd door wilde dieren. Plotseling sprong er een dolzinnig zwijn, gereed om te doden, uit de ondergroei tevoorschijn om mij te doorboren. Maar toen het beest door de lucht vloog, werd de hand van een page in de buurt door Allah geleid. Hij bracht het krankzinnige dier om en binnen een seconde lag hij dood op de grond, tegen de aarde gespietst door de gerit van de page. Allah zij geprezen. U, mijn dierbaren, zijn de eersten die van dit wonder weten, dankzij mijn duivenpost.

Het Zagros-gebergte is niet vriendelijk voor ons geweest. De veldtocht heeft het rijk veel eer en glorie opgeleverd maar de prijs was hoog. Het is ten koste gegaan van 3900 mensenlevens en ongeveer 20.000 paarden en kamelen.

Bagdad wenkt.

Getekend door middel van het zegel van de sultan.

De sultan werd gered door de sterke arm van een nederige page van de vierde oda. Zijn grootste wens zal vervuld worden. Er is weer hoop.

47 Abi-Nerin

Van: Danilo del Medigo te Abi-Nerin
Aan: Juda del Medigo in het Topkapi-paleis
Datum: 26 november 1534

Nou, papa,

Ik heb mijn moment van roem gehad. Het duurde precies drie dagen. Zoals u aan de datum en plaats in deze brief kunt zien, zijn we inmiddels wel uit de Manisht-pas, maar het echte verhaal van onze vrijlating is waarschijnlijk niet hetzelfde als het nieuws dat nu razendsnel in de hoofdstad uw kant op komt. Dat verslag is geschreven door grootvizier Ibrahim die allesbehalve de held van onze redding is. Hij komt zelfs niet in de buurt. Om precies te zijn was hij nog altijd in Bagdad zijn mannen aan het voorbereiden om ons te komen redden, toen wij door het explosiegat in de sneeuwmuur de veiligheid tegemoet liepen.

Volgens mij heb ik voor het laatst geschreven dat ik het wilde zwijn gedood had, van mijn paard viel en van de jachtgronden de berg af naar beneden ben gedragen. Die avond hadden we ons banket. Daar zaten we dan – al diegenen die gelukkig genoeg waren geweest de helse doorsteek van de Zagros-pas overleefd te hebben – over het hele dal van de pas verspreid, warm en weldoorvoed, ongedeerd door zowel Perzische scherpschutters als wilde zwijnen en enigszins ingenomen met onszelf omdat we deze aanslag van de natuur hadden overleefd.

Het was het perfecte moment voor de sultan om iedereen weer met beide benen op de grond te zetten met de informatie dat we nog niet uit de gevarenzone waren, dat we nog steeds gevangenzaten achter een ijsmuur zonder de middelen om ons een weg eruit te blazen. 'Eet naar hartenlust,' zei hij, voor hij ons waarschuwde dat we na vanavond op rantsoen gezet zouden worden tot we gered werden. Niemand morde zelfs maar. Dus toen een zware kerel zich op een strijdlustige manier met zijn schouders een weg naar het podium van de sultan begon te banen onder het schreeuwen van 'uit de weg, uit de weg!', werd hij van alle kanten begroet met schimpscheuten en kreten als: 'Ga zitten, ondankbare hond!' Maar iets wat hij de janitsaren, die de sultan bewaakten, vertelde moest indruk op hen gemaakt hebben want nadat ze hem op wapens gefouilleerd en hem een mes afhandig gemaakt hadden, lieten ze hem door de menigte naar de ruimte voor het podium van de sultan gaan. Het gezicht van een bruut als deze in de nabijheid van een vorstelijke persoonlijkheid was goed om de aandacht van de hele groep te wekken. Gelukkig voor hem had de kerel het benul zijn hoofd gebogen te houden toen hij zich tot de sultan richtte.

'Mijn naam is Orhan,' begon hij. 'Vroeger was mijn vader Korkud de Hoofdslager van de sultan en nu ben ik Assistent-Hoofdslager van de sultan.'

Dat deze gewone werkman zich zelfs maar in de buurt van de padisjah op mocht houden was zo'n absolute breuk met de traditie dat de menigte geen idee had hoe te reageren. En dus zaten ze daar in stilte. Maar de sultan boog zich naar voren, wat de slager opvatte als een teken om verder te gaan.

'Hoe kan een nederige slager het best zijn sultan dienen?' vroeg de man.

Ook deze vraag werd met stilzwijgen begroet. Maar deze keer boog de sultan nog wat verder naar voren.

Daardoor aangemoedigd beantwoordde de slager zijn eigen vraag. 'Werd ik daartoe opgeroepen, ik zou met liefde mijn leven voor de padisjah hebben gegeven. Maar ik ben een nederig slager. En dus slachtte ik vandaag tweehonderd karkassen ter ere van deze grootse jachtpartij in het woud. Dat was de beste manier waarop ik u van dienst kon zijn. Toen werd mij vanavond bij de feestmaaltijd verteld dat we aan het einde van de pas door een muur van ijs worden tegengehouden en dat er geen buskruit was om ons een weg erdoorheen te blazen. Dit was voor het eerst dat ik ervan hoorde. Niemand vertelt ons ooit iets.'

Daar had hij gelijk in. Het sultanaat heeft niet de gewoonte om inlichtingen te verstrekken, aan niemand, zelfs niet aan leden van de divan. Was dit misschien een list om het slechte nieuws met betrekking tot wat ons nog te wachten stond te verzachten? Had men de slager vooraf geïnstrueerd zodat hij zijn rol kon vervullen? Nee, deze Orhan was niet slim genoeg voor een dergelijk toneelspel. De manier waarop hij sprak wekte de indruk van een man die niet erg gewend was aan woorden, laat staan aan het houden van speeches.

'Dus toen ik van onze,' hij bleef lange tijd stil, 'netelige situatie hoorde, verzamelde ik mijn moed en verzocht om een audiëntie bij de sultan.' En de slager moest inderdaad heel wat moed gehad hebben om op de janitsaren van de sultan af te stappen, die, zoals iedereen weet, hebben geleerd om eerst te schieten en daarna pas vragen te stellen. Maar zijn mes hadden ze wel in beslag genomen. En de persoonlijke lijfwacht had hem misschien herkend als iemand die zijn leven lang al deel uitmaakte van het keukenpersoneel. Toegegeven, hij wist in elk geval dat hij plat op zijn gezicht neer moest vallen en in het stof voor de voeten van zijn heerser bijten, eer hij opkeek en hem recht in de ogen zag.

'Ik begrijp, Sire,' vervolgde hij, 'dat u een tekort aan buskruit hebt.'

Wat was dit? Spot? Een bedreiging?

De janitsaren deden een stap naar voren om de kerel eruit te gooien, maar de sultan gebaarde dat ze weg moesten gaan. En toen gebeurde het ondenkbare: de sultan richtte zich rechtstreeks tot de slager; bijna als was hij een gelijke.

'Dat heb je goed gehoord, beste man. Onze hele explosievenvoorraad is voor ons uit gegaan, met de voorhoede mee.'

'Dan, Sire, heb ik hier iets waar u misschien wat aan zult hebben.' Met die woorden begon de slager in de sjaals en tussen de wollen lappen te graaien waar hij zichzelf in gewikkeld had tegen de kou.

Weer kwamen de janitsaren in beweging om hem tegen te houden en opnieuw verzocht de sultan hen om weg te gaan. Ik vroeg me af of iemand die zijn hele leven, van zijn geboorte af aan, met de bedreiging van een moordaanslag geleefd heeft, of diegene een speciaal instinct ontwikkelt voor wie hij kan vertrouwen. Het was duidelijk dat de sultan van het begin af aan zeker wist dat hij van deze man niets te vrezen had. Hij stond toe dat de man zich ontkleedde, lap voor lap, en wachtte geduldig tot de slager ten slotte van onder zijn navel een buidel van oliedoek tevoorschijn haalde die berstensvol geel, poederachtig spul zat.

Natuurlijk haastten de janitsaren zich om het van hem af te pakken, maar de sultan wuifde hen opnieuw weg.

'Wat heb je voor me meegenomen, Orhan?' informeerde hij beleefd.

De slager antwoordde even hoffelijk: 'Het is een geschenk dat ik van mijn vader gekregen heb, Sire. Toen ik volwassen was geworden gaf hij me twee dingen: deze buidel en zijn beste slagersmes. "Bind deze stevig tegen je buik, mijn jongen, en je zult altijd beschermd zijn in de wereld", dat is wat hij tegen me zei.' Toen, met een zijdelingse blik op de janitsaren, voegde hij eraan toe: 'Uw mannen namen het mes van me af toen ze me doorlieten.'

'Maak je geen zorgen, je krijgt je mes terug,' zei de sultan. 'Nou, hoe zit dat met die buidel?'

'Ik geef hem aan u, Sire, met mijn welgemeende wens dat u er wat aan heeft. Het is niet veel, maar mijn pa bezwoer me dat er in deze zak genoeg buskruit zat om me uit elke bajes ter wereld te laten ontsnappen.'

Nou, papa, er zat genoeg kruit in die zak om een gigantische opening in de sneeuwmuur te blazen. En de ochtend erop marcheerden we achter elkaar de Manisht-pas uit met zijn allen, onze vrijheid tegemoet.

Toen de explosie plaatsvond stond de slager op een ereplaats, aan de rechterhand van de sultan. Een plek die normaal bezet werd door de grootvizier. Alleen was deze keer Ibrahim de Griek vervangen door Orhan de Slager die op bevel van de sultan op de schouders van de janitsaren gehesen werd en naar het einde van de pas gedragen. Daarbij werd hij door iedereen even hard toegejuicht als ze eerder voor mij hadden gedaan. Ze hadden alweer een nieuwe held.

Aan het andere einde van de pas waren de dorpelingen door de explosie gealarmeerd en ze hadden zich aan weerszijden van de pas opgesteld, met hun armen vol vruchten, brood en zuiverwitte yoghurt in kalebassen. Ze wisten dat we honger zouden hebben. Het leger bleef twee dagen op hun uitnodiging. Ze baadden zich, ze aten en deden hun dankzeggingen terwijl ik in mijn donzige dekbed gewikkeld door mijn maten met bezoekjes vereerd en vertroeteld werd. Een prins voor een dag.

Morgen meer,
D.

*

Van: Danilo del Medigo te Abi-Nerin
Aan: Juda del Medigo in het Topkapi-paleis
Datum: 27 november 1534

Beste papa,

Zo is het om een held te zijn. De bewondering en de lofprijzingen zijn
heerlijk. Maar dan komt de vieze nasmaak.

Grootvizier Ibrahim is met zijn reddingsploeg aangekomen – een
beetje laat. Algauw na zijn aankomst bracht hij me een bezoek in mijn
tent. Hij had een beurs vol munten van de sultan bij zich die ik weigerde te aanvaarden. Ik gaf de buidel weer aan hem terug en bedankte
hem beleefd, maar legde uit dat ik niets anders had gedaan dan mijn
plicht en dat elke man daar het een eer zou hebben gevonden eenzelfde
dienst te bewijzen wanneer hij zich in mijn plaats bevonden had. Geloof me, papa, het gevoel kwam recht uit mijn hart. Maar het zorgde
ervoor dat de grootvizier me bij de schouders greep terwijl het venijn
uit zijn ogen spoot.

'Weet je niet dat niemand de geschenken van de sultan weigert?' wilde hij weten. 'De geschenken die de sultan biedt voor verleende diensten zijn zijn wijze om een eventuele schuld in te lossen. De sultan blijft
op die manier vrij van verplichting, aan wie dan ook. Ben je zo slecht
opgevoed dat niemand je heeft geleerd dat een dergelijke weigering een
belediging is?'

Zonder op mijn antwoord te wachten begon hij de zak voor mijn
gezicht heen en weer te schudden. 'Of is dit een of andere joodse truc
om ervoor te zorgen dat de padisjah de beloning verhoogt? Is dat het?'

Ik was te verbijsterd om antwoord te geven. Maar wat hij ook van
mijn gezicht af mocht lezen, het zorgde ervoor dat zijn greep nog steviger werd en zijn stem tot een ijzige diepte daalde.

'Nou, jongen, misschien slaagt je truc wel. Misschien krijg ik inderdaad wel opdracht om je een nieuwe buidel te bezorgen met twee keer
zoveel munten als in degene die je zo weinig eerbiedig hebt teruggegeven. Feliciteer jezelf echter niet overhaast met de sluwheid van je plannetje. Misschien dat je deze keer je verdiensten hebt verdubbeld, maar
je moet nog veel leren, knul.' Hij nam mijn hoofd in zijn handen en
staarde me dreigend aan. 'Volgens mij had ik je na die episode in Tabriz
duidelijk gemaakt dat er in de vertrekken van de padisjah geen ruimte

is voor aandachttrekkerij van ondergeschikten. Ben je doof? Ben je een trage leerling? Of ben je gewoon hardnekkig? Zo noemde God jouw volk toen ze hem uitdaagden. Hardnekkig. Maar, wees gewaarschuwd, want dit is de laatste keer dat je de padisjah zult beledigen zonder dat het ernstige consequenties voor je heeft.'

Met die woorden stoof hij de kamer uit. En nu zit ik hier beschaamd in mijn tent terwijl me de enige beloning is onthouden die ik verlangde: geen goud of zelfs maar een bedankje, het enige wat ik wilde was de erkenning dat ik een klein aandeel had in onze overwinning op de natuur in de Manisht-pas. In plaats daarvan werden me munten toegesmeten alsof ik een hond was. En hier zit ik, papa, vernederd, met tranen in mijn ogen.

Onder het schrijven komt me een tafereel voor de geest: het beeld van Achilles, die alleen op het strand van Troje zit te huilen als hij ziet hoe de mooie jonge maagd, die hij als beloning voor zijn overwinning in Lyrnessus had ontvangen, van zijn hut wordt weggeleid de armen van koning Agamemnon in. Met haar verdwijnt ook de eer die hij op het slagveld verdiend had, door een jaloerse rivaal uit zijn handen gegrist.

'De man maakt me te schande,' roept Achilles in pijn uit. 'Hij had me op zijn minst respect moeten betonen, maar nu betoont hij me helemaal niets.'

Met zijn armen ten hemel geheven reikt Achilles uit naar zijn moeder, de godin Thetis, om troost.

Op dat moment merkte ik dat ook ik mijn armen ten hemel hief. En ik zweer u dat ik mijn moeder mijn naam hoorde fluisteren net als Achilles' moeder gedaan had. Maar ik wist dat, ook al smeekte ik het haar, ze net als Thetis niet bij machte was de loop der gebeurtenissen te veranderen. Want, zoals de dichter zegt, niemand heeft verder enige zeggenschap over door een koning geschonken eerbewijzen.

En dus zit ik hier in mijn tent te mokken en mezelf aan Achilles op het strand te herinneren. Hij was goed in krijgsvoering. Veel beter dan ik. En door een of ander vreemd toeval werd ook hij beroofd van zijn beloning. Maar daar houdt de gelijkenis ook op. Want ik ben vastbesloten om nooit meer de rol van Achilles te spelen voor de grootvizier-Agamemnon. Nooit.

Goedenacht, papa.
D.

*

Van: Danilo del Medigo te Abi-Nerin
Aan: Juda del Medigo in het Topkapi-paleis
Datum: 29 november 1534

Beste papa,

Eindelijk, de Tigris, de oudste rivier ter wereld. Het is niet mogelijk te kijken naar hoe hij voorbijstroomt, zoals ik nu doe, zonder je als herboren te voelen.

Bovendien voelde ik me, toen Ahmed Pasha medelijden met me kreeg nadat ik hem in vertrouwen had genomen, wat minder terneergeslagen door de klappen die de grootvizier me had toebedeeld. Zijn oordeel is vaak nietsontziend, maar altijd rechtvaardig. Hij luisterde naar mijn jammerklacht zonder iets te zeggen en toen ik aan het einde gekomen was, trok hij twee keer aan zijn baard en reageerde op een manier die ik van een ander niet had kunnen verdragen, maar ik ben erachter gekomen dat zijn strenge manier van doen een warm hart verhult.

'Mijn jongen, dat je onrecht is aangedaan staat buiten kijf,' begon hij. 'Maar, geloof me, mensen aardiger dan jij, zijn erger dingen overkomen. Vergeet niet,' herinnerde hij me eraan, 'dat je dit avontuur niet bent aangegaan op zoek naar roem maar om ervaring op te doen. Je wilde de paleizen bezoeken van het kalifaat en dat zul je ook. Je wilde over de wateren van de oudste rivieren ter wereld varen en dat zul je ook.' En inderdaad, vandaag zit ik aan de oever van de Tigris met de torens van Bagdad net zichtbaar in de verte en voel me... onder de indruk, misschien. Ik weet niet goed hoe ik me voel, papa.

Nadat we een gat in de ijsmuur te Abi-Nerin hadden geblazen volgden drie dagen waarin we door de Amara-moerassen moesten ploeteren, vol rietbossen van zo'n zes voet hoog in water dat tot onze borst kwam, een ware beproeving voor de dieren maar volmaakt rustig en veilig voor degenen van ons die op hun rug zaten. Toen, terwijl we net begonnen te denken dat we voor eeuwig in dat riet vastzaten, kwamen we bij een brede hoofdweg uit vol karren, wagens en allemaal mensen, die slenterden, renden en vrij rondliepen met reusachtige, zware zakken op hun hoofden. Daar gingen ze, langs de oever van de voorname

357

Tigris, de oudste waterweg ter wereld, een waterweg waarvan ik zelfs nooit had durven dromen dat ik hem ooit te zien zou krijgen. De rivier wemelde van vaartuigen in alle soorten en maten, van elegante gondels tot grote zeilschepen, afgeladen met zijden stoffen en satijn, met vachten, goud en zilver, peper en specerijen, waar ik wel van gehoord maar die ik nooit geproefd had. Ik zweer u dat, terwijl ik daar zat, de geur van kaneel, kruidnagel en koriander aan mijn neus voorbijtrok en ik kon de karakteristieke smaak van saffraan op mijn tong proeven.

U zou kunnen tegenwerpen dat vanaf mijn plek op de oever, ik niet eens de vrachtbalen in de ruimen van die schepen kon zien, laat staan ruiken of proeven wat zich daarin bevond. Maar dat kon ik wel, papa, dat kon ik wel. En elke smaak en geur herinnerde me eraan dat de wereld nog vele wonderen in petto heeft. Het enige wat ik hoefde te doen was mijn hoofd naar het zuiden draaien om in de verte de torens van Bagdad te zien.

Zullen we bij de poorten verwelkomd of beschoten worden? Onze spionnen zijn het niet eens. Maar maak u geen zorgen. Ik maak nog steeds deel uit van de garde van de sultan, aan alle kanten omringd door janitsaren, net als u toen u met hem op veldtocht ging. En u weet dat er geen veiliger plek op aarde is.

Gegroet,
D.

48 Bagdad

Van: sultan Süleyman, gelegerd te Bagdad
Aan: sultana Hürrem in het Topkapi-paleis
Datum: 4 december 1534

Mijn regentes,

De lange mars is voorbij. Bagdad is officieel van ons. Er zit opnieuw
een soennitische gazi op de gouden troon van Perzië. De sjiitische sjah
houdt zich schuil achter de bergen in het verre oosten van zijn rijk.
Ja, de overwinning is aan ons. Maar helaas, de overwinnaar heeft zijn
koningin niet aan zijn zijde. Desondanks brengt de wetenschap hem
troost dat zijn triomf over de hele wereld weerklinkt, ter meerdere eer
en glorie van het Ottomaanse geslacht, terwijl in Istanbul een regentes
zetelt die met hart en ziel de toekomstige belangen van zijn rijk en zijn
familie is toegewijd.

Getekend door de sultan

*Onder Allahs waakzame oog is het leven van de Grote Gazi bewaard en de
jihad een rampzalige afloop bespaard gebleven. Met de hernieuwde hoop
dat de jihad zal zegevieren komt ook nieuwe hoop voor de page die de
stoot uitvoerde die zijn gazi gered heeft. Deze daad zal hem ongetwijfeld
verheffen tot zijn hoogste hartsverlangen.*

*

Van: Danilo del Medigo te Bagdad
Aan: Juda del Medigo in het Topkapi-paleis
Datum: 4 december 1534

Beste papa,

Eindelijk zijn we dan gelegerd in het befaamde Bagdad. Ik neem aan dat u vernomen heeft dat de stad door ons ingenomen werd zonder een schot te lossen. En dat klopt. De gouverneur van Tahmasp, Mehmet Khan, kwam ons bij de poorten tegemoet, vergezeld van een gevolg van edelen, om ons leger de stad in te geleiden. Deze provincie bevindt zich nu opnieuw in soennitische handen en onze sultan is hier officieel als de kalief van Bagdad geïnstalleerd, hoog op een troon van massief goud gezeten in de met tapijten bezaaide troonzaal van de kalief, zwaaiend met de scepter van de kalief en met de kroon van de kalief op zijn hoofd.

Te midden van al deze grandeur is er geen plaats voor mij. De sultan wordt volledig in beslag genomen door het in gereedheid brengen van de teruggevorderde provincie Bagdad, zodat deze zijn plek in het Ottomaanse Rijk weer in kan nemen. Hij heeft al het bestuur van de nieuwe provincie toebedeeld aan een Albanese pasja, die eveneens Süleyman heet, en heeft deze tegen toekomstige Perzische aanvallen vanuit het oosten ondersteund met een garnizoen van duizend haakschutters en duizend man cavalerie. Hij is bovendien bezig een citadel te bouwen teneinde de sjah tegen te houden, mocht deze terugkeren naar Irak en hij heeft in totaal 32.000 troepen toegewezen om de provincie te bewaken. Dit alles, zegt Ahmed Pasha, zou van Irak heel wel de allerduurste provincie in het Ottomaanse Rijk kunnen maken.

Maar Bagdad is nog altijd Bagdad. Dus elke dag bestijg ik mijn paard en ga ik erop uit om te bekijken wat er te bekijken valt, terwijl ik een oproep van de sultan afwacht. Helaas is er maar heel weinig van het oude Bagdad overgebleven. Natuurlijk heeft de befaamde stad reeds veel van zijn schittering en glans lang voordat wij hier aankwamen verloren. Men zegt dat Dzjengis Khan het nog maar een paar honderd jaar geleden volledig met de grond gelijk heeft gemaakt. En, zo zegt men ook, honderd jaar later decimeerde Timoer Lenk de bevolking. Maar grote steden blijven op de een of andere manier toch altijd in leven. Verwoest of niet, deze stad, gebouwd op de stenen van het oude

Babylon, ademt de sfeer van een plaats die puur door de kracht van de geschiedenis overeind gehouden wordt. De soek is nog steeds doordesemd van het aroma van kardemom. En in de straten zoemt het nog altijd van de accenten van Arabieren, Russen, Armenen, Turken, joden, christenen, Nubiërs, Laristaniërs en al die anderen die de handel tussen Oost en West in leven houden.

Maar naarmate de ene dag de andere dag opvolgt, zonder een woord uit de koninklijke enclave, begin ik onwillekeurig te geloven dat ik onbewust iets gedaan heb waardoor de sultan beledigd is. En ik vraag me af of het inderdaad waar is wat de cynici zeggen, dat wie goed doet lang niet altijd goed ontmoet wordt. Want in al mijn, ik geef het toe, vluchtige kennis van de geschiedenis der koningen, ken ik geen enkel voorval waarbij iemand die het leven van de koning gered had (en ik héb zijn leven gered) beloond werd met oorverdovend zwijgen en ongenade. Ik vind het steeds moeilijker paraat te blijven voor de oproep die nooit komt.

Echt, papa, ik ben zeer ontmoedigd.

Uw liefhebbende zoon,
D.

*

Van: Danilo del Medigo te Bagdad
Aan: Juda del Medigo in het Topkapi-paleis
Datum: 13 december 1534

Beste papa,

Eindelijk, vandaag, werd ik voor het eerst sinds we in Bagdad aangekomen zijn naar het kwartier van de sultan geroepen, dat gevestigd is in de traditionele residentie van de grote kaliefen uit de geschiedenis en de legendes. In Tabriz had Tahmasp zoveel haast om weg te komen dat hij niets mee kon nemen. Hier in Bagdad had hij de tijd om zijn spullen te pakken of liever bijeen te grissen, let wel: alles in het paleis, wat los en vast zat. Dus werden we bij onze aankomst begroet door kale muren en lege ruimtes. Maar niet voor lang. De Perzen kennende, had onze vooruitziende leider al geanticipeerd op het feit dat hij zijn heroverde vesting volledig ontmanteld, verbrand zelfs aan zou treffen. En dus begin ik er nu een idee van te krijgen wat er in de honderden wagens en karren gezeten heeft die het grootste deel van de persoonlijke karavaan vormden van de sultan. Kussens! Ik zweer het u, ik heb nog nooit zoveel kussens, kleden, komforen, lampen en lantaarns bijeengepropt gezien, elk stuk zo zorgvuldig ingepakt dat er bij het vervoer zelfs geen glasruitje was gebroken. Genoeg bovendien om de Bagdad-selamlik tot de nok toe te vullen, de plek waar Haroen ar-Rashid en Saladin en hun soortgenoten in de hoogtijdagen van het kalifaat gegeten, gebaad, zich ontspannen en hun gasten begroet hebben.

Ik dacht aan u toen ik mijn plaats aan de voet van de oude troon van de kalief innam en omhoog staarde in de enorme groene koepel die de troon van de heerser beschutte, nog altijd indrukwekkend, ook na eeuwen verwaarlozing. Terwijl ik daar stond, herinnerde ik me dat u mij bij het slapengaan verhalen vertelde over de tijden van weleer, toen Bagdad de machtigste stad ter wereld was, het hart van een rijk dat zich uitstrekte van de Middellandse Zee tot India. En mama overstelpte me met verhalen over de daden van Haroen ar-Rashid, de kalief die voor een goed sonnet dichters beloonde met goudstukken, Griekse slavenmeisjes en paarden uit zijn koninklijke stallen. Kunt u zich voorstellen dat de christelijke keizer een waardevol paard aan een dichter geeft? Zoals u me zo vaak verteld heeft, krijgt iedereen op zijn tijd wat hem toekomt. Maar dat zijn niet, heb ik gemerkt, noodzakelijkerwijs goede dingen. En dus, ja, ik werd opgeroepen. En werd vriendelijk behandeld. Maar ik werd ook afgedankt. Niet door de padisjah zelf, maar door de grootvizier aan wie het kennelijk was overgelaten om mij te woord te staan.

Gedurende mijn audiëntie bleef de sultan in een andere hoek met zijn pages overleggen, mij aan de genade van grootvizier Ibrahim uitleverend. Let wel, de grootvizier was uitermate beleefd. De padisjah, zo legde hij uit, bood me uit diepe dankbaarheid voor mijn alerte en behendige reactie tijdens de lawine in het Zagros-gebergte eervol ontslag aan uit zijn dienst en een vlotte terugkeer naar mijn zieke vader, plus een tweede buidel met goud.

Even stond ik met stomheid geslagen, de beurs stevig omklemmend die de grootvizier in mijn hand had geduwd. Toen liep ik ineens, als door een onzichtbare hand voortgedreven, naar de sultan toe aan de andere kant van de kamer. Zoals u wel weet, papa, benadert niemand de sultan tenzij daartoe uitgenodigd, en toch hoorde ik mijn eigen stem vanuit mijn eigen keel komen terwijl ik op mijn knieën zakte, de hand kuste die me de munten had geschonken en hem daarvoor bedankte.

'Maar hoe het ook zij,' legde ik de sultan uit terwijl ik hem recht aankeek, 'ik kan geen beloning aannemen voor zo'n kleine dienst na de vele weldaden van u jegens mij. Wat ik deed was niets anders dan wat mijn plicht van mij vroeg. Sire, de vaardigheid die ik gebruikt heb om dat dier te doden, de vaardigheid waarvoor u mij zo genereus heeft geprezen, heb ik verworven dankzij uw goede zorgen, in uw scholen, die ik op uw uitnodiging bezocht heb.'

Ik wachtte. Toen er niemand naar voren stapte om me met een zijden boogpees te wurgen ging ik dapper verder. 'Ik ben het die u dank verschuldigd is, Sire, voor mijn uitstekende opleiding, mijn paardrijtraining, mijn taalvaardigheden. Door uw goedgunstige gulhartigheid heb ik een opleiding genoten waar elke jongen ter wereld jaloers op zou zijn. En wat deze laatste maanden in uw gevolg betreft, daar zal ik de rest van mijn leven aan terugdenken met dankbaarheid vanwege de wijsheid die ik van uw lippen heb mogen ontvangen.'

Aan de uitdrukking op zijn gezicht te zien maakte ik op dat mijn eigenmachtige uitspraken de sultan niet geheel mishaagden. Maar ik wist bovendien dat, aangezien dit waarschijnlijk mijn enige kans zou zijn om hem rechtstreeks te spreken, ik beter ter zake kon komen eer ik werd weggebonjourd. Tot zover waren de koninklijke pages dusdanig uit het veld geslagen door mijn stoutmoedigheid dat ze als verlamd stonden. De grootvizier keek ronduit nors.

'Met uw welnemen, Sire,' vervolgde ik, 'zou ik u desondanks om een enkele gunst willen vragen...' Als hij bevestigend antwoordde, was ik, zoals wij dat in de stallen zeggen, uit de gevarenzone. Zo niet dan was ik de klos. Maar wat had ik meer te verliezen dan een zak met gouden munten?

Fortuna was die dag op mijn hand. De sultan knikte genadig. Hij sprak zelfs.

'Vraag wat je wilt,' zei hij.

'Het enige ter wereld wat ik wil, grote padisjah,' zei ik tegen hem, 'is om in dienst van u te blijven, om met mijn kameraden deze veldtocht af te maken en in uw gevolg als overwinnaars thuis te komen.'

Zoals ik gehoopt had, beviel mijn aanbod de sultan zozeer dat hij met donderend stemgeluid aankondigde: 'Verzoek ingewilligd en maak die beurs tweemaal zo groot.' Waarop hij vervolgde met daar ten overstaan van het hele hof zijn erkentelijkheid te betuigen voor wat hij een buitengewone dienst noemde die ik hem tijdens de jacht bewezen had. En terwijl ik me klaarmaakte om achteruit zijn aanwezigheid te verlaten, voegde hij eraan toe: 'Dergelijke trouwe dienstverlening als die van jou vraagt om een beloning die munten te boven gaat, wil deze de plek aangeven die je in mijn hart verworven hebt.' Toen, met een knikje naar zijn grootvizier: 'Morgen zullen we op zoek gaan naar een plek in ons gevolg waar een dergelijke bedrevenheid en toewijding goed van pas zullen komen.'

En inderdaad, vandaag ontving ik weer een oproep. Ik was ontegenzeggelijk opnieuw in de gunst van de sultan. Mocht ik nog twijfels gehad hebben, zijn begroeting toen ik de volgende dag bij zijn audiëntietent arriveerde was zo niet uitbundig dan toch hartelijk. Meer dan hartelijk. Hij kwam zelfs uit zijn nest van kussens overeind om me te begroeten. 'We zijn aan het bespreken hoe we van nu af aan met de Perzen om moeten gaan,' bracht hij me op de hoogte alsof hij het tegen een oude vriend had of een vertrouwde raadsheer. 'En het idee kwam bij me op,' vervolgde hij, zich niet bewust van de ergernis van de grootvizier, 'dat we misschien iets zouden kunnen leren van de veldtochten in het oosten van Iskander, die voor soortgelijke keuzes kwam te staan. Wij treden tenslotte in zijn voetsporen. Ken je misschien een passage uit Arrianus' *Leven van Iskander* uit je hoofd, mijn jongen, waar we wat aan kunnen hebben?'

Eh? Nee, die kende ik niet. Moest ik de onvolmaaktheden van mijn opleiding toegeven of moest ik proberen me eruit te bluffen wanneer me gevraagd werd hele passages uit Arrianus voor te dragen? Te riskant, dacht ik. Ik kan me maar beter aan de waarheid houden.

'Mijn geheugen is onvolmaakt, Sire. Maar de tekst zelf bevindt zich in mijn kabinet, op maar een paar stappen hiervandaan in de gang.'

'Ga hem meteen halen,' beval de sultan. Toen, voor ik nog maar bij de deur was: 'Nee wacht. De grootvizier en ik zijn wel klaar voor vanavond. Breng het manuscript van Arrianus binnen nu en een uur naar mijn bed. Je kunt me in slaap lezen.'

'Maar, Sire,' protesteerde de grootvizier, 'ons gesprek is nog niet afgelopen. We hebben nog geen duidelijke strategie over hoe we met de Perzen om moeten gaan. En ik moet voor het aanbreken van de dag naar Perzië vertrekken.'

De sultan wist het punt van de grootvizier zonder er lang bij stil te hoeven staan rap tot zijn eigen voordeel aan te wenden.

'Precies!' Als een roofvogel dook hij op Ibrahim Pasha neer. 'Je zult veel beter voorbereid zijn me van advies te dienen over een Perzische strategie nadat je je ter plekke en van nabij op de hoogte hebt kunnen stellen van de Perzische hulpbronnen en intenties. Is dat niet precies de reden dat ik je op deze gevaarlijke missie stuur in een periode waarin ik jouw omvangrijke ervaring meer dan nodig heb bij de occupatie van Bagdad en alles wat daarbij geregeld moet worden?'

Zijn logica was onweerlegbaar als altijd. Hij wachtte niet op een antwoord, maar wendde zich eenvoudig tot mij bij de deur. 'Gun me de tijd om afscheid te nemen van de grootvizier, mijn jongen, en verschijn dan met het manuscript van Arrianus aan mijn bed.'

Terwijl ik het vertrek uit sloop ving ik een glimp op van het gezicht van de grootvizier die mijn ziel verschroeide. Geloof me, papa, ik heb op bloed beluste mannen op het slagveld gezien en ruiters die volledig opgingen in hun hartstocht om een tegenstander af te maken met de gerit, maar een tastbaarder uitdrukking van puur venijn op het gezicht van een man zag ik niet eerder. Deze man zal niet rusten, besefte ik, tot ik dood ben.

Met die blijde gedachte, wens ik u een goede nacht.

D.

*

Van: sultana Hürrem in het Topkapi-paleis
Aan: sultan Süleyman, gelegerd te Bagdad
Datum: 15 december 1534

Illustere sultan!

Zoveel taken, zoveel details. De plicht roept me, net als hij u roept. Kleine taken in mijn geval, de verovering van de wereld in het uwe. Af en toe denk ik terug aan mijn begintijd in de harem als uw tweede kadin, en aan mijn verrukking wanneer ik de vroege gedichten van de sultan van de liefde ontving. Zullen die dagen ooit weer komen? Misschien is er, zoals ik de christenen heb horen zeggen, voor alles een tijd. Misschien is dit voor mij een tijd van dienstverlening en gehoorzaamheid aan een grootse gazi die zich inspant voor een grootse zaak.

Een bron van troost voor mij is dat alle voortekenen voor de luisterrijke gebeurtenis in het verschiet optimaal zijn! Toen ik met de koninklijke astroloog overlegde, bevestigde hij dat de tijd die we voor het huwelijk van prinses Saïda in gedachten hadden het meest gelukkige moment is voor een vrouw om te trouwen. In de tien laatste dagen van januari, zegt hij, bevindt Jupiter zich in de juiste positie ten opzichte van de zon van de prinses. En dus zal de prinses, met de welwillendheid van de goden, binnen twee weken na uw triomferende terugkeer in het huwelijk treden. Het Festival van het Dubbele Geluk zal niet twee, maar drie mijlpalen herdenken: uw grootse overwinning op Perzië, uw langverwachte terugkeer, en een familiehuwelijk teneinde de harten van uw volk te verwarmen. De hele wereld zal vol ontzag en eerbied getuige zijn van het volmaakte succes van het Ottomaanse Rijk.

Getekend en verzegeld met het stempel van de regentes door sultana Hürrem.

De strop wordt aangetrokken.

49 Opnieuw Bagdad

Van: Danilo del Medigo te Bagdad
Aan: Juda del Medigo in het Topkapi-paleis
Datum: 13 februari 1535

Beste papa,

En zo ben ik eindelijk de sultan weer dagelijks van dienst, niet alleen als klerk maar bovendien opnieuw als assistent-vertaler. En ik ben opnieuw de eerste in plaats van vrijwel de laatste die het nieuws van de dag hoort. De grootvizier is naar Isfahan vertrokken. In de depêche van vandaag laat hij ons weten dat de stad uitpuilt van de rijkdommen en rijp is om ingenomen te worden. Isfahan, zegt hij, zal ons met open armen verwelkomen.

'Dat is wat men Iskander ongetwijfeld verteld heeft voor hij in het spoor van Darius Perzië in trok,' merkte de sultan tegen me op. Toen voegde hij eraan toe, met een wijzende vinger naar de depêche van de grootvizier: 'Het was precies deze manier van denken die Iskander dieper en dieper het hart van Azië in dreef, steeds verder van de plek vandaan waar hij zijn voorraden had, en steeds minder in staat zichzelf tegen de bandietenbendes te verdedigen langs de Indiase grens. En niets daarvan zou gebeurd zijn als hij zich ermee tevreden had gesteld halt te houden bij Gaugamela.'

Precies wat ik gedacht had.

'Ik ken dat steppenvolk,' vervolgde hij. 'Ze zijn verwant aan mijn volk. Hun territorium is nooit echt veroverd. Niemand heeft ooit de strijd tegen hen gewonnen. Net als wij leren ze paardrijden eer ze kunnen lopen. Ze kunnen zonder geluid te maken naderbij komen. Ze kunnen zich zonder enige waarschuwing vooraf op een marscolonne storten en dan als rook de steppe in verdwijnen. Ze komen altijd weer terug. Dat is de grote valkuil.'

Aangezien de verstandhouding tussen ons als vanouds is, bracht ik de moed op om tegen de sultan te zeggen: 'Dat is precies wat mijn moeder me geleerd heeft, Sire. "Deze anabasis is een valkuil," zei ze altijd. "Hij was een valkuil voor Alexander. Hij was een valkuil voor Xenophon. Dat is hij altijd geweest en zal hij altijd zijn."'

'Anabasis?' Ik kon hem bijna over het woord zien nadenken. 'Ik heb je dat woord eerder horen gebruiken. Kun je me een exacte vertaling ervan geven?'

'Anabasis is een Grieks woord, Sire,' legde ik uit. 'Mijn moeder vertaalde het met "de tocht naar het binnenland"*. In de Oudheid maakte Xenophon een lange tocht, Perzië in. Hij was door de sjah, Cyrus de Jonge, ingehuurd om tegen zijn broer Artaxerxes te komen vechten. Xenophon noemt zijn verslag van deze onderneming een anabasis.'

'En deze Xenophon, is hij in de Perzische valkuil terechtgekomen?'

'Het Perzische leger werd verslagen. Cyrus werd gedood en het Griekse leger, de Tienduizend, moest rennen voor zijn leven.'

'Wisten ze te ontkomen?' vroeg hij.

'Maar nauwelijks. Xenophon moest zijn mannen helemaal tot aan de Zwarte Zee voeren om hen vandaar over zee terug naar Griekenland te brengen.'

De sultan nam even de tijd om deze informatie te verwerken. Toen knikte hij en vertrok hij zijn gezicht tot een van die zeldzame glimlachjes van hem. 'Dus mijn inval in Perzië zou mijn anabasis zijn. Klopt dat?'

Het leek me maar het beste om een neutraal antwoord te geven. 'Als u dat zegt, Sire.'

'Xenophon.' Pauze.

'Iskander.' Pauze.

'Süleyman.' Lange pauze.

'Ik bevind me in elk geval in goed gezelschap.' Lange stilte.

Ten slotte, terwijl hij zijn rug rechtte zei hij: 'Maar ik hoef niet in die anabasis-valkuil terecht te komen.' Hij begon steeds vastberadener te spreken en zijn houding werd steeds rechter naarmate hij verder ging. 'Dat hóéf ik niet en dat zal ik niet.' Vastbesloten schudde hij het hoofd.

---

* Anabasis – Ἀνάβασις, van *ana* = 'omhoog', *bainein* = 'gaan' – is een expeditie van de kustlijn naar het binnenland van een territorium. Het tegenovergestelde is katabasis, een reis van het binnenland naar de kust. (Noot van de vert.)

'Deze veldtocht zal eindigen in Bagdad.'

Volgens mij zag ik net de machtigste heerser ter wereld tot een strategie over zijn terugtocht besluiten. Maar ik was te zeer in beslag genomen door de implicaties van wat ik zojuist gehoord had om verder dan mijn pure eigenbelang te denken.

'Betekent dat, Sire, dat we naar huis gaan?'

'Niet zo snel, jongeman.' Gelukkig voor mij was hij in een goed humeur en nam hij geen aanstoot aan mijn brutale vraag. 'Ik kan en zal deze eeuwenoude stad niet aan de aasgieren overlaten. Bagdad kan uitstekend als buitenpost van het rijk dienen, vanwaar we de Perzische bewegingen en plannen in de gaten kunnen houden. Ik moet nog altijd de graven bezoeken van Ali en Hussein. En er moet een belastingdienst in het leven worden geroepen. Geen enkel bestuur blijft overeind dat niet door belastingen geschraagd wordt. Bovendien hebben de klerken nog geen volkstelling gehouden of *dirlik*-magistraten aangesteld. Dus, er valt nog veel werk te verzetten hier in Bagdad – voor de vrede. Maar geen oorlog meer. Dit is het einde van onze militaire veldtocht in Mesopotamië. We hebben Tahmasp verslagen. Zijn hoofd hebben we niet op een staak, dat klopt, maar het zal wel vele jaren duren eer de Perzen onze oostelijke grenzen nogmaals bedreigen. We zijn opnieuw in het bezit van de gouden driehoek – Mekka, Medina, Bagdad, ze zijn van ons.' Hij permitteerde zich een zeldzaam zelfgenoegzaam glimlachje. 'We zullen van Iskander leren. Wij houden halt in Bagdad.'

Zal het mij vergeven worden te denken dat mijn pogingen als schriftgeleerde enige invloed hebben gehad op zijn besluit? Mijn nuchter verstand zegt me dat een heerser die zo intelligent is als Süleyman zonder mijn hulp ook wel tot die beslissing zou zijn gekomen. Maar hij zei wel iets over de uitstekende vertalingen die ik hem verschaft had: 'Ondanks je jonge jaren ben je erin geslaagd me van wijze raad te voorzien.' Zijn woorden, niet de mijne. 'En in een tijd van groot gevaar, die om bekwaamheid vraagt, om moed en een snel oordeel ben je de uitdaging aangegaan en heb je me de grootste dienst bewezen die iemand zijn meester maar kan bewijzen.'

Toen trok hij me dichter naar zich toe en legde zijn hand op mijn schouder. (Hij raakte me aan!) Terwijl ik deze woorden opschrijf, hoor ik zijn stem nog in mijn oor: 'Geloof me, er zal altijd voor jou een plek aan mijn hof zijn en als je doorgaat me van dienst te zijn, is er geen grens aan wat je kunt bereiken in het Ottomaanse Rijk.'

Ik ben me ervan bewust dat dit soort aanbiedingen zuiver retorisch zijn, wanneer ze door koningen gedaan worden. Ik weet nog dat mama me liet weten dat koningen, van nature, kort van memorie zijn. Ik zou dat nooit met zekerheid weten tenzij ik zijn woorden op de proef zou stellen. En dit was mijn kans.

Carpe diem. Vol schroom haalde ik diep adem en informeerde op wat naar ik hoopte niet al te bibberige toon: 'Geen grens, Sire?'

'Geen grens.'

'Ook niet om een vizier te worden? Of op een dag misschien zelfs een damat?'

'Alles is mogelijk.'

Ik ken alle waarschuwingen over de wispelturigheid van koningen maar dit is ongetwijfeld een teken van de hoge achting die de sultan me toedraagt, toch, papa?

Gegroet,
D.

50 De sultana brengt verslag uit

Van: sultana Hürrem in het Topkapi-paleis
Aan: sultan Süleyman, gelegerd te Bagdad
Datum: 18 december 1534

Mijn sultan, Gezalfde Kalief van Bagdad, Heer over heel Azië,

Het goede bericht over de verovering van Mesopotamië is gearriveerd. God weet dat ik doodsangsten uitgestaan heb in afwachting van nieuws en nu is mij een nieuw leven vergund in triomf. Duizendmaal duizend maal bedankt, Allah! Mijn padisjah, mijn sultan, mijn kalief, moge u in vrede en welbehagen op uw troon vertoeven en gauw terugkeren naar diegenen die elke dag van uw aanwezigheid om u huilen.

Enkele details. Admiraal Lofti, uw informele keuze als damat, heeft alreeds stappen ondernomen om zich te ontdoen van zijn huidige verblijfplaats en zijn vrouwen. Hij heeft aangeboden me de helpende hand te bieden door naar een geschikt paleis op zoek te gaan waar hij zijn nieuwe leven als schoonzoon van de sultan kan aanvangen. Morgen zullen we een bezoek brengen aan twee potentiële keuzes. Een in het bijzonder, met uitzicht op de Bosporus, lijkt de voorkeur te genieten. Er is minder werk voor nodig om het bewoonbaar te maken. Admiraal Lofti heeft aangeboden de onderhandelingen met de eigenaar in gang te zetten, aangezien de prijs ongetwijfeld hoger zal uitvallen wanneer bekend wordt dat de grote padisjah zelf de koper is. Ik twijfel er niet aan dat ons arme meisje haar oude opgewekte manier van doen terug zal vinden wanneer ze aan haar nieuwe leven als echtgenote en, insjallah, moeder begint.

Nederig werp ik me aan uw voeten.

U voor altijd toegewijd, voor altijd trouw.

Getekend en gestempeld met het zegel van de regentes door sultana Hürrem.

Het bedroefde meisje troost zich met het vooruitzicht van een laatste nacht in het paradijs alvorens de afdaling naar een leven van plichtsbetrachting en gehoorzaamheid.

51 Danilo's beloning

Van: sultan Süleyman, gelegerd te Bagdad
Aan: sultana Hürrem in het Topkapi-paleis
Datum: 16 februari 1535

Mijn uiterst toegewijde koningin die ik meer dan wie ook vertrouw,

Ik ben ontroerd door de genegenheid die je mijn dochter, onze dochter, prinses Saïda, toedraagt en je pogingen om haar dat sombere Oude Paleis uit te krijgen en stevig op de weg naar het geluk te zetten, vervullen mij van een overweldigende dankbaarheid. Het spreekt voor zich dat ik haar met heel mijn hart het allerbeste wens. Maar als vrouw zie jij haar geluk natuurlijk vooral in termen van liefde en huwelijk, terwijl ik, omdat ik een man ben, vooral geleid wordt door mijn verplichtingen aan een hoger doel, het bouwen van een duurzame dynastie.

Natuurlijk zou ik als Saïda's bruidegom een schoonzoon van onbetwiste loyaliteit verwelkomen, die een sterke rechterhand in mijn adviescollege zal blijken te zijn. Maar sinds de dag dat Ibrahim Pasha met mijn zus Hatice trouwde, ben ik geneigd hem te beschouwen als degene die de rol van een dergelijke damat vervult. God weet dat hij zichzelf met aanzienlijk succes aan mijn belangen heeft gewijd. Hij heeft in Egypte zonder meer indrukwekkend werk voor ons verricht en het allerbelangrijkste: hij heeft me het grootste geschenk van mijn leven gegeven: jou.

Terwijl ik dit schrijf is hij op een gevaarlijke reis vertrokken, diep het hart van Perzië in. En ja, het is mijn plicht als vader en dynast om de toekomstige schoonzoons uit te kiezen. Het is een plicht die ik verzaakt heb in mijn alles verslindende poging om gehoor te geven aan mijn roeping als gazi, als verdediger van de islam. Na hier dieper over nagedacht te hebben, zie ik in dat ik gedachteloos heb toegestaan dat er niet alleen een zware verantwoordelijkheid als mijn regentes op jouw delicate schouders kwam te rusten, maar daarenboven de volledige last dat je zowel vader als moeder voor onze kinderen moet zijn. En jij, mijn koningin, hebt zonder een klacht die last op je genomen. Maar je moet niet ook nog belast worden met de taak mijn eerste minister uit te kiezen, of een vizier in mijn kabinet, of de damats die hun plaats als echtgenoot van Ottomaanse prinsessen in zullen nemen. Dat ik die last op jouw schouders heb gelegd is een gedachteloze daad waarvoor ik je om vergeving vraag. Vergeef me, mijn allerliefste. Ter mijner verdediging kan ik alleen het eeuwenoude excuus van de soldaat aanvoeren: de taak de wereld te redden heeft me overweldigd. En ik ben er dankzij Allah inderdaad in geslaagd de soennitische zuiverheid van de islam te bewaren tegen de afvalligheid van de sjiieten.

Terwijl ik dit schrijf zit ik op de gouden troon van de kalief en ben ik dagelijks bezig de oude glorie van het soennitische kalifaat te herstellen. Dit is geen lichte taak, maar hij laat me wel tijd voor andere besognes. In één woord, ik ben bereid opnieuw het rentmeesterschap van het rijk en onze familie op me te nemen.

En dus verlos ik je bij deze van de lastige taak van het toezicht houden op de huwelijken van onze dochters, de uitverkiezing van onze toekomstige schoonzonen en het voorbereiden van en de leiding over de huwelijksfeestelijkheden waar deze blijde gebeurtenissen mee gepaard gaan. Op de dag dat ik van het slagveld terugkeer, zal er slechts één gebeurtenis gevierd worden: de overwinning van de Ottomaanse sultan op de Perzische sjah. De voorbereiding van die ceremonie leg ik met al zijn grandeur en glorie in jouw capabele en gracieuze handen. Geleidelijk aan zullen we dan samen overleggen, zoals ouders dat doen, over de keuze van een mogelijke damat in geval van onze beide dochters. Zoals de traditie wil, zal ik de kandidaten persoonlijk spreken, bezoeken en op waarde schatten; ik zal de data voor hun huwelijk vastleggen en residenties voor Saïda en Mihrimah aankopen die passen bij hun status als Ottomaanse prinses.

De admiraal is zonder meer een geschikte kandidaat. Desondanks vereisen mijn verplichtingen aan de Ottomaanse dynastie dat een minder gehaaste en meer bedachtzame selectieprocedure gevolgd wordt. Misschien stuit ik in mijn zoektocht op een jongere man: even loyaal, wiens moed en snelle reactievermogen ten overstaan van uitdagingen zonder meer ample overweging zouden verdienen, en wiens jeugdige vuur de dynastieke behoeftes van het Ottomaanse Rijk beter zouden dienen. Ik begrijp dat het niet eenvoudig zal zijn om de plannen die je gemaakt hebt voor het huwelijk van prinses Saïda met de admiraal op dit late tijdstip nog te veranderen. En ik wil de admiraal zeker op geen enkele manier beledigen of een smet werpen op zijn fijne staat van dienst. Misschien kan er een nieuw plan gemaakt worden dat eerder op uitstel dan afstel lijkt.

Die beslissing laat ik aan jou. Niemand is meer bedreven in de kunst van de diplomatie.

Stap voor stap bewegen we ons in de richting van een vertrek uit Irak in de lente. De traagste delen van onze expeditie, de belegerings-uitrusting en de grote kanonnen, zijn al via de zuidelijke route huis-waarts gezonden, langs de Eufraat. In de tussentijd zal ik zelf in het gezelschap van de grootvizier verder trekken naar Tabriz en vandaar via het noordelijke deel van Anatolië terugkeren naar Istanbul.

Geloof me, mijn lief, als ik een stel vleugels had en alleen aan mijn eigen verlangens hoefde te denken, dan zou ik met de snelheid van een adelaar huiswaarts, jouw armen in, vliegen. Ik kom zwaar in de ver-leiding, maar het is nu vele maanden geleden sinds mijn onderdanen in Mesopotamië ook maar een glimp hebben opgevangen van hun nieuwe keizer, de reïncarnatie van hun erfelijke kalief, opnieuw de ver-dediger van Mekka, Medina en Bagdad en het allerbelangrijkste, het wezen aan wie zij hun trouw en belastinggelden moeten geven. Dus je begrijpt waarom ik het als noodzakelijk ervaar om mijn voordeel te doen met deze gelegenheid door mezelf aan hen te vertonen en niet eenvoudigweg langs te trekken. Maar je hebt mijn erewoord dat ik me tegen het einde van dit jaar van triomf in jouw armen bevindt.

Wees geduldig, mijn liefste. Denk niet aan de eenzame maanden die voor je liggen maar aan de roemrijke toekomst die zal volgen.

Ik ben, als altijd, je sultan van de liefde.

Dankzij doorzettingsvermogen, trouw en geduld, kan de welwillendheid van de goden wat voorbeschikt is overwinnen en wat onmogelijk leek transformeren in het mogelijke.

*

Van: Danilo del Medigo te Bagdad
Aan: Juda del Medigo in het Topkapi-paleis
Datum: 17 februari 1535

Beste papa,

Zoals u zich misschien herinnert, liet de sultan me een aantal nachten geleden achter met de indruk dat hij meer dan tevreden was met mijn diensten. Toen kondigde hij vanavond aan dat hij nóg een beloning voor me had. Wat zou dat zijn? vroeg ik me af. Nog een met gouddraad geborduurde kaftan? Een permanente aanstelling in de vierde oda?

Nee, niets van dat alles. Als beloning voor mijn uitstekende dienstverlening stuurt hij me via de korte route door de Syrische wildernis terug naar huis, tezamen met de zware kanonnen en de ongebruikte belegeringsuitrusting. Bovendien heeft hij me bevorderd tot kapitein in de nieuwe Zware Wapencompagnie en me een exorbitante salarisverhoging toegekend. Hijzelf, zijn janitsaren, zijn divan en zijn schatkist én zijn grootvizier, zullen via Tabriz huiswaarts keren en vandaag als overwinnaars boven door Anatolië naar Istanbul oprukken.

Het idee me aan de Zware Wapencompagnie toe te voegen, dat is zo te horen van de sultan zelf. Maar ik beluister er ook de stem van Ibrahim Pasha in. En ik twijfel er niet aan dat het de grootvizier is geweest die de padisjah op dit idee heeft gebracht. Zoals de sultan het formuleert heeft hij, toen hij me uitnodigde me bij hem te voegen als vertaler, u de plechtige belofte gedaan dat ik niet langer dan een jaar weg zou blijven. Nu is dat jaar bijna ten einde. Men heeft hem verteld dat ik veel heimwee heb en me veel zorgen maak om mijn zieke vader. (Wie denkt u dat hem dat verteld heeft?) En hij heeft een manier gevonden om aan mijn wensen gehoor te geven door me deze positie in de Zware Wapencompagnie te bezorgen waardoor ik sneller thuis zal komen dan wanneer ik aan was gebleven als lid van zijn persoonlijke gevolg. Het zal bovendien een einde maken aan de toenemende warmte tussen ons.

Als dat zijn intentie was, dan is de grootvizier waarschijnlijk zichzelf te slim af geweest. Inmiddels stemt het vooruitzicht niet meer aan dit hof te hoeven vertoeven me net zo tevreden als Ibrahim Pasha is om mij van het toneel te zien verdwijnen. Ik wil niet langer het oorlogsbedrijf bestuderen. Ik zie er niet langer ook maar enige verhevenheid in, als die er al ooit in gezeten heeft. Ik meende dat onze vijand Tahmasp was, en zijn Perzen, die voor ons uit gedanst zijn en alles achter zich verbrand hebben. Maar ik heb geleerd dat onze ware vijanden de kou, honger en de geografie zijn, en het weer, bedrog en de geschiedenis.

De grote koning van Perzië moet Arrianus gelezen hebben, want wat hij ons aandoet is precies wat zijn voorouder Alexander aandeed, namelijk weigeren zich met hem in te laten. En hier in Irak hebben wij ons plichtsgetrouw van onze taak gekweten en Iskanders rol als veroveraar in een vreemd land nagespeeld. Een land waar we beschouwd worden als indringers, en op zijn best als onnozele halzen, om in de val te lokken, uit te persen en af te zetten, iets wat deze Perzen uitermate goed kunnen.

Dus, papa, kom ik naar huis via de korte route. Ik kan mijn verlangen om u te zien niet bedwingen. De tocht voorwaarts zal ons over de oude zijderoute voeren, die de Eufraat volgt langs de rand van de Syrische woestijn om vervolgens door het Taurusgebergte het zuiden van Anatolië in te trekken. Een langzame, veilige route dus, eerder gekozen uit bezorgdheid om de waardevolle kanonnen die elk op zich een fortuin kostten, dan uit bezorgdheid om mij, dat weet ik zeker. Desondanks hoeft u zich over mijn veiligheid geen zorgen te maken aangezien de route zich volledig binnen de grenzen van het Ottomaanse Rijk bevindt; geen bedreiging dus van op de loer liggende Perzen.

Aan de andere kant bevindt dit deel van het leger, wanneer het eenmaal gescheiden is van de sultan, zich ook buiten het bereik van zijn koeriersdienst. Maar ik zal proberen zodra ik daartoe in de gelegenheid ben een brief bij u te laten bezorgen.

Gegroet,
D.

PS Ik vertrouw erop dat het verhaal over uw ziekte een voortbrengsel is van Ibrahim Pasha's rijke verbeeldingskracht. Maar mocht u echt ziek geworden zijn, papa, zendt u dan alstublieft een bericht aan de sultan en vraag hem me naar huis te sturen. Hij is de enige die in staat is mij uit de Zware Wapencompagnie te plukken en met gezwinde spoed aan uw bed te krijgen. En hij zou dat doen, papa. Hij laat nooit na tegen me te zeggen dat hij de grootst mogelijke achting voor u heeft en dat hij zijn huidige goede gezondheid, waaronder de genezing van de jicht in zijn tenen, te danken heeft aan uw vakkundige bijstand. En, zoals u weet is hij iemand die elke verleende dienst, goed zowel als slecht, volledig vergoedt.

52 Mayadin

Van: Danilo del Medigo te Mayadin
Aan: Juda del Medigo in het Topkapi-paleis
Datum: 29 april 1535

Beste papa,

Na de laatste brief die ik in staat was te versturen gebeurde alles zo snel dat ik zelfs geen tijd had om de gele slippers van varkenshuid te zoeken die ik mee naar huis had willen nemen voor u. En nu ben ik halverwege Aleppo, en reis over een oude weg langs de oever van de Eufraat die zich uitstrekt over een bruine zee van aarde, waar het wemelt van de gazellen en zelfs wolven.

O ja, sinds ik me niet langer in het gevolg van de sultan bevind, kan ik niet langer gebruikmaken van de koerierspost van de sultan. Het is jammer dat we geen contact kunnen hebben maar bedenk, papa, dat ik nu, dankzij mijn nieuwe indeling bij de Zware Wapencompagnie alwaar ik kapitein ben, de kans krijg de befaamde Eufraat helemaal af te reizen.

Overigens was het plotselinge vertrek van deze brigade uit Bagdad geen kwestie van strategie, zoals men zou verwachten, maar van geld (zoals alles in het militaire leven, zo lijkt het wel). De reden was de enorme geldboete die we zouden moeten betalen wanneer we de gehuurde dieren bij ons zouden houden na het verstrijken van de inlevertermijn. In dit geval ging het om tienduizend waterbuffels, met korting gehuurd door de grootvizier om ons zware wapentuig te dragen en nooit ingezet – niet één keer! – in de hele Bagdad-campagne. Deze dieren werden per ongeluk over het hoofd gezien toen de tijd was aangebroken om ze terug te brengen naar hun eigenaars.

Vraag me niet hoe iemand tienduizend dieren gewoon kan vergeten, maar de grootvizier slaagde daar op de een of andere manier in en de boetes voor het houden van de beesten na de paartijd gaan met honderd goudstukken per dag omhoog.

Ik moet eraan toevoegen dat deze excessieve bedragen niet een of ander laaghartig Arabisch complot zijn om de sultan af te zetten, wat de grootvizier ons ook wil doen geloven. Er is mij verteld dat het de buffelhandelaar in feite vele honderden goudstukken zal kosten als hij zijn koeien niet kan laten dekken in het geëigende seizoen, omdat de koeien maar één keer per jaar drachtig worden en elke koe in een paarseizoen slechts één kalf voortbrengt. Belangrijk punt daarbij is: de verkoop van kalveren levert zelfs een nog grotere winst op voor hun eigenaar dan het verhuren of slachten van de dieren, wat het extra belangrijk maakt de kudde op tijd terug te hebben in de dekstallen.

Tot nu toe wist ik nauwelijks van het bestaan van de waterbuffel af. Tot dusver waren tijdens deze veldtocht onze lastdieren vooral muilezels en kamelen. Maar nu weet ik dat er twintig buffels voor nodig zijn om een van die grote kanonnen te vervoeren. Duur, zult u zeggen, maar waterbuffels kunnen overleven op alles wat er maar op modderig terrein als rivieroevers groeit, dus het voeren kost niets. En dat is de reden dat we hen via de Eufraat terugbrengen.

Gelukkig is onze sultan er wonderbaarlijk goed in om tegenslag om te zetten in voorspoed. Binnen een dag nadat de zaak van de vergeten buffels aan het licht was gekomen, had hij een ingenieus plan ontwikkeld om deze dure kudde snel terug te bezorgen.

In plaats van nutteloos rond te hangen in Bagdad terwijl het hof zich voorbereidt op haar vertrek uit Irak, kan de waterbuffelkudde zichzelf nuttig maken door de grote wapens terug te brengen naar de paargronden in Aleppo. Daar is de Zware Wapencompagnie gemachtigd om een kudde muilezels aan te schaffen die ons en onze zware bagage over het Taurus-gebergte terug naar huis kan vervoeren, een klus waar muilezels veel beter in zijn dan buffels.

Dit is het belangrijke verschil tussen kamelenrijen en buffelhordes: waar buffels zich gemakkelijk voortbewegen over de modderige rivieroever, zakken de kamelen over het algemeen in het slijk weg en sterven. En ik heb begrepen dat de inspanningen van deze oorlog vooral uit dit soort berekeningen bestaan. Vergeet scherpschutters- en ruiterkunst, moed en eer. Denk aan rekeningenboeken, telramen, overzichten en berekeningen. Deze laatste vormen de kern van het oorlogsbedrijf.

Eindelijk begreep ik de les die de sultan me had proberen te leren toen hij die storm papieren te Sivas over ons uit had gestort.

En ik word, terwijl we langs deze oude rivier voortploeteren, dagelijks aan uw waarschuwing herinnerd dat men voorzichtig moet zijn met wat men wenst.

Ik wilde de grootse rivieren van de oudheid zien. Nou, daar krijg ik zeker de kans voor. Deze dieren mogen dan het sterkst en het goedkoopst zijn, ze zijn ook erg langzaam, en dan bedoel ik: heel erg langzaam. Ik bedoel, ze bewegen twee keer zo langzaam als een kameel en minstens vier keer zo langzaam als een paard, elk paard. (Van ezels weet ik het niet.) Wat de Eufraat betreft kan ik u zeggen dat deze de modderigste oevers heeft van alle rivieren die ik ooit zag.

Gegroet,
D.

*

Van: sultana Hürrem, Gade en regentes in het Topkapi-paleis
Aan: sultan Süleyman wiens glorie de hele wereld over gaat, gelegerd te Bagdad
Datum: 25 maart 1535

Mijn geliefde sultan,

Ik hoop maar dat deze brief Bagdad bereikt voor uw vertrek. De grote afstand en de weken die ons scheiden maken wat toch al niet gemakkelijk is nog moeilijker, maar dit soort kleine ergernissen verdwijnen dankzij de warme woorden in uw recente brief vol vertrouwen en bezorgdheid rond het uitstellen van het huwelijk van prinses Saïda.

Uw wil zal geschieden. Ik ben al begonnen de talloze betrokkenen op de hoogte te stellen. Natuurlijk zal ik mijn inspanningen ten behoeve van prinses Saïda's toekomstige geluk niet staken. Ik ga zonder meer door met het cultiveren van de vertrouwensband met onze uitverkoren damat, admiraal Lofti Pasha. En ik zal ook doorgaan met zoeken naar een geschikt paleis waarin het stel zich kan vestigen en een gezin kan stichten. Ik ben het aan het gezegende meisje verplicht haar niet in de steek te laten in een tijd waarin ze het meest het advies van een moeder nodig heeft.

Uw schitterende leiderschap aangaande de Bagdad-jihad blijft me de kracht geven om dit alles te doen en daarnaast elke andere taak waar u me verder nog mee zou willen belasten.

Allen groeten de Veroveraar van de Bekende Wereld.

Getekend en verzegeld met het stempel van de regentes door sultana Hürrem.

Het is een grote troost dat niets de volgorde der gebeurtenissen veranderd heeft op de dag dat de sultan door de straten van zijn hoofdstad rijdt of de heerlijke nacht die daarop volgt.

53 Raqqa

Van: Danilo del Medigo, onderweg naar Antiochië-Raqqa
Aan: Juda del Medigo in het Topkapi-paleis
Datum: 26 mei 1535

Beste papa,

Terwijl we over de oevers van de Eufraat voortploeteren begin ik iets te begrijpen van de reden waarom mensen zich met aardrijkskunde bezighouden. We zijn voor de nacht gelegerd op een plek boven de modderige oevers van de rivier, waar eeuwenlang karavaans gehuisvest werden van kooplui die tussen Europa en Azië reisden en die nu volledig genegeerd wordt ten gunste van de routes over zee – veel sneller en veiliger. Maar niet voor detachementen als wij, want wij slepen een zware lading voort die geschikter is voor modder dan water en dientengevolge geschikter is voor lastdieren dan vaartuigen.

Deze gigantische kanonnen – heel Anatolië door gesleept tot aan de poorten van Bagdad en nooit gebruikt – waren veel te waardevol om in Mesopotamië achter te laten. Elk van deze monsterlijke bombards kan door buskruit afgevuurde stenen ballen bijna een mijl ver schieten, met een snelheid van ongeveer 285 meter per seconde. En ook al hadden we ze niet nodig om Bagdad te veroveren, bij toekomstige veldtochten kunnen er heel wel steden zijn die minder tot overgave geneigd zijn dan die in Azerbeidzjan en Irak, en waar de grote kanonnen de slag zullen winnen.

Wat de reden ook moge zijn, de machten die over dergelijke zaken beslissen zouden er nooit over dénken zonder hun grote kanonnen ten strijde te trekken. Al lijken ze er weinig bij stilgestaan te hebben hoe dit enorme zware geschut over grote afstanden vervoerd zou moeten worden, noch de inspanning die het kost om de bombards weer thuis te krijgen zodra het vechten gedaan is.

Volgens mij kan ik met een gerust hart zeggen dat ik tot nu toe over geen enkel ander dier behalve mijn eigen paard veel na heb gedacht. Nu zijn plotseling deze reusachtige beesten het middelpunt van mijn bestaan geworden. Wij, van de Zware Wapencompagnie, rijden boven langs de rivieroever over de oude zijderoute van Bagdad naar Aleppo en kijken van grote hoogte uit over de buffels en hun lading en zetten 's nachts onze tenten op op het hooggelegen terrein, ver van het water en de insecten. Maar men moet goed op zichzelf passen daar, omdat de hele regio aan de rand van de Syrische woestijn bezet is door bedoeïenen, wier specialiteit het is het verkeer op de rivier te hinderen. Let wel, bedoeïenen zullen iemand altijd gastvrij opnemen als deze gewond is of verdwaald. Maar als men de grenzen van hun gastvrijheid overschrijdt zullen ze zich tegen je keren en je de strot afsnijden. Maar maakt u zich geen zorgen, papa. We hebben duizenden sipahi's om ons te bewaken.

Na mijn ervaring in hun enclave te Elmadağ ben ik geneigd geweest me verre te houden van de sipahi's, maar dat is in deze tijd onmogelijk. We worden aan weerszijden van de marsroute ingesloten door hun brigades. Ze zijn, zo zegt men, aldaar gestationeerd om ons stevig in de gaten te houden, voor onze eigen veiligheid. Men vraagt zich af of dit zware schild niet eerder is aangebracht omwille van de waardevolle wapens die we meevoeren dan omwille van ons. Misschien is dat een cynische gedachte. Wat de reden ook moge zijn, de sipahi's nemen hun taak zeer serieus. Ze zijn voortdurend alert op achterblijvers en drijven ons voort in groepen, net als wij doen met de waterbuffels.

Maar gisteravond, toen de sipahi's hun avondgebeden zeiden, slaagde ik erin even te ontsnappen en naar beneden te slenteren, naar de plek waar de dieren hun vrije uren doorbrachten onder de hoede van de bedoeïenenjongens die hen verzorgden. Had ik alle tijd van de wereld gehad, dan zou ik een apart, volledig verslag aan deze jongens wijden die voor de buffelkudde zorgen. Dat verdienen ze zonder meer. Ze zijn allemaal jong, velen niet ouder dan tien jaar, durf ik te wedden, maar ze zijn volmaakt opgeleid en kennen absoluut geen vrees voor hun dierlijke protegés, die twee keer zo groot zijn als zij en vijftig keer zo sterk met gigantische, gekromde hoorns, zodat ze je nog beter kunnen verscheuren.

God moet deze wezens in gedachten hebben gehad toen hij de Eufraat schiep. Ze zijn ervoor gemaakt. Zodra ze 's avonds ontdaan zijn van hun tuig en bevrijd van hun last, dalen ze af naar de rivier en stillen daar hun honger met de vegetatie die er weelderig groeit in de modderige ondiepten. Eenmaal verzadigd, beginnen ze hun lijven schoon te maken met modder die ze opgraven en over zichzelf uitspreiden.

Vervolgens laten ze zich in de modder zakken tot het enige wat men nog van hen kan zien de punten van hun hoorns zijn die uit het water steken. Wanneer ze volledig doorweekt zijn, duiken ze weer op om van de avond te genieten en zien er dan uit als groepen haremschoonheden die het zich gemakkelijk maken rond de baden van de hammam.

Het tafereel boeide me zozeer dat pas toen ik me aan de boomgrens vlak boven hen bevond, me een lange rij van veel kleinere buffels opviel, die losjes waren vastgemaakt aan een touw, even vredig als een kudde koeien die staat te wachten om gemolken te worden.

De herdersjongens haastten zich tussen hen heen en weer met emmers vol vloeistof. Deze goten ze in een reeks enorme koperen ketels die opgehangen waren boven de over de hele rivieroever verspreide vuren. Natuurlijk, toen ik me vooroverboog om het beter te kunnen zien, zag ik dat ik bij toeval was gestuit op precies datgene wat het leek te zijn: melktijd voor de vrouwtjes van de kudde (vandaar hun kleinere bouw).

Tegen die tijd had ik me enige moeite getroost om wat traditionele buffelkennis op te doen. Het was niet moeilijk die op te pikken van leden van onze brigade, die bij eerdere campagnes op dezelfde wijze met deze dieren hadden gewerkt. En er was een massa anekdotes voorbijgekomen, allemaal even eerbiedig, zo niet regelrecht bewonderend voor deze wezens. Ze vertelden alle van hun grote kracht, hun vermogen veertien uur een last voort te kunnen trekken, en zelfs van hun woestheid in de strijd. Er werd geen enkele grap gemaakt ten koste van hen. Maar niet één verhaal dat ik had gehoord, suggereerde dat ze naast nuttig als lastdieren en vleesleverancier bovendien een bron waren van moedermelk. Maar zodra ik dat begrepen had, werd ik overweldigd door het verlangen het spul te proeven.

Wat kon het voor kwaad om ernaar te vragen? De bedoeïenenjongens waren aldoor uiterst vriendelijk geweest, gedurende de paar ontmoetingen die we met hen gehad hadden. En dus begaf ik mij naar de dichtstbijzijnde ketel en tikte zachtjes op de schouder van de eerste de beste herder die met een volle emmer langskwam, teneinde om een slokje te vragen.

Tot mijn verbazing weigerde hij ronduit. 'Nee, nee, u kan deze melk niet drinken, heer. Deze melk is niet geschikt voor mensen, alleen voor dieren.' Toen, als om een ruzie te voorkomen, voegde hij er snel aan toe: 'Zelfs van een klein slokje zou u al ziek worden. Erg ziek.'

Wat mij de volgende voor de hand liggende vraag deed stellen: 'Waarom verzamelen jullie het dan?'

'Voor de kaas, natuurlijk. Waarom anders?'

Bent u ooit de les gelezen door een tien jaar oude herdersjongen, papa? De blik waarmee mijn vraag werd begroet, was de blik die ik meer dan verdiend had, doordat ik mijn hersens niet gebruikte. En ik moet toegeven: ik bloosde van schaamte. Misschien is dat de reden waardoor hij medelijden met me kreeg, want hij voegde er met een vriendelijke glimlach aan toe: 'Deze kaas wordt de hele nacht boven de gloeiende houtskool geroosterd en kan tegen de ochtend gegeten worden. Als u hem wil proeven, wees dan bij zonsopgang hier om mee te delen in onze feestmaaltijd.'

Nou, ik was er, papa. Ik glipte weg gedurende de afwezigheid van onze oppassers bij het ochtendgebed. Ietwat dwaas van mij, denk ik, maar ik proef de kaas nog steeds terwijl ik schrijf. Delicaat. Romig. Een soort licht gezouten panna cotta, maar niet echt op één enkele smaak gelijkend die ik me kan herinneren. Behalve dat toen ik hem at, ik er toch van overtuigd raakte dat ik dit eerder geproefd dat. Maar waar? Niet in Turkije. Misschien in Italië. Ja, en toen herinnerde ik het me, in Rome, aan de tafel van madonna Isabella. Zij had deze zelfde kaas als een delicatesse gepresenteerd, omdat hij binnen vier uur nadat hij uit de kookpot gekomen was, opgegeten moest worden. *Buffalo mozzarella fresca*! Verse kaas, net zoals de bedoeïenenherders mij die aangeboden hadden. Omdat het boeren zijn, bewaarden ze de kaas die van het ontbijt overbleef en propten die in wasdoek onder hun zadels zodat deze bij wijze van avondlekkernij in paardenzweet kon sudderen.

Ik weet niet goed waarom ik u dit verhaal zo graag wilde vertellen, papa. Maar ik heb het gevoel dat het iets zegt over de wereld waarin we leven, dat wat doorgaat voor een simpel herdersmaal in het ene land als een zeldzame delicatesse wordt beschouwd aan de tafel van een voorname dame in het andere. Laat ons hier eens over doorpraten.

Te Aleppo namen we afscheid van onze immer goedgehumeurde en gedienstige buffels en droegen het gewicht van onze kanonnen over op de ruggen van honderden koppige, slechtgehumeurde muilezels. Ik mis de grote dieren nu al.

Gegroet,
D.

54 Antiochië

Van: Danilo del Medigo te Antiochië
Aan: Juda del Medigo in het Topkapi-paleis

Beste papa,

Hier ben ik dan, in de eeuwenoude stad Antiochië, en er is vrijwel niets meer van over. In de Romeinse tijd was Antiochië de op drie na grootste stad in de westerse wereld, uitsluitend door Alexandrië en Rome naar de kroon gestoken. Tegenwoordig is er nog maar één monument over. Starend naar de grote lege gaten moest ik denken aan een citaat van Tacitus dat, hetzij u, hetzij mama me geleerd heeft: *Solitudinem faciunt pacem appellant*! Ze hebben een woestenij geschapen en noemen het vrede. Dat was de indruk die de oude stad op me maakte toen we erop stuitten aan het meest oostelijke puntje van de Middellandse Zee.

Terwijl ik dit schrijf, zie ik wat de Romeinen, en de christenen, de stad Antiochië hebben aangedaan. Heel waarschijnlijk hetzelfde wat de Assyriërs gedaan hebben met de momumenten van de Hittieten, toen zij deze plaats veroverden. En wat de Grieken op hun beurt de Assyriers weer aandeden. Hier ben ik getuige van dezelfde verwoesting als in Bagdad. En ik word herinnerd aan het grote Carthago dat tot de grond afgebrand werd en Alexanders schitterende bibliotheek in Alexandrië, die verwoest werd door een vlammenzee, met manuscripten en al. Iets om over na te denken op de lange weg huiswaarts.

Zodra we ons voedsel en onze voorraden ingeladen en onze pas verworven muilezels voorbereid hadden op de reis door het Taurusgebergte, hadden we tijd om de omgeving te verkennen. Ikzelf koos ervoor om in een gat te verdwijnen, diep de onderbuik van het Romeinse Rijk in. De plaats heet Zeugma. En ligt onder vijftienhonderd jaar modder en afval begraven. Dit is de plek waar de rijke Romeinen uit

Antiochië hun zomervilla's bouwden. Tegenwoordig is het enige wat er nog bovengronds te zien is van Zeugma een stel grafstenen, die her en der verspreid liggen rond iets wat een necropolis geweest kan zijn. Deze worden omgeven door gigantische aardhopen waarin wellicht grote schatten schuilgaan die daar voor altijd begraven liggen.

Maar toen we vanuit Bagdad hiernaartoe reisden, hoorden we een heel andere versie van een jongen die Ali heette, een van de Moeras-arabieren die ons begeleid hebben. Deze gidsen zijn jong, net als wij, en de nachten aan de rand van de Middellandse Zee zijn voor weinig anders geschikt dan verhalen vertellen. En zo raakte deze Ali in een gesprek verzeild met een van onze pages en vertelde hem een wild en onwaarschijnlijk maar, naar blijkt, accuraat verhaal over de plunderingen door grafschenders die kennelijk hun beroep al even lang uitoefenen als de historici. Misschien nog wel langer.

Kort gezegd, Ali bood aan ons naar de gaten te brengen die in de aardhopen gegraven waren, tot soms wel dertig voet diep, die door leden van zijn stam honderden jaren lang systematisch 'onderzocht' zijn. Het is niet gemakkelijk, legde hij uit, om fresco's van de muren te halen of mozaïeken van de vloeren los te maken. Dus die, zegt hij, zijn er nog steeds te zien voor iedereen die de moed heeft zich in die onderaardse diepten te wagen. Vanochtend vertrokken we, van de pages alleen wij drieën en twee Arabische jongens. Ik begreep heel goed dat dit een gevaarlijke, onbezonnen en waarschijnlijk illegale onderneming was – precies het soort uitdaging dat ik niet kan weerstaan, zoals u weet.

En daar gingen we naar beneden, net als Dante in het *Inferno*, alleen werden wij aan een touw neergelaten. Het was daarbeneden schemerig en benauwd, niet echt verstikkend maar het scheelde niet veel. En nadat we een tunnel of twee door gegaan waren bevonden we ons in een Romeins huis. We wisten dat het een huis was omdat we vlak voor ons door een boog een vertrek konden zien waarvan de muren niet afgezet waren met sarcofagen, zoals het geval zou zijn geweest bij de muren van een graftombe, maar met geschilderde vlakken. Een enkel in mozaïek uitgevoerd tafereel nam de hele vloer in beslag.

Voor hij ons toestond dichterbij te komen, deed Ali zijn best ons uit te leggen dat dit slechts een van talloze huizen als deze was – hij kende er wel zeventien – maar dat wij op ons uitstapje slechts een paar kamers mochten zien en wel die die zich vlak bij de ingang bevonden. Onze tijd was beperkt omdat de lucht giftig was door ondergrondse gassen. Erg aannemelijk, meenden we. Bovendien waarschuwde hij ons ervoor dat er zich schaduwkrijgers schuilhielden in de nissen in de muren. Er bestond geen twijfel aan wie van de twee, de giftige gassen of de schaduwkrijgers, hem het meest angst aanjoegen.

Nu gebaarde hij ons met een groots gebaar in de richting van een boog waar we ons aan de rand bevonden van wat het best beschreven kan worden als een mozaïektapijt dat in twee taferelen verdeeld was. Vlak bij onze voeten stond Dionysus (geïdentificeerd aan de hand van zijn naam in zwarte Griekse letters) die in een door twee steigerende luipaarden voortgetrokken, prachtige gouden triomfwagen reed met Niobe aan zijn zij. Het was verbijsterend om de beweging in het hele tafereel te zien, de steigerende dieren met de opgeheven voorhoeven terwijl ze voortraasden en Dionysus' spieren opbolden van de inspanning om de teugels in handen te houden. Het was zo levensecht, en toch was deze hele scène in elkaar gezet met kleine steen- en metaalscherven. De andere helft van de vloer werd in beslag genomen door zeven figuren, die eveneens in beweging waren: ze liepen alsof ze in een straat in Rome aan het wandelen waren.

Ali liet ons nog slechts één andere kamer zien. Daar bevond zich aan onze voeten de god Poseidon, de punten van zijn drietand scherp genoeg om je te steken en zijn baard grijzig van kleur zoals de baarden van oude mannen gewoonlijk zijn. De god is gezeten op een gouden strijdwagen, de paarden, ook hier, met de voorbenen in de lucht, waarbij de hoeven recht op je afkomen. Hij wordt omringd door Oceanus en zijn zeewezens – ze drijven, kronkelen en zwemmen net als in het echte leven. U moet er een keer heen gaan, papa, en zien hoe het na vijftienhonderd jaar in volmaakte staat bewaard is gebleven, tot zelfs de blos op de wangen van de meisjes aan toe.

Toen Ali gebaarde dat onze tijd erop zat moet onze teleurstelling hem geraakt hebben want in plaats van ons naar de uitgang te brengen, stemde hij ermee in om de toorn van de schaduwkrijgers te trotseren en ons voorwaarts te leiden naar een volgende lage boog.

'Deze vloer is verwoest,' legde hij uit. 'De figuur die jullie zien is beschadigd. Maar het is onze allergrootste schat: het Zigeunermeisje. Zij is onze Venus.'

Terwijl hij aan het woord was, wees hij naar een half vernietigd tableau, bezaaid met kogelgaten. (Welk treffen zou hier hebben plaatsgevonden?) Het grootste deel van het onderlichaam van het meisje was verdwenen. Maar haar gezicht is volmaakt intact gebleven. Het zijn de ogen die je achtervolgen. Ze lijken recht je ziel in te kijken en alle geheime gedachten aan het licht te brengen die je weggestopt had.

Ik ken een Italiaanse schilder die Leonardo heet, uit Vinci, en die beroemd is om het schilderen van ogen. Ik heb in het echt een keer een schets in krijt van madonna Isabella gezien, die hij in Mantua had achtergelaten bij wijze van bedankje voor het genoten diner. De gelijkenis was perfect. En ik heb gehoord dat hij nadien een portret heeft geschilderd van een madonna Lisa, dat wereldberoemd is geworden vanwege haar opvallende ogen. Dat moge zo zijn. Maar als iemand op een dag tegenover mij opschept dat hij de Mona Lisa heeft gezien van deze Leonardo, dan zal ik tegen hem zeggen: 'Dat is fijn voor je, maar ik heb de zigeuner-Venus van Zeugma gezien.'

Na vandaag zullen we geen regelmatig contact meer hebben met de hoofdstad. Dus u kunt er niet van op aan dat u iets van me zult horen eer deze compagnie op het veld in Üsküdar is aangekomen. Maar vreest u niet voor mijn veiligheid. Ik word, al reizend door het zuiden van Anatolië, stevig ingeklemd binnen de grenzen van het rijk. Onze enige vijand zal de vloek van elke reiziger zijn, dysenterie. En ik ben van plan me aan uw dieetvoorschrift te houden zoals ik van het begin van dit lange avontuur af aan gedaan heb: ik eet elke dag veel yoghurt; geen rijpe meloenen, hoe verleidelijk ook. Uw wijze advies heeft gezorgd dat ik al die tijd in goede gezondheid verkeerde en ik word vrolijk bij het vooruitzicht u voor het jaar is afgelopen op de drempel van het Huis van de Dokter in het Topkapi-paleis stevig te kunnen omhelzen.

Tot ziens in Istanbul, papa!

Uw liefhebbende zoon,

D.

THUISKOMST

55 Thuiskomen

Op de ochtend van 3 januari 1536 werden de leden van de Zware Wapencompagnie van de sultan om negen uur 's ochtends verzameld op het veld te Üsküdar en officieel uit dienst ontslagen. Rond half tien had Danilo del Medigo, niet langer uitgeleend aan de brigade maar opnieuw lid van de vierde oda van de pageschool van de sultan, zijn spullen bijeengepakt, zijn geldbuidel aan de riem om zijn middel gebonden en was hij op weg gegaan naar de kaden. Daar besteedde hij een exorbitant bedrag aan een privévaartuig om hem over de Bosporus naar de Galata-kade te brengen.

Eenmaal aan land koerste hij regelrecht af op de stalletjes die tegen de muur van de Grote Bazaar van Istanbul aan gebouwd waren en waar joden, Moren, Franken, zwarte Afrikanen en Arabieren van alle sekten met elkaar wedijverden om hun klanten te voorzien van wat hun hartje ook maar begeerde. Alles was er voor een zekere prijs te krijgen, van rode spinellen tot rijpe tomaten.

Danilo's behoeften waren eenvoudig en snel bevredigd. In de bazaar baande hij zich in de overdekte *bedestan* een weg langs de waardevolle, aangeboden waren naar de schuur erachter, die bij de plaatselijke bevolking bekendstond als 'Belgrade', omdat een groep Serven hem had gebombardeerd tot hun eigen markt. Daar schafte de page zich bij drie verschillende kooplui één kaneelstokje, één rozenknopje en wat wortelen aan, allemaal netjes verpakt. Deze nam hij mee over het Beyazit-plein naar het Oude Paleis waar de harem van de sultan gehuisvest was.

Correctie: vóór hij het plein overstak, klom de page eerst naar het Paleispunt, naar een box in de stallen van de sultan in het Topkapi-paleis, waar hij de wortelen aanbood – die in dankbaarheid aanvaard werden – en buitensporige uitingen van genegenheid wisselde met de bewoner van de box, een paard dat Bucephalus heette.

De klim naar het Paleispunt was steil en toen de page eenmaal de box in gestapt was kwam hij ernstig in de verleiding om in het stro naast Bucephalus te gaan liggen, zoals hij in het verleden zo vaak gedaan had. Maar hij bleef niet. Met een liefdevol klopje wenste hij zijn paard goedendag en haastte zich de heuvel af naar het Oude Paleis waar hij zich meldde bij de harempoort. Daar gaf hij zijn twee resterende aankopen af bij de bewaker, met het verzoek deze zo gauw mogelijk bij prinses Saïda te bezorgen.

De volgende halteplaats op zijn reis was het Huis van de Dokter, terug in de Vierde Hof. Maar meteen op die gedachte volgde het verleidelijke idee dat als hij, nadat hij de poort doorgegaan was, links in plaats van rechts af zou slaan, hij maar een paar stappen bij zijn oude bed vandaan was in de slaapzaal van de pages, waar hij vandaag verwacht werd. Het knusse, veren dekbed lonkte. Hij gaf eraan toe. Zodra hij zijn hoofd op het kussen liet zakken zakte hij weg in een diepe slaap.

Danilo del Medigo was geen dromer. De dromen die hij wel eens had gingen meteen zodra hij zijn ogen opengedaan had in rook op. Maar de droom van vandaag was ongebruikelijk hardnekkig. Zelfs toen hij met zijn ogen knipperde verdween het bolronde, glimlachende gezicht met de grote witte tanden en gouden oorringen niet.

'Heer! Heer!'

De page draaide zich om en ramde zijn hoofd diep in het kussen. De sultan was toch vast niet nu al in de stad aangekomen.

Nu werd er aan het dekbed getrokken, niet ruw maar ook niet zachtjes. Langzaam draaide hij zijn hoofd en keek met half toegeknepen ogen naar de gestalte die dreigend boven hem uittorende.

'Narcissus!' Dit was geen droom.

'Narcissus, inderdaad met een boodschap voor u.'

De slaaf boog voorover en stak hem een opgevouwen stukje schrijfpapier toe, drukte het briefje in de hand van de slaperige page en was verdwenen. Eenmaal uitgevouwen verscheen er een boodschap in rode krijt: *Dezelfde tijd, dezelfde plaats,* las hij. *Twee keer lang. Twee keer kort.*

Het licht dat door het dakraam stroomde maakte duidelijk dat het nog steeds vele uren duurde voor 'dezelfde tijd' was aangebroken. En het donzige dekbed lonkte om weer te gaan slapen. Maar, alhoewel hij vanochtend geen voorrang had gegeven aan zijn verplichtingen als zoon boven zijn andere beslommeringen, was Danilo del Medigo in feite wel degelijk een plichtsgetrouwe zoon, die wist hoe beledigd zijn vader zou zijn als hij op de een of andere manier van een vreemde zou horen dat zijn zoon was teruggekeerd. En dus verliet hij met enige tegenzin zijn warme bed om de dokter een bezoek te brengen.

De dokter ging tegenwoordig vroeg naar bed. Na zijn middagdutje was het snel gedaan met zijn energie. Dat zou hem net voldoende tijd geven, rekende zijn zoon, voor een liefdevolle omhelzing en wat eten voor hij de heuvel af klauterde naar de kade van de grootvizier om er het vertrouwde teken af te wachten – twee lange, twee korte lichtflitsen met de lantaarn – die de komst aankondigden van een elegante, zwarte kaïk.

Hij had het tijdstip goed gekozen. Hij kwam inderdaad op tijd aan bij het Huis van de Dokter om plaats te kunnen nemen aan de rand van het bed van zijn vader, waar het eerste wat deze zag toen hij zijn ogen opsloeg zijn gezicht was. En de jongen werd ruimschoots beloond voor de slaap die hij zelf opgeofferd had door de blik die hij op het gezicht van zijn vader zag verschijnen toen hij zich vooroverboog om een kus op de uitgezakte wang te drukken.

Na een korte maaltijd kon Danilo zijn vader weer achterlaten, tevreden als deze was met zijn belofte twee dagen later terug te komen voor de sabbat, zo niet eerder.

En dus ging hij er met een zuiver geweten en gretig hart rennend vandoor om vervolgens de heuvel achter de Vierde Hof af te rollen en plat op de rotsrichel met uitzicht over de baai neer te vallen. Hij hield zijn ogen gericht op de plek waar je in het donker het eerst een inkomend vaartuig zou zien. Pas toen hij zich daar geïnstalleerd had, gaf hij zich over aan de wilde hoopvolle gevoelens die hij nu door zijn lichaam liet razen in afwachting van wat er te gebeuren stond.

56 In de hammam

Alhoewel ze vanaf haar kindertijd de harembaden in en uit was gegaan, had prinses Saïda nooit geheel de kunst onder de knie gekregen van het lopen op de hoge steltschoenen die de haremvrouwen in de hammam droegen. Ze kon zonder haar evenwicht te verliezen ingewikkelde danspassen uitvoeren, maar ze wist nooit de neiging te overwinnen om te struikelen en te vallen wanneer ze zich staande moest houden op de tien centimeter hoge plateauzolen, bedoeld om gevoelige voetjes te beschermen tegen de verwarmde marmeren vloeren van de hammam.

De verraderlijke schoenen waren niet de enige reden voor de prinses om haar stiefmoeders aanhoudende uitnodigingen te ontlopen zich bij haar te voegen gedurende haar schoonheidsdagen in het luxueuze kuuroord dat de sultana voor zichzelf had laten bouwen in haar 'tijdelijke' vertrekken in het Topkapi. Maar vandaag had prinses Saïda een reden gebruik te maken van de harde kern van deskundige specialisten in de schoonheidskunsten van de sultana. En daar stond ze, in de met een gordijn afgesloten deuropening naar de hammam, klaar om alle ongemakken of vernederingen te ondergaan die haar te wachten stonden als prijs voor het zich mooi maken ter gelegenheid van de langverwachte hereniging met de liefde van haar leven.

Haar neus rook de geur al waar de plek van doorzeemd was – een nevelig mengsel van rozen, muskus en amber. Ze trok het gordijn opzij. De kamer voor haar – de rotunda – zoemde van het gebabbel van de vrouwen die hier kwamen en gingen en lagen bij te komen van de inspannende lichaamsbehandelingen. Er waren vrouwen die gekleed en vrouwen die ontkleed werden, en er waren vrouwen die sorbets en gekonfijte vruchten geserveerd kregen uit de manden op de hoofden van de portiersters met ontbloot bovenlijf die in de rotunda dienstdeden, terwijl de andere bedienden zich met stapels donzige handdoeken en geborduurde gewaden een weg baanden van en naar de wasserij.

De rotunda, een niet al te grote ruimte, was overdekt met een door-boorde koepel die steunde op een reeks slanke marmeren zuilen, van een ontwerp gelijk aan dat van de andere kuuroorden in de harem. Maar in de hammam van de sultana overvleugelde de grootsheid van de inrichting de eenvoud van het bouwwerk. De banken, die overal over de brede marmeren trappen naar de fontein in het midden ver-spreid stonden, waren bekleed met satijn en overdekt met een fraai zij-den kleed en stapels kussens van het zachtste Siberische dons. De kom-men, die gebruikt werden om warm water uit de fontein te halen voor de voetwassing aan het slot, waren van met de hand gesmeed koper en voorzien van gouden hengsels. En de kruiken die aan de gordels van de wasvrouwen hingen, waren bezaaid met turkooizen en parels. Er was geen twijfel mogelijk: het kuuroord droeg duidelijk de handtekening van de sultana.

De prinses werd algauw herkend en naar een lege bank geleid waar ze soepeltjes van haar kleding ontdaan en in een enorme donzige handdoek gewikkeld werd. Vervolgens werd haar een keur aan schoei-sel voorgehouden: steltschoenen met gouden zolen, steltschoenen met veelkleurige gespen met edelstenen erop en steltschoenen die dichtge-bonden werden met het fijnste leer of zijden linten. Voor Saïda deed het er niet toe welke ze koos, ze zou op allemaal even moeilijk lopen. Maar ze wist dat die gehate dingen haar voeten hoog boven het water zouden houden dat rond de putten in de vertrekken vóór haar kolkte en waarin het zeepschuim, de ontharingscrèmes en ongewenste haren afgevoerd werden die van de lichamen van de vrouwen stroomden wanneer men ze afspoelde. Maar de viezigheid op de vloeren was voor de prinses op zich niet vervelend genoeg het risico te lopen de vrouw van haar vader te beledigen door de uitnodigingen van de sultana af te slaan. Wat haar uit de hammam weghield was de gedwongen inti-miteit ervan. Vanaf het moment dat ze haar hofhouding van de ha-rem in het Oude Paleis had laten overbrengen naar het Topkapi-paleis, was de sultana de intimiteit van haar hammam gaan gebruiken als een soort kansel vanwaar ze haar stiefdochter bestookte met preken over haar kinderlijke plichten. Saïda moest, móést gewoon haar vertrekken in het Oude Paleis opgeven die ze van haar grootmoeder geërfd had, en dichter bij haar vader komen wonen, die haar nodig had, en haar broers en zussen, die om haar riepen. Het was koppig van de prinses om zich in het Oude Paleis te begraven met een stel afgedankte concubines die hun dagen doorbrachten met wachten op een bezoek van een sultan die nooit kwam.

'Bovendien,' preekte ze verder, 'wanneer je trouwt zul je toch naar je eigen paleis verhuizen. Je kunt dus maar beter gaan pakken.'

Tot zover was de prinses erin geslaagd om de druk die van dit zogenaamde gezellige gebabbel uitging het hoofd te bieden, zich vastklampend aan de vruchteloze hoop dat Allah haar die dag wel zou willen sparen. Maar ze voelde haar wilskracht langzaam afnemen, en nergens ging dat sneller dan in de hammam van de sultana.

Kennelijk had iemand de masseuse gewaarschuwd voor de merkwaardige gevoeligheden van de prinses, zodat haar vandaag een van die andere valkuilen van de hammam bespaard bleef: de angstaanjagende gewaarwording dat haar armen uit de kom en haar benen uit haar lichaam werden getrokken. De behandeling die slechts de helft van de tijd van een normale massage duurde en met half zoveel kracht werd uitgevoerd, bleek best te verdragen en Saïda zonk weg in een vredige sluimer om vervolgens wakker geschud te worden door het geluid van een vertrouwde stem die boven het geroezemoes in de ruimte uit klonk.

'Prinses! Prinses! Waar is de prinses? Is ze niet gekomen?'

Deze uitroep werd gevolg door een onhoorbaar antwoord. Toen klonk opnieuw de vertrouwde stem: 'Breng haar meteen bij me!'

En direct werd de prinses in een handdoek gewikkeld en als een pakje bij het afgezonderde hokje afgeleverd waar een *gedicli* de leiding had, een ware tovenaar als het ging om de gevaarlijke kunst van het ontharen. Omdat zowel de traditie als de godsdienst eiste dat elke centimeter van de huid van een vrouw onder de hals volledig haarloos was en omdat de pasta van *rusma* en ongebluste kalk die over de huid verdeeld werd om de haarzakjes losser te maken genoeg arsenicum bevatte om door het vlees tot op het bot te branden, was het weghalen van de ongewenste haartjes een gevaarlijke procedure. Liet men de pasta te lang zitten dan vrat hij het vlees weg; zat hij er niet lang genoeg op dan bleven er her en der haartjes zitten, die er vervolgens uit getrokken moesten worden – uiterst pijnlijk.

De sultana, plat achterover op de tafel, met haar onderlichaam even glad en haarloos als een geplukte kip, slaagde er op de een of andere manier in met een enkel wijds gebaar blijk te geven van de berusting van een martelaar, terwijl ze mompelde: 'Wat voor opofferingen wij vrouwen ons allemaal getroosten voor de mannen van wie we houden...'

Net op dat moment zag de aldoor waakzame amazone nog een enkel haartje in de plooien van Hürrems schaamlippen verstopt, een belediging van God, die ze met veel misbaar wreekte.

'Au!' snakte de vrouwe naar adem. Ze herstelde zich snel en wendde zich tot de prinses met een uitdrukking op haar gezicht die zei: zie je nu wat ik bedoel met opofferingen? Toen voegde ze eraan toe met een medelijdende blik op het niet mooi gemaakte, maagdelijke lichaam dat Saïda onder haar handdoek verborg: 'Het is het altijd waard, zoals je zult ontdekken. Kom dichterbij. Laat me je eens bekijken.'

De kin van het meisje werd stevig omvat door een paar sterke handen. 'Wat een witte tanden! Je lacht zo zelden dat we niet vaak de kans krijgen ze te zien. Kom hier naast me zitten, op die kruk.'

Saïda ging gehoorzaam zitten.

'Het stemt me zo tevreden je vandaag hier bij me te hebben tijdens mijn schoonheidsdagje. Uit beleefdheid nodig ik je altijd wel uit, maar ik verwacht nooit dat je komt. Je hoeft je tenslotte niet mooi te maken voor een minnaar, of een echtgenoot die terugkeert van het slagveld.'

Bij het woord 'minnaar' werd het meisje ineens knalrood, maar ze was in staat de verandering in haar gelaatskleur te verbergen door haar hoofd bescheiden te buigen en er het zwijgen toe te doen.

'De waarheid is dat een ongetrouwd meisje als jij alleen haar vader heeft om zich mooi voor te maken en jouw vader zou je nog mooi vinden, al had je kwabben in je nek of haren op je kin.'

Deze mededeling werd gevolgd door een hartelijke lach. Desondanks tilde het meisje haar vinger op om over haar kin te wrijven, gewoon voor het geval er een kern van waarheid in het grapje geschuild had. Iemand die minder in beslag werd genomen door haar eigen besognes dan de sultana, had een dergelijk missertje wellicht opgemerkt. Maar Hürrem was, eenmaal in de ban van haar regelmatig optredende uitbarstingen van welsprekendheid, steevast geneigd een ware waterval van woorden uit te storten en ze ging verder zonder acht te slaan op het ongemak van het meisje.

In de loop van de tijd die zij sinds de dood van haar grootmoeder in het gezelschap van deze vrouw had doorgebracht, had ze een reactie bedacht op de zogenaamd goedhartige, maar op de een of andere manier nooit erg vriendelijke opmerkingen, die met grote regelmaat uit de mond van haar stiefmoeder rolden: geen antwoord geven. Alleen de ogen neerslaan, verlegen glimlachen en er verder het zwijgen toe doen. En bij Hürrem was zwijgen altijd de beste oplossing, aangezien ze een prater was die van geen ophouden wist en toch gewoon overal doorheen kletste.

'Voor mij is het nieuws van je vaders ophanden zijnde terugkeer een antwoord op mijn gebeden,' vervolgde de sultana. 'Vier dagen, is mij verteld. Over vier dagen zal ik mijn geliefde en geachte sultan zien na al deze maanden van scheiding. Zijn stem horen. Zijn aanraking voelen...' Toen, terwijl ze op haar haarloze buik klopte: 'Natuurlijk moet ik dan een hele schoonheidsdag hebben om me voor te bereiden.' Een korte, tevreden blik op haar onderste regionen. Toen stak ze haar hand uit naar die van Saïda. 'Ik begrijp dat voor jou mijn door het fortuin gezegende sultan gewoon een vader is. Maar voor mij is hij de hele wereld. Als je getrouwd bent, zul je dat begrijpen.'

Saïda glimlachte opnieuw zonder iets te zeggen. Daarna, nu ze gezegd had wat ze had willen zeggen, ging de sultana over op een ander onderwerp.

'Toen ik vanochtend je briefje ontving, vroeg ik mezelf af: waarom komt ze me, na al die dagen van afwezigheid, op deze schoonheidsdag vergezellen? Zou het mogelijk zijn dat ze zich eindelijk opmaakt om haar plek als vrouw in te nemen in de wereld? Is ze eindelijk zover dat ze haar kindertijd achter zich wil laten? Zou dit een eerste stap naar vrouw-zijn kunnen zijn? De gedachte maakt me erg blij,' een zacht kneepje in de hand, 'het zal je vader zeker behagen.' Toen, terwijl ze gebaarde dat de amazone haar van de hoge tafel af moest helpen: 'Kom, dan gaan we ons nu laten wassen en parfumeren.'

Terwijl ze als een vriendin of zus de hand van het meisje vastpakte, voerde ze de prinses het hart van de hammam in, het *tepidarium*, waar hun lichamen zouden worden ingezeept, schoongeboend en afgespoeld met water. Dit was een uitermate langdurig proces. Het water moest namelijk eerst uit een hele reeks wasbakken over een hele muur van de ruimte gekiept worden en dan kom voor kom meegedragen om uitgegoten te worden over de uitgestrekte lichamen van de vrouwen op de marmeren banken. De installatie van baden waarin deze procedure uitgevoerd kon worden, zou het vermogen van de koninklijke loodgieters zeker niet te boven zijn gegaan, maar iedereen wist dat baden de plek bij uitstek waren waar djinns en kwade geesten zich graag verborgen. En dus verdroegen de twee vrouwen geduldig de eindeloze stortbaden, aldus hun niet-beheksde en niet-betoverde, veilige terugkeer uit de wasruimte garanderend.

Hierop volgde een hoffelijk geschenk van de sultana aan haar stiefdochter: ze bood haar een massage aan met rozenblaadjes. Verse rozenblaadjes waren een luxe, voorbehouden aan de enkelen die ze zich konden veroorloven. Nu liepen de sultana en haar stiefdochter, helemaal geurig en rozig roze gemasseerd, arm in arm de laatste ruimte binnen waar de kappers en nagellakkers hun kunsten vertoonden.

Daar gaf Saïda zich blijmoedig over aan de capabele handen van de kapper die haar haren waste met verse eieren, ze gladstreek met boter en om lappen wond tot er een bos glanzende krullen ontstond. Zelf maakte ze nooit gebruik van cosmetica. Haar grootmoeder had haar ten strengste verboden witmakende huidpasta's te gebruiken dan wel kohl of henna. Al had de valide zelf wel met henna haar grijze haren verborgen, haar nagels gelakt en had ze de gewoonte een randje om haar ogen met zwarte kohl te trekken, ze hield vol dat dit soort dingen hulpmiddelen voor oude vrouwen waren die er jong uit wilden zien, niet voor meisjes die net tot wasdom kwamen. En uit respect voor haar grootmoeder bleef de prinses zich houden aan haar grootmoeders uitspraak.

Maar de sultana had geen last van een dergelijk verbod, voor haar voldeed alleen het hele cosmeticarepertoire. Allereerst werd haar gezicht bedekt met een masker van amandel en eidooiers, daarna gebleekt met een pasta van jasmijn en amandelen. Daarop volgde een masker van henna voor het haar en de nagels, en een dikke streep met Oost-Indische inkt om haar wenkbrauwen in te tekenen. Tot slot stijf geslagen eiwitten om de lijntjes rond haar ooghoeken weg te toveren. En dit was nog maar de basisschoonheidsbehandeling. Wat volgde, en pas op het allerlaatste moment zou worden aangebracht, vlak voor haar ontmoeting met de sultan, was een poeder van gemalen parels en lapis lazuli op de oogleden, een zwarte tache de beauté hoog op haar wang en dankzij het onmisbare kohlstaafje zouden haar ogen veranderen in ware poelen van maanlicht. Hürrems ogen veranderden al in poelen van maanlicht als ze er alleen maar aan dacht. En terwijl ze naast haar in de spiegel van de ronde zaal naar haar eigen glanzende krullen staarde besloot Saïda dat alles bijeengenomen, en vergeleken met andere middagen die ze in de hammam van de sultana had doorgebracht, deze goed was verlopen.

Het was met dit in gedachten dat ze zich tot Hürrem wendde om haar te bedanken en afscheid te nemen.

'Blijf je niet om samen met me te souperen?' Haar mond verstrakte enigszins. 'Ik heb een verrukkelijke pilav besteld omdat ik weet dat dat een van je favoriete gerechten is.'

Saïda verontschuldigde zich uitbundig. 'Kon ik dat maar.' Ze zuchtte. 'Maar helaas heb ik mijn dienaar opdracht gegeven ervoor te zorgen dat mijn paarden op tijd voor de paleispoorten staan zodat ik voor het avondgebed thuis ben. Hij wacht op dit moment op me.'

Maar Hürrem liet zich niet van de wijs brengen door een simpele dienaar. 'Laat hem wachten,' beval ze. Toen op meer verzoenende toon: 'Ik vrees dat je niet voldoende eet.' Ze boog zich vooruit om in Saïda's dij te knijpen. 'Vel over been.' Toen, intiem fluisterend: 'Mannen houden niet van magere vrouwen. Als je hier bij ons zou wonen, zou ik ervoor zorgen dat er wat meer vlees op die botten kwam.'

Een korte adempauze, meer niet, voor ze de stilte die volgde opnieuw met woorden vulde. 'En wat die dienaar betreft die bij de poort op je wacht, ik ervaar het als mijn plicht om je eraan te herinneren, aangezien je grootmoeder, moge ze rusten in vrede, niet langer bij ons is, dat wij er niet zijn voor het gemak van de slaven. Zij zijn degenen die er voor ons genoegen zijn.'

'Dat is precies wat grootmoeder altijd zei als ze het gevoel had dat ik te toegeeflijk was tegenover Narcissus,' gaf Saïda toe.

'Een wijze vrouw.' De sultana knikte goedkeurend.

'Ze vond het vooral belangrijk dat ik een goede opleiding in huishoudkunde kreeg,' ging het meisje verder. 'Een van de stelregels die ze me bijbracht was dat de dag dat je een slaaf een geldbedrag toevertrouwt om voor jou uit te geven, je erop moet staan dat je voor zonsondergang een volledig betalingsoverzicht voorgelegd krijgt. "Uitstel is fataal," zei ze altijd. "Munten hebben de neiging om in het donker te verdwijnen."'

Dit keer was het de sultana die er het zwijgen toe deed en de prinses die de daaropvolgende stilte vulde.

'Eerder vandaag,' vervolgde ze, 'stuurde ik mijn dienaar naar de bazaar met een flinke som gelds om bepaalde aankopen te doen, terwijl ik ondertussen de hammam bezocht. Op dat moment, de wijze woorden van mijn grootmoeder indachtig, droeg ik hem op me op tijd op te komen halen zodat hij, eenmaal thuis, me een overzicht kon geven van zijn uitgaven en de niet uitgegeven munten voor het avondeten kon retourneren.'

'Natuurlijk.' Hürrem wist meteen wanneer ze een slag verloren had als oudgediende, waar het op een botsing van persoonlijkheden aankwam. Ze wist ook hoe ze een nederlaag in haar voordeel om moest buigen.

'Heel goed, ik zal je vanavond laten gaan,' gaf ze toen. 'Maar ik moet erop staan dat je je morgenochtend in mijn keukens bij me voegt. Ik heb een verrassing voor je. Hier is een aanwijzing. Wat voor dag is het morgen?'

'Vrijdag,' antwoordde Saïda vlot, ondanks zichzelf haar spelletje meespelend.

'En wat gebeurt er op vrijdag?'

Vrijdag was de dag dat de sultan door de straten van Istanbul reed om ten overstaan van iedereen zijn avondgebeden te zeggen in de moskee. Maar morgen zou de sultan nog altijd op weg zijn naar de hoofdstad. Saïda pijnigde haar hersenen, maar kon geen andere belangrijke vrijdagse gebeurtenis verzinnen.

'Ik zal het je zeggen.' De sultana had haar goede humeur weer terug en genoot van het spel. 'Op vrijdag komen de kamelen uit Cyprus aan met ijs voor de sorbets. Ik ga de geheime siroop koken die ik altijd gebruik wanneer ik sorbets voor mijn sultan maak. Je weet dat hij gek is op mijn sorbets.'

En inderdaad had de prinses bij meer dan één gelegenheid haar vader de ijsjes van de vrouwe horen prijzen.

'Nu ben ik voor het eerst,' Hürrem boog zich vertrouwelijk naar haar over, 'van plan dat geheim met een andere vrouw te delen. Jou!'

De sultana, zelf een verstokt jager op geheimen, kon zich gewoon niet voorstellen dat er iemand bestond wier hoofd niet op hol werd gebracht bij de gedachte een van de slechts twee vrouwen ter wereld te zijn die een geheim kende dat een licht in de ogen van de sultan kon ontsteken.

Terwijl ze toekeek hoe de vlugge, ranke gestalte van de prinses ervandoor ging om haar dienaar te gaan zoeken moest de vrouwe zichzelf er wel mee feliciteren dat ze eindelijk iets leuks gevonden had dat de doffe, lusteloze blik van de bleke prinses had doen opklaren. En terwijl Saïda door de straten van de hoofdstad hopste, terug naar haar veilige haven in het Oude Paleis, sprankelden haar ogen inderdaad. En bloosden haar wangen. Maar haar gedachten waren niet vervuld van sorbetrecepten. Wat ze voor zich zag was een in een mantel gehulde gestalte die van een rotsrichel af sprong bij het horen van een signaal – twee keer lang, twee kort – van een naderbij komende kaïk. Sterke benen, brede schouders, een bos gouden krullen, een stel blauwe ogen en na maanden van verlangen en dromen, de omhelzing van de enige man van wie ze ooit zou houden.

57 Het afspraakje

Twee keer lang. Twee keer kort.

Voor het teken helemaal had geklonken, was de donkere gestalte op de rotsrichel al op de kade gesprongen en stond hij klaar om aan boord te gaan van de kaïk die aan kwam glijden, elegant als een zwaan, met zijn grote vergulde valk, het symbool van het Ottomaanse huis, de gespreide vleugels opgericht alsof hij ten hemel wilde opstijgen. Zonder het ritme van de roeiers te onderbreken, stak de dienaar van de prinses, Narcissus, een hand uit om de wachtende passagier het smalle dek van het vaartuig op te helpen. Eenmaal aan boord verdween hij zo stilletjes door de gordijnen van de hut in het midden dat iedereen die toe had staan kijken zou kunnen menen zich de hele scène verbeeld te hebben.

In het verleden had Danilo deze manoeuvre op veel van dergelijke nachten uitgevoerd, af en toe aan boord van heel kleine bootjes, dan weer grotere, maar nooit een die zo indrukwekkend was als deze. Hij werd voortbewogen door acht roeiers, vier op het voorschip en vier aan de achterkant, terwijl de hut op de vloer en overal tegen de muren zacht gestoffeerd was met kussens alsof het een zwevend hemelbed was.

Danilo rook Saïda voor hij zijn hand naar haar uitstak om haar wang aan te raken, haar kin, haar naar rozen geurende borst en haar vervolgens in zijn armen te sluiten terwijl ze in de kussens wegzonken. Alsof ze dat zonder woorden afgesproken hadden, zeiden ze niets maar klampten zich woordeloos aan elkaar vast, alsof alleen het vlees in staat was zich ervan te vergewissen dat ze eindelijk samen waren.

Het was meer dan een jaar geleden sinds ze elkaar voor het laatst hadden gezien. Ze waren als altijd gebonden aan de klok en maar al te gauw maakte het schrille signaal van het fluitje van de kaïk een einde aan hun gelukzalige moment.

'Genoeg!' Saïda stak haar hand op. 'Geen tijd meer voor gekus. We hebben de kaïk maar een uur.'

'Maar een uur?' Dat was zelfs nog korter dan anders.

'Een uur is meer dan ik had durven dromen,' reageerde ze. 'Ik had al alle hoop opgegeven dat ik je ooit weer zou zien. Maar met de hulp van Narcissus hebben we misschien nog een nacht voordat we voor altijd afscheid moeten nemen.'

'Afscheid nemen? We hebben elkaar nog maar nauwelijks gedag gezegd.'

'We wisten altijd dat er een einde aan zou komen.' Ze klopte zachtjes op zijn wang. 'En nu is die tijd aangebroken. Zodra mijn vader in zijn selamlik aankomt, zal hij daar de damat ontmoeten die Hürrem voor me uitgekozen heeft. Het enige wat hij hoeft te doen om zijn goedkeuring aan mijn huwelijk te verlenen is diens schouder aanraken. En dat zal hij doen, wees daar maar van verzekerd. De nieuwe sultana heeft een grote invloed op hem. Maar eerlijk is eerlijk. Deze damat is een goede keuze. Hij is een admiraal, trouw en ervaren. En hij heeft in elk geval zijn eigen tanden nog...' Haar dappere poging tot een grapje bloedde dood en ze barstte in tranen uit. 'Ik heb mezelf beloofd dat ik niet zou huilen.'

'En wat als ik je vertelde dat er wel hoop voor ons was?' Hij raakte haar wang aan. 'Zou dat je tranen kunnen stelpen?'

'Ik zou zeggen wat ik altijd al tegen je gezegd heb: mijn lotsbestemming stond op de dag van mijn geboorte al in de sterren geschreven. De parels zijn zelfs al op mijn huwelijkssluier genaaid. De sultana heeft een paleis voor me gevonden om in te wonen. Niets kan dit huwelijk nog tegenhouden.'

'En wat als ik je zou vertellen dat er al iets is gebeurd om het tegen te houden?'

'Dit is geen Franse roman, Danilo.'

'Geef me dan in elk geval de kans je mijn nieuws te vertellen,' smeekte hij. Haar zwijgen interpreterend als instemming, trok hij haar in de kromming van zijn arm en wiegde haar heen en weer. 'Dit is een verhaal over een lawine in het Zagros-gebergte,' begon hij. 'Over vast komen te zitten in een bergpas. Over de dreiging dat ons hele leger de hongerdood zou sterven. En over jouw dappere vader, de sultan. Hij was als een baken van licht. Hij organiseerde wat hij de grootste jachtpartij in de wereldgeschiedenis noemde. Met hem aan het hoofd doodden we genoeg wilde dieren om een leger dat twee keer zo groot was als het onze te voeden. Hij redde ons van de hongerdood.'

Haar ogen lichtten op. 'Bravo, papa!' fluisterde ze.

Meer aanmoediging had hij niet nodig. 'Maar dat is maar de helft van het verhaal. De strijd was voorbij, dachten we. We hadden zelfs dankgebeden voor onze redding gezegd. Maar toen we begonnen in te pakken, werden we aan de rand van het woud door een troep wilde dieren aangevallen. Dat was het moment waarop...' Hij zweeg even en haalde diep adem. Er was geen andere manier om het te zeggen: 'Ik je vaders leven redde.'

'Wat?'

'Ik redde het leven van de sultan.'

Ze schudde ongelovig haar hoofd. 'Is dat waar?'

'Ben ik een leugenaar?'

Ze dacht hier even over na en schudde toen langzaam haar hoofd. 'Nee, je bent geen fantast. Als jij zegt dat je mijn vaders leven gered heb, geloof ik je. Vertel me wat er gebeurd is.'

En dat deed hij, waarbij hij zijn best deed zichzelf niet tot de held van dit verhaal te bombarderen en er alleen in slaagde zich door zijn bescheidenheid nog geliefder bij haar te maken. Tegen de tijd dat hij klaar was, was de wolk van droefenis geheel van haar gezicht verdwenen.

'Mijn held!' Ze stak haar armen uit.

Nu was hij degene die weerstand bood. 'Wacht. Het beste moet nog komen. De dag dat ik het gezelschap van de sultan verliet, gaf hij me zijn woord dat hij me alles zou toestaan wat binnen zijn vermogen lag. "Als de dag aanbreekt dat je iets van me nodig hebt," waren zijn precieze woorden, "hoef je alleen maar een beroep op mij te doen, en als het binnen mijn vermogen ligt zal je wens vervuld worden." Welnu, die tijd is gekomen. En als je vader naar zijn hoofdstad is teruggekeerd, zal ik om een audiëntie verzoeken en om jouw hand vragen.'

Voor één keer in haar leven stond prinses Saïda met de mond vol tanden. Dit keer opende ze haar armen niet voor hem. In plaats daarvan schoof ze helemaal naar de andere kant van haar zitplaats en begon bedachtzaam op haar duimnagel te bijten.

'We hebben niet veel tijd. Je moet snel en slim zijn.' De kleine generaal had het heft in handen genomen. 'Het zal niet makkelijk zijn voor jou om alleen met mijn vader te spreken. Zodra Hürrem hem eenmaal in haar handen heeft laat ze hem niet meer los.'

Ze tikte met haar vingers tegen haar hoofd alsof ze haar hersens opdracht gaf een strategie te bedenken. En ja hoor, binnen een paar tellen had ze er een gevonden. 'Wat als ik haar deel maak van ons plan? Wat als ik haar weet over te halen om om een audiëntie voor mij te smeken?'

'Hoe ga je dat voor elkaar krijgen?' Danilo was oprecht verbijsterd.

Maar Saïda was zoals ze zei 'afgestudeerd aan de harem', waar strategieën een integraal onderdeel van de lesstof waren. 'Wat als ik tegen haar zeg dat ik ermee instem om met haar kandidaat te trouwen, maar dat ik wil dat mijn vader het van mijzelf hoort?' Terwijl het plan in haar hersens steeds meer vorm begon aan te nemen, praatte ze almaar sneller. 'Ze heeft me uitgenodigd morgen naar haar keuken te komen voor een kookles. Onder het koken zal ik haar van mijn plan vertellen en vragen of ze een audiëntie voor me wil regelen, alleen, met mijn vader. Dat zal ze met plezier doen. Ze wil dit huwelijk heel graag.'

Deze manier van denken was zo geheel in strijd met Danilo's karakter dat hij hem moeilijk kon volgen. 'Waarom?' vroeg hij. 'Waarom kan het haar wat schelen met welke man je trouwt?'

'Misschien is ze van plan om mijn damat en mij in de raad tegen de grootvizier op te zetten. Wie weet? Wat telt is dat ik haar volgens mij wel kan overhalen om een onmiddellijke audiëntie met mijn vader te regelen.' Ze klapte als een kind in haar handen. En met een verrukkelijke glimlach boog ze zich naar hem toe. 'Je bent waarachtig mijn paladijn, gekomen om me te redden. Kus me.' En terwijl hij gehoorzaam vooroverboog, fluisterde een nu weer zacht stemmetje in zijn oor: 'En vanavond krijg je je beloning.'

58 Sorbet

Omdat ze met haar dienaar afspraken moest maken met betrekking tot de avond die zou volgen, kon prinses Saïda pas laat aan de culinaire sessie met de sultana in het Topkapi beginnen. Om het nog erger te maken werd haar draagstoel halverwege het Paleispunt tot stilstand gedwongen door de mensenmenigte die op de been was gekomen om getuige te zijn van de halfjaarlijkse ijsbezorging vanaf de berg Olympus. Om de een of andere reden kregen de inwoners van de hoofdstad er nooit genoeg van zich te vergapen aan de ijsmannen uit het ijskoude noorden. In het gematigde klimaat van Istanbul vormden zij een exotische nouveauté met hun besneeuwde tulbands, bevroren wenkbrauwen, de vachten waar ze in gehuld waren en de ijskristallen die als diamanten druppels aan hun baarden en oorlellen bungelden. Elke keer als ze naar de stad kwamen, waren de straten afgezet met bewonderende toeschouwers die zich stonden te verbazen over de ijzige, bonte tocht van ezels en karren, zwaarbeladen met enorme, in flanel gewikkelde ijsblokken die mijlen verderop in groeves uitgegraven waren om in diepe, door de hele stad verspreid liggende, kelders te worden opgeslagen voor het genoegen van de sorbet minnende Turken. De sorbet was ongetwijfeld de favoriete lekkernij van alle inwoners van de stad, van rijk tot arm, in alle jaargetijden.

Net als haar stadsgenoten, genoot prinses Saïda van de koele, verfrissende delicatesse en moest ze zichzelf bekennen dat ze, hoe dwaas ze ook wist dat het was, er geen bezwaar tegen zou hebben Hürrems geheim te achterhalen van een sorbet die een koning zou behagen.

Terwijl ze ongeduldig met haar teen tegen het krukje bij haar voeten tikte, likte ze haar lippen af alsof ze de smaak ervan probeerde op te roepen. De herinnering daaraan bracht haar vervolgens op de vrouw achter het recept dat ze op het punt stond te gaan leren. Van begin af aan was de prinses in haar grootmoeders vertrekken in de harem rechtstreeks getuige geweest van de verbijsterende transformatie van Hürrem, van concubine tot koningin. Gestrand op een eiland in deze zee van mensen, die de voortgang van haar draagstoel belemmerde, amuseerde prinses Saïda zichzelf door de sultana stap voor stap te volgen op haar beklimming van de Ottomaanse ladder.

Hürrems eerste ondernemingen waren weinig opvallend geweest. Als beginnend concubine trachtte ze simpelweg de geëigende route om de aandacht van de sultan te trekken te evenaren die al door talloze slavenmeisjes voor haar beproefd was. Vanaf haar eerste dag in de harem was ze een gretige leerling als het ging om de schone kunsten die deze meisjes aangeleerd werden teneinde hun charmes te verhogen. Hoewel van nature niet begiftigd met een talent voor muziek of dansen, woonde ze deze klassen even nauwgezet bij als die gewijd waren aan cosmetica, huidverzorging, kleding en kapsels. Maar de eerste aankoop die ze deed bij de joodse pakjesvrouw, die in de behoefte van de haremmeisjes voorzag, was een kostbaar geïllustreerd manuscript met instructies over de verschillende seksuele standjes – meer dan zestig – om de geneugten van de seksuele gemeenschap te verhogen. En ongeacht alle verleidingen die voorhanden waren om net als de meeste meisjes van de sultan de uren luierend door te brengen, kon men Hürrem altijd aan het eind van de dag opgekruld in haar bed terugvinden met haar exemplaar van *De geurige tuin*, een plaatselijke variant op de *Kama Sutra*. Op een avond had Saïda het meisje per ongeluk aangetroffen, terwijl ze zich onbespied waande. Ze lag plat op haar rug, de benen wijd, de knieën tegen de borst en ze mompelde hardop, terwijl ze doorging de bewegingen zoals beschreven in het manuscript te imiteren: 'Ze ligt op haar rechterzij, met haar benen gestrekt. Hij komt achter haar liggen en plaatst een van zijn dijen op de hare en de andere tussen haar benen. Met zijn speeksel bevochtigt hij zijn lid en begint ermee tegen haar vagina en anus wrijven; wanneer hij bijna op het punt van ejaculeren staat, stoot hij zo snel mogelijk in de richting van de dichtstbijzijnde opening. Maar aangezien anale gemeenschap verdorven is, moet hij zijn zaad voor de juiste bestemming bewaren.'

Saïda, die nog nooit eerder aan iets als dit blootgesteld was geweest, kon zich niet van haar losmaken terwijl de concubine verderging. 'Zij wacht in gehurkte positie op haar man. Als hij er is begint ze met haar achterste langzaam en dan steeds sneller te dansen...'

Onder haar beddensprei zwaaide Hürrem onder het lezen van de ene naar de andere kant.

'Ze zuigt hem diep bij zich naar binnen. Deze positie is uitermate geschikt voor een onverwacht snel nummer en kan het stel verbazingwekkend veel genot verschaffen.'

Te oordelen naar de groeiende frequentie van Hürrems bezoeken aan het bed van de sultan, concludeerde Saïda toen ze wegsloop, had de concubine haar lessen goed geleerd. Eerder had de sultana in wording zichzelf bovendien onderscheiden van de andere meisjes – die wanneer de padisjah de harem bezocht in een rij opgesteld stonden – door hem met een glimlach te begroeten, waar alle andere op de traditionele manier poseerden als bevroren Byzantijnse madonna's. Bij één gelegenheid lachte ze zelfs hardop. En toen ze zich eenmaal een weg zijn bed in had gebaand, zorgde ze ervoor zo snel mogelijk zwanger te worden en zette de kroon op haar inspanningen door een jongen voort te brengen. Deze baby werd al snel gevolgd door nog twee zoons, die de sultan de mogelijkheid boden uit meerdere erfgenamen te kiezen teneinde de opvolging zeker te stellen, voor het geval kroonprins Moestafa bijvoorbeeld ziek zou worden of van zijn paard zou vallen of zichzelf op een andere manier uit zou schakelen door jong te sterven.

En nu, bedacht Saïda, was er nog maar één barrière die voorkwam dat Hürrem, nog altijd de tweede kadin, haar ultieme ambitie bereikte: de levende aanwezigheid van de eerste kadin, Lenteroos, moeder van de eerstgeboren zoon van de sultan, kroonprins Moestafa. Tot dusver was Hürrem erin geslaagd ervoor te zorgen dat Lenteroos naar Manisa was verbannen, waar Moestafa een termijn als gouverneur diende. Nu Lenteroos weg was, besteedde de tweede kadin al haar energie aan het overhalen van de sultan om de resterende favorieten in de harem uit te huwelijken zodat er steeds minder concubines over waren die hij kon bezoeken. En ten slotte, toen de sultan in diepe rouw gehuld was vanwege de dood van zijn geliefde moeder, maakte de tweede kadin zich los uit de harem en regelde een suite naast hem in de selamlik van het Topkapi. Deze ongekende regeling had tot het huwelijk geleid dat de wereld versteld had doen staan.

Bijna even schokkend was dat de sultan had verklaard dat de huwelijksceremonie van de vroegere slavin een vrij geboren sultana had gemaakt, net als de Ottomaanse prinsessen van weleer. En tegenwoordig trad Hürrem bij de lange periodes van afwezigheid van de sultan op als regentes voor haar echtgenoot, de op een na machtigste persoon in het Rijk.

Saïda zag nog helder voor zich hoe ellendig de tweede kadin eraan toe was geweest toen ze pas gearriveerd was, als geschenk voor de sultan van zijn boezemvriend, grootvizier Ibrahim. Het meisje was als smekeling naar de vertrekken van de valide sultan gegaan, hulpeloos als een kind, zichzelf aan de genade van de moeder van de sultan overleverend. En om haar hulp smekend. Wat was er gebeurd dat dat zielige meisje in een almachtige keizerin had getransformeerd? Wat had haar in staat gesteld deze ongekende sprong in status te maken? Er moest iets als een sleutelgebeurtenis geweest zijn, zoals er in de Perzische sprookjes altijd was, die haar grootmoeder de prinses voor het slapengaan had voorgelezen. Het lieve gezicht kwam haar weer voor de geest. En met dit beeld een plotseling inzicht. Zolang de valide sultan in leven was kon niemand haar plek innemen. Maar eenmaal dood...

Het was alsof de dood van de valide een gekooid wezen bevrijd had dat achter de tranen en zuchten van een huilend slavinnetje was schuilgegaan en een leeuwin de vrijheid had gegeven. En nu bezat Hürrem als regentes met een hofhouding van meer dan honderd bedienden, een eigen hammam, een aanzienlijke groep ordestrijdkrachten en zelfs een eigen keuken waar de prinses nu langzaam naar op weg was.

Eindelijk maakte de menselijke barrière de weg vrij, als reactie op het gevloek en de bedreigingen van de chauffeur, zodat Saïda's rijtuig door kon rijden. Maar tegen de tijd dat ze bij Hürrems keuken aankwam, was die allang met koken begonnen. En de sultana was inmiddels zo druk bezig dat ze Saïda's verlate binnenkomst niet opmerkte – of het kon haar gewoon niet schelen.

In tegenstelling tot de baden was de keuken altijd een veilige haven voor Saïda geweest. In haar kindertijd had ze vele gelukkige uren in de persoonlijke keuken van haar grootmoeder doorgebracht, waar ze had leren koken. Misschien was het omdat vrouwe Hafsa trots was op haar Tsjerkessische wortels dat ze nooit een van die concubines geworden was die toen haar zoon sultan werd en haar status verhoogde tot valide sultan de noodzaak voelden hun start in het leven uit te wissen en een geheel nieuw geboorterecht voor zichzelf te verzinnen. In Tsjerkessië werden vrouwen van alle rangen ingewijd in alle onderdelen van het huishouden, van koken tot de financiën, talenten die vrouwe Hafsa ook nadat ze de valide sultan was geworden, in de harem van haar zoon Süleyman tentoon bleef spreiden.

Van oudsher werden de kinderen van beide geslachten in de harem-school onderwezen in grammatica en wiskunde. Toen ze eenmaal eerste kadin werd met een grote suite voor zichzelf en een jonge pupil onder haar hoede, zette vrouwe Hafsa stappen om wat ze ervoer als een gebrek in de opvoeding van het jonge meisje te verbeteren en op de wees-prinses die huishoudelijke vaardigheden over te dragen die ze zelf al heel jong geleerd had. Het was vooral om die reden dat vrouwe Hafsa een kleine keuken liet bouwen die grensde aan haar vertrekken in de harem. Ze was de eerste kadin die ooit zoiets gedaan had.

En aldus voorzag ze de huidige tweede kadin van een precedent, zodat ook zij een kleine keuken kon installeren in haar nieuwe suite toen Hürrem haar hofhouding naar het Topkapi-paleis verhuisde.

Vandaag was de keuken volledig uitgeruimd om plaats te maken voor twee grote koperen ketels die voor de helft gevuld waren met fruit. Elk van de ketels rustte op een bedje van gloeiende kolen op een driepoot. De sultana liep, duidelijk genietend van haar rol als leidster van de ceremonie, tussen deze pannen heen en weer om te roeren, te snuiven en te proeven. Ze wees de prinses een kruk aan en begon zonder haar zelfs maar te begroeten met de les.

'De sorbets die je op straat koopt worden gemaakt van pitten en schillen en het goedkoopste fruit dat je op de markt kunt vinden,' begon ze tussen het geproef en gesnuif door. 'Míjn sorbet begint met een enkele vrucht – de *rezachai*-druif – en deze' – doelend op het fruit dat opgetast lag in de ketels – 'zijn de beste van de oogst. Ze werden gisteren geoogst en vanochtend vroeg bezorgd. Ze hebben vanaf het aanbreken van de dag staan pruttelen – koken is uit den boze – en als je dichtbij komt kun je de geur ruiken. Let op.' Ze wiegelde met haar vinger naar het meisje. 'De druiven worden in hun geheel in de pan gedaan, nooit geplet, en langzaam verhit op een bedje van gloeiende kolen. Op die manier staat het fruit op natuurlijke wijze de rijkdom van zijn smaak af. Geduld is het geheim van smaak.'

Ze zweeg even om dit optimaal te laten doordringen en vervolgde toen: 'Het tweede geheim is een zachte hand. Het fruit dus nooit pletten of kneuzen, alleen maar zachtjes roeren, zo.' Ze pakte een grote lepel uit een rek naast de ketel en begon langzaam ronddraaiende bewegingen te maken in de pan. 'Als je een gevoel van vrede en welzijn in je sorbet wil overbrengen, gebruik dan nooit geweld tegenover het fruit.'

415

Tot haar verbazing merkte Saïda dat ze bijna geloofde wat, naar ze wist, onzin was. Waarschijnlijk omdat Hürrem zo duidelijk zelf van elk woord dat ze sprak overtuigd was.

'Proeftest!' Hürrem doopte haar vinger in de lepel en genoot met overduidelijke tevredenheid van de vloeistof. 'Uitstekend! We zijn klaar voor het eerste additief. Je weet het misschien niet, maar de straatverkopers gooien alle specerijen in hun sorbets die goedkoop en in overvloed voorhanden zijn – lindebloesem, kamille, kaneel, kruidnagelen,' ze trok haar neus minachtend op, 'de gewone rommel. Mijn sorbets worden zo verfijnd doordat ik uitsluitend verse rozenblaadjes gebruik.'

Ze gebaarde naar een van de dienaren om haar een kristallen flacon te brengen en leegde nonchalant de ene helft van de inhoud in de eerste pan en de andere in de tweede: een hoeveelheid rozenblaadjes die een flinke handvol goudstukken waard waren. Naarmate de blaadjes langzaam oplosten in de vloeistof vulde het rozenaroma de hele keuken.

En zo ging het verder: een pot honing hier, wat gezoete azijn daar, tot het moment aanbrak dat de sultana haar meest kostbare geheim ging delen. Ze knipte met haar vingers en twee van de koks kwamen met een grote tank aanzetten met daarin iets wat op een waterlelie leek. Hürrem stak haar hand in de tank en haalde er een hoefijzervormige plant uit met enorme gele bloemen die een geur van bijna-verrotting uitwasemden. Deze diep opsnuivend verkondigde ze: 'Dit is een neutraliseringsplant. De hele week heb ik mannen er in moerassen naar laten zoeken.' Ze hield de verderfelijke plant onder Saïda's neus. 'Dit, meisje, is het geheime ingrediënt.'

Ze gooide een enkele neutraliseringsplant in elke pan. Toen draaide ze, met wat bij ieder ander opgevat zou kunnen worden als een steels gebaar, de prinses haar rug toe en tastte in een zak die aan haar middel hing naar een rood satijnen buidel met vergulde tabletjes. Ze gooide er een handvol van in elke ketel – dit was een ingrediënt dat ze niet nader hoefde te benoemen. Iedereen in het paleis wist dat de opvallende rode buidel afkomstig was van een zeker stalletje in de bazaar gespecialiseerd in het importeren en raffineren van een mengsel van witte papavers en hasjiesj, die beide zo rijkelijk voorhanden waren in het aangrenzende Mesopotamië. Allesbehalve zo'n exotisch ingrediënt als een onvoorspelbare, gele waterlelie, dacht Saïda, maar ongetwijfeld veel bevredigender voor de consument. Ze weerstond de verleiding en ontzegde zichzelf het genoegen om vrouwe Hürrem te vragen welke van de twee ingrediënten het eigenlijke geheim was: de gele lelie of de witte papaver. Alhoewel de sultana vaak lachte, had men haar nooit op een lach ten koste van haarzelf kunnen betrappen.

Het langzame roeren werd onverdroten vervolgd maar Saïda moest onwillekeurig haar innerlijke rusteloosheid aan haar sorbetlerares hebben getoond want zelfs die dame, die over het algemeen niet geneigd was de stemmingen van anderen, op die van haarzelf en haar sultan na, op te merken, onderbrak haar geroer en legde vriendelijk een arm om de schouders van het meisje.

'De volgende keer mag jij roeren en zal ik blijven zitten,' kondigde ze aan en ze voegde er vervolgens aan toe: 'en nu, terwijl de siroop afkoelt laten we de magische leliebol in de vruchten weken. Ook dat proces mag niet overhaast worden. Laten we even wat drinken om onszelf te verkwikken.' Met die woorden ging ze haar voor naar haar laatste innovatie, haar eigen salon.

Het idee dat men bepaalde vertrekken voor bepaalde, vaste doelen kon gebruiken was in dit land ongekend. Zelfs in het koninklijke paleis werden alle vertrekken voor alle doeleinden benut. Tijdens de maaltijden aten de aanzittenden aan schragentafeltjes, terwijl ze in kleermakerszit op een stapel kussens gezeten waren. Was de maaltijd voorbij dan werden de tafeltjes ingeklapt voor de volgende keer. 's Avonds legde men dan in dezelfde ruimte overal beddengoed neer, dat als het niet gebruikt werd eveneens werd opgevouwen en opgeslagen. De Ottomanen bleven erg gehecht aan hun nomadengebruiken.

Maar vrouwe Hürrem had niet veel op met de Ottomaanse voorgeschiedenis. Sommigen zeiden dat het haar plezier verschafte met opzet de traditie te negeren. Onlangs had ze een vertrek in haar nieuwe suite voor zitten, naaien en babbelen bestemd. Maar niet voor eten of slapen. Om dat duidelijk te maken had ze de kamer gemeubileerd met grote, lijvige, met zijde overtrokken sofa's die niet ingeklapt en weggestopt dienden te worden. Saïda moest wel bewondering hebben voor een dergelijke stoutmoedige daad. Ze wist, omdat ze gedrild was in de traditionele strategieën van de zwakken – geheimhouding, bedrog en listigheid – dat een vrouw moed nodig had om openlijk zelfs maar de meest triviale stamgewoonten te trotseren.

Toen ze de nieuwe salon binnengingen, gebaarde Hürrem dat de prinses op een van de zijden sofa's plaats moest nemen en zeeg zelf op een andere neer.

Terwijl ze in de kussens wegzonk, knipte ze met haar vingers en snauwde een bevel: 'Oogkompressen, snel, ik heb oogkompressen nodig. Mijn ogen branden als vuur.'

Razendsnel arriveerde er een slaaf met een bord komkommerplakjes die ze op de gesloten ogen van de sultana legde.

'We willen alleen zijn,' verkondigde de vrouwe.

'Maar uwe hoogheid...'

'Wat?'

'Er is een brief bezorgd.'

'Gooi hem op de stapel bij de rest van mijn post,' beval de sultana. Toen, op abrupt andere toon, zei ze tegen Saïda: 'Ik ben niet vergeten, mijn lieve dochter, wat je me geleerd hebt: als regentes moet ik mijn post beantwoorden op de dag dat deze bezorgd wordt. Op sommige dagen is de stapel echter zo hoog dat ik het betreur dat ik ooit heb leren lezen. Ik vrees dat ik altijd jouw hulp met mijn correspondentie nodig zal hebben.'

De slaaf kuchte om de aandacht te trekken.

'Waarom ben je hier nog?' wilde Hürrem weten.

'De brief is afkomstig van het Hoofdkwartier van de sultan te velde,' reageerde de slaaf.

Bij deze woorden ging de vrouwe meteen rechtop zitten en stak haar hand uit naar de opgerolde depêche. Maar toen ze het zegel achterop onderzoekend bekeek, verdween de verwachtingsvolle blik uit haar ogen.

'Hij is maar van de grootvizier. Hij probeert altijd bij me in het gevlei te komen, de hielenlikker. Gooi hem op de stapel.' Het was even stil. 'Of geef hem maar liever aan de prinses. Ze zal hem me voorlezen terwijl ik mijn ogen met komkommersap kalmeer.'

Ze ging door met praten terwijl ze zich dieper in haar kussens nestelde. 'Wat heeft die verachtelijke Griek te melden? De man kent een onverzadigbare honger naar roem. Heel die vertraging in Azië komt door hem. Hij hoopt op persoonlijke roem door achter de ketterse sjah aan Perzië in te gaan. Maar als hij er niet geweest was, was mijn sultan na het onderwerpen van Bagdad weer bij me teruggekeerd. Toe dan. Lees hem voor.'

Saïda las: 'Geachte sultana...'

'Wat harder, meisje. Je praat zo zachtjes dat ik je nauwelijks kan verstaan.'

Saïda schraapte haar keel en begon opnieuw, nu met daverende stem.

Geachte sultana,

Voor geen goud ter wereld wil ik uw kalmte verstoren met verontrustend nieuws, maar ik ben er zeker van dat, ook al hebben we zo onze kleine verschillen, er waar het de belangens en veiligheid van onze geliefde sultan betreft geen onenigheid tussen ons bestaat. Geloof me, ik zou uw gevoelens graag sparen als ik kon.

'Onbeschaamde vlerk,' mompelde de sultana.

Het is echter van het grootste belang dat u op de hoogte bent van de nare intrige zoals die zich in de loop van de veldtocht naar Bagdad heeft ontwikkeld, van het verraad en bedrog dat tot een rampzalige ontknoping zou kunnen leiden wanneer onze geliefde sultan de hoofdstad bereikt.

Bij deze woorden fronste de sultana de wenkbrauwen en boog zich voorover. Langzamer nu vervolgde Saïda:

Weest gewaarschuwd. Het leven van de sultan staat op het spel. Een vals serpent heeft met een reeks geveinsde loyaliteitsbetuigingen het vertrouwen van de koning weten te winnen. Bij het laatste plannetje zag de schurk kans om gedurende mijn afwezigheid een zogenaamde aanval door een wild zwijn in scène te zetten, waarbij hij tussen het beest en de padisjah in schijnt te zijn gaan staan om zo het leven van de sultan te redden. Hij heeft zelfs getuigen geworven, omgekocht hoogstwaarschijnlijk, om getuigenis af te leggen van deze tussenkomst.

Dit is niet alleen een verzinsel, het is bovendien een smet op de eer van de padisjah. Er doen al verhalen in ons kamp de ronde over diens zwakte en de heldhaftigheid van de schurk. Het is slechts een kwestie van tijd voor deze de oren van de kooplui in de bazaars bereiken, daarbij ongetwijfeld op weg geholpen door de volgelingen van deze schurk. Ambitieuze mannen die bereid zijn om twijfelachtige verbintenissen aan te gaan, teneinde hun eigen belangen te begunstigen, zijn er altijd.

De sultana, het volledig met hem eens, schudde haar hoofd. Saïda las verder:

Omdat ik de plannen vreesde die deze ondankbare aan het broeden was om de eer van de sultan verder te bedreigen – en misschien zelfs zijn troon (Allah weet wat voor slechts er in de harten van dit soort mannen schuilt) –, heb ik een aanstelling voor hem geregeld in de Zware Wapencompagnie, die zo is mij verteld, gisteren in de hoofdstad is aangekomen.

Saïda begon kleine angstscheuten te voelen maar ze slaagde erin om door te gaan met lezen.

Tot dusver ben ik in staat geweest deze schurk weg te houden van het hof, waar hij onze geliefde meester in gevaar zou kunnen brengen, die op onze terugtocht veilig door mij beschermd is. Maar op het moment dat ik dit schrijf bevindt het schoelje zich in de stad en vandaag, bij een inspectie van zijn kistje met toiletbenodigdheden, waar ik opdracht toe had gegeven, werd ontdekt dat hij daarin een medicijnflesje bewaarde met paars gif, waar 'Remedie voor de sultan' op stond. Er kan geen twijfel over bestaan voor wie deze dodelijke tinctuur bestemd is.

Nog slechts twee dagen en de sultan zal in triomf zijn hoofdstad binnenrijden, en dus resten er nog slechts 48 uur om het rijk te bevrijden van dit weerzinwekkende schepsel dat niet alleen diegenen van ons bedreigt die gezworen hebben onze sultan te verdedigen, maar ook de sultan zelf. En geloof me, hij is slim genoeg om aanzienlijke schade aan te richten. Speurt u deze schurk op, dat bid ik u. De sultan heeft u de macht gegeven om in zijn naam te handelen. U staan de middelen ter beschikking om de schurk te vinden en te gronde te richten. Het is joods uitschot, en zijn naam is Danilo del Medigo.

Met een klap viel prinses Saïda's schrijftablet op de vloer.

'Lees door,' beval de sultana. Maar het meisje zat daar maar met open mond. 'Ben je ziek? Zeg eens wat!'

Toen de prinses haar stem terug had, klonk die zwak en onvast. 'Er is sprake van een vergissing,' fluisterde ze.

'Harder, prinses. Ik kan je niet horen.'

'Ik zei dat dit een vergissing was. Dit is onmogelijk.'

'O nee, lieve meid, het is maar al te goed mogelijk.'

Het meisje haalde diep adem om zichzelf onder controle te krijgen. 'Danilo del Medigo zou nooit iets dergelijks doen.'

'Ken jij deze schoft?'

'Hij is geen schoft. We zaten bij elkaar in de klas. Ik was zijn privéleraar op de prinsenschool.'

'De wereld is geen klaslokaal, meisje.' De sultana deed geen moeite haar minachting te verbergen. 'Kennelijk is deze schooljongen opgegroeid tot een verrader. Het is tenslotte een jood.'

'Maar u heeft slechts het woord van de grootvizier voor dit verhaal, mevrouw.' Het meisje deed haar uiterste best haar kalmte te bewaren. 'En u heeft hem zelf een intrigant genoemd en een leugenaar.'

'Leugenaars en intriganten zijn de beste spionnen. Ze hebben een neus voor verraad,' antwoordde de sultana. 'Vergeet niet dat je vader elke dag van zijn leven in gevaar verkeert. Waarom moet anders elke hap die hij neemt eerst geproefd worden voor hij hem aanraakt? Omdat er zich gifmengers schuilhouden in de keukens. Waarom slaapt hij met een bewaker op elke hoek van zijn bed? Omdat er overal moordenaars zijn. Op verzoek van je grootmoeder ben jij voor dit soort angstaanjagende zaken altijd afgeschermd. Maar het is nu tijd dat je erachter komt.'

Dankzij een uiterste krachtsinspanning slaagde Saïda erin de vlagen van misselijkheid die haar overspoelden te onderdrukken. 'Wat ik weet is dat Danilo del Medigo niet in staat is de misdaden te plegen waar de grootvizier hem van beschuldigt,' stelde ze met alle gezag dat ze op kon brengen.

'En waar baseer je dat op? Op een jeugdherinnering.'

'Hij heeft wel mijn vaders leven gered in het Zagros-gebergte,' flapte ze eruit.

'Hoe weet jij dat?'

Te laat besefte Saïda dat ze zichzelf klem had gezet. Haar eigen lichaam verraadde haar door een dieprode blos. Ze boog haar hoofd en probeerde na te denken. Maar Hürrem was een ervaren jager. Had ze eenmaal het spoor geroken, dan liet ze niet meer los.

'Als je deze verrader niet meer sinds jullie kindertijd hebt gezien, hoe weet je dan wat er in Perzië gebeurd is? En hoe kun je er zo zeker van zijn dat hij in al die jaren niet veranderd is?' Ze aarzelde toen er een nieuwe gedachte bij haar opkwam. 'Tenzij je hem wel gezien hebt en hij jou. Dom meisje. Slecht meisje. Waar? Wanneer heeft deze ontmoeting plaatsgevonden?'

'In Bayram. We hebben elkaar een paar keer gezien.'

Zelfs Hürrem was met stomheid geslagen door wat het meisje toegaf. Dat dit gedweeë muisje jarenlang een man in het geheim had ontmoet was ondenkbaar. Waar was de valide al die tijd? Hürrems geest, die geen enkele moeite had met de meest ondenkbare geruchten over dubbelhartigheid en bedrog, kon de absolute gedurfdheid van wat ze nu te horen kreeg nauwelijks bevatten. Maar met enige krachtsinspanning lukte het haar toch en begon ze de implicaties van Saïda's bekentenis te overwegen.

'Heeft hij je zonder sluier gezien?'

Het zwijgen van het meisje stond gelijk aan een erkenning.

'Hij heeft je zonder sluier gezien. Jij, de dochter van de sultan, die beweert dat je je vader meer liefhebt dan je eigen leven.'

'Ik hou echt van hem,' protesteerde het meisje.

'Deze joodse page heeft de eer van de sultan bezoedeld, een smet die slechts weggenomen kan worden door de dood,' oordeelde de sultana.

'Maar wat als de grootvizier liegt? Wat als dit verslag een listige manoeuvre is van Ibrahim Pasha? Wat als Danilo del Medigo onschuldig is?'

'Dan hebben we gewoon een onbetekenende jood uit de weg geruimd,' snauwde de sultana. 'Maar als dit verhaal klopt hebben we het rijk gered. Hij moet sterven, zonder meer. En hij moet sterven voor hij nog meer acties tegen de sultan kan ondernemen.'

Hürrem kwam overeind en liep op de open deur af. 'Gelukkig heeft de padisjah me de middelen verschaft om mijn plicht te doen.' Ze duwde het deurgordijn opzij en schreeuwde door de gang: 'Haal mijn Mannen in het Zwart!' Toen, terwijl ze zich weer naar de prinses omdraaide: 'Voor jou heb ik slechts één vraag, prinsesje. Denk goed na over je antwoord. Je leven zou wel eens op het spel kunnen staan.' Ze zweeg even om wat ze gezegd had te laten bezinken en vroeg toen: 'Ben je nog maagd?'

'Ja, mevrouw.' Omdat ze iets van ongeloof waarnam op het gezicht van de vrouw voegde Saïda eraan toe: 'Dat zweer ik op het graf van mijn grootmoeder.' Over de oprechtheid van haar eed kon geen misverstand bestaan.

'Dan zal je leven gespaard worden. Maar verdwijn nu uit mijn ogen voor ik mijn barmhartigheid betreur.'

Terwijl de bibberende prinses achteruit de kamer uit deinsde, hoorde ze een echo van een kwade stem die schreeuwde: 'Waar zijn die mannen? Ik heb ze nu nodig!'

Eenmaal buiten gehoorsafstand riep Saïda naar de dienaar die op haar stond te wachten. 'Narcissus, kom snel!'

Tien minuten later was ze, smekend, terug bij de deuropening van de sultana.

Maar de sultana liet zich niet gemakkelijk sussen. 'Wat brengt jou hier?' blafte ze. 'Heb ik je niet naar huis gestuurd? Ben je nu behalve ontrouw ook nog ongehoorzaam?'

'Ik kon niet vertrekken zonder u mijn spijt te betuigen... mijn schande, mijn dwaasheid.' Het meisje kroop door het stof. 'Hoe kon ik zo blind zijn dat ik niet zag dat deze jood me slechts gebruikte om bij mijn vader te kunnen komen? Om staatsgeheimen te stelen misschien wel, en deze aan de Venetianen te verkopen. Of denkt u dat hij samenspande met de Perzen?'

'Die hebben overal spionnen,' liet de sultana haar weten op een toon die wat minder ijzig klonk als eerst.

Daardoor aangemoedigd hief de prinses haar hoofd op om haar met tranen bevlekte gezicht te laten zien. 'Ik schaam me zo. Vertelt u het alstublieft niet aan mijn vader. Ik smeek het u.'

Na ampel beraad antwoordde de sultana: 'Ik zal dit voor hem verborgen houden. Niet omwille van jou, maar voor zijn bestwil. Als hij over dit verraad hoort, breekt het zijn hart. Hij zal nooit iets vernemen over deze schande. Van niemand. Elke nacht spoelen er lijken aan op de oevers van de Bosporus. Wat doet eentje meer of minder ertoe? Nu is het tijd dat je vertrekt.'

'Nog niet, alstublieft.' De prinses greep de gebalde vuist van de vrouw beet. 'Ik weet dat ik het recht niet heb het te vragen. U heeft me er al voor behoed een zware vergissing te begaan. Maar ik heb uw troost nodig. Zonder mijn grootmoeder om over me te waken voel ik me zo verward.'

Terwijl het meisje een hand hief om een traan van haar wang weg te vegen, zag ze de strakke, opeengeknepen lippen van de sultana wat zachter worden.

'Mijn grootmoeder zei altijd dat als ik problemen zou hebben u me zou helpen,' vervolgde ze. 'Wat kan ik doen om het goed te maken?' Nu knielde ze, de volmaakte boetelinge. 'Ik trouw met alle liefde morgen met de generaal.'

'Te laat. Gedane zaken nemen geen keer. Je vader heeft de huwelijks-plannen al afgezegd. Hij zou niet blij zijn met nieuwe wijzigingen.' Op-nieuw waren de lippen van de vrouw vertrokken tot een dunne, harde streep.

'Misschien kunnen wij beiden hem op de dag van zijn aankomst een bezoek brengen.' Het meisje sprak zachtjes, bedeesd. Ze keek op en ving een glimp van interesse op in de kraalachtige, zwarte ogen. 'U vertrouwt hij. Hij heeft alle geloof in uw wijsheid. Als u namens mij het woord zou willen voeren, dan zou hij niet boos zijn.' Ze boog het hoofd en voegde er bijna onhoorbaar aan toe: 'Ik vrees mijn vaders woede.'

Deze keer leken haar tranen en smeekbeden het hart van de sultana te bereiken. Met een koninklijk gebaar legde ze haar hand als een zege-ning op het voorhoofd van het meisje.

'Je nederigheid en bescheidenheid hebben me geraakt. Ik zal je hel-pen. Wij zullen samen de sultan een bezoek brengen. Maak je geen zor-gen, mijn kind, je vader zal niet boos zijn en die joodse schurk zal je nooit meer lastigvallen. Daar zullen mijn mannen wel voor zorgen. Ze falen nooit.'

Toen ze haar armen uitstak om het object van haar zegening te om-armen, zag ze niet dat het meisje asgrauw was geworden en beefde.

'Ga nu maar en droom van het heerlijke leventje dat je wacht.'

Maar het meisje bewoog niet. De oudere vrouw stak haar gracieus haar hand toe om haar overeind te helpen en draaide het meisje heel zachtjes in de richting van de deur. 'Vooruit nu maar.'

De prinses liep bijna als een slaapwandelaar op de deuropening toe, draaide zich ineens om en viel toen opnieuw op haar knieën. 'Ik smeek u, mevrouw. Stuur me niet weg. Laat me in elk geval samen met u thee drinken voor ik ga. Gewoon een kopje, zoals ik altijd met mijn groot-moeder deed. Ze zei altijd dat ik de beste thee ter wereld zette. Ik mis haar zo erg.'

Seconden gingen in volmaakte stilte voorbij. Toen voelde het meisje een klopje van een hand tegen haar wang. 'Jij, arm kind. Natuurlijk drink ik thee met je.'

'Heeft u mij dan vergeven?' Saïda's ogen sperden zich wijd open van oprechte verbazing.

'Ja.'

'En mag ik de nacht dicht bij u doorbrengen? Ik heb nu meer dan ooit een moeder nodig.'

'Dat is goed.' De sultana gaf met een knikje blijk van haar goedkeuring.

'Niemand is gulhartiger dan u, mevrouw. Ik zal mijn slaaf meteen op pad sturen om mijn hofhouding te laten weten dat ik vanavond niet thuiskom en daarna zal ik met uw toestemming onze thee zetten.'

'Je hebt mijn toestemming. Voor we gaan slapen drinken we een kopje samen, in een sfeer van liefde en vergevensgezindheid.'

Saïda wierp zichzelf in de armen van de sultana voor een laatste omhelzing en haastte zich toen weg om Narcissus zijn orders voor de nacht te geven, en om een pot van de favoriete thee van haar grootmoeder te zetten – extra sterk.

59 Rendez-vous

Toen hij het oefenveld af liep om water te gaan drinken, stond Danilo zichzelf een zeldzaam moment van zelfgenoegzaamheid toe. Vier volmaakte stoten van de vijf. Het was goed te weten dat hij zijn bedrevenheid met de gerit nog niet was kwijtgeraakt, en ook goed om weer deel te kunnen nemen aan de dagelijkse routine op het oefenveld. Hij zat te denken dat hij na de laatste stootoefeningen, wanneer de andere pages zich verspreid hadden over de bordelen van de Galata-havens, naar zijn hokje in de pageschool terug zou keren om zijn aanstaande audiëntie bij de padisjah voor te bereiden.

Als hij dan vanavond zijn prinses ontmoette, zou hij de kans hebben zijn woorden op haar uit te proberen. Wie kon hij beter raadplegen wanneer het ging om de juiste woorden om zich tot een sultan te richten? Ze was tenslotte ooit zijn privétaallerares geweest.

Zijn gedachten werden onderbroken toen hij het bolle gezicht van haar slaaf, Narcissus, achter het enorme watervat aan de rand van het veld op en neer zag dansen. Met een nauwelijks waarneembaar knikje wenkte de eunuch hem naar het in schaduwen gehulde bosje achter hem, waar hij als altijd zou wachten om de details wat betreft tijd en plaats voor het rendez-vous van die avond over te brengen. Zouden ze opnieuw getrakteerd worden op een vaartochtje in de koninklijke kaïk met zijn schitterend vergulde beslag? Niet voor het eerst vroeg Danilo zich af hoe Narcissus erin slaagde deze elegante verrassingen te regelen.

De eunuch had zich in al die jaren van hun clandestiene ontmoetingen discreet op een afstand gehouden. Maar vandaag greep hij de arm van de page van achter beet en duwde hem met brute kracht naar de poort die het speelveld scheidde van het Pad der Eunuchen. Danilo voelde de kracht van het grote lichaam van de slaaf toen hij hem voortdreef naar het einde van het veld en de poort door.

'Waarom duw je me zo? Waar gaan we heen?' informeerde hij enigszins scherp.

Geen antwoord. In plaats daarvan werd hij over het Pad der Eunuchen en door een kleine opening in een dichte heg gesleurd die naar een tuin in de Tweede Hof leidde, waar hem zakelijk opgedragen werd: 'Buig je hoofd. We mogen niet gezien worden.'

'Waarom niet?' Opnieuw geen antwoord. 'Waar neem je me mee naartoe?'

Deze keer kreeg hij een kort antwoord. 'Naar een plek waar je veilig zult zijn.' De slaaf nam even de tijd om van links naar rechts te kijken en knikte toen tevreden. 'Tot dusver zijn we niet gevolgd.'

De tuin die ze in gingen was zo sereen, het gezang der vogels zo lieflijk en de geur van de oleanderbloesems zo kalmerend – zo totaal anders dan de hectische manier van doen van zijn gids –, dat dit gewoon weer een van prinses Saïda's grappen moest zijn. Waarom niet meespelen, vroeg hij zich af, in elk geval tot hij de plek bereikt had waar hij naartoe werd geleid, en die zich in de richting van de stallen leek te bevinden. En dus haastte hij zich zwijgend achter zijn gids de enorme, met houtsnijwerk versierde staldeuren door en gehoorzaamde diens gefluisterde opdracht op zijn knieën te gaan zitten en langs de vertrekken van de meester van het paard naar een lange rij stallen te kruipen. De meeste daarvan waren leeg en wachtten op de ophanden zijnde terugkeer van de strijdrossen van de sultan uit Bagdad. Toen, halverwege de gang, keerde de eunuch zich om en greep hem zo abrupt bij de schouders beet dat hij struikelde en plat op zijn rug op de met stro bedekte stalvloer terechtkwam. Daar staarde hij omhoog, recht naar het fraai gevormde, bekende lid en de ballen van zijn paard, Bucephalus.

Nu zei de eunuch, snel en op fluistertoon: 'Je leven is in gevaar. Door de hele stad zijn mannen naar je op zoek met de opdracht je te doden.'

'Is dit een grap of zo?'

De slaaf viel hem in de rede. 'Hou je mond. Er is heel weinig tijd. Ik moet nu de betaling in orde gaan maken om je in veiligheid te kunnen brengen. Maar mijn instructies luiden dat ik je niet alleen mag laten tot je gezworen hebt – op het leven van je vader – dat je deze plek niet zult verlaten tot hetzij ik, hetzij de prinses je komen halen.'

Danilo vroeg oprecht verbijsterd: 'Waar zou ik heen gaan?'

Narcissus achtte de vraag geen antwoord waardig: 'Het is mogelijk dat er al mannen in je slaapzaal gestationeerd zijn en de ronde doen in het Huis van de Dokter. Maar hier ben je veilig. De bewakers van de sultana zijn sukkels. Ze kunnen zich niet voorstellen dat je je misschien wel vlak onder hun neus schuilhoudt in de stal. En als iemand per ongeluk toch hier naar je op zoek gaat, kun je je in het stro verstoppen. Ik moet weg. Zweer je het?'

Wat had hij te verliezen? 'Ik zweer het,' antwoordde Danilo.

'Op het leven van je vader?'

'Op het leven van mijn vader. Maar ik heb een vraag. Waar is de prinses?'

'Ze is thee aan het drinken met de sultana,' antwoordde de slaaf met een stuurse blik en voegde er toen aan toe met iets wat vaag aan een glimlach deed denken: 'De sultana is erg dol geworden op de speciale thee van de prinses. De prinses heeft in geval van nood altijd een voorraadje van de kalmeringsthee van de dokter bij de hand.'

Voor het eerst vroeg Danilo zich af of het bizarre gedrag van de slaaf misschien toch meer was dan een grap.

'Wat denk jij ervan, Bucephalus?' informeerde hij bij het paard, nadat Narcissus vertrokken was. 'Is dit een van Saïda's grappen of zijn er inderdaad mannen op weg om mij te doden?'

Het knikje dat het paard ten antwoord gaf, was voldoende voor Danilo en hij nestelde zich in het stro naast zijn trouwe ros om de komst van zijn prinses af te wachten.

Niet al te lang daarna haastte ze zich buiten adem de stal in. Ze zag er verfomfaaid uit.

'Goddank dat je hier bent.' Ze stak haar hand uit om hem aan te raken alsof ze zichzelf wilde geruststellen. 'Ik was bang dat je misschien weggevoerd was en ik je nooit meer zou zien.'

'Bedoel je dat Narcissus' verhaal over mannen die eropuit zijn om me te doden klopt?'

'Natuurlijk klopt dat. Waarom zou hij liegen?'

'Ik dacht dat het een van je grappen was.'

'Was dat maar zo. Hürrems Mannen in het Zwart zijn al naar je aan het zoeken. Ik zag ze rond je vaders huis patrouilleren.'

'Maar waarom dan?'

'Er arriveerde een brief van de grootvizier waarin je als verrader aan de kaak werd gesteld. De sultana heeft haar mannen opdracht gegeven je te doden.'

'Dat is onmogelijk. Dat zal de sultan nooit toestaan. Ik sta zeer bij hem in de gunst.'

'Te laat. Deze mannen zullen je vinden en doden en ze zullen je begraven voor de sultan aankomt. Morgen tegen deze tijd zul je dood zijn.'

'Wil je beweren dat zij daartoe de macht heeft?'

'Ze is de regentes. Ze regeert bij zijn afwezigheid. Ze meent dat jij een bedreiging bent voor mijn vader en heeft je ter dood veroordeeld,' legde de prinses uit.

'Maar ze vertrouwt de grootvizier niet. Ze weet dat hij een leugenaar is. Hoe kan ze dan geloven wat hij zegt?'

'Ze zei tegen me dat als het om verraad gaat, het niet uitmaakt waar je je inlichtingen vandaan haalt.'

'Ik kan dit niet geloven.'

'Dat kun je maar beter wel doen. Tegen de tijd dat de sultan jou een audiëntie verleent, zul je verdwenen zijn en zal het gerucht de ronde doen dat je in de bordelen van Galata in de problemen bent gekomen.'

'Weet je dat zeker?'

'Hoe kan ik je overtuigen?' Ze stak haar hand in haar zak en haalde een satijnen zak tevoorschijn die onder haar rok verstopt zat. Ze gooide de inhoud in haar schoot. 'Dit zijn de beroemde parels van mijn grootmoeder. Ze zijn precies even groot, dus als je ze als halssnoer verkoopt krijg je er meer voor. Maar je kunt ze zo nodig afzonderlijk verkopen.'

'Ik kan je grootmoeders parels niet aannemen.'

'Dat moet je.' Ze klonk dringend. 'Een gezocht man heeft geld nodig om te ontsnappen, geld voor eten, geld voor steekpenningen, geld om zich ergens te vestigen. Je bent de liefde van mijn leven. Deze parels zullen je redden. Bovendien...' ze zweeg even, beet op haar lip en wendde haar blik af, 'er is iets wat ik in ruil daarvoor van jou wil hebben.'

'Wat dan ook.'

'Luister goed.' Ze boog zich voorover en hield hem stevig met haar blik gevangen. 'Ik wil dat je vanavond de liefde met me bedrijft. Ik wil dat jij degene bent die me ontmaagdt.' Toen voegde ze er bijna fluisterend aan toe: 'Ik kan niet verdragen dat een vreemde me laat bloeden.'

Elke spier, elk bot, elke pees in zijn lichaam spoorde hem aan haar in zijn armen te nemen. Maar hij keerde zich van haar af.

'Tenzij ik je niet beval.' Ze trok bescheiden haar mantel dichter om zich heen. 'Misschien is mijn lichaam niet zacht genoeg.'

Hier kon hij moeiteloos en direct antwoord op geven. 'Je lichaam is volmaakt.'

'Dan waarom verspillen we tijd met praten?'

'Ik denk aan je eer,' legde hij uit.

'Mijn eer?' Ze haalde diep adem en rechtte trots haar rug. 'De liefde van mijn leven mijn maagdenvlies schenken is eervol genoeg voor mij.'

Dit was een aspect van haar eer waar hij nooit aan had gedacht.

'Maar ik kan niet verdragen dat jij in een zak zult verdrinken voor een zonde die ik begaan heb.' Hij huiverde bij de gedachte alleen al.

'Ik begrijp het. Je bent bang dat als je me ontmaagdt mijn vader genoodzaakt zal zijn me te doden om de smet op mijn eer uit te wissen. Klopt dat?'

'Ik kan niet toestaan dat je gedood wordt – of zelfs maar gestraft – door mijn toedoen,' antwoordde hij.

'Je bent echt mijn ridder,' kirde ze terwijl ze haar vingers zachtjes over zijn wang liet glijden. 'Maar je vergeet steeds, paladijn van mij, dat ik een haremmeisje ben. Vergeet niet dat ik mijn jeugd in de hammam van mijn grootmoeder heb doorgebracht met luisteren naar het gebabbel van de concubines. Ik ken alle haremtrucjes.'

'Zoals?'

'Zoals hoe je een doorboord maagdenvlies, zo nodig met elke nieuwe maan, opnieuw kunt herstellen.'

'Heb je dat in de harem geleerd?'

'Het enige wat daarvoor nodig is, is een mengsel van geplette rezachai-druiven en gemalen muskuswortel,' rapporteerde ze achteloos alsof het om een recept voor pilav ging. 'Een paar kloddertjes is voldoende om de doorgang af te sluiten en de pasta verhardt binnen slechts tien minuten tot een volmaakte replica van het oorspronkelijke vlies. En dan: abracadabra! Een nieuwe maagd is geboren.'

'En hoe zit het met het bebloede laken?'

'Ah ja, het bebloede laken.'

Nu kon hij in haar met kohl aangezette ooghoeken weer sporen van zijn ondeugende speelmakkertje van vroeger zien.

'Daarvoor heb ik een kleine blaas met varkensbloed nodig om op de huwelijksnacht onder het kussen te verstoppen, en een speld om er op het juiste moment in te prikken. De volgende ochtend zal de bruidegom dan een bebloed laken omhooghouden als bewijs van zijn bekwaamheid en mijn maagdelijkheid.' Ze zweeg even bedachtzaam. 'Mannen willen maagden. Vrouwen leren de mannen te geven wat ze willen.' Ze stak haar armen uit zonder acht te slaan op de mantel die van haar lichaam gleed. 'Laten we dus een overeenkomst sluiten. Ik neem de verantwoordelijkheid voor mijn verloren maagdelijkheid op me en jij voor het bedrijven van de liefde. Afgesproken?'

Hij nam haar gezicht in zijn handen, zoals zij zo vaak met dat van hem had gedaan en hij antwoordde: 'Als de liefde roept kan de geliefde niet anders dan gehoorzamen.'

Waarop hij zich met zijn volle aandacht aan de taak wijdde die zijn privélerares van weleer hem had opgedragen.

Vergeleken met de niet-aflatende vastberadenheid waarmee zijn medepages hun pleziertjes najoegen bij hun schaarse bezoekjes aan de bordelen in de buurt van de kades van Galata, kon Danilo nauwelijks hun ervaring waar het de liefde betreft evenaren. Zijn seksuele ontmoetingen tot dusver waren gering in aantal. En hij was die eerder aangegaan om zijn mannelijkheid te bewijzen tegenover zijn kameraden op de pageschool, dan om zijn eigen verlangens te bevredigen.

Wat zijn partner betrof was prinses Saïda, ondanks alle wereldse informatie die ze op had gedaan in de vleespotten van de harem een maagd die elke praktische ervaring miste. Men kon wel stellen dat de geliefden hun avontuur aangingen als twee onwetenden die samen hun weg moesten zien te vinden in een vreemd en onbekend landschap. Maar wederzijdse hartstocht, een reeds lang bestaand vertrouwen en vooral een diepe en bestendige genegenheid wezen hun de weg.

Gelukkig bleek Danilo, die bewezen had vlot vreemde talen onder de knie te kunnen krijgen een even snelle leerling waar het liefde betrof. Elke keer dat hij ontdekte dat hij een beweging maakte, een woord uitte of een plek aanraakte die zijn partner plezierde, ging hij verder. Werd hij echter ook maar het geringste teken van onbehagen gewaar, dan hield hij meteen op. Kortom, toen hij haar in zijn armen nam en de liefde met haar begon te bedrijven was hij niet op zijn eigen genot, maar op dat van haar gericht.

Het was in deze geest dat hij elk kuiltje, elke ronding, elk botje van dat volmaakte lichaam van haar begon te onderzoeken. En hij werd beloond met een reeks hartstochtelijke kussen. Maar, geremd door zijn angst haar pijn te doen of haar te kwetsen, merkte hij dat hij de kracht niet kon opbrengen om door het vlies heen te breken dat haar maagdelijkheid beschermde. Toen was hij er zich plotseling van bewust dat haar handen zijn lichaam aanraakten. Ze pakten zijn stijve lid beet en leidden dat langzaam en behoedzaam door haar maagdelijke kanaal naar binnen.

Er was slechts één stoot nodig om de barrière te slechten. Waarop een scherpe kreet van haar volgde. Was die van pijn of genot? Of een mengeling van beide?

Natuurlijk was er bloed te zien. Gelukkig had hun voorafgaande gesprek Danilo daarop voorbereid, als ook op het warme vocht dat zich over zijn lichaam leek te verspreiden.

En stevig in elkaar verstrengeld dreven ze nu die warme zee van pure sensatie binnen waarin twee harten als één kloppen.

Toen ze ten slotte uitgeput in elkaars armen lagen werden er geen woorden tussen hen gewisseld. Dat was niet nodig. Hun lichamen deden het woord voor hen. Elke aanraking, elke zucht, elke zachte liefkozing sprak een intiemere taal dan woorden konden.

Toen verbrak Saïda de stilte. 'Voor ik ga...'

'Nog niet,' smeekte hij.

'Jawel, het is tijd. Maar gun me nog één ogenblik.'

'Natuurlijk.'

'Ik droom al lange tijd van onze laatste nacht samen,' begon ze op zachte toon. 'Vanavond, toen ik in het donker naar je op weg was, bad ik tot Allah dat Hij mijn droom uit zou laten komen. Ik zwoer dat als mijn ene wens vervuld werd ik de rest van mijn leven een gehoorzaam moslimmeisje en echtgenote zou zijn. Het enige wat ik daarvoor terugvroeg was één nacht van volmaakte liefde. Vanavond heb jij, met Allahs zegen, mijn droom doen uitkomen en me iets gegeven wat alleen de goden ons kunnen schenken.'

'Ik heb niets gedaan.'

Ze onderbrak hem liefjes. 'O, maar dat heb je wel degelijk. Wist je dat in tijden van weleer de stammen een team van deskundigen hadden die erin getraind waren hun dochters te ontmaagden? En de ontmaagders werden rijkelijk beloond voor die vaardigheid.'

'Je zit me weer te plagen.'

'Nee hoor, het is de waarheid. Mijn oude lala heeft me dat verteld.' Maar terwijl ze het verhaal vertelde, zag hij haar ogen ondeugend glinsteren. Wat een karakter! Haar moed verdiende meer dan lege geruststellingen.

'Ik ben geen man van veel woorden. Maar ik moet nu wel iets bekennen,' bood hij aan. 'Ik wil je iets vertellen wat ik nog nooit aan iemand verteld heb, zelfs mijn vader niet.'

'Ga door.'

'Bij mijn bar mitzwa zeiden de rabbi's tegen me dat volwassen worden een initiatieritueel was en dat ik nu toegelaten was tot de mannengemeenschap. Ik was dertien jaar. Ik begreep het niet. Mijn echte initiëring was vanavond toen ik jouw warme bloed op mijn huid voelde. En nu kan ik tegen jou zeggen wat jij al zo vaak tegen mij gezegd hebt. Je bent de liefde van mijn leven. Ongeacht hoeveel jaren we gescheiden van elkaar doorbrengen, en zelfs als we elkaar nooit meer zullen zien, ik ben voor altijd de jouwe en jij de mijne.'

Het was de langste toespraak die hij ooit had gehouden en hij liet de prinses voor één keer sprakeloos achter. Maar te gauw onderbrak de altijd trouwe, altijd waakzame Narcissus hun omhelzing.

'Je moet me laten gaan,' fluisterde ze terwijl ze zich voorzichtig losmaakte uit zijn armen. 'Als Hürrem vroeg wakker wordt en merkt dat ik er niet ben zijn we verloren.'

Als hij er alleen voor had gestaan had Danilo de slaaf weggewuifd en de gevolgen aanvaard. Maar hij was geen partij voor de koele geest die achter de bedroefde ogen schuilging.

'Heb je zijn papieren?' informeerde Saïda bij de eunuch.

'Alles is in orde, prinses. De San Domenico vaart na het eerste gebed uit en kapitein Loredano verwacht ons binnen nu en een uur,' antwoordde hij.

'Waar vaart hij heen?' vroeg Danilo.

'Naar Italië natuurlijk,' antwoordde de prinses. 'Om je bestemming waar te maken.'

Al probeerde hij het nog zozeer, Danilo kon zijn pijn bij het vooruitzicht van een dergelijk lot niet verhullen.

'Je moet je ermee troosten dat je mijn hartsverlangen hebt vervuld,' raadde ze hem aan. 'Maar vergeet niet...' Ze keek hem doordringend aan. '... dat ik degene ben die hierna veroordeeld is tot een liefdeloos leven. Voor jou is het niet hetzelfde. Jij zult andere liefdes kennen.'

Toen hij zijn mond opende om dat te ontkennen, legde ze haar vinger teder tegen zijn lippen. 'Ik ken je. Jij houdt van roem. Je houdt van je paard.' Door het stro heen klopte ze op de flank van het dier. 'De vraag is wie van ons je het meest zult missen, mij of Bucephalus.' Toen voegde ze eraan toe: 'En dus heb ik een manier gezocht om voor Bucephalus te kunnen zorgen als jij bent verdwenen.' Ze glimlachte liefjes. 'Als jij weg bent, zal ik zorgen dat mijn vader het paard aan mij geeft.' Voor maximaal effect deed ze er even het zwijgen toe. 'Als huwelijkscadeau.' Ze giechelde als een ondeugend kind. 'Op die manier kunnen Bucephalus en ik samen om je huilen. Ik zal hem elke dag wortels brengen in de stal van mijn echtgenoot en we zullen praten over hoezeer we je missen. Ik weet dat hij een grote troost voor me zal zijn.'

En toen keerde ze zich met een vluchtig glimlachje van hem af en was verdwenen. Maar voor hij kans zag haar te missen was ze alweer terug met een laatste waarschuwing. 'Je mag in geen geval de stallen verlaten of er zelfs maar over denken naar je vaders huis terug te keren – tot Narcissus terugkomt om je mee te smokkelen naar de Galata-haven. Daar wacht het Italiaanse galjoen op je.'

'Maar ik kan niet weg zonder mijn vader gedag te zeggen.' Wat dat betreft was hij vastbesloten zijn poot stijf te houden.

'Heb je dan niets gehoord van wat ik gezegd heb? Het Huis van de Dokter is omsingeld door mannen die de opdracht hebben je ter plekke neer te schieten.'

'Ik kan er niet als een dief in de nacht vandoor gaan.'

'Als je dit niet voor jezelf wilt doen, doe het dan voor je vader. Hij moet er niet van verdacht worden iets met je verdwijning te maken te hebben. Ik ken de dokter. Hij is een eerlijk man en een slecht leugenaar. Hij kan niet verbergen wat hij weet. Als jij hem zegt waar je heen gaat, zou hij ons verraden terwijl hij ons probeerde te beschermen. Zijn veiligheid is afhankelijk van zijn onwetendheid waar het ons plan betreft. Zijn hart zal gebroken zijn. Misschien gaat hij wel naar mijn vader voor hulp om jou te vinden. Als hij dat doet, zal dat de sultana en de grootvizier ervan overtuigen dat hij niets met jouw verdwijning te maken heeft gehad en hij zal veilig zijn voor hen. Doe voor zijn bestwil geen poging om terug te keren naar zijn huis om afscheid te nemen.'

'Maar...'

Ze onderbrak hem beslist. 'Misschien sterft de grootvizier in de nabije toekomst wel – dat verdient hij in elk geval wel. Maar nu moet je zorgen dat je uit zijn buurt blijft. In Italië ben je veilig voor hem en ons allen hier aan dit Byzantijnse hof.'

'Zelfs jij?'

'Zelfs ik. Vergeet niet, mijn liefste, dat ik de dochter van een koning ben. Ik ben vernoemd naar de kleindochter van de profeet. Ik heb verplichtingen die mijn verlangens te boven gaan.'

'Maar je hebt jezelf voor mij in levensgevaar gebracht.'

Ze staarde hem verliefd aan. 'Ik heb niets gedaan om mijn vader te verraden. Mijn geweten is zuiver. En ik heb mijn hartsverlangen be-vredigd. Beloof me nu dat je geen bezoek aan het Huis van de Dokter riskeert. Dat ik de rest van mijn leven met een afwezige geliefde moet doorbrengen is al erg genoeg, laat staan met een dode.'

Hij beloofde het. En ze was vertrokken.

60 Herinneringen

Danilo had prinses Saïda zijn woord gegeven dat hij de veiligheid van de stal niet zou verlaten. Maar er waren dingen in het huis van zijn vader die hij niet wilde, niet kon, achterlaten. Dus zodra hij zeker wist dat de prinses uit het zicht verdwenen was, sloop hij voorzichtig de stal uit de zwarte nacht in. Saïda was dan misschien een meisje, opgevoed met de zeden en gewoonten van de harem, voor hem als jongen gold hetzelfde wat betreft de geheime plekjes van het Topkapi-paleis – plekken als het druivenprieel in de tuin van het Huis van de Dokter. Die wetenschap kon een indringer voor ontdekking behoeden, mocht deze door een bepaald kelderraampje dat nooit op slot was naar binnen willen kruipen.

Zijn kennis trad opnieuw in werking toen hij zich stilletjes over het vertrouwde pad naar zijn vaders huis begaf, door het raam schoof, de keldertrap op sloop en vervolgens langs de met een gordijn afgeschermde deur van de dokter de studeerkamer van deze in glipte.

Daar besteeg hij het bibliotheektrapje naast de boekenkast en reikte zo lenig als een aap op de bovenste plank naar een geschilderd doek, dat achter de ingebonden *Brieven van Marcus Aurelius* stond. Het was het portret van zijn moeder, geschilderd door Andrea Mantegna. Ernaast bevond zich de vertrouwde goudgele boekenzak waarin het geheime boek van zijn moeder werd bewaard, dichtgebonden met een fluwelen lint.

De volgende plek waar hij halt hield was de dekenkast in zijn slaapkamer. Hier haalde hij de met juwelen bezette dolk uit die hij op de dag van de zwijnenjacht had ontvangen met de zegen van de sultan. Toen bukte hij zich om zijn gordel los te maken en zorgvuldig het doek om zijn lichaam te wikkelen. En nadat hij zich ervan verzekerd had dat het boek veilig in zijn gouden zak om zijn hals hing, ging hij op weg naar de keldertrap.

Toen hij de deur van de kamer van de dokter naderde, voelde hij sterk de aandrang om het erop te wagen en de vader te omhelzen die hij misschien nooit meer zou zien. Maar als Saïda gelijk had, en dat was vaak zo, dan zou hij hem in gevaar kunnen brengen.

Met een zucht schudde hij zijn hoofd en weerstond de neiging. Hij vervolgde zijn weg zonder problemen en uit het zicht van de patrouilles die het huis omsingelden. Hij keek niet om tot hij weer opgekruld in het stro lag van Bucephalus' stal waar Narcissus hem de volgende ochtend voor het aanbreken van de dag kwam halen.

'Psst! Word wakker! En trek je broek uit.'

'Maar...'

'Niks te maren.' De slaaf stak zijn hand uit om de slaperige page overeind te helpen. 'Je schip vertrekt bij zonsopkomst en Italiaanse kapiteins zijn nooit te laat.'

'Maar ik hoef niet...'

'O ja, zeker wel.' De eunuch stak zijn hand in het valies aan zijn arm en haalde er een hemelsblauwe broek uit. 'Trek deze aan.'

'Hij is blauw,' protesteerde Danilo.

'Wat verwachtte je dan? Paars? Dat dragen alleen Armeniërs. Hemelsblauw is de kleur voor joden. En denk erom: aan boord van de San Domenico ben je de joodse zoon van een joodse koopman die van Perzië terugreist naar Italië.'

De slaaf rommelde nogmaals in zijn tas en haalde er deze keer een stel hemelsblauwe slippers uit. 'De prinses heeft zich heel wat moeite getroost deze voor je te laten verven.'

Met tegenzin deed Danilo zijn kostbare gele slippers uit. 'Mag ik dan in elk geval mijn kaftan aanhouden? De sultan heeft me die gegeven toen ik voor hem reed in de hippodroom.'

De eunuch overwoog dit. 'Wat voor koopman draagt er nu een kaftan van brokaat afgezet met wit hermelijnbont.'

Jarenlang onder voortdurende bewaking leven had het vermogen van de page aangescherpt om snel antwoorden te bedenken. 'Een rijke joodse koopman,' antwoordde hij zonder aarzeling. 'Hij bracht de kaftan mee naar huis om er indruk mee te maken op de markt.' Toen voegde hij eraan toe: 'In Italië dossen rijke kooplui zich flink uit', waarbij hij probeerde te klinken alsof hij echt uit persoonlijke ervaring wist hoe rijke kooplui in Italië zich gedroegen. Toen voegde hij eraan toe, omdat hij geen verbetering opmerkte in de uitdrukking van twijfel op het gezicht van de eunuch: 'De Middellandse Zee is een erg koude zee. Ik denk niet dat je meesteres het op prijs zou stellen als ik koorts kreeg en daar zonder mantel omkwam.'

'Goed dan. Draag de kaftan. Deze is voor je hoofd,' zei hij en hij stak hem een vierkant zwart hoofddeksel toe met zijden franjes die van de hoeken afbungelden.

Danilo begreep de regels van het spel: soms win je, soms verlies je. Hij hield zijn hand dapper op, maar toen hij het ding op zijn hoofd zette, deed hij een tegeneis: 'Je snapt dat ik mijn gerit bij me moet hebben.'

'Dat moet je niet,' reageerde de slaaf met evenveel overtuiging. 'Joodse kooplui reizen niet met lansen.' Dit was kennelijk niet iets waarover onderhandeld kon worden. Maar toen, omdat de grote teleurstelling op het gezicht van de jongen een steen nog niet onberoerd zou laten, voegde de slaaf eraan toe: 'Je kunt in Italië een nieuw wapen kopen. Dat zul je je best kunnen veroorloven. Zet nu de hoed op.'

'Mag ik dan niet eens mijn tulband ophouden?'

'Dit is een joodse hoed. Zet hem op en hou je blonde Frankische krullen verborgen. De prinses wilde dat ik je haren met henna zou verven maar daar is geen tijd voor. Hou dus te allen tijde die joodse hoed op. Wat me eraan doet denken...' Opnieuw dook de eunuch in zijn grote tas. 'Zorg dat je dit spul niet in je ogen krijgt. Het prikt.'

Hij opende een kleine pot en Danilo begon te voelen hoe de dikke vingers een vettige substantie op zijn gezicht begonnen te kloppen. Tussen zijn halfgesloten oogleden door kon hij zien dat deze de kleur van modder had.

Toen, eindelijk zijn kleding in orde, het blonde haar netjes onder de hoed met franjes verstopt en de lichte gelaatskleur diepbruin gekleurd was kon Davide dei Rossi, de zoon van een koopman uit Mantua, zijn oppasser over het steile pad de nacht in volgen naar de oever van de Bosporus.

Daar wachtte een gammele aak op hem, een vaartuig dat hoe dan ook te vervallen was om de aandacht te trekken, zelfs op dit goddeloze uur. De schipper had de opdracht om niet rechtdoor de Bosporus over te steken maar zijn passagiers een flink eind voor de Galata-haven af te zetten. De aak ging met een omweg ten zuiden van de marmeren kade van de sultan de rustige wateren van de Gouden Hoorn op, waar hij aanlegde bij de koninklijke scheepswerven, een plek die tot het eerste ochtendgebed ongetwijfeld verlaten was.

Eenmaal aan wal doken de stevige eunuch en de donkere joodse page de wirwar van achterafstraatjes in, waar het enige geluid dat in de stille nacht gehoord kon worden de schorre roep van de nachtwacht was en het tikken van zijn staf op de keien toen hij zich een weg baande langs de gigantische pakhuizen die zich aan deze weggetjes bevonden. Terwijl het stel heimelijk voortsloop, begonnen ze de eerste geluiden van de dag te horen: kamelengespuug, kattengemiauw en af en toe het geplop van een natte vis die op de kade terechtkwam. Danilo voelde iets zachts tegen zijn enkel – een kat, een van de honderden die de havens afstroopten. Hij voelde de verleiding hem een trap te verkopen, maar dacht bij nader inzien dat hij dan waarschijnlijk zou krijsen en hen verraden.

Toen ze de kade op liepen stond daar een Griekse houtskoolbrander met een gezicht zo zwart als de nacht – en een hart dat, zo werd beweerd, daar naadloos bij paste. En recht voor hem zag Danilo ineens een galjoen dat zijn naam duidelijk prijsgaf op de zijkant van de voorsteven: San Domenico.

Narcissus wees naast zich in het duister op het gangboord. Daar bevond zich een van de Mannen in het Zwart van de sultan, kaarsrecht en tot de tanden toe bewapend, zijn hoofd volledig bedekt door een donkere wollen gezichtsmasker en zijn musket in de aanslag.

Was dit de enige wacht of een van de velen die over de stad verspreid waren, op zoek naar de verraderlijke page? Was hij bij het schip gestationeerd omdat het plan van de eunuch ontdekt was? Narcissus, van het ergste overtuigd, gaf Danilo het teken dat ze verslagen waren – met de handpalmen ten hemel geheven, het hoofd gebogen. Maar Danilo del Medigo was, zoals zijn Albanese rijmeester ooit opgemerkt had, van het soort dat nooit opgaf. De slaaf terug het donker in gebarend, boog de page zich voorover en gaf de kat een trap. Het dier krijste het uit.

'Ben je gek?' baste Narcissus. 'Nu komt de gemaskerde man ons pakken.'

'Precies.' Voor het eerst gedurende heel die lange avond van almaar toe moeten geven, nam Danilo de leiding over. 'Doe wat ik zeg. Wanneer hij een kijkje komt nemen, steek dan je hoofd even naar buiten, net lang genoeg om hem in de val te lokken.'

'Hij zal ons allebei doden.' De slaaf beefde van angst.

'Ik kan hem wel aan,' hield Danilo vol.

'Ben je blind?' Narcissus wees naar het musket. 'Hij is gewapend.'

'Ik ook,' Danilo tastte tussen de plooien van zijn gordel naar de met juwelen bezette dolk die schuilging in een schede bij zijn middel. 'De sultan beloofde me dat als ik dit wapen bij me hield het me altijd zou beschermen. Het enige wat jij moet doen is die bewaker even je gezicht laten zien, zodat hij hierheen komt. Ik doe de rest.'

Met die woorden gaf hij de kat opnieuw een trap. De kat krijste.

Deze keer hapte de bewaker in het aas. Hij richtte zijn wapen en stak de kade over naar de plek waar Danilo en Narcissus zich schuilhielden in de schaduw van een pakhuis.

'Kom naar voren, wie je ook bent. Kom naar voren of ik schiet!'

Danilo gaf Narcissus een por in zijn rug en dwong hem op die manier rechtop zodat er een flits van zijn witte tulband te zien was. De wacht stapte de duisternis in met zijn wapen op de witte tulband van de slaaf gericht. Terwijl hij naar het hoofddeksel uithaalde, sprong er een kleine gestalte tevoorschijn met een dolk hoog in de aanslag teneinde de gemaskerde man vol in zijn borst te kunnen treffen. Eén keer, twee keer... Bij de derde stoot zakte de wacht weg in een onmetelijk zwart.

Narcissus knielde langzaam en uiterst voorzichtig naast het lichaam neer en legde zijn oor tegen de open mond van de wacht, hij knikte, trok de dolk uit de wond, veegde het bloed af aan zijn broekspijp en stak hem Danilo toe.

'Deze kon je op reis wel eens nodig hebben,' mompelde hij. 'Help me nu.' Hij greep het bewegingsloze lichaam bij de voeten en begon hem naar de dichtstbijzijnde deuropening te sleuren. 'Dit lichaam blijft wel uit het zicht tot na het eerste gebed. Tegen de tijd dat het hier allemaal opengaat zit jij al ver weg, op de Zee van Marmara.'

Het zonlicht begon door de vroege ochtendbewolking heen te dringen, maar was nog niet krachtig genoeg om de twee donkere gestalten te verlichten die over de brede promenade heen slopen, het gangboord van de voor anker liggende San Domenico op.

De slaaf ging Danilo voor over het benedendek naar de achtersteven en het kasteel van het schip, een stevig torentje van drie verdiepingen. Boven op het torentje bevond zich het wiel waar de stuurman het schip mee op koers hield. Een verdieping lager stond de eettafel van de bemanning met de schapenvachten eromheen die overdag dienden als stoel en 's nachts als matras. Weer een paar stappen lager was een kleine ronde hut zonder patrijsgaten die de *pizola* genoemd werd, een vertrek doorgaans gereserveerd voor de scheepseigenaren. Het was er klein en benauwd, dat zonder meer, maar het was ook de meest besloten en comfortabele plek aan boord en zoals Narcissus niet ophield tegenover Danilo te benadrukken, er was flink wat geld uitgegeven om het er aangenaam voor hem te maken.

'Kapitein Loredano heeft een flink bedrag ontvangen om je veilig in Venetië aan land te brengen,' merkte hij op.

'Venetië?' Tot dat moment had Danilo niet bij zijn bestemming stilgestaan. 'Ik dacht de haven van Rome.'

'De paus woont in Rome. Je zult in Venetië veel veiliger zijn. Je hebt geluk, hoor. Als de San Domenico op weg naar Genua was geweest, had je nog twee weken extra aan boord gezeten.'

Ineens kreeg de reis die voor hem lag een heel ander aanzien. 'Hoeveel weken kost het om Venetië te bereiken?' vroeg Danilo, bijna bang voor het antwoord.

'Zes of acht maar. Een paar maanden als de wind zich tegen je keert.' De slaaf had opnieuw de leiding terwijl hij de hut inspecteerde en de beddensprei uitschudde op zoek naar ongedierte. 'Denk aan wat er voor je in het verschiet ligt,' vervolgde hij, zonder op Danilo's smart acht te slaan. 'De Middellandse Zee oversteken op een prachtig zeilschip in de hut van de eigenaar.'

Danilo rilde bij de gedachte. Zijn gedachten schoten terug naar de reis over de stormachtige Middellandse Zee zo'n tien jaar geleden, toen zijn moeder en hij de zee op gevlucht waren voor de plundering van Rome. Hij huiverde.

Narcissus boog zich naar hem toe om hem met een sjaal te bedekken die over de kooi gegooid was en vervolgde: 'Je zou je zegeningen moeten tellen. Al die dingen die er geregeld zijn met het oog op je comfort en veiligheid.' Hij stak zijn hand in het valies en haalde er nu een leren beurs aan een metalen ketting uit. 'Zakgeld,' legde hij uit, terwijl hij de ketting om Danilo's hals hing. 'De prinses denkt overal aan.'

'God zegene haar,' mompelde Danilo, nog half verzonken in herinneringen aan de woeste storm op de Middellandse Zee.

'Je moet deze beurs altijd bij je houden.' Danilo hoorde het klikken achter in zijn nek toen de ketting van de buidel werd vastgemaakt.

'Zelfs als ik slaap?'

'Vooral dan. Dat is het moment waarop de dieven tevoorschijn komen. Veel van de roeiers aan boord zijn slaven die door de Venetiaanse

marine gevorderd zijn. Ze zullen niet aarzelen je helemaal kaal te plukken. Probeer eraan te denken dat je niet langer een page bent zonder
een cent. De beurs zit vol goud.'

Nu stak de slaaf hem het valies zelf toe. 'Hierin zul je identiteitspa-
pieren aantreffen mocht je die nodig hebben. Daarin sta je omschreven
als Davide dei Rossi, een lid van de Dei Rossi's die in dienst zijn van de
Gonzaga's, hertogen te Mantua. Met deze papieren moet je wel langs de
douanebeambten komen die het schip tegemoet varen bij de *dogana*,
voor het aanlegt aan het San Marco-plein. Praat Italiaans met hen. En
als je eenmaal in de stad bent, zegt mijn meesteres, zul je snel medejo-
den vinden die je zullen helpen.'

Hij werd onderbroken door een luid geklingel van de scheepsbellen.

'Dat,' liet hij Danilo weten, 'is de waarschuwingsbel. De volgende
keer dat hij belt vertrekt het schip en ik ben niet van plan er dan nog
op te zijn. Dus luister goed,' zei hij en hij bewoog zijn wijsvinger heen
en weer om zijn woorden te benadrukken. 'Verlaat deze hut niet tot je
op open zee bent. Rust, slaap, doe wat je wilt, maar zorg dat je niet gezien wordt. En wanneer de kapitein je aanspreekt met signor Dei Rossi,
wees dan niet verbaasd. De prinses heeft die naam gekozen voor op je
vervalste documenten, omdat het de naam van je moeders familie is.
Denk erom dat je niet langer een page bent in de cul van de sultan. Dus
als iemand naar je naam vraagt...?'

'Dan zeg ik dat ik Davide dei Rossi ben.' Danilo herhaalde de naam
als in een catechismusles. 'Mijn vader is koopman te Mantua.'

De slaaf knikte goedkeurend en waggelde zonder verder iets te zeggen de ladder naar het dek op. Toen draaide hij zich boven aan de trap
wankelend om. 'Je moet het zo zien. Je bent rijk en maakt voor je plezier een eersteklas reisje over de Middellandse Zee.'

Maar ook al deed hij nog zo zijn best, Danilo's gedachten werden
beheerst door zijn reis lang geleden over deze zelfde wateren van Rome
naar Istanbul. Toen hij door de patrijspoort naar buiten keek, voelde
hij opnieuw tot in zijn botten het ijzige Middellandsezeewater over het
dek heen klotsten en onder de deur van hun hut naar binnen schuiven.
Hij hoorde bijna weer zijn moeders stem God smeken om hen niet te
laten verdrinken en voelde zijn keel dichtknijpen van verschrikking bij
de gedachte aan de piraten die in de nabijgelegen grotten hun schip
lagen op te wachten.

61 De reis begint

Vanaf het moment dat hij Narcissus de touwtjes in handen had gegeven, waar het zijn vlucht betrof van de stallen van de sultan naar de veiligheid van de San Domenico, had de pure noodzaak in leven zien te blijven Danilo weinig tijd om na te denken gegund.

Zijn hart hield pas op met bonzen toen hij veilig verscholen zat in zijn kooi in de pizola. Pas toen begonnen zijn koortsachtige gedachten wat tot rust te komen. Pas toen keerden ze terug naar de prinses en hoe ze hem uit handen van de mannen van de sultan, die nog altijd op zoek naar hem de straten van Istanbul uitkamden, had weten te houden.

Hij reikte naar de documenten in een vak van het valies en begon het laissez passer te bestuderen dat hem identificeerde als Davide dei Rossi. Dergelijke vervalsingen waren niet goedkoop, vooral niet wanneer ze binnen een paar uur klaar moesten zijn. En de documenten, plus de steekpenningen die ongetwijfeld betaald waren, waren nog maar een fractie van de grote som die het gekost moest hebben om hem in één nacht tijd van Danilo del Medigo, iemand die op de vlucht was voor de Mannen in het Zwart van de sultan, te transformeren in Davide dei Rossi, zoon van een koopman te Mantua die terugkeerde van zijn eerste zakenreis naar het oosten.

Hoe was de prinses zo snel aan zoveel geld gekomen? Maar ze was altijd tegen elke situatie opgewassen gebleken. Wat een meisje! Het enige meisje ter wereld voor hem. Nu zou hij haar nooit meer zien. Lang geleden had zijn moeder haar leven gegeven voor dat van hem. En wanneer dit schip afvoer zou hij de twee mensen achterlaten die op eenzelfde onbaatzuchtige manier van hem hielden: de vader die hem had verzorgd en de prinses die haar leven voor hem op het spel had gezet. Hij draaide zijn hoofd naar de scheepswand om de gedachte te weren.

Vanuit de stuurhut boven hem in het scheepskasteel klonk de stem van de kapitein die orders schreeuwde. Overal rinkelden bellen en piepten lieren toen het zware anker op zijn weg omhoog tegen de kant van het schip botste. Niets daarvan werd opgemerkt door de bewoner van de pizola, die te zeer opging in het verleden om er acht op te slaan.

Er was een plotselinge, heftige ruk van het schip dat van koers veranderde voor nodig, waardoor hij met een schok uit zijn kooi op de vloer van zijn hut terechtkwam en weer in het hier en nu belandde. Kon hij nog terug?

Zijn voeten raakten opnieuw de grond als hadden ze een eigen wil en droegen hem de deur van de pizola door, de ladder en het achterdek op. Daar stond hij oog in oog met een lang gangpad met aan weerszijden roeiers, drie per bank. Hij stond daar maar, als betoverd door het ritme van de roeispanen die in volmaakte harmonie diep in het water gestoken werden om vervolgens weer hoog in de lucht te reiken. Het schip was onderweg. Onmogelijk het nog te verlaten.

Omdat het vooruitzicht van opnieuw de benarde begrenzingen van de pizola in te moeten kruipen hem benauwde, begon hij langzaam en voorzichtig langs de roeiers naar de voorzijde van het schip te manoeuvreren. De zes kanonnen die rond de mast gegroepeerd waren, herinnerden hem er plotseling aan dat, ook al was de San Domenico dan een koopvaardijschip, alle schepen die over het oostelijke deel van de Middellandse Zee voeren op plunderaars voorbereid moesten zijn – Turkse boekaniers, als het al geen Corsicaanse piraten waren.

Maar op dit moment was van de gevaren die in de diepten der Middellandse Zee op de loer lagen niets te merken. De San Domenico voer vredig over de Bosporus – een wilde waterweg maar niet gevaarlijk – en de passagier uit de pizola slaagde erin een laatste blik op te vangen van de minaretten van Istanbul terwijl ze langzaam uit het zicht verdwenen. De zon begon op te komen en zette de befaamde koepels van de hoofdstad in een zachtroze licht. Zich naar de stad toe draaiend was hij in staat de vertrouwde koepel van de Hagia Sophia te ontwaren in een halo van zonlicht, waarbij haar minaretten zachtjes wuifden als gouden halmen in een briesje.

Hij knipperde met zijn ogen en kneep ze weer stijf dicht in een poging het tafereel in zijn geheugen te prenten. Maar naarmate de afstand de details deed vervagen bleef hij starend in de leegte achter.

Nu doemden de Prinseneilanden voor hem op. De aanblik van de zilvergrijze kust bracht een nieuwe stroom herinneringen op gang en daarmee een opwelling van eenzaamheid. Terwijl hij langzaam voorbij de vertrouwde kust voer, begonnen beelden uit het verleden door zijn geheugen te golven. Hij zag zijn prinses op haar bed van bladeren op Kinali-eiland liggen – haar lach, haar ondeugendheid, haar lange sterke benen om hem heen geklemd. Hij kreunde. Nog niet zo lang geleden had hij haar zelfs als zijn vrouw gezien. Maar zoals zij van begin af aan geweten had, zou dat nooit mogen zijn. Met die zekerheid ging een schrijnend gevoel van verlies gepaard, alsof een groot stuk van hemzelf door de zee was weggewassen, een lege plek in zijn hart achterlatend die nooit gevuld zou worden.

*

Van: de Venetiaanse bailo te Istanbul
Aan: de doorluchte Senatoren van Venetië
Datum: 7 februari 1536

Hooggeachte meesters,

Toen ik de laatste keer verslag uitbracht over het plotselinge en on-verwachte huwelijk van de Ottomaanse sultan met zijn Russische con-cubine, had ik nooit kunnen bevroeden dat ik mijn verzoek om een geste uwerzijds gezien een volgende plotselinge koninklijke bruiloft alweer zo snel zou moeten herhalen. Vandaag doken er herauten op in de straat om aan te kondigen dat de glorieuze terugkeer van de sul-tan uit Mesopotamië binnen tien dagen gevolgd zou worden door het huwelijk van zijn zeer geliefde dochter, prinses Saïda, met een zekere admiraal. En vanmiddag ontving ik een officiële uitnodiging voor de gelegenheid.

En dus moet er opnieuw met zorg en de grootst mogelijke haast een geschenk uitgekozen en verzonden worden. Staat u me toe u erop te wijzen dat de bruid dit keer geen blasé concubine is die opgewonden raakt van een nouveauté als een met juwelen bezette klok. Deze bruid is een jonge, onschuldige maagd – althans, dat kan ze maar beter zijn of er zullen koppen rollen –, opgevoed door een strenge grootmoeder en hevig bemind door haar vader, de sultan. Dat wil dus zeggen dat ze de schitterendste geschenken waard is, die bovendien zo dicht mogelijk in de buurt van de trouwdatum moeten worden afgegeven.

Het huwelijk is nog slechts één dag geleden aangekondigd en nu al stapelen de cadeaus zich op in het Topkapi-paleis. U kunt van mij aannemen dat wanneer we deze gelegenheid voorbij laten gaan om van onze liefde voor de sultan te getuigen, dat dan de banden van amnestie en vriendschap die ons nu – grotendeels dankzij een met juwelen bezette koekoeksklok – binden aan het wankelen gebracht zouden worden.

Misschien zouden uwe excellenties er in verband met de beperkte tijd de voorkeur aan geven als ik het geschenk hier in Istanbul aanschaf. Dat zou een stel gobelin bedgordijnen kunnen zijn. Of een deken van sabelbont met bijpassende kussenslopen. Of beide.

Let wel: deze viering is geen verlovingsfeest. Het is een formele huwelijksaankondiging die vraagt om de spoedige bezorging van een passend huwelijksgeschenk. Ik hoef u er niet van te verzekeren dat ik me van de waarde die de Ottomanen aan protocol hechten ten volle bewust ben en alleen de dood kan verhinderen dat ik de viering van dit huwelijk zal bijwonen.

Ik wacht uw instructies af.

Uw dienaar,
Alvise Gritti

62 Fortes Fortuna Iuvat

Op de derde dag aan boord van de San Domenico passeerde het Venetiaanse galjoen de kust van het laatste Prinseneiland – het eilandje Kinali, dat wemelde van de herinneringen. Gauw nu zouden de zeelieden aan de roeiers de delicate taak toevertrouwen om het schip door de zee-engte van de Zee van Marmara naar het oostelijkste puntje van de Middellandse Zee te loodsen.

De passagier in de pizola had ten slotte officieel toestemming gekregen om over het dek te lopen, maar pas nadat het schip de Middellandse Zee op gevaren was. Hij was al twee maal gewaarschuwd dat hij niet moest proberen aan land te gaan in een van de aanloophavens.

'De oostelijke Middellandse Zee is een Ottomaans meer,' liet de kapitein zijn gast weten. 'Elke haven van Istanbul tot de Venetiaanse dogana valt onder de heerschappij van het Ottomaanse Rijk. En je kunt het risico niet lopen door de havenpolitie herkend te worden. Te gevaarlijk.'

De volgende dag werden de zeilen bij zonsopkomst ontrold. Voor hen lag Homerus' zee, donker als wijn. Toen hij omlaag keek van zijn hoge uitkijkpost op de voorsteven, werd de passagier die ooit de naam Danilo del Medigo droeg herinnerd aan een eerdere mediterrane reis. Hij zag zichzelf weer als jongen toen hij na een gevaarlijke oversteek voor het eerst een glimp van de Galata-haven opving. Hij zag weer hoe hij over de walegang van het piratenschip liep met zijn moeders boek onder zijn arm en haar portret door Andrea Mantegna bij wijze van schild tegen zijn lichaam geplakt. Zijn enige schatten destijds, zijn enige schatten nu. Op een ketting van gelijke parels, een beurs vol goud en een met edelstenen bezette dolk na. Niet bepaald veel na tien jaar Istanbul.

En nu, nu hij zijn ontsnapping overleefd had, had hij weken eenzame opsluiting in de benauwde pizola in het verschiet liggen met als enige verzetje de dagelijks toegestane wandelingetjes over het dek. Wat hij kon verwachten: meer vijandige blikken van de roeiers, grove grappen van de bemanning en bij gelegenheid een brul van de kapitein dat hij terug moest naar zijn hut en daar moest blijven, uit het zicht.

Hij keek naar de hemel voor troost. Maar er werd hem geen helpende hand toegestoken om hem omhoog te trekken en geen zoete stem fluisterde bemoedigende woorden in zijn oor. Zelfs zijn moeder had hem verlaten.

Als om zijn geestestoestand te weerspiegelen was de heldere dag veranderd in een zware, grauwe atmosfeer. Hij voer alleen een zee op waar geen wetten golden. Zijn vader zou hij misschien nooit meer zien en zijn prinses was hij voor altijd kwijt. Toen brak er een bundel zonlicht dwars door de mist heen. En terwijl de mist optrok, begon hij te voelen hoe langzaam maar zeker de ballast van het verleden van hem afviel.

Er sprak een stem tegen hem. Niet de stem van zijn moeder, maar zijn eigen stem mompelde woorden die zijn moeder hem had geleerd, het motto van Plinius de Oude *fortes fortuna iuvat* – het geluk is met de stoutmoedigen.

De klank van het gezegde in zijn eigen taal maakte een nieuwe stroom gedachten los. Wat als de prinses gelijk had? Wat als ons hele leven ergens in een boek uitgeschreven stond? Of in de sterren? Wat als het lot en niet het toeval hem aan boord van de San Domenico had gebracht op weg naar zijn geboortestad? Het deed er niet toe dat hij in zijn valse papieren Davide dei Rossi genoemd werd. Hij was nog altijd Danilo del Medigo, het eerste kind dat in het Venetiaanse getto geboren werd. Zou het de hand van Vrouwe Fortuna zijn die hem terugvoerde naar zijn vaderland? Naar Italië? Maakte hij, zoals de prinses gezegd zou hebben, zijn bestemming waar?

Misschien was het de behaaglijke schommelbeweging van de golven die tegen het dek van het galjoen op klotsten, toen dat langs de Peloponnesos in de richting van de haven van Venetië voer. Misschien was het gewoon het verstrijken der tijd. Maar in de weken die volgden vond Danilo de kracht om uit het moeras van teleurstelling en wanhoop te klimmen dat hem had dreigen te verzwelgen toen het schip zich een weg zocht door de zee-engte. Tegen de tijd dat de San Domenico noordwaarts koerste en de heldere wateren van de Adriatische Zee op voer, werd zijn blikveld niet langer bedreigd door de donkere, wervelende diepten van de Méditerranée. Zich over de reling heen buigend om naar beneden te kijken, werden zijn ogen onthaald op een visioen van zonnestralen die op de azuurblauwe golfjes dansten van de Adriatische Zee en het aanbreken van een nieuwe dag aankondigden.

CODA

Het was de passagier in de pizola niet toegestaan in Ragusa aan wal te gaan.

'Aangezien ik een zeeman ben weet ik wat het is om jong te zijn en na een lang verblijf aan boord op zoek te zijn naar een plek om aan land te kunnen gaan,' legde kapitein Loredano uit die Danilo in de walegang de weg versperd had naar de pier van Ragusa. 'Maar je moet goed begrijpen dat Ragusa een broeinest is van Ottomaanse spionnen, en jouw fraaie kaftan van gouddraad zou in een menigte meteen de aandacht trekken en ieders nieuwsgierigheid wekken. Dat zou je in gevaar brengen. Dat kan ik niet toestaan. Ik heb beloofd je veilig op de kade van San Marco af te zetten. En ik ben een man van mijn woord.'

Dit was niet voor het eerst sinds het schip uit Istanbul vertrokken was dat kapitein Loredano naar een ereschuld verwees die hij zich op de hals had gehaald, toen hij de jonge passagier, Davide dei Rossi, aan boord genomen had, zoon van koopman Isaac dei Rossi van Mantua, aldus zijn papieren. En het was ook niet voor het eerst dat de passagier in kwestie de grootte van de afkoopsom probeerde te schatten, die hem vanaf het moment van afvaren had beschermd tegen Ottomaanse pogingen zich toegang te verschaffen tot zijn hut en, als je de kapitein mocht geloven, dat zou blijven doen tegen al die Ottomaanse indringers, die het schip in de vele aanloophavens tussen de haven van Galata en de dogana te Venetië tegen zou kunnen komen.

Zijn ontsnapping moest de prinses vele honderden dukaten hebben gekost. Ongetwijfeld had ze zichzelf in groot gevaar gebracht door zijn veiligheid te kopen. Niet sinds zijn moeder haar leven voor hem geriskeerd had, had iemand zoveel van hem gehouden. En niemand zou dat waarschijnlijk ooit weer doen. Dat was een droevige gedachte.

Maar na verschillende dagen op de donkere Middellandse Zee rondgedobberd te hebben voelde de pas gedoopte Davide dei Rossi, nu ze daar zo over de kristallijnen golfjes van de Adriatische Zee scheerden, zijn levenslust terugkeren. Het was niet zozeer hoop die in hem wakker werd als wel iets van nieuwsgierigheid naar wat het lot voor hem in petto had.

Toen het schip de haven van Ancona in voer, gaf de kapitein in zoverre toe dat hij zijn passagier plaats liet nemen in de stoel van de stuurman boven in het kasteel. Van hieraf kon hij gewone mensen zien die op de pier beneden in de weer waren met hun dagelijkse besognes. Hun vriendelijke gezichten waren een welkome afwisseling van de norse, boze blikken van de roeiers van de San Domenico, van wie er niet één zijn blik zelfs maar beantwoord had wanneer hij hen passeerde bij zijn dagelijkse training: een eindje hardlopen als het weer het toestond, van de achtersteven naar de voorsteven. Zelfs aan boord van het vaartuig, zo verduidelijkte kapitein Loredano, was het beter voor hen allen dat de passagier zo min mogelijk te zien was.

'Aangezien ik verzuimd heb je op te nemen op de passagierslijst, zou het lastig zijn je aanwezigheid op mijn schip te verklaren, mocht iemand je aan wal zien gaan,' legde de kapitein uit.

En de pogingen van de kapitein om zijn protegé te verbergen hielden niet op toen ze ten slotte de Venetiaanse lagune in voeren. Integendeel. Zodra de zeilen van het schip plaatsmaakten voor roeispanen, lag Danilo voor hij het wist in dekens gewikkeld achter in een kast in de pizola gepropt, voor het onwaarschijnlijke geval dat de douanebeambten in de Venetiaanse dogana het in hun hoofd zouden halen het scheepskasteel te onderzoeken alvorens toestemming te geven de lading op het San Marco-plein te lossen.

Nu gaven de bewakers van de Venetiaanse veiligheid die het schip bij de dogana tegemoet kwamen geen enkel blijk van enige interesse in de privéhut in het scheepskasteel. Desalniettemin werd de passagier niet uit zijn schuilplaats bevrijd eer het schip het Canal Grande over was gestoken en voor anker was gegaan onder de waakzame blikken die hoog in de befaamde klokkentoren van La Serenissima schuilgingen. Pas nadat de San Domenico veilig afgemeerd was, verscheen de kapitein in de pizola om de inwoner ervan aan wal te begeleiden. Maar eerst vermaande deze man van eer zijn protegé tot slot nog eens streng.

'Denk erom dat je altijd je papieren bij je houdt.' Hij wapperde zijn dikke vinger onder de neus van zijn passagier op en neer. 'En zorg er in godsnaam voor dat je niet opgemerkt wordt. Ik zou mijn advies ter harte nemen en je zo gauw mogelijk ontdoen van wat je daar aanhebt en zorgen dat je nieuwe kleren krijgt. Die harembroek en dat jasje van je schreeuwen hier zo ongeveer "Ottomaans". Denk erom, in Venetië zijn alle Ottomanen spionnen. Haal het dus voor je eigen bestwil niet in je hoofd om met die kleren aan over het Piazza San Marco te gaan wandelen. Je leven kan ervan afhangen.'

Het was een strenge waarschuwing maar niet onvriendelijk en de passagier vatte hem ook als zodanig op.

'Bedankt, kapitein,' zei Danilo. 'Ik ben dankbaar voor uw advies en vast van plan het op te volgen.'

'Mooi.' De kapitein klopte hem op de schouder. 'En probeer ook niet opgepakt te worden met dat wapen dat je zo weinig verhuld achter je tailleband hebt gepropt. Dit is Venetië, jongen, een stad van achterdocht, intriges en bedrog. In elke *campo* is een metalen doos aan een paal bevestigd. Burgers is gevraagd daarin melding te doen van vreemdelingen die eruitzien alsof ze wapens op zak hebben. De beloofde beloningen zijn aanzienlijk. En geloof me, je wilt niet weten wat er met je gebeurt als je de brug over geleid wordt naar de kerkers van de doge. Die wordt niet voor niets de Brug der Zuchten genoemd.'

Toen, vrezend dat hij niet duidelijk genoeg geweest was, pakte hij zijn protegé bij de schouders en schudde hem heen en weer, niet ruw maar wel stevig. 'Begrijp me goed, signor Rossi, als je eenmaal van dit schip af bent, kan ik niet meer op je passen; zodra ik aan mijn verplichtingen voldaan heb, heb ik er geen belang meer bij met wat er met jou gebeurt. Maar je hebt je goed gedragen op deze reis en ik wens je veel geluk.'

Dat was allemaal goed en wel. Maar aangezien Danilo geen voet meer op Venetiaanse bodem had gezet sinds zijn ouders hem als kind mee naar Rome genomen hadden, kende Danilo de stad niet. En waar kon hij beter in de menigte opgaan als het niet op het grootste plein van de stad was?

'Als ik de Piazza San Marco niet op mag, waar zal ik dan heen gaan?' vroeg hij.

De kapitein had zijn antwoord klaar. 'Wanneer je het schip verlaat, stel ik voor dat je met gebogen hoofd langs het Canal Grande loopt tot je bij de pier van de gondels komt. Die kant op...' Hij maakte een vaag gebaar naar rechts. 'Daar kun je vragen of ze je naar het Rialto brengen. Je zult er de *strazzaria*-stalletjes vinden. En je landgenoten aantreffen.

De joden hebben het monopolie op de verkoop van tweedehandsgoederen in Venetië en ze hebben vast wel een kostuum voor je dat past bij de zoon van een Italiaanse koopman in goeden doen. Je herkent de joodse stalletjes aan de paal met strepen bij de ingang. Ze geven je misschien zelfs een goede prijs voor je chique jasje. Ik hoor dat jullie joden nogal samenklitten. Nu ik eraan denk, kun je misschien beter door het Cannaregiodistrict van het Rialto naar de oude metaalgieterij lopen. Daar wonen de joden tegenwoordig. Ze noemen het nog altijd het oude getto.'

'Ik ken het,' liet Danilo hem weten.

'Je bent er geweest?'

'Ik ben daar geboren.'

'Je bent in het getto geboren? Dan is dit dus een soort thuiskomst voor je?'

'Ik ging weg toen ik nog erg jong was,' antwoordde Danilo.

'Evengoed keer je terug naar je geboorteplaats. Je komt thuis.'

Kennelijk erg in zijn sas met een dergelijke gelukkige afloop van hun lange reis, ging kapitein Loredano op weg naar zijn schip. Halverwege echter draaide hij zich weer om en voegde eraan toe: 'Ga in godsnaam, jongen, niet in die Ottomaanse kledij de piazza op. Iedere man met enig benul weet wel dat als de sultan een spion eropuit had gestuurd om de Venetiaanse marineplannen te stelen, het niet waarschijnlijk is dat deze een Turkse broek aan zou hebben. Maar de spionnenvangers van Venetië hebben niet bepaald veel benul en een van hen ziet misschien een snel voordeeltje in het arresteren van iemand als jij in de hoop op een beloning. En lopen naar het Rialto is ook uit den boze, dat je dat weet. Neem een gondel. En probeer niet te bezuinigen door een open vaartuig te nemen, ook al zijn die goedkoper. Zorg dat je er een vindt met een *felse*. Op die manier zullen de overhuiving en de gordijntjes je tegen nieuwsgierige blikken beschermen.'

En toen spoedde de kapitein zich met een snel '*bona fortuna*' het ingewand in van zijn schip, het aan de jonge passagier zelf overlatend zijn weg naar het Rialto te vinden.

Voor Danilo lag het Piazza San Marco, verboden terrein. Achter hem stroomde de brede en uitgestrekte Canal Grande. Er bleven nog maar twee mogelijkheden over, links of rechts. Hij stond op het punt een muntje op te gooien toen hij zich het gebaar van de kapitein herinnerde. Links werd het. Binnen een paar ogenblikken stuitte hij op een groepje gondels dat op en neer deinde naast een korte pier. De prijs voor het tochtje was zoals kapitein Loredano had gezegd hoog. Maar de waarschuwingen van de kapitein hadden hun uitwerking gehad op zijn passagier. Hij aarzelde niet om zijn beurs te openen en de gondelier vijftien gouden dukaten te betalen voor een tochtje naar het Rialto, beschermd door de zware gordijnen die hem inderdaad beschutten zolang hij maar helemaal achter in de stoel in het midden van het vaartuig bleef zitten.

De overkapping weerhield hem er echter eveneens van de reeks historische Venetiaanse monumenten langs het befaamde Canal Grande te zien, toen de gondolier deze opdreunde.

'Ca' Foscari, Palazzo dell'Ambasciatore, Ca' Vendramin Calergi, Palazzo Giustiniani...' De jollenman riep de namen alsof hij een lied zong, namen die visioenen opriepen van elegantie en romantiek, namen zo intrigerend, dat zijn passagier zich er niet van kon weerhouden om zijn hoofd tussen de gordijntjes door te steken om een glimp op te vangen van de vermaarde paleizen van het Canal Grande. Voor deze stoutmoedige manoeuvre werd hij beloond met het beeld van een oever vol gebouwen die dermate elegant, dermate indrukwekkend waren dat ze hem achterlieten met de vaste overtuiging dat zijn waagstuk het risico waard was geweest.

Het was niet alsof hij na een leven lang in de provincie doorgebracht te hebben ineens de grote stad in geslingerd was. Hij had tenslotte als kind met zijn moeder te midden van de grootse paleizen van Rome gewoond. Maar op die leeftijd was hij niet echt geïnteresseerd geweest in architectuur – veel meer in wapenrustingen, wapens, paarden en spelen op sportvelden en in arena's.

Later, in Istanbul, waren zijn ogen gewend geraakt aan de Ottomaanse verblijven die langs de Bosporus gebouwd waren, nadat de Turken van de kwetsbare stad Constantinopel hun hoofdstad gemaakt hadden. Zelfs voor het ongeoefende oog waren de houten villa's die de Ottomanen op de oevers van de Bosporus hadden gebouwd – drie verdiepingen hooguit en voorzien van gezellige, ruime balkons aan de voorzijde die uitstaken over het water – geen partij voor de statige paleizen die de Venetiaanse plutocraten in de donkere diepten van de lagune neergezet hadden; allemaal eenvoudig en met passend arrogante bescheidenheid *casa* genoemd of *ca* in het plaatselijke dialect.

Dus ja, deze Venetiaanse huizen had Danilo nooit eerder gezien. De meeste ervan waren geheel uit glanzend marmer uit Istrië opgetrokken, en zweefden elk als een drijvend dok van steen op hun in de diepte verzonken houten funderingen. Daar stonden ze, niet een ervan onbetekenend. Hun voornaamheid ontleenden ze aan hun rijen gewelfde marmeren zuilen en hoge gotische ramen die van elkaar gescheiden werden door uitgehakte nissen met beelden erin. Ze waren zeker niet identiek, maar leken wel genoeg op elkaar om een volmaakt harmonieuze waterlijn te creëren, waarbij elke casa een rijkversierde toegangsdeur bezat en bij elke waterpoort een fiks aantal gestreepte palen te zien was waar zo nodig een hele vloot gondels aan kon leggen. En dat waren dan nog maar de achterdeuren. Aan de landzijde kon men een nog oneindig indrukwekkender entree aantreffen, met een tuin ervoor.

Danilo hoorde, zo naar dit verbluffende vertoon van elegantie en harmonie starende, bijna de dansmuziek die door de hoge ramen naar buiten dreef en zag de wervelende rokken van mooie vrouwen achter de glas-in-loodramen.

Hij werd in zijn dagdromen gestoord door de herhaalde roep: 'Rialto!' De gondel had hem naar zijn bestemming gebracht. Het Rialto was, zo leek het, zowel een piazza als een brug. Het was er kleurrijk, druk, lawaaierig en bevolkt met mensen van allerlei slag. Het leek er kortom om te smeken door een of andere Venetiaanse straatschilder geschilderd te worden. (Iets wat, zoals hij later ontdekte, Vittorio Carpaccio inderdaad gedaan bleek te hebben.)

Na een paar minuten in de jachtige menigte heen en weer geduwd en getrapt te zijn, herinnerde Danilo zich weer zijn moeders observatie dat je in elke stad door je neus te volgen de joden kunt vinden. Volg de geur van vis, zei ze, en die zal je naar de winkels van de joodse kooplui leiden, want niemand anders is bereid om in de stank van vis een zaak te beginnen. En zo kunnen de joden er zich zonder problemen vestigen. En inderdaad ving zijn neus algauw de onmiskenbare geur op van de handel in vis. Die voerde hem naar een rijtje stalletjes met de rode, groene en zwart gestreepte palen ervoor die, zoals hem verteld was, de strazzariakiosken markeerden.

In een opwelling koos hij de middelste en ontdekte dat hij de enige klant was in een kleine kiosk versierd met slingers kleren – vrouwen-, mannen-, kinderkleren in alle kleuren van de regenboog, aangevuld met een assortiment in zwart.

Waar moest hij beginnen? Met de coupe? Met de kleur? Met de stof?

Op dat moment voelde de jongeman die in de hippodroom van Istanbul zonder met zijn ogen te knipperen een aanstormende troep gerit-krijgers op zich af had zien komen, zich volledig overweldigd door de rekken met de daarop gedrapeerde broeken, hemden en wambuizen die overal waar hij keek op hem neerdaalden. Hij stond net op het punt ervandoor te gaan toen hij aan de mouw van zijn kaftan voelde trekken.

'Hoe ben je aan zo'n prachtig jasje gekomen?' De vragensteller was een donkere, Spaans uitziende kerel, zonder baard net als hij en kennelijk ongeveer van zijn leeftijd. 'Wees alsjeblieft niet beledigd.' De vreemdeling sprak Italiaans met een uitgesproken accent, maar Danilo vond het moeilijk te raden van welk land het was.

'Ik heb nog nooit zo'n elegant brokaat gezien,' vervolgde de vreemdeling, de stof betastend. 'Boersa?'

Zijn manier van doen was zo direct en zijn glimlach zo aanstekelijk dat Danilo de aandrang hem in vertrouwen te nemen niet kon onderdrukken. 'Het was een geschenk van de Ottomaanse sultan omdat ik een gerit-wedstrijd had gewonnen in de hippodroom.' Toen, zich plotseling de waarschuwing van de kapitein over Venetiaanse spionnenvangers herinnerend, voegde hij eraan toe: 'Ik ben geen Ottomaanse spion.' Waarop hij er vol afgrijzen over zijn eigen dwaasheid het zwijgen toe deed. Hij wachtte tot hij gearresteerd zou worden en afgevoerd naar de Brug der Zuchten om nooit weer gezien te worden.

In plaats daarvan vervolgde de spionnenvanger het gesprek op nonchalante toon zonder hem met een vinger aan te raken.

'Ik had nooit gedacht dat je een spion zou zijn. Maar ik denk wel dat je naar deze strazzariastalletjes bent gekomen om je kaftan te verkopen. Zo ja, dan betaal ik met liefde twee keer wat anderen bieden.'

'Mijn kaftan verkopen?'

De Spanjaard die Danilo's aarzeling aanzag voor een onderhandelingstruc, deed een stap naar voren om een bod te doen.

'Ik wil hem hebben voor mijn moeder – of eigenlijk mijn tante, maar ze is als een moeder voor me. Ze is een prachtige weduwe, een ware bron van gulhartigheid, heel intelligent, en ze is dol op exotische kostuums. Ze was een dochter van de Del Luna-familie, maar je kent haar misschien als Grazia Nasi.'

Zelfs diep weggestopt in het Topkapi-paleis had Danilo over de legendarische Portugese weduwe Beatrice del Luna gehoord.

'Ik heb over haar gehoord,' reageerde hij, niet helemaal zeker wetend waarom de naam ook weer zo bekend was. Toen schoot het hem weer te binnen. 'Ze is een *Marano*,' flapte hij eruit, wat hem op een zwaar afkeurende blik kwam te staan.

'Ken je de betekenis van het Portugese woord "Marano"?'

Toen Danilo zijn hoofd schudde ging zijn metgezel op nu strenge toon verder.

'Dat zal ik je zeggen. "Marano" is het Portugese woord voor varken. Dus ja, we zijn Marano's, maar we geven de voorkeur aan de term Nieuwe Christenen.' En toen, met een vriendelijke glimlach om te laten zien dat hij Danilo zijn semantische belediging niet echt kwalijk nam, stak hij zijn hand uit. 'Sta me toe dat ik mezelf voorstel. Ik ben Samuel Mendes, de neef van Grazia Nasi en zoon van de lijfarts van de koning van Portugal voor de joden verdreven werden uit dat achterlijke land.'

'Je komt dus uit Portugal?'

'Ja. Maar nu werk ik in de bank van mijn familie in Antwerpen.'

De bank van zijn familie. Danilo legde meteen het verband. De Mendes-familie stond in de hele joodse wereld bekend als de meest vooraanstaande bankiers van de Levantijnse wereld die er op de een of andere manier in slaagden te overleven en zelfs te gedijen in de giftige atmosfeer van de mediterrane financiële praktijken.

Danilo stak zijn hand uit. 'Ik ben Davide dei Rossi, de zoon van een joodse koopman uit Mantua,' loog hij. Toen voegde hij er vrijwel meteen aan toe: 'Dat is niet waar. Ik reis met valse papieren. Mijn echte naam is Danilo del Medigo. Mijn moeder was Graza dei Rossi, de scriba, en mijn vader is Juda del Medigo, lijfarts van de Ottomaanse sultan.'

'Dus jij bent ook de zoon van een dokter. Verbazingwekkend! Geloof je in het toeval?'

'Geloof is niet echt het goede woord,' antwoordde Danilo. 'Maar als ik in het nauw zat, zat ik vaak wel ineens tot de godin Fortuna te bidden.'

'Wat van ons een stel heidenen maakt.' De Spanjaard grinnikte van genoegen. 'Hoe oud ben je?'

'Twintig.'

'Ik ook. Het moet deel uitmaken van een plan dat wij elkaar hier ontmoeten. Dezelfde leeftijd, beide zonen van een dokter...'

'Behalve,' Danilo voelde zich genoodzaakt iets recht te zetten, 'Juda del Medigo is alleen mijn wettige vader. Mijn echte vader is een christen.'

'Maar je moeder is joods?'

'Mijn moeder is dood.'

'Net als die van mij. Nog iets wat we gemeen hebben. Maar je moeder was joods?'

'O ja, ze kwam uit een familie van joodse bankiers uit Ferrara.'

'Volgens de rabbi's ben je dus een jood. In elk geval half-joods. Net als ik. Overdag ben ik een christen en 's nachts een jood. Misschien als we onze twee helften samen zouden voegen,' hij grijnsde opnieuw zijn aanstekelijke grijns, 'dan zouden we samen een hele jood zijn. Dus hoeveel wil je nu hebben voor de kaftan, nu we broers zijn?'

'Niets. Ik kan geen geld aannemen van mijn broer,' antwoordde Danilo zonder erbij na te denken.

'En ik kan onmogelijk een dergelijk waardevol geschenk aannemen van mijn broer,' wierp Mendes tegen. 'En dus zitten we met een probleem. Denk, Samuel, denk.' Hij deed een stap naar achter en tikte met zijn wijsvinger tegen zijn voorhoofd. Stilte. En toen: 'Je ziet eruit alsof je wel een nieuw stel kleren kan gebruiken.'

Hoe kon de vreemdeling dit weten?

'Dat is eigenlijk,' meldde Danilo, 'de reden dat ik naar deze strazzaria gekomen ben. De kapitein van het schip dat me naar Venetië gebracht heeft, waarschuwde me dat mijn harembroek en kaftan de aandacht zouden trekken en gemakkelijk zouden kunnen leiden tot een reisje over de Brug der Zuchten naar een plek waar niemand die bij zijn volle verstand is wil zijn.'

Een instemmend knikje. En toen: 'Goede raad.' Weer stilte. 'Dit is mijn voorstel: ik zal je leven redden door een volledig nieuw stel kleren voor je te kopen en jij maakt mijn tante de gelukkigste vrouw ter wereld door haar je kaftan te geven.'

Het gemak waarmee de transactie tot stand kwam, deed deze voorbestemd lijken. Of vervloekt, dat kan ook.

'Je wil deze kaftan voor je tante, Grazia Nasi, die als een moeder is voor je,' herhaalde Danilo, die tijd probeerde te winnen.

'Ze is de weduwe van mijn oom Francesco Mendes en ik ben er trots op bij haar in dienst te zijn,' was het antwoord.

'In de Mendes-bank?'

'Officieel, ja. Daarnaast maak ik me van tijd tot tijd nuttig in haar minder christelijke ondernemingen. Maar geloof me, mijn vriend, je kaftan zal in beide werelden een goed thuis vinden. Dus laten we nu jou aankleden. Is er hier iets wat je leuk vindt? Een wambuis? Een mantel? Een hoed? Wat vind je hiervan?'

Hij reikte omhoog en rolde met een zwierig gebaar een kort jasje van rood fluweel uit, aan de hals afgezet met een bloedrode band. 'Netjes zonder te opzichtig te zijn.' Waarop hij met de houding van een stierenvechter het kledingstuk uitklopte en toen achteroverleunde om het effect te bestuderen.

'Nee, dit is het niet. Te Duits. Dit jaar zijn we meer Spaans. Minder kleur, veel zwart.' Hij reikte achter zich en greep naar een tweede, wijd uitlopende jas. Deze was van gevoerde zwarte satijn met fijne, zwarte kant aan de mouwen. 'Probeer deze eens aan. Ik houd de kaftan wel vast.'

Nog altijd was er iets wat Danilo ervan weerhield zijn kostbare mantel op te geven. Maar de jonge Mendes hield vol.

'Ik weet wat tegenwoordig gedragen wordt door modieuze jongemannen in de hoogste kringen. Als bankier is het mijn taak dat te weten. Ik beloof je dat ik alleen de fraaiste en meest modieuze stijlen voor je zal uitzoeken,' vleide hij.

Toen Danilo bleef aarzelen, voegde Mendes eraan toe: 'Als je last hebt van preutsheid, kun je achter dat scherm gaan staan en dan zal ik je je stuk voor stuk je nieuwe kleding aanreiken.'

Met zijn handen nog steeds stevig zijn kaftan vastgrijpend, bewoog Danilo naar het scherm.

'Je kunt maar beter je valies meenemen. Ik ruik gewoon dat er een dolk in zit.'

Langzaam voelde Danilo hoe de greep van zijn vingers op de gouden gesp van zijn kaftan verslapte toen hij zijn tas oppakte en achter het scherm ging staan.

'Geef me je broek en *camicia* ook maar.'

Nu hoeft hij alleen maar weg te lopen met mijn kaftan en me hier half aangekleed achter te laten en ik zou niet eens in staat zijn achter hem aan te gaan. En wie zou mijn verhaal geloven, mij, een vreemdeling met een harembroek aan? Terwijl zijn gedachten hun hele achterdochtlitanie afwerkten, merkte Danilo dat hij zijn armen uitstrekte om de kaftan over de roede te gooien. Waarom niet? In elk geval had hij zijn beurs met munten nog en zijn dolk.

'En als je dan toch bezig bent, geef me dan ook die slippers. Niemand draagt tegenwoordig gekleurde schoenen. Geloof me, het is overal de Spaanse stijl die de klok slaat, zwart, zwart, zwart.'

Deze keer aarzelde Danilo niet om de slippers te pakken die zijn prinses voor een fortuin voor hem had laten verven en gooide ze naar hem toe.

'En geef me die broek. Je kapitein sloeg de spijker op zijn kop. Iedereen die met zo'n soort broek aan over het Rialto loopt kan net zo goed meteen ook een bord met IK BEN EEN OTTOMAANSE SPION erop dragen.'

Daar ging de broek over het scherm heen. Meteen kwam er van de andere kant een stel kousen naar hem toe vliegen, ook nu weer vergezeld van een kanttekening over de mode.

'De broeken zijn er in verschillende lengtes, weet je. Van over de voeten tot aan de knie, als kousen dus, en een andere van de knie tot het middel. Ik geef je van elk een. Kies maar uit. Ik kan die uit één stuk aanbevelen. Heb je die eenmaal aan, dan heb je geen kousenbanden meer nodig. Ik hoor wel of je ze moeilijk aan krijgt, dan kom ik je helpen. De flap aan de voorkant wordt overigens een broekklep genoemd. Als hij wat te ruim is kun je er altijd een prop papier of zijde in stoppen.'

En zo ging het door – een leren buis, een gepunte kap, een hemd van het fijnste linnen, een heleboel wambuizen – waarvan er een een enkele wambuis was die perfect paste, uitwaaierde bij het middel en bij de hals versierd was met een kraag van wit bont. Eindelijk dan volgde de uitnodiging om achter het scherm vandaan te komen en zich te laten zien.

'Uitstekend! Nu is het tijd om je aan de Venetianen te tonen,' was het vonnis. 'Ik weet dat je je wat naakt moet voelen zonder je harembroek maar je went wel aan de korte pofbroek. Je hebt er echt de benen voor. Dat geldt niet voor elke *bravo*.' Danilo kon de blos die zich over zijn wangen verspreidde niet tegenhouden. 'Schaam je niet. Een fraai uiterlijk heeft geen enkele bravo nog ooit kwaad gedaan. En dan nog iets: hoe is je financiële situatie?'

Danilo was blij dat hij zonder te aarzelen kon antwoorden dat hij er de komende jaren in elk geval goed voorstond.

'En wat zijn je plannen nu je gereed bent om de wereld tegemoet te treden?' Die vraag was lastiger te beantwoorden.

'Mijn vader had bedacht dat ik naar de Universiteit van Padua zou gaan. Maar ik ben niet zo'n geleerde eigenlijk,' gaf Danilo toe. 'Dus is mijn voornemen af te wachten wat zich voordoet.'

'Een man naar mijn hart!' Deze goedkeurende kreet ging vergezeld van een klap op de rug. 'Maar eerlijk gezegd informeerde ik niet naar je plannen voor de rest van je leven, eerder voor het komende uur of zo. Weet je, ik heb nu een uur vrij en ik vroeg me af welke kant je op ging.'

Aangezien hij geen plannen had en ook geen idee hoe hij daaraan moest komen, nam Danilo zijn toevlucht tot de waarheid. 'Om eerlijk te zijn had ik niet verder gedacht dan het Rialto. Maar de kapitein van mijn schip adviseerde me om een kijkje te nemen in het getto.'

'Een prima plek om te beginnen.' Mendes knikte goedkeurend. 'En je bent ook nog eens op het perfecte moment gekomen. Morgen is het Pascha en in de Haggada staat dat andere joden je aan de vooravond van Pascha een plek aan de Seidertafel moeten aanbieden, of ze dat nu willen of niet.'

Na al die tijd op zee waarin de dagen tot weken waren versmolten en daarna tot maanden was Danilo de kalendertijd uit het oog verloren. Nu pas besefte hij dat hij aan de vooravond van het Feest der Verlossing in Italië was gearriveerd en dat maakte het in zijn ogen tot wat de waarzeggers een fortuinlijke dag noemen. Om de cirkel rond te maken voegde Mendes eraan toe dat hij toevallig zelf ook de kant van het getto op ging.

'Laten we dus samen door de parochie van San Girolamo wandelen,' bood hij aan.

En daar stapten ze de straten van Cannaregio op, twee modieus geklede jonge kerels die de tijd verdreven met rondkijken en elkaar hun levensverhaal vertellen zoals vrienden nu eenmaal doen aan het begin van een vriendschap.

'Vertel eens, hoe was het om te vechten in het beste leger ter wereld?' wilde Mendes weten.

'Er valt niet veel te vertellen. Ik wilde dolgraag mee. Mijn echte vader was een krijgsman, een echte ridder.'

'Ik begrijp het niet. Ik dacht dat je vader dokter was, net als die van mij.'

'Juda del Medigo was de echtgenoot van mijn moeder. Hij heeft me als zijn eigen zoon opgevoed. Maar ik lijk op mijn echte vader, of dat dacht ik althans, voordat de veldtocht naar Bagdad me van gedachten deed veranderen.'

'Wat merkwaardig.' Mendes schudde verbaasd zijn hoofd. 'Ik weet van mannen die na een nederlaag ontgoocheld zijn geraakt wat de oorlog betreft, maar als de verslagen in Venetië enigszins betrouwbaar zijn, was de oorlog in Irak een grote militaire overwinning voor de Ottomanen. Onze berichten hebben ons doen geloven dat de sultan al het land heeft heroverd dat zijn vader was kwijtgeraakt aan de koning van Perzië, waaronder Bagdad. Klopt dat dan niet?'

'We hebben Tahmasp verslagen zonder dat er een schot gelost is. Als je dat een grote militaire overwinning wil noemen,' reageerde Danilo. 'Het grootste gevaar waar we voor kwamen te staan was een lawine en mijn meest heldhaftige daad was de sultan redden, niet van een dolk of een lans, maar van een dol zwijn. En voor die dappere daad werd ik beloond door als een nukkig kind naar huis gestuurd te worden dankzij een jaloerse vizier. Praat me niet van de verhevenheid van het krijgsbedrijf.'

Pas toen de woorden zijn mond verlaten hadden besefte hij hoe scherp zijn toon was geworden en in een poging om dat recht te zetten bood hij verdere uitleg aan.

'Ik droomde er altijd van een ridder te zijn, *sans peur et sans reproche*, net als mijn echte vader. Toen de kans zich voordeed, smeekte ik met de sultan mee te mogen op de Bagdad-campagne. Ik had altijd gemeend dat het krijgsbedrijf een nobele roeping was, een krachtmeting in moed, heldhaftigheid en vaardigheid, zoiets als een gerit-wedstrijd, maar dat had ik mis.

Wat Mesopotamië me geleerd heeft, is dat oorlog gaat over strategie, bedrog en het weer. Maar vooral gaat het over boekhouding. Mijn sultan is de grootste krijgsman ter wereld maar tijdens de campagne ging zijn aandacht grotendeels uit naar het overzicht houden waar het zijn duizenden mannen, wapens en dieren betrof. Wat ik niet begrepen had, tot ik met mijn ogen zag hoe de oorlog zich ontwikkelde, was de constante dreiging, niet van vijandelijke scherpschutters, maar van de hongerdood. De lastdieren, de rijdieren, zelfs de kuddedieren die meegenomen waren om geslacht te worden moeten allemaal eten, net als de mannen. En dus is een generaal voortdurend op zoek naar grasland om zijn leger gaande te kunnen houden. In het kort: veevoer is een belangrijker onderdeel van het arsenaal dan buskruit, en een groot generaal is vooral een combinatie van Hoofdherder en Hoofdklerk. Dat is wat ik van de Bagdad-campagne geleerd heb over het krijgsbedrijf.'

Mendes wreef nadenkend met zijn vuist over zijn wang: 'Ik snap het...'

'Nee, je snapt er niets van,' kaatste Danilo teug. 'Geloof wat je wil, maar ik heb er meer dan een jaar middenin gezeten. Ik heb gezien hoe oorlog eruitziet. En jij?'

'Om eerlijk te zijn,' antwoordde zijn makker, niet in het minst beledigd, 'bevind ik me op dit moment in een oorlog. Een geheime oorlog vol bedrog en leugens, maar het is een oorlog voor een rechtvaardige zaak.'

'Tegen wie?'

'Tegen de paus in Rome en zijn Inquisitie die plechtig beloofd heeft om alle joden ter wereld te doden of te dopen.'

'En jullie denken hem tegen te kunnen houden?'

'We hebben een geheim wapen.'

Danilo zou deze uitspraak als bravoure beschouwd hebben als hij uit de mond van iemand anders afkomstig was geweest. Maar hij voelde in zijn botten dat zijn nieuwe vriend geen opschepper was.

'Mag ik vragen wat het is?' vroeg hij.

'Geld,' kaatste de Spanjaard bliksemsnel terug. 'Geld heeft een geheel eigen zeggingskracht. Dat is een aspect van de oorlog dat je niet opgemerkt lijkt te hebben.'

'Nu dan in elk geval wel,' reageerde Danilo opgewekt op de terechtwijzing. 'Maar ik begrijp het nog steeds niet. Hoe kun je in oorlog met de paus en tegelijk een belijdend christen zijn?'

'Omdat het alleen christenen in het Heilige Roomse Rijk is toegestaan om te bankieren. En onze zeggenschap over de Mendes-bank stelt ons in staat om onze oorlog te financieren teneinde de joden te redden. Het redden van levens is geen retorische oefening, mijn vriend. Het kost geld. De vluchtweg uit een kerker is geplaveid met goud. Er moeten onderduikadressen gekocht worden. Er moeten plaatsen geboekt en betaald worden in de ruimen van schepen, waar in plaats van lading vluchtelingen in gestouwd en vervoerd kunnen worden. Er zijn steekpenningen – grote hoeveelheden – nodig om zeekapiteins over te halen van hun vaste route af te wijken en in havenplaatsen aan te leggen die een schuilplaats kunnen bieden. En dan is er nog de kwestie van het onderbrengen van deze arme, opgejaagde, thuisloze joden op plekken waar ze hun kinderen kunnen opvoeden in het geloof hunner vaderen.'

Deze keer was het Danilo's beurt om zich peinzend over de kin te wrijven.

'Hoe zit het met de joodse God, wiens eerste gebod het was dat we geen andere goden voor Zijn aangezicht hebben?' vroeg hij.

Tot zijn verrassing werd zijn vraag beantwoord met een lieve glimlach. 'Maak je geen zorgen om mijn onsterfelijke ziel. Laat me je eraan herinneren dat bij ons joden, overleven net een trapje hoger komt dan afvalligheid. In de strijd om te overleven wordt alles vergeven.'

Dit was geen lering uit het judaïsme waar Danilo vertrouwd mee was. 'Alles?' vroeg hij. 'Zelfs het overtreden van het eerste gebod?'

'Wij kennen een Bijbels record als het gaat om wat de Heer allemaal bereid is door de vingers te zien wanneer het voortbestaan van het ras op het spel staat,' was het antwoord. 'Kijk eens naar Genesis 19:33, waar Lots dochter hem dronken voert en verleidt; kennelijk met de goedkeuring van God. Ze verbergen zich na de verwoesting van Sodom in een afgelegen grot met hun vader, en een van de meisjes zegt tegen haar zuster: "Onze vader is oud en er is geen man in dit land om op ons in te gaan, naar de wijze der ganse aarde. Laat ons bij hem liggen opdat wij van ons vaders zaad het leven behouden."'

'Dit verhaal heb ik nog nooit gehoord van de rabbi's,' gaf Danilo toe.

Mendes glimlachte. 'Het wordt geen geschikt verhaal voor kinderen geacht. Maar je kunt het opzoeken. Helaas durf ik geen exemplaar van de Pentateuch in mijn valies mee te nemen maar je vindt er vast een in het getto.'

Door en door beschaamd nu, zowel wat zijn twijfels als zijn onwetendheid betreft, stak Danilo zijn hand uit.

'Het spijt me,' was het enige wat hij kon bedenken.

'Verontschuldigingen zijn niet nodig. Je bent lange tijd in het oosten geweest.' Hij stak een sterke arm uit om Danilo vriendelijk maar beslist naar de dichtstbijzijnde bank te leiden. 'Laten we even gaan zitten.' Pas toen ze er hun gemak van hadden genomen sprak hij weer.

'Vanaf het begin van de gedwongen dopen in Portugal,' begon hij, 'en het afzetten van joden uit hoge ambten was de Mendes-familie, aangezien ze Nieuwe Christenen waren, in staat om door te gaan als bankiers voor alle soorten christenen, inclusief koningen. Koningen hongeren altijd naar goud en na de Verdrijving moesten ze nog altijd tegen rente geld van ons lenen. Maar vier jaar geleden werd mijn oom Diego zonder enige waarschuwing uit zijn huis in Lissabon gesleept, gearresteerd op grond van verzonnen aanklachten wegens *lèse-majesté** tegen God en de keizer en gevangengezet in een Portugese kerker.

---

* Majesteitsschennis (Noot van de vert.)

Het leek alsof onze pogingen om de kerk te overtuigen van onze katholieke vroomheid gefaald had. Maar zodra de geldstroom begon op
te drogen kwamen alle christelijke naties – Spanje, Genua, Frankrijk en
zelfs Portugal – bijeen om een gezamenlijke waarschuwing de wereld
in te sturen wat de chaos betreft waar de christelijke wereld in terecht
zou komen als de Mendes-bank failliet ging. Zelfs koning Henry van
Engeland deed mee. En na twee maanden in de gevangenis werd mijn
oom Diego zodra er een borgsom van vijfduizend dukaten betaald was
vrijgelaten.' Hij zweeg even en zuchtte. 'Helaas hebben de meeste joden
geen koning Henry die voor hen op kan komen of voldoende dukaten
om zichzelf vrij te kopen. Dat is onze taak.'

'Ik wist niet...' stamelde Danilo.

'Natuurlijk niet. Het is in het belang van het Heilige Roomse Rijk
om deze transacties stil te houden. Toen ik voor het eerst hoorde van
het plan voor de doop van onze familie, stelde ik onze rabbi dezelfde
vragen als jij net aan mij stelde. Hoe kunnen we doen alsof we geloven
in de goddelijkheid van Christus wanneer dat indruist tegen het eerste
gebod. Mijn familie raadpleegde twee rabbi's voor we ermee instem-
den gedoopt te worden, en beiden verleenden ons absolutie voor de
zonde van afvalligheid. Geloof me, ik ben niet erg gelukkig met mezelf
wanneer ik tijdens de mis gebeden mompel en in het koekje hap. Maar
zoals je al zei: het krijgsbedrijf is een smerige aangelegenheid. Dus laten we verder gaan en het er niet meer over hebben.'

En daar liepen ze in kameraadschappelijke stilte verder tot ze een
hoek omsloegen en op een oude beeltenis stuitten die in een nis uit-
gehakt was, een verweerd reliëf in steen van een kameel en een zwaar-
belaste kruier met een gebroken neus en een veel minder verweerde
tulband op zijn hoofd die er later aan moest zijn toegevoegd.

'Deze fries markeert het adres van de Moselli's,' legde Mendes uit.
'Hun kruierbeeldje is erg populair in Venetië. Ze noemen hem Sior
Antonio Rioba en ze komen hierheen om over zijn gebroken neus te
wrijven. Dat brengt geluk.' Waarop Mendes een stap naar voren deed,
op zijn vingers spuugde en ermee over de ruwe steen wreef. Toen stapte
hij weer naar achter en gebaarde naar Danilo dat die hem moest volgen
toen hij de straat in sloeg.

'Zie je dat bruggetje even verderop? Dat is de brug die naar de poort
leidt van het getto. En daar scheiden onze wegen zich.'

'Je komt niet mee?' De wanhopige blik die Danilo's vraag vergezelde
was onmiskenbaar.

'Ik kan het risico niet nemen.' Samuel haalde zijn schouders op. 'Niet dat ik er niet de voorkeur aan zou geven. Mijn familie is allesbehalve orthodox, maar er zijn aspecten aan de joodse riten die ik mis – vooral het eten. Maar hoe dan ook, als Nieuwe Christen moet men mij het Paasfeest zien vieren met mijn medechristenen. En als ik ook maar in de buurt van een Hebreeuwse Seider opgemerkt werd zou dat als bewijs van een terugval opgevat en gerapporteerd worden. Ze noemen dat ook wel "zich weer tot het judaïsme bekeren", wat ze ketters achten, en dat zou zonder meer goed zijn voor een uitermate hete zitplaats in een uitermate heet vuur.'

'Maar je loopt toch geen risico om in het getto aangegeven te worden door mensen. Dat zijn ook joden.'

'Een arme jood verdient meer geld door een briefje waarin hij een tot het judaïsme bekeerde aanklaagt in de Bocca di Leone te stoppen, dan hij met een jaar hard werken kan verdienen.'

Wat Danilo nog het meeste trof aan de bewering was dat hij zonder rancune werd uitgesproken.

'Niet alle joden zijn helden en de beloningen zijn erg verleidelijk,' voegde Mendes er droevig aan toe.

'Maar nu heb je mij wel informatie toevertrouwd die ik op precies deze manier tegen je zou kunnen gebruiken. Waarom?'

'Simpel. Ik wist dat ik je kon vertrouwen. Je vergeet dat ik een bankier ben en dat het tot mijn taak behoort mensen te kennen. Dat is een vaardigheid die een bankier even goed onder de knie moet krijgen als om kunnen gaan met het telraam. Bovendien zei je tegen me dat ik je kon vertrouwen.'

'Echt?'

'Toen ik naar je kaftan vroeg, vertelde je me dat dat kledingstuk een geschenk van de sultan was geweest, omdat je een gerit-wedstrijd in de hippodroom gewonnen had. De gerit is een heel speciaal wapen. Is hij daar succesvol mee dan is een man automatisch lid van de broederschap van de bravi waar ik ook toe behoor. Ik hield altijd steekspelen met de prins van Habsburg in Antwerpen. Hij is goed. Maar niet zo goed als ik. En als jij aan steekspelen meegedaan hebt in de hippodroom van Istanbul met een gerit, dan durf ik te wedden dat je ons aardig af zou kunnen troeven.' Danilo bloosde en haalde zijn schouders op. 'Maar nu we het over ruiterkunst hebben, heb ik nog een vraag.'

'Kom maar op!'

'Klopt het dat de ruiters van de sultan erin getraind worden om achterwaarts vanaf het zadel twintig pijlen te schieten, met een snelheid van drie per seconde?'

Danilo was te trots op die met moeite bevochten prestatie om er geen aanspraak op te maken.

'Dat klopt,' zei hij met enige trots.

'Mag ik je vragen me die handigheid een keer in de nabije toekomst te leren als de tijd het toelaat?'

Opgetogen bij het vooruitzicht, antwoordde Danilo: 'Zeg maar wanneer. In de tussentijd heb ik wel een tip voor je. Sterke dijen. Daardoor blijft je lichaam op het paard zitten als hij de ene kant op galoppeert en jouw hoofd de andere kant op kijkt. Maar wees gewaarschuwd, het vergt oefening.'

'Sterke dijen. Oefenen. Lijkt me een prima manier om mijn vrije tijd door te brengen tot we elkaar weerzien. Maar nu moeten we afscheid nemen.'

Het moment was te pijnlijk om lang te laten duren. Alsof ze het zo hadden afgesproken omhelsden de jonge bravi elkaar en haastten zich weg: Samuel naar zijn dringende Nieuw Christelijke verplichtingen, Danilo op zoek naar wat hem aan de andere kant van de gettomuren wachtte. Maar ineens, als gehoorzaamden ze aan een of andere stille opdracht van boven, stopte het wegstervende geklik van hun hakken even, werd weer hervat en toen stonden ze opnieuw boven op de brug tegenover elkaar.

Mendes was de eerste die het woord nam: 'Laat me je dit aanbod doen, eer ik vertrek. Als je besluit je niet te midden van ons volk in het getto te vestigen – en het is echt ook jouw volk – dan is er bij mij altijd plaats voor je. Je zou heel wel een schitterende toekomst bij de Mendes-familie kunnen hebben.'

'Als bankier?'

'Niet echt. Onze familie heeft er daar genoeg van voortgebracht, maar we kunnen altijd een jonge bravo gebruiken met een goed hart die bedreven is met de gerit.'

'Ik ben gevleid door het aanbod,' reageerde Danilo, 'zelfs in verleiding gebracht. Maar, geloof me, ik heb het gehad met nobele zaken. Ik dacht dat ik dat wel duidelijk gezegd had.'

'Dat klopt. Maar ik vraag me af of de Bagdad-campagne niet gewoon nog maar te kort geleden is om het helder te zien. Waarom neem je geen pauze in Italië om over mijn aanbod na te denken? Je hebt een levendige geest. Misschien wijst de tijd je een oplossing die je nog niet overwogen hebt.'

'Zoals?'

'Je lijkt de mening toegedaan dat je tussen twee paden moet kiezen: het pad van je echte vader, de krijgsman, of het pad van je stiefvader, de man van de vrede. Is het mogelijk dat er een positie daartussenin bestaat waarbij je je volledige geboorterecht kunt opeisen, dus van allebei je vaders?'

Danilo begon zijn geduld te verliezen. 'Ik zei toch al...'

Mendes greep hem stevig bij de arm. 'Zeg niet nee! Gun jezelf de kans om erover na te denken. Je kunt me bereiken bij de Mendes-bank of via onze partners, de Fuggers.'

Die naam herkende Danilo meteen. 'Maar dat is een christelijke bank.'

'De grootste in Europa.'

'Groter dan De' Medici? Groter dan de Genovese-familie?'

'De grootste.'

'Dat zijn toch christenen.'

'Het zijn ook Duitse bankiers en wij zijn christelijke bankiers dus we weten wat we aan hen hebben,' was het antwoord. 'Waar het bankiers om gaat is geld. Dat is onze band. Zolang het partnerschap winstgevend blijft kunnen we elkaar vertrouwen. Het is een heel ander soort vertrouwen dan het vertrouwen tussen bravi, maar bankiers vertrouwen elkaar wel hun geld toe. Waar vrienden elkaar hun vrouwen toevertrouwen. En wij bravi elkaar ons leven toevertrouwen. Dus denk erom dat als je me nodig hebt of van gedachten verandert...'

Deze keer aarzelden zijn voetstappen niet, maar stampten verder de houten planken van de brug af tot ze volledig overstemd werden door het geluid van het water dat beneden tegen de oevers van het kanaal aan klotste. Toen, net voor het geklak van de hakken volledig weggestorven was, sneed er een verre stem door de mist, galmend in de leegte als de stem van het orakel dat de wereld vanuit haar grot in Delphi een profetie toeriep: 'Denk erover na, mijn vriend. Misschien ben je naar de verkeerde oorlog gegaan.'

Danilo luisterde aan zijn kant van de brug met gesloten ogen. Hij wilde dat de stem opnieuw zou spreken en hij probeerde zich het beeld van zijn nieuwe vriend goed in te prenten. Maar de stem klonk niet weer en naarmate de minuten verstreken werd het beeld van Samuel Mendes steeds minder duidelijk.

Had hun ontmoeting wel echt plaatsgevonden? Was het allemaal maar een droom? De broek die zijn kuiten en zijn dijen omsloot was echt genoeg, evenals de bontkraag die zijn kin liefkoosde; allebei even werkelijk als het grimmige bord boven de poort: HET JOODSE GETTO – TOEGANG VAN ZONSONDERGANG TOT ZONSOPGANG VERBODEN OP STRAFFE DES DOODS.

Rillend van de kou en bezorgdheid ging Danilo op zijn tenen staan om naar de bel te kunnen reiken en bleef toen halverwege steken. Eén keer trekken en er zou geen weg terug meer zijn.

In zijn hoofd kon hij het Venetiaanse raspgeluid van kapitein Loredano's stem horen: 'Het getto betekent voor je dat de cirkel gesloten is. Het betekent een thuiskomen.'

Met de volledige inzet van zijn krachtige dijen, slingerde hij zichzelf de lucht in, greep de bronzen bal die de bel deed luiden en trok er twee keer hard aan.

Aan de andere kant van de deur maakte een onzichtbare hand een grendel los waardoor er een smalle, met metaal afgezette kier in de deur verscheen.

'Wie is daar?' werd er gevraagd.

'Een joodse koopman die op Seideravond ver van huis gestrand is en een plekje zoekt aan de Seidertafel,' antwoordde Danilo.

'*Shalom, haver.*' Het was een vreemd accent maar toch was het hartverwarmend om het woord vriend in het Hebreeuws uitgesproken te horen worden.

Terwijl de zware deur openzwaaide, hees de vermoeide reiziger zijn valies over zijn schouder en stak de drempel over, het volgende hoofdstuk van zijn leven in.

Verklarende woordenlijst

Ajemi-oghlanlar	aspirant page
Akce	zilveren munt – gangbare muntsoort in het Ottomaanse Rijk
Argulah	waterpijp
Bailo	Venetiaanse diplomaat belast met het Ottomaanse Rijk
Baisemain	handkus – een uiting van respect en een gebruikelijke manier om ouderen of hoogwaardigheidsbekleders te begroeten
Banchieri	bankier
Bastinado	lijfelijke straf waarbij met een zweep tegen iemands blote voetzolen wordt geslagen
Bedestan	een overdekte markt
Besjert	voorbestemd
Bey	stamhoofd
Bravi	meervoud van 'bravo'
Bravo	soldaat
Calcio	voetbalsport
Camicia	hemd
Campo	veld
Cul	Ottomaanse kaste van slaven
Damat	bruidegom – de titel wordt gebruikt voor mannen die door het huwelijk met het Huis van Osman verbonden raakten
Devshirme	Ottomaanse praktijk waarbij jonge jongens tot slaaf gemaakt werden ten behoeve van de overheidsdienst
Dirlik	landgoederen
Disputa	dispuut

Divan	regeringsraad
Dogana	douane
Eccola	hierzo
Felse	cabine op een gondel met deuren en ramen
Ferace	dameskleding voor buitenshuis
Firman	decreet
Gedigli	een kunstenaar in haarverwijdering, epilatie
Gerit	Turkse lans
Gazi	titel die aan moslimstrijders gegeven wordt
Ghetto vecchio	een Venetiaans getto
Hammam	Turks bad
Ich-oghlanlar	leerlingpage
Ikindi	middag
In locum tenens	stand-in
Insjallah	zo God het wil
Kadin	moeder van prinsen
Kaftan	soort jas van vroeg Mesopotamische origine
Kalpak	Turkse pelsmuts
Karavanserai	logement voor reizigers
Kiosk	paviljoen
Kumis	gefermenteerde melk
Lala	staatslieden die aangesteld zijn als leraren voor prinsen
Landsknechte	Duitse huurlingen
Lusso	luxe
Madresses	islamitische opleidingsinstellingen
Oda	kamer
Pista	renbaan
Pizola	kleine hut
Rahat lokum	Turks fruit
Rara avis	vreemde vogel – een bijzonder iemand of iets
Rezachai	druivensoort
Rusma	een vloeistof die voor het verwijderen van haren gebruikt wordt
Sanctum sanctorum	het heiligste der heiligen
Saray	paleis
Saskehier	koning

Selamlik	deel van een Ottomaans paleis, alleen voor mannen
Sema	soefi-ceremonie
Semahane	een vertrek waarin een sema gehouden wordt
Shalvar	een lichte, ruimvallende broek
Sipahi	Ottomaanse cavalerie
Spina	rug
Strazzaria	verkoop van tweedehands goederen
Studiolo	eenkamerappartement
Subashi	Ottomaanse titel die vaak gebruikt wordt voor stadsbestuurders
Takke	gebedshoed
Tugra	zegel of handtekening van een Ottomaanse sultan
Veloce	snel
Yashmak	een sluier die vrouwen gebruiken om in het openbaar hun gezicht achter te verbergen

Opmerking van de auteur

Dit boek, het tweede deel van de Grazia-trilogie, is opgedragen aan Heather Reisman die Grazia, lang voor anderen dat deden, aan haar hart drukte en dat is blijven doen.

Dit boek was nooit voltooid zonder de steun van verscheidene assistenten en vrienden die me al die jaren zijn blijven helpen. Ik ben in het bijzonder dank verschuldigd aan dr. Alan Berger van St. Mike's Hospital wiens niet-aflatende zorg en grote kunde ervoor gezorgd hebben dat het zicht in mijn ogen behouden bleef.

Alle leden van de Osmaanse familie hebben, op Saïda na, echt bestaan. Dit personage is gebaseerd op een anonieme prinses, de dochter van een van Süleymans concubines, die in het kraambed stierf.